상상 그 이상

모두의 새롭고 유익한 즐거움이
비상의 즐거움이기에

아무도 해보지 못한 콘텐츠를 만들어
학교에 새로운 활기를 불어넣고

전에 없던 플랫폼을 창조하여
배움이 더 즐거워지는 자기주도학습 환경을
실현해왔습니다

이제, 비상은
더 많은 이들의 행복한 경험과
성장에 기여하기 위해

글로벌 교육 문화 환경의
상상 그 이상을 실현해 나갑니다

상상을 실현하는 교육 문화 기업 **비상**

한권으로끝내기

한끝

비상교육 교과서편

중등 국어 2-1

- **새 교육과정**과 그에 따른 **교과서의 내용**을 충실하게 담은 교재
- **다양한 유형의 문제**를 충분하게 수록한 교재
- **학습에 대한 흥미**를 돋우는 교재

교육과정이 바뀌어도
새 교육과정과 그에 따른
새 교과서의 내용을 꼼꼼하게
정리한 한끝만 있다면
문제없어!

1 교과서 내용 완벽 분석 및 정리_본책(진도 교재)

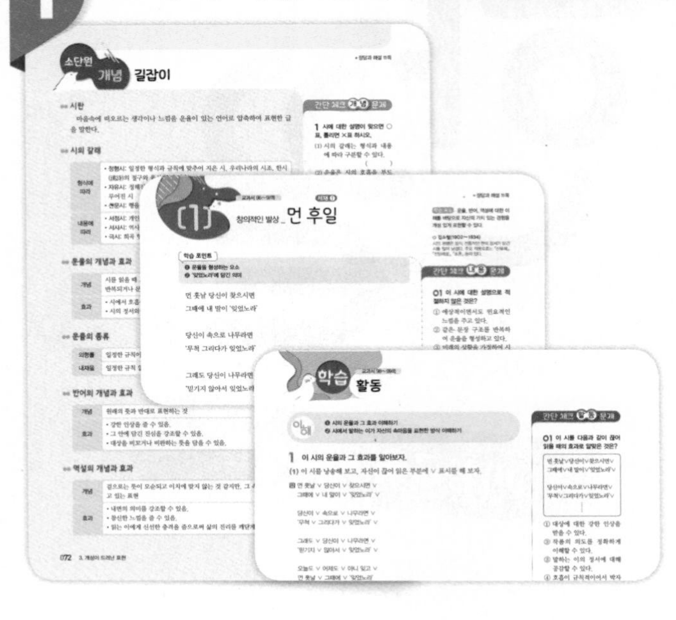

1 소단원 개념 길잡이
소단원의 학습 요소와 갈래에 대한 내용을 확인할 수 있습니다.

2 교과서 본문 학습
학습 포인트 와 학습콕 을 통해 교과서 본문을 꼼꼼하게 학습하고, 간단 체크 내용 문제, 간단 체크 어휘 문제, 간단 체크 활동 문제 를 풀어 보면서 배운 내용을 확인할 수 있습니다.

3 학습 활동
학습 활동의 예시 답안을 확인하고, 활동을 응용한 문제를 풀어 볼 수 있습니다.

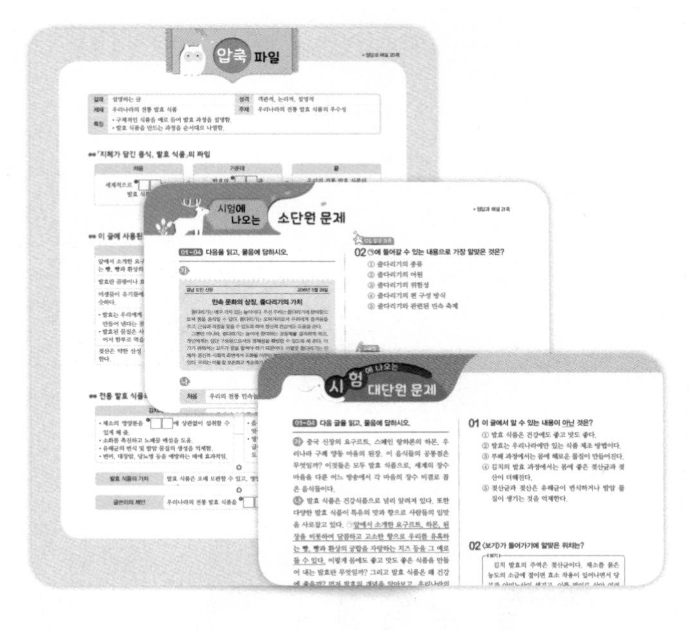

4 압축 파일
각 소단원의 주요 내용만을 뽑아 정리하여 핵심을 한눈에 파악할 수 있습니다.

5 시험에 나오는 소단원 문제 / 시험에 나오는 대단원 문제
출제 가능성이 높은 소단원 문제와 대단원 문제를 풀어 보면서 배운 내용을 확인할 수 있습니다.

이렇게 다양한 문제가 수록되어 있다니! 문제를 풀면서 내 실력이 어느 정도인지 확인해 볼 수 있겠는걸? 한끝 한 권만으로도 시험 준비 끝!

2 철저한 시험 대비_시험 대비 문제집

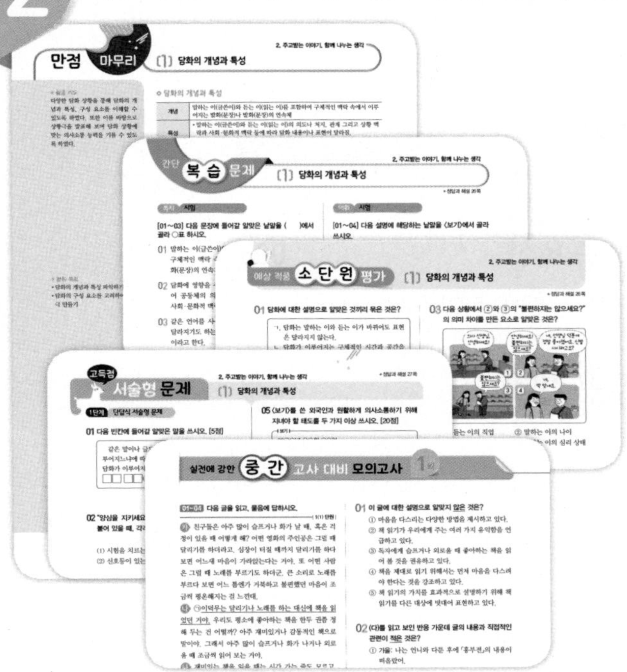

1 만점 마무리
소단원의 학습 내용을 정리한 코너로, 시험 전 핵심 정리에 유용합니다.

2 간단 복습 문제
간단한 확인 문제를 통해 스스로 복습할 수 있습니다.

3 예상 적중 소단원 평가 / 예상 적중 대단원 평가
시험에 나올 만한 문제들을 엄선하였습니다.

4 고득점 서술형 문제
단계별 서술형 문제를 통해 고득점에 한발 다가갈 수 있습니다.

5 실전에 강한 모의고사
실제 시험과 유사한 모의고사로 시험 직전 마무리 문제 풀이로 사용하면 좋습니다.

한끝은 재미도 놓치지 않았어! 소설은 길어서 내용 정리가 쉽지 않았는데, '한끝의 한 끗'과 함께라면 재미있게 공부할 수 있어.

3 공부에 대한 흥미 유발

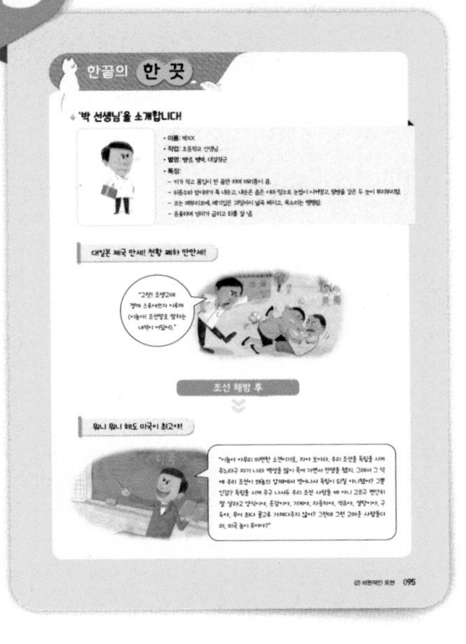

1 한끝의 한 끗
한끝만의 특별한 '한 끗'을 제공하여 좀 더 재미있게 공부할 수 있도록 하였습니다.

- '3(2) 비판적인 표현'에서는 소설 「이상한 선생님」의 주인공인 '박 선생님'의 명함과 주요 대사를 제시하여 인물의 특성과 함께 소설의 주요 내용을 한눈에 정리해 볼 수 있도록 하였습니다.

이 책의

차례

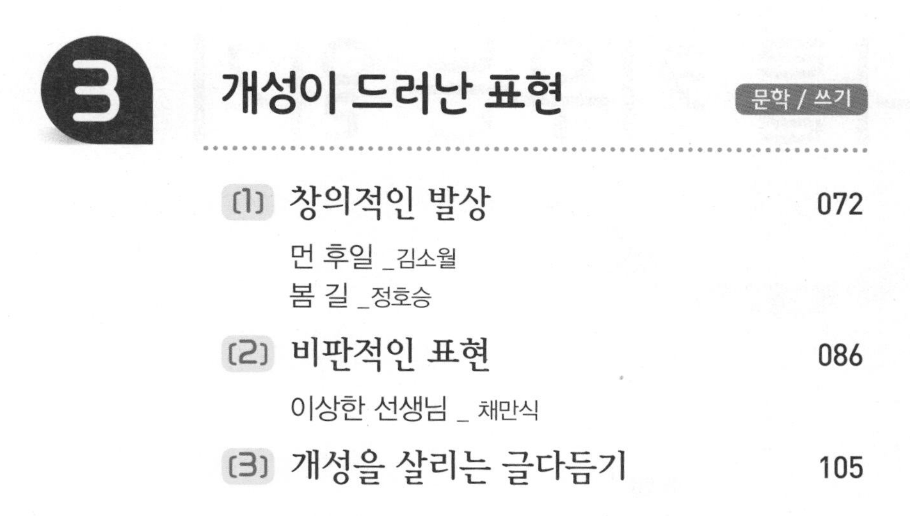

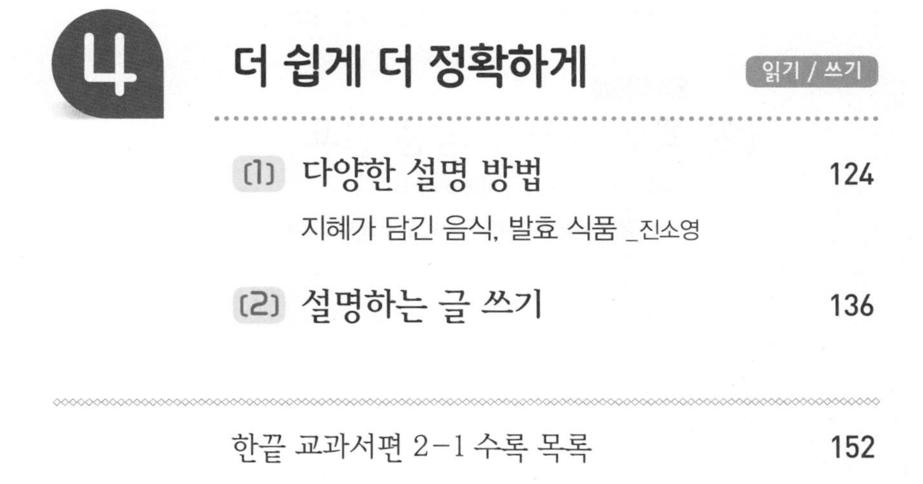

자기 성찰·계발 역량

나를 키우는 읽기

읽기

(1) 읽기의 가치와 중요성

_ 읽으면 읽을수록 좋은 만병통치약(권용선)

- 읽기의 가치와 중요성 이해하기
- 교훈이 담긴 글을 읽고 읽기가 필요한 까닭 생각하기

듣기·말하기

(2) 핵심 정보를 담은 발표

- 핵심 정보를 드러내는 방법 이해하기
- 핵심 정보가 잘 드러나도록 내용을 구성하여 발표하기

왜 배울까?

우리는 책을 읽으면서 다양한 정보를 얻기도 하고, 책을 나침반 삼아 앞으로 나아갈 힘을 얻기도 한다. 이러한 책 읽기는 다른 사람과 소통하는 행위이기도 하다. 책을 매개로 하여 글쓴이와 간접적으로 대화할 수 있을 뿐만 아니라, 책을 읽으면서 느끼고 깨달은 바를 다른 사람과 나눌 수 있기 때문이다. 이때 발표를 활용하면, 더 많은 사람과 생각을 나눌 수 있다. 특히 핵심 정보를 중심으로 내용을 효과적으로 구성하여 발표하면 듣는 이가 발표 내용을 정확하게 이해하고 오랫동안 기억할 수 있다. 이처럼 책 읽기를 생활화하고, 핵심 정보를 담아 발표해 본다면, 우리는 다양한 삶의 가치를 탐색하고 공유하는 능력을 기를 수 있을 것이다.

뭘 배울까?

이 단원에서는 자기 성찰·계발 역량을 기르기 위해 읽기의 중요성을 이해하고, 한 편의 글을 읽어 보면서 읽기를 생활화하는 태도를 기를 것이다. 그리고 책을 읽으면서 느낀 점을 바탕으로, 핵심 정보가 잘 드러나도록 내용을 구성하여 발표해 볼 것이다.

교과서 13~17쪽

읽기의 가치와 중요성 _ 읽으면 읽을수록 좋은 만병통치약

학습 목표 읽기의 가치와 중요성을 깨닫고 읽기를 생활화할 수 있다.

즐겁게 책 읽기 읽기 계획을 세우고 이를 실천할 수 있다.

권용선(1969~)
인문학자. 한국 문학을 전공하였고, 문학, 문화, 철학 등에 관심이 있어 그와 관련한 다양한 저서를 집필했다. 주요 저서로는 『이성은 신화다, 계몽의 변증법』, 『읽는다는 것』, 『발터 벤야민의 공부법』 등이 있다.

처음 학습 포인트

❶ 책을 읽는 다양한 까닭

(가) 친구들, 고요한 마음으로 책을 읽다 보면 어느새 졸음이 밀려오거나 금세 지루해져서 몸이 비비 꼬이지? 특히 숙제로 독후감을 써야 할 때, 텔레비전을 보거나 게임을 하고 싶은데 엄마가 억지로 책을 읽으라고 말씀하실 때 더 힘들고 더 읽기가 싫지?

(나) 그래도 우리는 책을 읽어. 왜? 부모님이나 선생님이 시키니까 마지못해 읽기도 하고, 공부를 잘하기 위해서 읽기도 하며, 또 더 똑똑한 사람이 되기 위해서 읽기도 해. 물론 재미있으니까 읽는 친구들도 있을 거야.

(다) 또 어떤 까닭이 있을까? 책 속에는 우리가 궁금해하는 것들에 대한 대답이 들어 있으니까 읽기도 하지. 기분 전환을 위해서도 책을 읽고, 다른 사람의 생각을 알기 위해서도 책을 읽고, 교양을 쌓기 위해서도 책을 읽지. 이것들 말고도 세상에는 책을 읽어야 하는 까닭이 셀 수도 없이 많을걸!

- 전환: 다른 방향이나 상태로 바뀌거나 바꿈.
- 교양: 학문, 지식, 사회생활을 바탕으로 이루어지는 품위 또는 문화에 대한 폭넓은 지식

학습콕 처음 | 소주제: 우리가 책을 읽는 ☐☐

❶ 책을 읽는 다양한 까닭
- 누군가가 시키니까 마지못해서, 공부를 잘하기 위해서, 더 똑똑한 사람이 되기 위해서, 재미있어서
- 우리가 궁금해하는 것들에 대한 ☐☐이 들어 있어서, 기분 전환을 위해서, 다른 사람의 생각을 알기 위해서, 교양을 쌓기 위해서

가운데 학습 포인트

❶ '이덕무'가 말하는 책 읽기의 유익함 ❷ '이덕무'에게 책 읽기가 주는 의미

(라) 그러고 보니 책 읽기를 만병통치약으로 여긴 사람이 있어. 조선 후기의 학자인 이덕무야. 이 사람은 소문난 책벌레였는데 언제 어디서나 추우나 더우나 기쁠 때나 슬플 때나 늘 책을 손에서 놓지 않았대. 이덕무가 말한 책 읽기의 유익함이 무엇인지 들어 볼까?

- 만병통치약: 여러 가지 경우에 두루 효력을 나타내는 어떤 대책을 비유적으로 이르는 말
- 책벌레: 지나치게 책을 읽거나 공부하는 데만 열중하는 사람을 놀림조로 이르는 말

(마) 약간 배가 고플 때 책을 읽으면 그 소리가 훨씬 낭랑해져 글에 담긴 이치를 맛보느라 배고픈 줄도 모르게 되니 이것이 첫 번째 유익함이요, 조금 추울 때 책을 읽으면 그 기운이 그 소리를 따라 몸속에 스며들면서 온몸이 활짝 펴져 추위를 잊게 되니 이것이 두 번째 유익함이요, 근심과 번뇌가 있을 때 책을 읽으면 내 눈은 글자에 빠져들고 내 마음은 이치에 잠기게 되어 천만 가지 온갖 상념이 일시에 사라지니 이것이 세 번째 유익함이요, 기침을 할 때 책을 읽으면 기운이 통창해져 막히는 바가 없게 되어 기침 소리가 돌연 멎게 되니 이것이 네 번째 유익함이다.

- 낭랑해져: 소리가 맑고 또랑또랑해져
- 번뇌: 마음이 시달려서 괴로워함. 또는 그런 괴로움
- 상념: 마음속에 품고 있는 여러 가지 생각
- 통창해져: 시원스럽게 넓고 환해져

간단 체크 내용 문제

01 이 글에서 알 수 있는 책을 읽는 까닭에 해당하지 않는 것은?

① 교양을 쌓기 위해서
② 재미를 느끼기 위해서
③ 공부를 잘하기 위해서
④ 똑똑한 사람을 비판하기 위해서
⑤ 다른 사람의 생각을 알기 위해서

02 (가)~(라)에 대한 설명으로 가장 적절한 것은?

① 구체적인 수치를 제시하여 신뢰성을 높였다.
② 명언을 인용하여 글쓴이의 생각을 뒷받침했다.
③ 허구적 인물을 설정하여 독자의 호기심을 유발했다.
④ 친근한 호칭을 사용하여 부드러운 분위기를 형성했다.
⑤ 다른 나라의 실제 사례를 제시하여 독자의 흥미를 이끌어 냈다.

간단 체크 어휘 문제

다음 낱말의 뜻풀이가 맞으면 ○표, 틀리면 ×표 하시오.

(1) 만병통치약: 두루 효력을 나타내는 어떤 대책을 비유적으로 이르는 말 ( )

(2) 번뇌: 다른 방향이나 상태로 바뀌거나 바꿈. ( )

(3) 상념: 마음속에 품고 있는 여러 가지 생각 ( )

(4) 통창하다: 아늑하고 고요해짐. ( )

바 어때, 놀랍지 않아? 배고프고 춥고 골치 아픈 일도 있고 게다가 감기까지 걸렸는데 책을 읽으면 다 낫는다니 말이야. 오직 책 책 책! 책에 이렇게 열중하다니 우리가 요즘 흔히 말하는 '마니아'와 비슷하네. 이덕무는 실제로 '책만 보는 바보'라는 뜻의 '간서치'라고 불리기도 했대.

사 사실, 이 사람의 상황을 알면 그 심정이 이해가 될 거야. 이덕무는 서자(양반과 양민 여성 사이에서 낳은 아들)여서 아무리 학식이 뛰어나도 벼슬을 할 수가 없었어. 너무나 가난하여 식구들의 끼니를 걱정해야 했지만 자신이 할 수 있는 일은 별로 없었지. 아무리 서자라도 양반은 양반이니까 아무 일이나 할 수는 없었거든. 그러니 얼마나 답답했겠어. 그럴 때 위로가 되고 힘을 준 것이 바로 책과 그 책을 읽고 함께 이야기를 나눌 수 있는 벗들이었지.

> **아** 지극히(더할 나위 없이 아주) 슬픈 일이 닥치면 온 사방을 둘러보아도 막막하기만 해서 그저 한 뼘 땅이라도 있으면 뚫고 들어가 나오고 싶은 생각이 없어진다. 하지만 나는 다행히도 두 눈이 있어 글자를 배울 수 있었다. 그래서 나는 지극히 슬프더라도 한 권의 책을 들고 내 슬픈 마음을 위로하며 조용히 책을 읽는다. 그러다 보면 절망스러운 마음이 조금씩 안정된다. 내가 온갖 색깔을 볼 수 있는 눈을 가졌다 해도 만일 서책을 읽지 못하는 까막눈이라면 장차 무슨 수로 내 마음을 다스릴 수 있을 것인가.

자 친구들은 아주 많이 슬프거나 화가 날 때, 혹은 걱정이 있을 때 어떻게 해? 어떤 영화의 주인공은 그럴 때 달리기를 하더라고. 심장이 터질 때까지 달리기를 하다 보면 어느새 마음이 가라앉는다는 거야. 또 어떤 사람은 그럴 때 노래를 부르기도 하더군. 큰 소리로 노래를 부르다 보면 어느 틈엔가 거북하고 불편했던 마음이 조금씩 평온해지는(조용하고 평안해지는) 걸 느낀대.

차 이덕무는 달리기나 노래를 하는 대신에 책을 읽었던 거야. 우리도 평소에 좋아하는 책을 한두 권쯤 정해 두는 건 어떨까? 아주 재미있거나 감동적인 책으로 말이야. 그래서 아주 많이 슬프거나 화가 나거나 외로울 때 조금씩 읽어 보는 거야.

카 재미있는 책을 읽을 때는 시간 가는 줄도 모르고, 걱정이나 근심도 잊고 그 책에 푹 빠지잖아. 그러다 보면 정말 마음이 고요해지면서 다시 씩씩하게 생활할 수 있는 용기가 생겨날지도 모르니까. 그리고 또 혹시 알아? 글을 읽던 중 갑자기 그 근심거리를 해결할 수 있는 좋은 생각이 떠오를지!

간단 체크 내용 문제

03 '이덕무'가 말한 책 읽기의 유익함을 골라 바르게 묶은 것은? (중요)

ㄱ. 추울 때 추위를 잊게 되어서
ㄴ. 배고플 때 배불리 먹을 수 있게 되어서
ㄷ. 기침을 할 때 기침 소리가 돌연 멎게 되어서
ㄹ. 근심과 번뇌가 있을 때 온갖 상념이 사라져서

① ㄱ, ㄴ, ㄷ ② ㄱ, ㄴ, ㄹ
③ ㄱ, ㄷ, ㄹ ④ ㄴ, ㄷ, ㄹ
⑤ ㄱ, ㄴ, ㄷ, ㄹ

04 (바)에서 〈보기〉의 설명에 해당하는 단어를 찾아 3음절로 쓰시오.

보기: 오직 책 읽기에만 열중했기에 '이덕무'에게 붙여진 별명

05 (사)로 보아, '이덕무'가 책 읽기에 몰두할 수밖에 없었던 까닭으로 알맞은 것은? (중요)

① 다른 일이 하기 싫었기 때문에
② 답답할 때 힘을 준 것이 책이었기 때문에
③ 벼슬길에 오르기 위한 방법이었기 때문에
④ 서자 신분에서 벗어날 수 있는 방법이었기 때문에
⑤ 식구들의 끼니 문제를 해결해 주는 방법이었기 때문에

타 그리고 꼭 그 순간에 책을 읽지 않더라도, 예전에 읽었던 책이 도움이 될 때도 있어. 책을 소리 내어 읽으면 그 소리를 내 몸이 기억한다고 했지? 속으로 읽거나 마음의 눈으로 읽은 것도 마찬가지야. 내 몸속 어딘가에 저장 혹은 기억되어 있다가 어느 날 문득 떠오르면서 우리를 흥분시킬 수도 있고, 삶을 잘 살아갈 수 있는 용기와 힘을 주기도 하는 거지.

파 이덕무는 마음이 불편할 때뿐만 아니라 몸이 아플 때도 글을 읽으면 도움이 된다고 했잖아. 특히 감기에 걸려서 기침을 할 때 소리를 내서 글을 읽다 보면 몸속에 기운이 잘 흐르게 되어서 기침이 멎게 된다는 거야. 친구들도 감기에 걸렸을 때 이 방법을 한번 활용해 봐. 정말 기침이 멎는지.

학습콕 가운데 | 소주제: '이덕무'의 삶과 그가 말하는 □□□의 유익함

❶ '이덕무'가 말하는 책 읽기의 유익함

첫 번째	배가 고플 때 책을 읽으면 글에 담긴 이치를 맛보느라 배고픔을 잊음.
두 번째	추울 때 책을 읽으면 기운이 몸속에 스며들면서 온몸이 활짝 펴져 □□를 잊게 됨.
세 번째	근심과 번뇌가 있을 때 책을 읽으면 천만 가지 온갖 상념이 일시에 사라짐.
네 번째	기침을 할 때 책을 읽으면 기운이 통창해져 기침 소리가 돌연 멎게 됨.

❷ '이덕무'에게 책 읽기가 주는 의미

'이덕무'의 처지		'이덕무'가 마음을 다스린 방법
• □□여서 벼슬을 할 수 없었음. • 가난하지만 할 수 있는 일이 별로 없었음.	➲	지극히 슬프더라도 한 권의 책을 들고 슬픈 마음을 위로하며 조용히 책을 읽음.

끝 학습 포인트

❶ 글쓴이가 말하는 읽기의 가치

하 이렇게 보니까 글을 읽는 것은 정말 만병통치약인 것 같아. 글 속에 담긴 뜻을 이해하면서 지혜로워지고, 몰랐던 것들을 알게 되면서 지식을 쌓는 건 말할 것도 없고, 배고픔이나 추위도 잊을 수 있고, 걱정이나 근심을 해결하며 몸의 병도 낫게 한다니, 이보다 더 좋은 만병통치약이 어디 있겠어?

지혜로워지고: 사물의 이치를 빨리 깨닫고 사물을 정확하게 처리하는 정신적 능력이 생기고

거 그런데 만약, 배고프거나 배부르지도 않고, 춥거나 덥지도 않고, 몸과 마음이 다 편안하다면 어떻게 하냐고? 어떻게 하긴 뭘 어떻게 해? 그럴 때야말로 책 읽기에 더없이 좋을 때니까 얼른 책을 들고 독서삼매에 빠져야지!

독서삼매: 다른 생각은 전혀 아니 하고 오직 책 읽기에만 골몰하는 경지

학습콕 끝 | 소주제: 책 읽기의 □□ 확인 및 책을 읽자는 당부

❶ 글쓴이가 말하는 읽기의 가치

글을 읽으면 좋은 점		글을 읽는 것
• 지혜로워질 수 있음. • 지식을 쌓을 수 있음. • 배고픔이나 추위를 잊을 수 있음. • 걱정이나 근심을 해결할 수 있음. • 몸의 병을 낫게 할 수 있음.	➲	‖ □□□□□

간단 체크 내용 문제

06 이 글의 글쓴이가 말하는 읽기의 가치로 알맞지 않은 것은?

① 부와 명예를 얻을 수 있다.
② 몸의 병을 낫게 할 수 있다.
③ 걱정이나 근심을 해결할 수 있다.
④ 몰랐던 것을 알게 되면서 지식을 쌓을 수 있다.
⑤ 글에 담긴 뜻을 이해하면서 지혜로워질 수 있다.

07 이 글의 글쓴이가 읽기의 가치와 그 중요성을 강조하기 위해 '글 읽기'를 빗대어 쓴 표현을 (하)에서 찾아 한 단어로 쓰시오.

08 (하)와 (거)에 대한 설명으로 가장 적절한 것은?

① 글을 쓴 동기를 밝히고 있다.
② 화제가 무엇인지 소개하고 있다.
③ 독자에게 당부를 전달하고 있다.
④ 이후 설명할 내용을 미리 밝히고 있다.
⑤ 여러 설명 방법을 사용하여 대상을 설명하고 있다.

09 다음 빈칸에 들어갈 말을 쓰시오.

> 이 글의 글쓴이는 우리의 몸과 마음이 다 편안하다면 우리가 □□□□에 빠져야 한다고 당부하고 있다.

• 정답과 해설 02쪽

이해
❶ 글 내용을 정리하며 책 읽기의 가치와 중요성 이해하기
❷ 책 읽은 경험을 떠올리며 책 읽기의 유익함 공유하기
❸ 인상 깊게 읽었던 책의 내용과 느낀 점을 쓰고 그 책을 다른 사람에게 소개하기

1 이 글의 내용을 정리하면서, 책 읽기가 왜 가치 있고 중요한지 생각해 보자.

(1) '이덕무'가 말한 책 읽기의 유익함이 무엇인지 정리해 보자.

첫 번째 유익함
배고플 때 책을 읽으면 글에 담긴 이치를 맛보느라 배고픔을 잊게 된다.

두 번째 유익함
답 추울 때 책을 읽으면 그 기운이 그 소리를 따라 몸속에 스며들면서 추위를 잊게 된다.

세 번째 유익함
답 □□과 번뇌가 있을 때 책을 읽으면 온갖 상념이 일시에 사라진다.

네 번째 유익함
답 기침을 할 때 책을 읽으면 기운이 통창해져 기침 소리가 멎게 된다.

(2) 이 글의 글쓴이가 글 읽기를 다음과 같이 표현한 까닭을 써 보자.

"글을 읽는 것은 정말 만병통치약인 것 같아."

답 글을 읽으면 □□로워질 뿐만 아니라 지식을 쌓을 수도 있고 자신의 근심이나 걱정을 해결할 방법을 찾을 수도 있기 때문이다.

2 자신은 주로 언제 책을 읽었는지 떠올려 보고, 그때 책을 읽어서 좋았던 점을 말해 보자.

예시 답 ›› 난 마음이 답답하거나 무거울 때 시집을 읽었어. 시의 글귀를 한 마디 한 마디 새겨 가며 소리 내어 읽다 보면 어느덧 마음이 편안해지는 것을 느낄 수 있거든.

간단 체크 활동 문제

01 '이덕무'가 말한 책 읽기의 유익함이 아닌 것은?

① 근심과 번뇌가 있을 때 책을 읽으면 온갖 상념이 일시에 사라진다.
② 기침을 할 때 책을 읽으면 기운이 통창해져 기침 소리가 멎게 된다.
③ 배고플 때 책을 읽으면 글에 담긴 이치를 맛보느라 배고픔을 잊게 된다.
④ 가난할 때 책을 읽으면 이익을 얻는 법을 알게 되어 가난에서 벗어나게 된다.
⑤ 추울 때 책을 읽으면 그 기운이 그 소리를 따라 몸속에 스며들면서 추위를 잊게 된다.

02 글쓴이가 글 읽기를 '만병통치약'에 빗댄 이유를 쓰시오.

03 〈보기〉는 책을 읽은 학생의 반응이다. 이를 통해 알 수 있는 읽기의 가치로 알맞은 것은?

보기
난 마음이 답답하거나 무거울 때 시집을 읽었어. 시의 글귀를 한 마디 한 마디 새겨 가며 소리 내어 읽다 보면 어느덧 마음이 편안해지는 것을 느낄 수 있거든.

① 추위를 이길 수 있다.
② 지식을 쌓을 수 있다.
③ 배고픔을 잊을 수 있다.
④ 몸의 병을 낫게 할 수 있다.
⑤ 걱정이나 근심을 해결할 수 있다.

3 자신의 책 읽기 경험을 바탕으로 다음 활동을 해 보자.

(1) 자신이 인상 깊게 읽었던 책을 떠올려 보고, 그 책의 내용과 책을 읽고 느낀 점을 써 보자.

예시 답〉〉

책 제목	나는 선생님이 좋아요
글쓴이	하이타니 겐지로
책의 내용	에이치(H) 공업 지대 안에 있는 히메마쓰 초등학교. 그 학교에 근무하는 선생님 대부분은, 지저분하고 말썽 많은 아이들을 곱지 않은 시선으로 바라본다. 하지만 고다니 선생님은 그 아이들을 소중하게 여긴다. 그러한 선생님의 관심과 사랑 속에서 아이들이 점차 변하고 성장하는 과정을 그린 이야기이다.
책을 읽고 느낀 점	내 장래 희망은 선생님이다. 아이들을 진정으로 사랑하고 보살피는 고다니 선생님을 보면서, 나도 학생들을 사랑하고 아끼는 선생님이 되고 싶다는 생각이 들었다.

(2) (1)에서 정리한 책을 누구에게 소개해 주면 좋을지 그 까닭과 함께 말해 보자.

예시 답〉〉

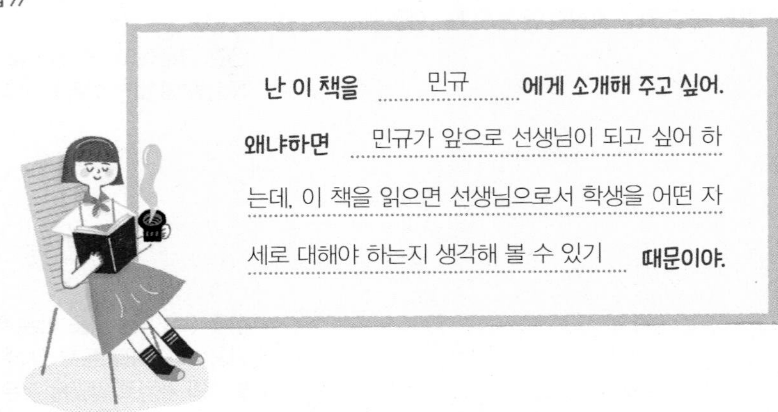

학습콕

❶ 읽기의 가치와 중요성

- 새로운 지식과 정보를 얻기도 함.
- 감동을 느끼기도 함.
- 삶의 지혜를 터득하기도 함.

➡

- 세계를 바라보는 안목을 넓혀 줌.
- 우리가 더 나은 인간으로 성장하기 위한 토대를 마련하게 함.

❷ 읽기의 생활화

읽기를 생활화하기 위한 방법
• 동아리를 만들어 친구들과 함께 책을 읽음. • 학급 문고나 서점, 지역 도서관 등을 적극적으로 활용함. • 자신의 관심 분야와 읽기 수준 등을 고려하여 단기·장기 읽기 계획을 세움. • 책 소개하기, 독후감 쓰기, 등장인물에게 편지 쓰기와 같은 독후 활동을 즐김.

간단 체크 활동 문제

04 다음은 학생들이 책을 읽고 쓴 느낀 점이다. 〈보기〉에서 제시한 읽기의 가치가 드러나는 것은?

보기
책을 읽으면 새로운 지식과 정보를 얻기도 한다.

① 『백범일지』를 읽고, 백범 김구 선생님께서 우리 민족을 위해 헌신하는 모습에 감동을 받았어.
② 『나는 선생님이 좋아요』를 읽고, 나도 학생들을 사랑하고 아끼는 선생님이 되고 싶다는 생각이 들었어.
③ 『나의 문화유산 답사기』를 읽고, 유구한 전통에 빛나는 우리 문화유산을 아끼고 사랑해야겠다는 마음을 갖게 되었어.
④ 『수난이대』를 읽고, 모든 사람은 부족한 면이 있지만 서로 힘을 합친다면 역경을 이겨 낼 수 있다는 것을 깨닫게 되었어.
⑤ 『옛 그림 읽기의 즐거움』을 읽고, 그림을 감상하기 좋은 거리가 그림 대각선 길이를 기준으로 1~1.5배 정도라는 것을 알게 되었어.

05 읽기를 생활화하기 위한 방법에 해당하지 않는 것은?

① 독서 모임에 참가한다.
② 학교 도서관을 활용한다.
③ 책 내용과 관련한 독후 활동을 한다.
④ 친구가 골라 준 책을 위주로 읽기 계획을 세운다.
⑤ 읽은 내용과 더 알고 싶은 내용을 독서 일기장에 기록한다.

❶ 수필을 읽고 얻은 지식과 깨달음을 통해 책 읽기의 유익함 이해하기
❷ 친구들이 발견한 읽기의 가치 파악하기
❸ 읽기의 가치와 중요성을 드러내는 표어 만들기

다음은 '보잘것없어 보이는 나무들'에서 얻은 글쓴이의 생각을 담은 수필이다. 교훈이 담긴 글을 읽으면서 새로운 깨달음을 얻는 경험을 해 보자.

갈래	현대 수필, 경수필	성격	예시적, 교훈적
제재	보잘것없어 보이는 나무들		
주제	세상에 소중하지 않은 삶은 없다는 깨달음		
특징	• 글쓴이의 경험에서 이야기의 실마리를 이끌어 냄. • 다양한 예를 들어 주제를 드러냄.		

보잘것없는 나무들이 아름다운 이유

우종영

가 가끔씩 까닭 없이 우울해질 때가 있다. 내가 하는 일이 아무 의미가 없는 것처럼 느껴지고 결국에는 만사가 귀찮아진다. 그렇게 무기력한 기분이 들 때마다 나는 남대문 야시장에 간다.

나 좌판을 벌여 놓고 구성진 목소리로 손님을 부르는 사람, 보따리를 등에 지고 구경꾼들 사이를 요리조리 피해 지나가는 사람, 나물 천 원어치 사면서 십 분 넘게 입씨름하는 사람……. 아무리 잡아당겨도 찢어지지 않는 질긴 고무장갑 같은 그들의 모습을 보고 있노라면 나도 모르게 막 신이 난다. 그리고 물고기처럼 파닥파닥 살아 숨 쉬는 그들에게서 살아갈 힘을 얻는다. 마치 갈증 나는 한여름에 시원한 음료를 들이켠 기분이라고 할까.

다 삶의 갈증을 풀고 시장을 나서는 순간, 문득 내 머릿속을 스치는 나무 하나가 있다. 제주도 한라산에서 주로 자라는 '시로미'라는 작은 야생 나무이다.

라 얼마 전 한라산에 오른 적이 있다. 훼손되지 않은 자연 상태의 나무들을 보고 싶어 일부러 사람들이 잘 다니지 않는 길을 택했다. 거기서 발견한 것이 시로미이다. 해발 천오백 미터 이상의 고지대에서만 자라는 시로미는 주로 제주도 고산 지역에서 발견되는 희귀한 나무이다. 한 뼘 정도밖에 안 되는 키에 열매마저 작아 여간해선 눈에 띄지 않는다. 하지만 ㉠<u>그 작고 보잘것없는 나무의 위력은 대단하다.</u>

마 시로미를 처음 발견했을 때, 마침 무척 목이 말랐다. 물통의 물도 다 떨어지고 입안이 바짝 마르던 차에 나는 시로미의 검붉은 열매를 한 움큼 따서 입안에 털어 넣었다. 시큼털털한 첫맛에 얼굴이 찡그려졌지만 이내 단 기운이 가득히 퍼지면서 입안 구석구석을 적셨다. 콩알보다 작은 열매에 어떻게 그런 물기가 담겨 있는지, 그 작은 열매 한 줌 먹은 것이 꼭 약수 몇 사발을 들이켠 기분이었다. 그러고 나서 백록담에 오르는데 거짓말처럼 전혀 목이 마르지 않았다. 건조하고 메마른 한라산 고지대에서 시로미는 어떻게 그런 실한 열매를 맺을 수 있었을까.

간단 체크 활동 문제

06 이와 같은 글에 대한 설명으로 적절하지 <u>않은</u> 것은?

① 누구나 쉽게 쓸 수 있는 글이다.
② 논리적 근거를 들어 현실을 비판하는 글이다.
③ 특별히 정해진 형식 없이 자유롭게 쓴 글이다.
④ 일상에서 일어나는 다양한 경험을 소재로 하는 글이다.
⑤ 글쓴이의 사색과 통찰을 통해 교훈을 전달하는 글이다.

07 (가)~(마)에 사용된 표현 방법으로 알맞지 <u>않은</u> 것은?

① 다른 사람의 말을 인용하고 있다.
② 대상의 생태를 자세히 소개하고 있다.
③ 글쓴이의 경험을 구체적으로 묘사하고 있다.
④ 글쓴이가 본 모습을 나열하여 제시하고 있다.
⑤ 사람들의 모습을 사물에 직접 빗대어 표현하고 있다.

08 글쓴이가 '시로미'를 ㉠과 같이 말한 이유로 알맞은 것은?

① 맛이 시큼털털하기 때문에
② 작은 열매에 많은 수분이 들어 있기 때문에
③ 키가 작아 여간해서는 눈에 띄지 않기 때문에
④ 사람들이 잘 다니지 않는 곳에서만 자라기 때문에
⑤ 해발 천오백 미터 이상의 고지대에서만 자라기 때문에

▲ 시로미 ▲ 싸리나무 ▲ 고사리

바 시로미처럼 보잘것없어 보이지만 제 존재 가치를 분명히 지니는 나무는 생각 외로 우리 주변에 많다. 공원이나 건물 가에서 흔히 볼 수 있는 키 작은 ㉠관목들만 봐도 그렇다. 숲이 생길 때 가장 중심부에서 그 틀을 잡아 주는 관목들은 어느 정도 숲이 완성되면 키 큰 나무들에게 자리를 내주고 언저리, 즉 숲의 주변부로 밀려난다. 키가 큰 ㉡교목들 틈에선 살아날 수가 없기 때문이다.

관목: 키가 작고 원줄기와 가지의 구별이 분명하지 않으며 밑동에서 가지를 많이 치는 나무
교목: 줄기가 곧고 굵으며 높이가 8미터를 넘는 나무

사 그러나 언저리에 자리 잡은 관목들은 숲 주변부로 자기들을 밀어낸 교목들을 보호해 준다. 이 볼품없는 관목들이 자연재해에 맞서며 숲 전체를 지켜 나가는 것이다. 이 덕분에 숲은 보다 다양한 종이 어우러져 건강한 모습을 이뤄 간다.

언저리: 둘레의 가 부분

아 어디 그뿐인가. 불모지가 된 땅을 다시 푸르게 만드는 것 역시 보잘것없는 작은 나무와 풀들이다. 아무런 생명도 없던 메마른 땅에 평상시에 외면만 당하던 풀들이 들어와 개척자 역할을 한다. 이들은 불모지에 가장 먼저 들어와 지반을 안정시키고 다른 나무들이 살아갈 윤택한 토양을 만들어 낸다. 흔히 잡풀 취급을 하는 쑥이나 억새, 고사리가 바로 이런 ㉢'개척 식물'들이다.

불모지: 식물이 자라지 못하는 거칠고 메마른 땅
윤택한: 광택에 윤기가 있는

자 산불로 폐허가 된 땅의 첫 방문자 역시 마찬가지이다. 길이도 짧고 몸통도 얇아 기껏해야 울타리나 빗자루 정도로밖에 사용되지 못하는 ㉣싸리나무는 불난 자리를 녹화하는 주역이다. 사람들에게 많이 알려져 있지만 그렇다고 결코 대접받는 축에 끼지 못하는 ㉤고사리 역시 싸리나무와 비슷하다. 거친 들에서 흔히 볼 수 있는 고사리는 타고난 그 씩씩함으로 잿더미 속에 가장 먼저 자리를 잡고 싹을 틔운다.

녹화: 산이나 들 따위에 나무나 화초를 심어 푸르게 하는

차 초석을 다진 후 다른 나무들이 하나둘 자리 잡으면, 관목들이 그랬듯 이들도 조용히 자기 자리를 내준다. 이 덕분에 예전의 그 불모지는 언제 그랬냐는 듯 짙은 녹색 숲으로 복구된다.

초석: 어떤 사물의 기초를 비유적으로 이르는 말

카 그러나 안타깝게도 숲의 사회에서 그들에게 돌아오는 것은 많지 않다. 누군가 그 역할을 알아주는 것도 아니다. 그럼에도 그들은 나무 세계에서 맡은 바 임무를 다 해낸다. 그저 묵묵하게.

타 하지만 그들은 알고 있다. 자신들이 비록 보잘것없지만, 나무 세계에서 없어서는 안 될 중요한 존재라는 사실을. 그런 그들을 통해 나는 이 세상에 소중하지 않은 삶은 없다는 진리를 새삼 깨닫곤 한다.

간단 체크 활동 문제

09 ㉠~㉤ 중, 그 성격이 나머지와 다른 것은?

① ㉠ ② ㉡ ③ ㉢
④ ㉣ ⑤ ㉤

10 이 글을 소개해 주면 좋을 친구로 가장 적절한 것은?

① 어떤 일이든지 급하게 처리하는 친구
② 자신이 생각하는 것만이 옳다고 자만하는 친구
③ 자신보다 약한 사람에게 도움을 주지 않는 친구
④ 환경 보호를 실천하지 않고 자원을 낭비하는 친구
⑤ 자신이 세상에서 쓸모가 없는 존재라고 생각하는 친구

간단 체크 어휘 문제

다음 낱말의 뜻풀이가 맞으면 ○표, 틀리면 ×표 하시오.

(1) 관목: 키가 작고 원줄기와 가지의 구별이 분명하지 않으며 밑동에서 가지를 많이 치는 나무 ( )

(2) 교목: 거리의 미관과 국민 보건 등을 위하여 길을 따라 줄지어 심은 나무 ( )

(3) 불모지: 땅을 갈아서 농사를 짓는 땅 ( )

(4) 초석: 어떤 사물의 기초를 비유적으로 이르는 말 ( )

(파) 그래서일까. 나는 하늘 높이 위로만 자라면서 어떻게든 햇볕을 많이 받으려고 혈안(기를 쓰고 달려들어 독이 오른 듯)이 된 거대한 교목들보다 보잘것없는 나무들이 훨씬 더 값지고 아름답게 느껴진다.

(하) ⓐ"못생긴 나무가 산을 지킨다."라는 말은 비단 나무 사회에만 통용되는(일반적으로 두루 쓰이는) 말은 아닐 것이다. 세상 모든 것은 저마다 가치를 지니고 있다. 하루살이 같은 삶, 내일이 보이지 않는 삶이라 하더라도 분명 살아가는 이유가 있고, 가치가 있는 것이다. 그러므로 그 가치를 알고 묵묵히 제 역할을 해낼 때, 결국 그것이 자기를 지키고 세상을 지키는 길이 된다.

(거) 그 사실을 분명히 알고 있는 나무들은 자기 자리에서 행복을 찾는 방법을 너무도 잘 알고 있다. 남과 비교하여 스스로를 평가하고 자리매김하는 것이 아니라, 오로지 자기의 삶 하나만을 두고 거기에만 충실하다. 그리고 그 속에서 생의 의미를 얻고 삶을 영위할(일을 꾸려 나갈) 힘을 받는다.

(너) 그런 나무를 보며 나도 내 삶이 너무나도 소중하다는 걸 새삼 깨닫고는 한다. 비록 남들 보기엔 하찮고 평범한 삶일지라도 말이다. 앞으로도 나는 그 누구의 삶도 시샘하지 않으며, 남들이 내 삶을 어떻게 생각하든 관여치 않으려다. 내가 스스로 가치 있다고 여기면 그것으로 족하지 않은가. 내 삶에 점수를 매길 수 있는 사람은 나 자신뿐이라는 것을 늘 기억하며 살아갈 것이다.

간단 체크 활동 문제

11 (파)~(너)에 대한 설명으로 적절한 것은?

① 과장된 표현으로 웃음을 유발하고 있다.
② 경어체를 통해 친근한 분위기를 형성하고 있다.
③ 자문자답의 방식으로 내용을 간결하게 전달하고 있다.
④ 자연에서 얻은 깨달음을 인간의 삶으로 확장하고 있다.
⑤ 과거와 현재를 대비하여 글쓴이의 삶의 태도를 드러내고 있다.

12 ⓐ의 의미를 한 문장으로 쓰시오.

13 글쓴이가 추구하는 삶을 실천하는 방법으로 알맞은 것은?

① 남과 비교하여 자신의 부족한 점을 파악한다.
② 주변 사람들의 평가를 의식하여 그 의견을 따른다.
③ 먼저 가치를 판단한 후에 가치가 높은 것에 집중한다.
④ 뒷일은 생각하지 않고 현재의 순간을 최대한 즐긴다.
⑤ 남을 의식하지 않고 자신의 삶이 소중하다고 생각한다.

학습 활동

1 다음 식물의 특징을 정리해 보고, 글쓴이가 이 식물들에서 발견한 공통점을 써 보자.

시로미, 싸리나무 같은 관목은 ……

- 숲이 생길 때 가장 중심부에서 그 틀을 잡아 주다가 어느 정도 숲이 완성되면 키 큰 나무들에게 자리를 내줌.
- 숲 주변부에서 자연재해에 맞서며 숲 전체를 지켜 나감.

쑥, 억새, 고사리 같은 풀은 ……

- 답 ☐☐☐에 가장 먼저 들어와 지반을 안정시키고, 다른 나무들이 살아갈 윤택한 토양을 만들어 냄.
- 답 고사리는 싸리나무와 같이 불난 자리를 녹화함.
- 답 초석을 다진 후 다른 나무들에게 자리를 내줌.

공통점

- 답 거대한 교목처럼 화려하지는 않지만, 아무도 눈여겨보지 않는 자리에서 묵묵히 자신의 역할을 수행함.
- 답 자신을 내세우지 않으면서 ☐을 지킴.

2 이 글을 읽고 새롭게 알게 된 내용과 깨닫거나 느낀 점을 정리해 보자.

예시 답 〉〉

새롭게 알게 된 내용	• 제주도 한라산 고지대에 주로 서식하는 '시로미'라는 식물을 처음 알게 됨. • 눈여겨보지 않던 관목들이 숲을 보호한다는 것을 알게 됨. • 싸리나무나 고사리와 같은 식물들이 잿더미가 된 불모지를 녹화하는 주역이라는 사실을 알게 됨.
깨닫거나 느낀 점	• 하찮고 쓸모없다고 여겼던 것들도, 제 나름의 가치가 있을 것이라는 생각을 하게 됨. • 나뿐만 아니라 다른 사람도 소중한 존재이기 때문에 서로 존중하며 배려해야 한다는 것을 깨달음.

3 이 글을 읽은 친구들의 소감을 살펴보고, 친구들이 이 글을 읽고 발견한 읽기의 가치가 무엇인지 보기에서 골라 보자.

보기

읽기의 가치

㉠ 여가를 즐기게 해 준다.
㉡ 상상하는 재미를 느끼게 해 준다.
㉢ 다양한 지식과 정보를 얻게 해 준다.
㉣ 삶의 의미를 새롭게 발견하게 해 준다.

간단 체크 활동 문제

14 다음 중 〈보기〉의 역할을 하는 것은?

보기
- 숲이 생길 때 가장 중심부에서 그 틀을 잡아 주다가 어느 정도 숲이 완성되면 키 큰 나무들에게 자리를 내줌.
- 숲 주변부에서 자연재해에 맞서며 숲 전체를 지켜 나감.

① 관목 ② 교목
③ 억새 ④ 고사리
⑤ 시로미

15 이 글의 글쓴이가 〈보기〉의 대상들에게서 발견한 공통점으로 알맞지 않은 것은?

보기
시로미, 싸리나무,
쑥, 억새, 고사리

① 화려하지 않고 보잘것없다.
② 존재 가치를 분명히 지니고 있다.
③ 자신이 맡은 임무를 묵묵하게 해낸다.
④ 자신을 내세우지 않으면서 숲을 지킨다.
⑤ 어떻게든 햇볕을 많이 받으려고 위로만 자란다.

16 이 글에서 알 수 있는 내용으로 보기 어려운 것은?

① 관목의 역할
② 자연재해의 원인
③ 싸리나무의 역할
④ '시로미'의 서식지
⑤ 개척 식물의 종류

나는 나무에 관심이 많아서 이 책을 읽었어. 이 책은 내가 잘 몰랐던 나무들의 역할을 설명하고 있어. 특히 시로미는 처음 들어 본 식물인데, 나중에 한라산에 가서 열매를 직접 맛보고 싶어.

세민

나는 잘하는 게 없어. 그런 내가 쓸모없다고만 생각했지. 그래서인지 "세상 모든 것은 저마다 가치를 지니고 있다." 라는 부분에서 마음이 뭉클하더라고. 이제 나를 가치 있는 존재로 여기며 뭐든지 열심히 할 거야.

민재

- '세민'이 이 글을 읽고 발견한 읽기의 가치: 답 ㉢ 다양한 지식과 정보를 얻게 해 준다.
- '민재'가 이 글을 읽고 발견한 읽기의 가치: 답 ㉣ ☐의 의미를 새롭게 발견하게 해 준다.

4 지금까지의 활동을 바탕으로 책 읽기의 가치와 중요성을 드러내는 표어를 만들어 보자.

예시 답 〉〉

책에서 발견한 '나', 책을 읽으며 성장하는 '나'

- 독서는 '나'와 세계를 이어 주는 창문입니다.
- 책으로 만나는 우리의 미래!

간단 체크 활동 문제

17 〈보기〉의 독자가 이 글을 읽고 발견한 읽기의 가치로 알맞은 것은?

보기

나는 잘하는 게 없어. 그런 내가 쓸모없다고만 생각했지. 그래서인지 "세상 모든 것은 저마다 가치를 지니고 있다." 라는 부분에서 마음이 뭉클하더라고. 이제 나를 가치 있는 존재로 여기며 뭐든지 열심히 할 거야.

① 여가를 즐기게 해 준다.
② 상상하는 재미를 느끼게 해 준다.
③ 다양한 지식과 정보를 얻게 해 준다.
④ 세계를 바라보는 안목을 넓혀 준다.
⑤ 삶의 의미를 새롭게 발견하게 해 준다.

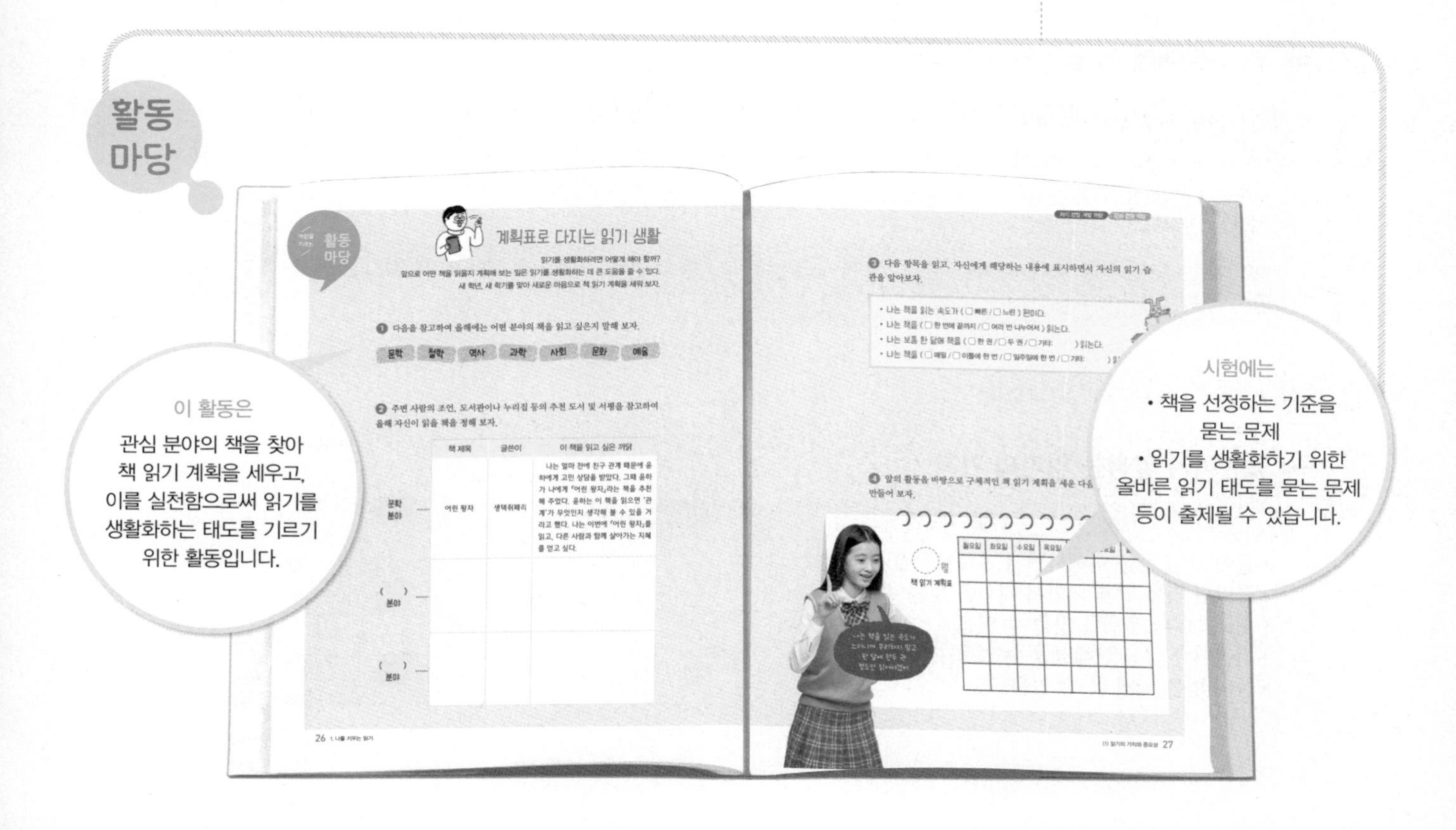

본문 제재 「읽으면 읽을수록 좋은 만병통치약」

갈래	설명하는 글	성격	예시적, 해설적, 교훈적
제재	'이덕무'의 책 읽기	주제	책 읽기의 가치와 중요성
특징	• 친근한 어조를 사용하여 부드러운 분위기를 형성함. • 문답법을 사용하여 독자의 관심과 호응을 유도함.		

「읽으면 읽을수록 좋은 만병통치약」의 짜임

처음	가운데	끝
우리가 책을 읽는 까닭	'이덕무'의 삶과 그가 말하는 책 읽기의 유익함	책 읽기의 ❶☐☐ 확인 및 책을 읽자는 당부

'이덕무'가 말하는 책 읽기의 유익함

첫 번째	약간 배가 고플 때 책을 읽으면 소리가 낭랑해져 글에 담긴 이치를 맛보느라 배고픈 줄 모르게 됨.
두 번째	조금 추울 때 책을 읽으면 그 기운이 몸속에 스며들면서 온몸이 활짝 펴져 추위를 잊게 됨.
세 번째	근심과 번뇌가 있을 때 책을 읽으면 눈은 글자에 빠지고 마음은 이치에 잠기게 되어 천만 가지 온갖 ❷☐☐이 일시에 사라짐.
네 번째	기침을 할 때 책을 읽으면 기운이 통창해져 기침 소리가 돌연 멎게 됨.

'이덕무'에게 책 읽기가 주는 의미

'이덕무'의 처지	'이덕무'가 마음을 다스린 방법
• ❸☐☐여서 벼슬을 할 수 없었음. • 가난하지만 할 수 있는 일이 별로 없었음.	지극히 슬프더라도 한 권의 책을 들고 슬픈 마음을 ❹☐☐하며 조용히 책을 읽음.

'이덕무'는 힘든 상황 속에서 책을 읽음으로써 위로를 받고, 힘을 얻었기 때문에 그에게 책 읽기는 매우 가치 있는 일이었음.

글쓴이가 말하는 읽기의 가치

글을 읽으면 좋은 점
- 글에 담긴 뜻을 이해하면서 지혜로워질 수 있음.
- 몰랐던 것을 알게 되면서 지식을 쌓을 수 있음.
- 배고픔이나 추위를 잊을 수 있음.
- 걱정이나 근심을 해결할 수 있음.
- 몸의 병을 낫게 할 수 있음.

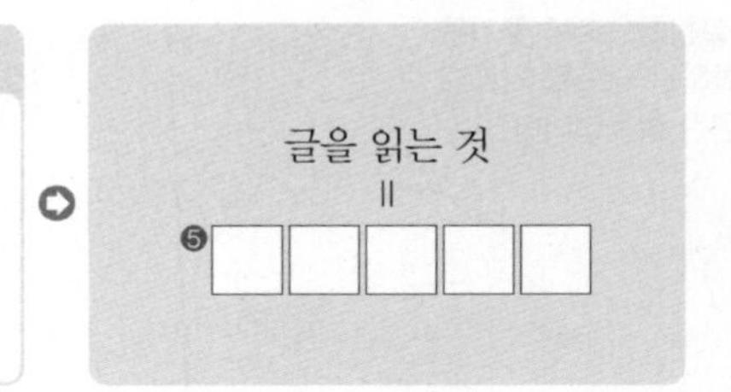

적용 제재 「보잘것없는 나무들이 아름다운 이유」

갈래	현대 수필, 경수필	성격	예시적, 교훈적
제재	보잘것없어 보이는 나무들	주제	세상에 소중하지 않은 삶은 없다는 깨달음
특징	• 글쓴이의 경험에서 이야기의 실마리를 이끌어 냄. • 다양한 예를 들어 주제를 드러냄.		

●● 「보잘것없는 나무들이 아름다운 이유」의 짜임

처음		가운데		끝
남대문 시장의 사람들을 보며 얻은 삶의 활력	➡	보잘것없어 보이는 ❻ □□과 풀의 역할을 통해 얻은 깨달음	➡	자신의 삶을 가치 있게 여기며 살아야겠다는 다짐

●● 글쓴이가 '시로미'를 떠올린 동기

과거의 경험	연관 있는 경험		
무기력한 기분이 들 때 남대문 야시장 사람들의 모습을 보고 삶의 갈증을 해소함.	무척 목이 말랐을 때 건조하고 메마른 한라산 고지대에서 시로미 열매를 먹고 갈증을 해소함.	➡	글쓴이는 남대문 야시장에서 삶의 갈증을 푼 경험과 연관 지어 한라산에서 ❼ □□□ 열매를 먹고 목마름을 해소했던 경험을 떠올림.

●● 보잘것없지만 가치 있는 역할을 하는 식물들

시로미	관목	❽ □□□□	싸리나무	고사리
물기 가득하고 실한 열매를 맺음.	숲이 생길 때 틀을 잡아 주고, 자연재해에 맞서 숲 전체를 지켜 나감.	불모지의 지반을 안정시키고 윤택한 토양을 만들어 냄.	산불로 폐허가 된 땅에서 불난 자리를 녹화함.	잿더미 속에 가장 먼저 자리를 잡고 싹을 틔움.

●● "못생긴 나무가 산을 지킨다."라는 말의 뜻

가장 곧고 잘생긴 나무가 제일 먼저 잘려서 서까랫감으로 쓰이고, 그다음 잘생긴 나무는 잘려서 기둥으로 쓰여 결국 가장 못생긴 나무가 살아남아 산을 지키는 ❾ □□□□가 된다는 뜻	➡	이 글에서는 보잘것없어 보이는 나무들이 묵묵히 자신의 소임을 다하여 숲을 지켜 나가는 모습을 강조한 표현으로 쓰임.

●● '보잘것없는 나무들'을 통한 글쓴이의 깨달음

보잘것없는 나무들		글쓴이의 깨달음
누군가 자신들의 역할을 알아주지 않더라도 나무 세계에서 소임을 다 해냄.	➡	이 세상에서 소중하지 않은 삶은 없으며, 세상 모든 것은 저마다 ❿ □□를 지니고 있음.

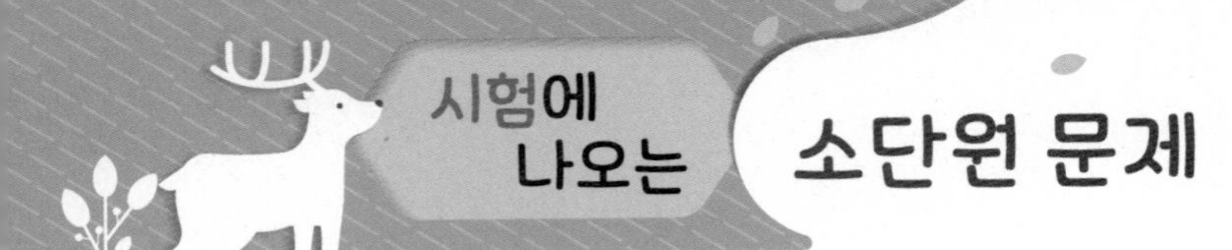

소단원 문제

01~04 다음 글을 읽고, 물음에 답하시오.

가 부모님이나 선생님이 시키니까 마지못해 읽기도 하고, 공부를 잘하기 위해서 읽기도 하며, 또 더 똑똑한 사람이 되기 위해서 읽기도 해. 물론 재미있으니까 읽는 친구들도 있을 거야.

또 어떤 까닭이 있을까? 책 속에는 우리가 궁금해하는 것들에 대한 대답이 들어 있으니까 읽기도 하지. 기분 전환을 위해서도 책을 읽고, 다른 사람의 생각을 알기 위해서도 책을 읽고, 교양을 쌓기 위해서도 책을 읽지.

나 약간 배가 고플 때 책을 읽으면 그 소리가 훨씬 낭랑해져 글에 담긴 이치를 맛보느라 배고픈 줄도 모르게 되니 이것이 첫 번째 유익함이요, 조금 추울 때 책을 읽으면 그 기운이 그 소리를 따라 몸속에 스며들면서 온몸이 활짝 펴져 추위를 잊게 되니 이것이 두 번째 유익함이요, 근심과 번뇌가 있을 때 책을 읽으면 내 눈은 글자에 빠져들고 내 마음은 이치에 잠기게 되어 천만 가지 온갖 상념이 일시에 사라지니 이것이 세 번째 유익함이요, 기침을 할 때 책을 읽으면 기운이 통창해져 막히는 바가 없게 되어 기침 소리가 돌연 멎게 되니 이것이 네 번째 유익함이다.

다 이덕무는 서자여서 아무리 학식이 뛰어나도 벼슬을 할 수가 없었어. 너무나 가난하여 식구들의 끼니를 걱정해야 했지만 자신이 할 수 있는 일은 별로 없었지. 아무리 서자라도 양반은 양반이니까 아무 일이나 할 수는 없었거든. 그러니 얼마나 답답했겠어. 그럴 때 위로가 되고 힘을 준 것이 바로 책과 그 책을 읽고 함께 이야기를 나눌 수 있는 벗들이었지.

라 이덕무는 달리기나 노래를 하는 대신에 책을 읽었던 거야. 우리도 평소에 좋아하는 책을 한두 권쯤 정해 두는 건 어떨까? 아주 재미있거나 감동적인 책으로 말이야. 그래서 아주 많이 슬프거나 화가 나거나 외로울 때 조금씩 읽어 보는 거야.

재미있는 책을 읽을 때는 시간 가는 줄도 모르고, 걱정이나 근심도 잊고 그 책에 푹 빠지잖아. 그러다 보면 정말 마음이 고요해지면서 다시 씩씩하게 생활할 수 있는 용기가 생겨날지도 모르니까. 그리고 또 혹시 알아? 글을 읽던 중 갑자기 그 근심거리를 해결할 수 있는 좋은 생각이 떠오를지!

마 글 속에 담긴 뜻을 이해하면서 지혜로워지고, 몰랐던 것들을 알게 되면서 지식을 쌓는 건 말할 것도 없고, 배고픔이나 추위도 잊을 수 있고, 걱정이나 근심을 해결하며 몸의 병도 낫게 한다니, 이보다 더 좋은 만병통치약이 어디 있겠어?

01 (가)~(마) 중, 〈보기〉의 설명에 해당하는 문단으로 알맞은 것은?

보기

문답법을 활용하여 책을 읽는 다양한 까닭을 밝히고 있다.

① (가) ② (나) ③ (다) ④ (라) ⑤ (마)

02 '이덕무'에 대한 설명으로 알맞지 않은 것은?

① 신분 때문에 친구들을 사귈 수 없었다.
② 학식이 뛰어났지만 벼슬을 할 수 없었다.
③ 너무 가난했지만 할 수 있는 일이 거의 없었다.
④ 답답한 현실에 처하여 책을 읽는 것을 위안으로 삼았다.
⑤ 배가 고플 때 책을 읽으면 배고픔을 잊는다고 생각했다.

학습 활동 응용

03 (나)를 통해 알 수 있는 것은?

① '이덕무'가 말하는 책 읽는 과정
② '이덕무'가 말하는 책을 읽는 방법
③ '이덕무'가 말하는 책 읽기의 목적
④ '이덕무'가 말하는 책 읽기의 유익함
⑤ '이덕무'가 말하는 책을 선택하는 방법

04 〈보기〉의 빈칸에 들어갈 말을 5음절로 쓰시오.

보기

(   )은/는 글쓴이가 글을 읽는 것의 가치를 빗대어 표현한 말로, 독자들에게 책을 읽자는 권유를 하기 위해 사용하였다.

05~08 **다음 글을 읽고, 물음에 답하시오.**

가 내가 하는 일이 아무 의미가 없는 것처럼 느껴지고 결국에는 만사가 귀찮아진다. 그렇게 무기력한 기분이 들 때마다 나는 남대문 야시장에 간다. / 좌판을 벌여 놓고 구성진 목소리로 손님을 부르는 사람, 보따리를 등에 지고 구경꾼들 사이를 요리조리 피해 지나가는 사람, 나물 천 원어치 사면서 십 분 넘게 입씨름하는 사람……. ⓐ<u>아무리 잡아당겨도 찢어지지 않는 질긴 고무장갑 같은 그들의 모습을 보고 있노라면 나도 모르게 막 신이 난다.</u>

나 물통의 물도 다 떨어지고 입안이 바짝 마르던 차에 나는 ㉠<u>시로미</u>의 검붉은 열매를 한 움큼 따서 입안에 털어 넣었다. 시큼털털한 첫맛에 얼굴이 찡그려졌지만 이내 단 기운이 가득히 퍼지면서 입안 구석구석을 적셨다. 콩알보다 작은 열매에 어떻게 그런 물기가 담겨 있는지, 그 작은 열매 한 줌 먹은 것이 꼭 약수 몇 사발을 들이켠 기분이었다.

다 공원이나 건물 가에서 흔히 볼 수 있는 ㉡<u>키 작은 관목</u>들만 봐도 그렇다. ㉢<u>숲</u>이 생길 때 가장 중심부에서 그 틀을 잡아 주는 관목들은 어느 정도 숲이 완성되면 키 큰 나무들에게 자리를 내주고 언저리, 즉 숲의 주변부로 밀려난다. 키가 큰 교목들 틈에선 살아날 수가 없기 때문이다.

라 이들은 불모지에 가장 먼저 들어와 지반을 안정시키고 다른 나무들이 살아갈 윤택한 토양을 만들어 낸다. 흔히 잡풀 취급을 하는 쑥이나 억새, 고사리가 바로 이런 ㉣<u>'개척 식물'</u>들이다. / 산불로 폐허가 된 땅의 첫 방문자 역시 마찬가지이다. 길이도 짧고 몸통도 얇아 기껏해야 울타리나 빗자루 정도로밖에 사용되지 못하는 싸리나무는 불난 자리를 녹화하는 주역이다. 사람들에게 많이 알려져 있지만 그렇다고 결코 대접받는 축에 끼지 못하는 ㉤<u>고사리</u> 역시 싸리나무와 비슷하다.

마 그런 나무를 보며 나도 내 삶이 너무나도 소중하다는 걸 새삼 깨닫고는 한다. 비록 남들 보기엔 하찮고 평범한 삶일지라도 말이다. 앞으로도 나는 그 누구의 삶도 시샘하지 않으며, 남들이 내 삶을 어떻게 생각하든 관여치 않으련다. 내가 스스로 가치 있다고 여기면 그것으로 족하지 않은가.

05 **이 글의 글쓴이가 독자에게 전달하려는 의미로 가장 알맞은 것은?**

① 세상에 소중하지 않은 삶은 없다.
② 작은 나무일수록 존재 가치가 크다.
③ 희귀한 나무처럼 개성 있게 살아가자.
④ 사람의 겉모습보다 내면에 관심을 갖자.
⑤ 자연과 우리의 모습은 비슷한 점이 많다.

06 **다음은 이 글을 읽고 새롭게 알게 된 내용과 깨닫거나 느낀 점을 정리한 것이다. 그 내용으로 알맞지 <u>않은</u> 것은?**

새롭게 알게 된 내용	• '시로미'의 열매가 물기를 가득 머금고 있다는 사실을 처음 알게 되었어. ············ ① • 싸리나무나 고사리와 같은 식물들이 잿더미가 된 불모지를 녹화하는 주역이라는 사실을 알게 되었어. ············ ② • 교목들이 숲이 생길 때 틀을 잡아 주는 역할을 한다는 것을 알게 되었어. ······ ③
깨닫거나 느낀 점	• 하찮고 쓸모없다고 여겼던 것들도, 제 나름의 가치가 있을 것이라는 생각을 하게 되었어. ············ ④ • 나뿐만 아니라 다른 사람도 소중한 존재이기 때문에 서로 존중하며 배려해야 한다는 것을 깨닫게 되었어. ············ ⑤

학습 활동 응용

07 **㉠~㉤ 중에서 〈보기〉의 설명에 해당하지 <u>않는</u> 것은?**

보기
• 묵묵히 자신의 역할을 수행함.
• 자신을 내세우거나 드러내지 않음.

① ㉠ ② ㉡ ③ ㉢ ④ ㉣ ⑤ ㉤

08 **다음 중 ⓐ와 동일한 표현 방법이 사용된 것은?**

① 내 마음은 호수요.
② 산새처럼 너는 날아갔구나!
③ 어데 닭 우는 소리 들렸으랴.
④ 산골짜기 돌 틈으로 샘물이 혼자서 웃으며 간다
⑤ 괴로웠던 사나이, / 행복한 예수 그리스도에게처럼

교과서 29~41쪽

(2) 핵심 정보를 담은 발표

학습 목표 핵심 정보가 잘 드러나도록 내용을 구성하여 발표할 수 있다.

즐겁게 책 읽기 책을 읽고 주제를 선정하여 효과적으로 발표할 수 있다.

이해
❶ 핵심 정보가 잘 드러나도록 내용을 조직하는 방법 이해하기
❷ 핵심 정보가 잘 드러나도록 자료를 활용하는 방법 이해하기

학습 포인트
❶ 발표의 내용 조직 방법
❷ 발표에서 자료를 활용하는 방법
❸ 핵심 정보가 드러나도록 발표하는 방법

기아 문제의 심각성과 해결 방법

(가) 안녕하세요? 저는 ○○ 모둠에서 발표를 맡은 양세민입니다. 저희 모둠에서는 지난번 독서 모둠 활동 때, 유엔 인권 위원회(인권 보호를 위한 활동 및 연구를 벌이는 유엔의 기관) 식량 특별 조사관이었던 장 지글러가 쓴 『왜 세계의 절반은 굶주리는가?』라는 책을 읽었습니다. 이 책을 읽으면서 그동안 우리가 세계의 기아(굶주림) 문제에 얼마나 무관심했는지를 깨달았습니다. 그래서 오늘은 이 문제를 여러분과 함께 살펴보려고 합니다.

(나) 여러분! 혹시 '보릿고개'라는 말을 아시나요? '보릿고개'는 지난가을에 수확한 양식이 바닥나 굶주려야만 했던 시기를 뜻합니다. 약 60년 전만 해도 우리나라에는 '보릿고개'가 존재했지만 지금의 우리에게는 낯선 말입니다. 그런데 세계에는 아직도 한 끼조차 제대로 먹지 못하는 사람들이 상상할 수 없을 정도로 많다고 합니다.

자료 ❶

▲ 세계 기아 실태 지도(유엔 세계 식량 계획, 2016)

먼저 이 지도를 보시죠. 이 지도는 전 세계에서 영양실조(영양소의 부족으로 일어나는 신체의 이상 상태)를 겪고 있는 사람들의 분포와 비율을 나타낸 '세계 기아 실태 지도'입니다. 보시는 바와 같이 기아 인구는 세계 곳곳에 넓게 퍼져 있으며, 심각한 곳은 전체 인구의 35 퍼센트 이상이 기아로 고통받고 있습니다. 유엔 세계 식량 계획[WFP]에서 발표한 통계 자료에 따르면 세계 인구의 약 9분의 1이 극심한 영양실조를 겪고 있고, 5세 이하의 영·유아 중 절반이 영양실조로 사망하고 있다고 하니, 정말 안타까운 일입니다.

간단 체크 활동 문제

01 발표자가 활용한 말하기 방식으로 알맞은 것은?
① 전문가의 말을 인용하고 있다.
② 듣는 이에게 질문을 던지고 있다.
③ 자신의 일상적인 경험을 사례로 들고 있다.
④ 다른 사례를 들어 중심 화제와 비교하고 있다.
⑤ 발표 중간에 자신이 말한 내용을 요약하고 있다.

02 (가)에 대한 설명으로 알맞지 않은 것은?
① 발표의 '처음' 단계에 해당한다.
② 발표를 하게 된 동기를 밝히고 있다.
③ 발표자가 듣는 이에게 자신을 소개하고 있다.
④ 발표자가 자신의 읽기 경험을 듣는 이와 나누고 있다.
⑤ 발표 주제를 강조하고 이를 실천할 것을 당부하고 있다.

중요
03 자료 ❶에 대한 설명으로 알맞지 않은 것은?
① 세계 지도를 활용하여 만든 자료이다.
② 다양한 색을 활용하여 정보를 제시하고 있다.
③ 기아 문제의 심각성을 분명하게 드러내고 있다.
④ 국제기구에서 발표한 정보를 바탕으로 만든 자료이다.
⑤ 기아 인구가 일부 지역에 집중적으로 분포되어 있음을 보여 주고 있다.

자료 ❷

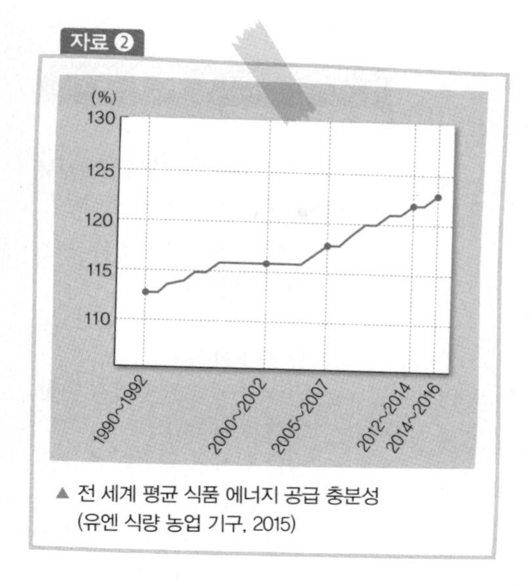

▲ 전 세계 평균 식품 에너지 공급 충분성
(유엔 식량 농업 기구, 2015)

다 ㉠그렇다면 이러한 문제는 식량이 부족해서 일어나는 것일까요? 유엔 식량 농업 기구[FAO]에서 발표한 '평균 식품 에너지 공급 충분성' 자료를 보면, ㉡전 세계 평균 식품 에너지 공급 충분성 지수는 계속 증가하여 2014년~2016년에는 약 125 퍼센트에 이르고 있습니다. 이는 전 세계 모든 사람에게 식품을 충분히 공급하고도 남는다는 것을 뜻합니다. 이처럼 충분한 식량이 있는데도 수많은 사람이 기아에 시달리고 있다니 이해하기 어렵습니다. 과연 그 원인은 무엇일까요? 이 책의 글쓴이는 다양한 관점에서 문제의 원인을 분석하고 있는데요, 저희는 그중 몇 가지만 소개하겠습니다.

㉢첫 번째는 '시장 경제 체제'의 문제입니다. 일부 기업이나 정부에서는 이익을 많이 남기려고 농산물의 가격을 올리거나 농산물의 생산량을 줄이기도 합니다. 그러면 식량 가격이 상승하고, 가난한 나라들은 식량을 구하는 것이 점점 어려워집니다. 결국 그 피해는 다시 굶주리던 사람들에게 돌아가는 것이죠.

두 번째는 '부정부패'의 문제입니다. 기아 문제를 해결하려고 여러 단체에서 다양한 구호 물품을 지원하고 있지만, 일부 지배 계층이 이를 가로채거나 기아에 시달리는 국민을 통제하기 위한 수단으로 악용하고 있다고 해요. 정치적으로 질서가 잡혀 있지 않으니 구호 조치가 제대로 이루어지지 않는 것입니다.

재해나 재난 따위로 어려움에 처한 사람을 도와 보호함.

또한 현재 지구 곳곳에서 일어나고 있는 '사막화 현상'도 원인으로 볼 수 있습니다. ㉣사막화 현상이란 가뭄이 지속되거나 무분별한 개발로 숲이 사라지면서 농사를 지을 수 있는 땅이 사막으로 변하는 것입니다. 이러한 현상이 지속되면 식량과 식수가 부족해질 수밖에 없는데, 앞서 기아 문제가 심각하다고 했던 지역에서도 이러한 환경 문제를 겪고 있습니다.

자료 ❸

▲ 사막화가 진행되면서 바닥을 드러낸 호수

㉤결국 현재 식량이 부족한 나라는 자기 나라의 땅에서 식량을 일구기도 마땅치 않을뿐더러, 다른 나라의 식량조차 얻기 어려운 실정입니다. 심지어 이 중에는 전쟁을 겪는 나라도 많아, 날이 갈수록 문제가 심각해지고 있습니다.

간단 체크 활동 문제

중요

04 자료 ❷에 대한 설명으로 알맞지 않은 것은?

① 유엔에서 발표한 자료이다.
② 기아 문제의 원인을 직접 밝히고 있다.
③ 수치가 계속 증가하는 추세임이 드러난다.
④ 세계에 있는 모든 사람에게 식품을 충분히 공급하고도 남는다는 사실을 나타내고 있다.
⑤ 전 세계 평균 식품 에너지 공급 충분성의 변화를 한눈에 파악할 수 있다.

05 ㉠~㉤에 대한 설명으로 알맞지 않은 것은?

① ㉠: 질문을 던져 듣는 이가 문제의 원인을 생각해 보도록 유도하고 있다.
② ㉡: 구체적인 수치를 제시하여 발표 내용의 신뢰성을 높이고 있다.
③ ㉢: 문제의 원인을 항목별로 정리하여 내용을 체계적으로 전달하고 있다.
④ ㉣: 용어의 개념을 정의하여 듣는 이의 이해를 돕고 있다.
⑤ ㉤: 문제의 원인에 대한 추가 정보를 제시하여 듣는 이의 판단을 돕고 있다.

06 이 발표에서 제시한 기아 문제의 원인 세 가지를 찾아 쓰시오.

라 이처럼 세계의 기아 문제는 여러 원인이 복잡하게 얽혀 있어 해결하기 쉽지 않습니다. 그렇지만 아무도 노력하지 않으면 기아 문제는 영원히 해결할 수 없을 것입니다. 그럼 우리는 그들을 위해 무엇을 할 수 있을까요? 다음 영상을 보시겠습니다.

영상 자료

자료 ④

▲ 만 원의 기적 캠페인(월드 비전)

이 영상에서 말하는 것처럼, 만 원이면 무려 5인 가족에게 한 달 동안 먹을 식량을 제공할 수 있습니다. 우리 반 친구들이 다함께 돈을 모은다면, 한 달에 만 원 정도는 기부할 수 있을 것입니다. 또 저희 모둠처럼 기아 문제의 심각성을 주변에 알리거나, 기아 관련 정책이나 소식에 관심을 기울이는 일도 기아 문제를 해결하는 데 큰 도움이 됩니다.

마 지금까지 기아 문제의 심각성과 그 원인, 그리고 우리가 할 수 있는 일을 알아보았습니다. 여러분, 법정 스님은 "나만 다 차지하고 살 수 있는 세상이 아니다. 서로 얽혀 있고 서로 의지해 있다."라고 하였습니다. 그렇습니다. 법정 스님의 말처럼 세계의 기아 문제는 결코 우리와 동떨어진 일이 아닙니다. 우리 모두의 문제입니다. 오늘 발표를 듣고, 여러분도 세계의 이웃을 생각하여 함께 고민해 주세요. 우리의 생각이 모이면 세계를 바꿀 수 있습니다.

1 '세민이네 모둠'이 발표한 내용을 정리한 후, 핵심 정보를 잘 드러내기 위해 내용을 어떻게 조직하였는지 알아보자.

(1) '세민이네 모둠'에서 발표를 한 목적이 무엇인지 써 보자.

발표 목적 답 기아 문제의 □□□을 알리고, 기아 문제를 해결하기 위해 함께 노력할 것을 권유하려고

간단 체크 활동 문제

07 기아 문제에 대해 (라)에서 제시한 해결 방안이 아닌 것은?

① 기아 문제의 심각성을 주변에 알리기
② 반 친구들과 함께 돈을 모아 기부하기
③ 기아 문제를 해결하기 위한 정책 조사하기
④ 기아 문제와 관련된 소식에 관심을 기울이기
⑤ 기아 문제로 어려움을 겪고 있는 나라에 봉사 활동 가기

08 자료 ④를 보여 준 까닭으로 알맞은 것은?

① 구호 단체의 문제점을 제기하기 위해서
② 기아 문제가 발생하는 원인을 밝히기 위해서
③ 기아 문제 해결에 동참할 것을 유도하기 위해서
④ 기아 문제가 발생하는 지역의 특색을 설명하기 위해서
⑤ 기아 문제 해결을 위해 국가가 시행하고 있는 정책을 소개하기 위해서

09 (마)에서 앞부분의 내용을 요약정리한 문장을 찾아 첫 어절과 끝 어절을 쓰시오.

(2) '세민이네 모둠'에서 발표한 내용을 정리해 보자.

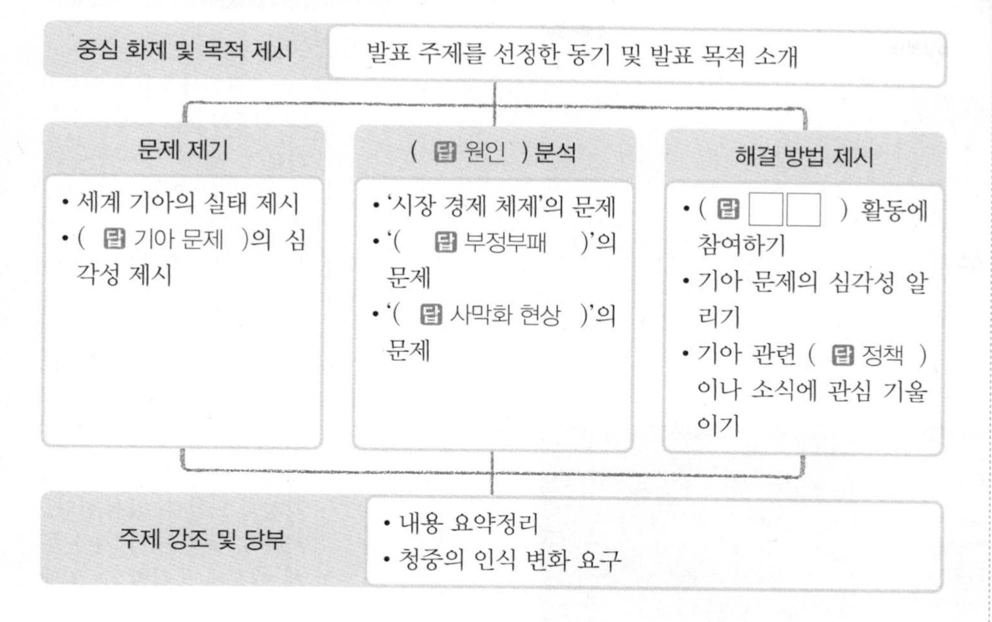

(3) 보기를 참고하여, '세민이네 모둠'에서 사용한 내용 조직 방법과 그 효과를 말해 보자.

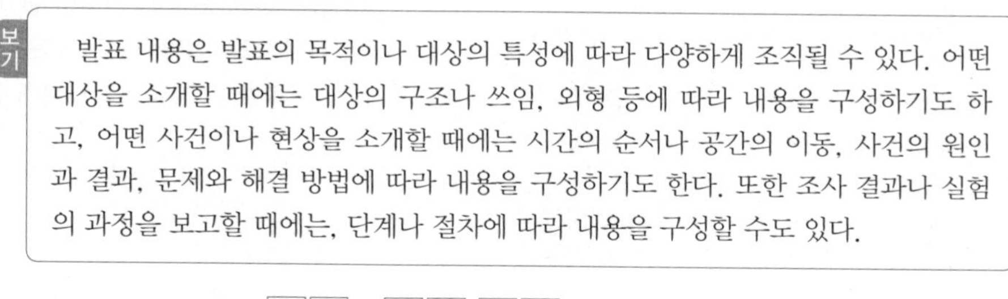
보기

발표 내용은 발표의 목적이나 대상의 특성에 따라 다양하게 조직될 수 있다. 어떤 대상을 소개할 때에는 대상의 구조나 쓰임, 외형 등에 따라 내용을 구성하기도 하고, 어떤 사건이나 현상을 소개할 때에는 시간의 순서나 공간의 이동, 사건의 원인과 결과, 문제와 해결 방법에 따라 내용을 구성하기도 한다. 또한 조사 결과나 실험의 과정을 보고할 때에는, 단계나 절차에 따라 내용을 구성할 수도 있다.

답 '세민이네 모둠'에서는 □□와 □□ □□에 따라 발표 내용을 조직하였다. 먼저 기아 문제의 심각성과 원인을 살펴본 다음, 그 해결 방법을 제시하면서 발표를 마무리하였다. 이러한 조직 방법은 듣는 이가 문제에 대한 경각심과, 문제 해결에 동참해야 하는 필요성을 느끼게 하는 효과를 준다.

(4) 다음 주제로 발표를 할 때, 내용을 어떻게 조직하면 좋을지 써 보자.

예시 답 〉〉

우포 늪을 여행한 소감 • 자신이 우포 늪을 여행한 시간적, 공간적 순서에 따라 내용을 구성한다.
• 우포 늪에서 볼 수 있는 경치나 여러 동식물을 종류별로 소개한 다음, 그에 대한 감상을 이야기한다.

우리 학교 도서관 이용 실태 보고 학교 도서관 이용 실태를 조사한 동기를 먼저 제시한 다음, 조사 방법과 그 결과를 차례대로 이야기한다.

간단 체크 활동 문제

10 발표자가 이 발표를 한 목적으로 알맞은 것은?

① 기아 관련 정책을 안내하기 위해서
② 독서 모둠 활동을 홍보하기 위해서
③ 기아 문제가 발생한 지역을 소개하기 위해서
④ 기아 문제 해결에 동참할 것을 권유하기 위해서
⑤ 기아 문제로 고통받는 사람들을 위로하기 위해서

11 다음은 이 발표의 일부분을 정리한 것이다. 빈칸에 들어갈 말로 알맞은 것은?

(　　　　)
• '시장 경제 체제'의 문제 • '부정부패'의 문제 • '사막화 현상'의 문제

① 문제 제기
② 원인 분석
③ 해결 방법 제시
④ 중심 화제 제시
⑤ 주제 강조 및 당부

12 이 발표의 전체 내용을 조직하는 데 활용한 내용 조직 방법으로 알맞은 것은?

① 시간의 순서
② 공간의 이동
③ 단계나 절차
④ 문제와 해결 방법
⑤ 대상의 구조나 쓰임

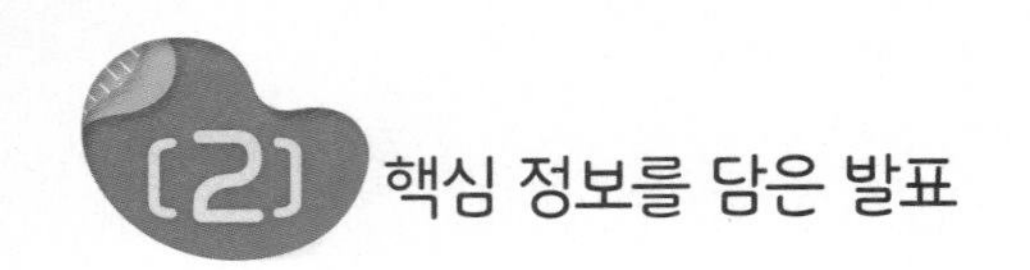

(2) 핵심 정보를 담은 발표

2 다음은 '세민이네 모둠'이 발표에 활용한 자료이다. 각 자료에 담긴 핵심 정보가 무엇인지 써 보자.

자료 1

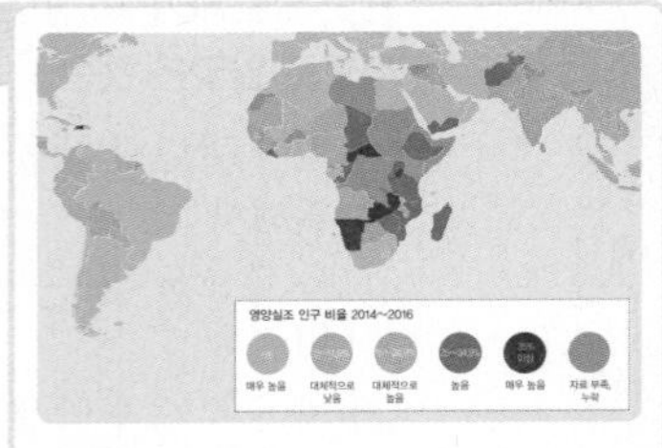

기아를 겪고 있는 사람들의 분포와 비율

자료 2

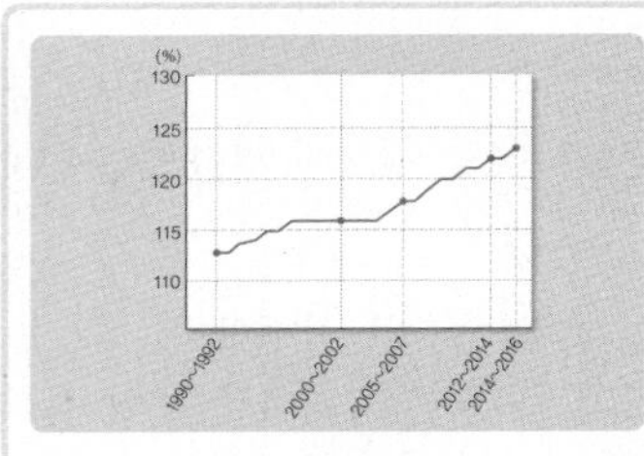

답 전 세계 평균 식품 에너지 공급 충분성 지수

자료 3

답 □□□에 따른 문제

자료 4

답 구호 단체에서 펼치고 있는 기부 활동

- 이 자료들이 핵심 정보를 드러내는 데 어떤 도움을 주었는지 말해 보자.

예시 답〉〉 • 자료 1: 세계 기아 인구의 분포와 비율을 한눈에 파악할 수 있게 해 줌.
• 자료 2: 전 세계 평균 식품 에너지 공급 충분성의 변화를 한눈에 파악할 수 있게 해 줌으로써, 식량이 충분한데도 기아 문제가 해결되지 않는 원인을 생각해 보게 함.
• 자료 3: 사막화가 진행된 호수의 모습을 보여 줌으로써, '사막화 현상'을 쉽게 이해하게 함.
• 자료 4: 우리가 참여할 수 있는 구호 단체의 활동을 소개해 줌으로써, 기아 문제 해결에 적극적으로 동참하도록 유도함.

학습콕

❶ 발표의 내용 조직 방법

발표 목적이나 대상의 특성	내용 조직 방법
어떤 대상을 □□할 때	대상의 구조나 쓰임, 외형 등에 따라 내용을 구성함.
어떤 사건이나 현상을 소개할 때	시간의 순서나 공간의 이동, 사건의 원인과 결과, 문제와 □□ 방법에 따라 내용을 구성함.
조사 결과나 실험의 과정을 보고할 때	단계나 절차에 따라 내용을 구성함.

❷ 발표에서 자료를 활용하는 방법

발표에 활용할 자료
표, 그래프, 사진, □□ 등

→ 자료의 핵심 정보가 발표 내용을 이해하는 데 도움이 되는지를 생각해 보아야 함.

❸ 핵심 정보가 드러나도록 발표하는 방법

- 발표의 목적과 주제를 분명히 정함.
- □□ □□를 중심으로 발표할 내용을 마련함.
- 발표 목적 및 대상의 특성을 고려하여, 내용을 체계적으로 구성함.
- 표나 그래프, 사진이나 영상 등의 자료에서 핵심 정보를 이끌어 내고, 이를 발표에 활용함.

간단 체크 활동 문제

13 이 발표에서 활용한 자료의 효과로 알맞지 않은 것은?

① 자료 1: 세계 기아 인구의 분포와 비율을 한눈에 파악할 수 있게 한다.
② 자료 2: 기아 문제의 원인이 식품 공급의 부족이라는 것을 알 수 있게 한다.
③ 자료 3: '사막화 현상'이 무엇인지 쉽게 이해할 수 있게 한다.
④ 자료 3: '사막화 현상'의 심각성을 느낄 수 있게 한다.
⑤ 자료 4: 듣는 이가 기아 문제 해결에 동참할 수 있게 한다.

14 발표 자료를 선별할 때의 유의점으로 알맞지 않은 것은?

① 자료의 수준이 듣는 이에게 맞는가?
② 자료의 분량이 많고 내용이 구체적인가?
③ 발표할 장소에서 활용할 수 있는 자료인가?
④ 자료의 출처가 객관적으로 신뢰할 수 있는가?
⑤ 자료의 핵심 내용이 발표의 내용을 이해하는 데 도움이 되는가?

15 다음 중 발표를 하는 방법으로 알맞지 않은 것은?

① 발표의 목적과 주제를 분명히 정한다.
② 핵심 정보를 중심으로 발표할 내용을 마련한다.
③ 발표를 할 때에는 몸짓이나 손짓은 활용하지 않는다.
④ 여러 자료에서 핵심 정보를 이끌어 내고, 이를 발표에 활용한다.
⑤ 발표 목적 및 대상의 특성을 고려하여 내용을 체계적으로 구성한다.

❶ 모둠별로 책을 읽고, 발표할 내용 마련하기
❷ 핵심 정보가 잘 드러나도록 발표하기

모둠별로 책을 읽고, 발표할 내용을 마련해 보자. 그리고 핵심 정보가 잘 드러나도록 발표해 보자.

1단계 책 선정하기

1 다음 활동을 해 보면서 모둠 구성원과 함께 읽을 책을 선정해 보자.

(1) 자기가 읽었던 책 중에서 모둠 구성원과 같이 읽고 싶은 책을 떠올려 보자.

나는 『평화는 나의 여행』이란 책을 친구들과 함께 읽고 싶어. 이 책에는 갈등과 분쟁 속에서도 좌절하지 않고 희망과 평화의 씨앗이 되고자 했던 사람들의 이야기가 담겨 있거든. 이 책을 읽으면서 우리가 앞으로 어떻게 살아야 할지 진지하게 생각해 볼 수 있을 거야.

예시 답》 나는 『지구인의 도시 사용법』이라는 책을 친구들과 함께 읽고 싶어. 이 책은 우리의 생활이 자연 생태계에 어떤 영향을 미치는지 소개하고 있어. 환경을 바라보는 시선의 작은 변화가 우리를 둘러싼 환경을 더 나은 곳으로 바꾸게 한다는 내용이 인상 깊었어.

(2) 친구들이 고른 책들을 살펴보고, 모둠 구성원과 함께 읽을 책 한 권을 정해 보자.

예시 답》

책 제목	『지구인의 도시 사용법』
글쓴이	박경화
이 책을 선정한 까닭	[A] 우리 모둠은 이 책을 골라 온 지희의 이야기를 듣고, 우리의 사소한 행동이 지구 반대편의 친구들에게 큰 피해를 줄 수 있다는 것에 놀랐다. 또 인터넷으로 조사해 보니, 이 책은 '환경부가 고른 우수 환경 도서'로 뽑히기도 했고, 글쓴이는 환경단체에서 활동을 하면서 환경이나 생태와 관련한 책을 많이 쓴 사람이었다. 그래서 우리 모둠은 이 책이 환경 분야와 관련하여 믿을 만한 책이라고 생각하여, 이 책을 읽기로 하였다.

간단 체크 활동 문제

16 〈보기〉의 '민재'가 모둠 구성원과 함께 읽고 싶은 책으로 ㉠을 제안한 이유로 알맞은 것은?

┃보기┃
민재: 나는 ㉠『평화는 나의 여행』이란 책을 친구들과 함께 읽고 싶어. 이 책에는 갈등과 분쟁 속에서도 좌절하지 않고 희망과 평화의 씨앗이 되고자 했던 사람들의 이야기가 담겨 있거든. 이 책을 읽으면서 우리가 앞으로 어떻게 살아야 할지 진지하게 생각해 볼 수 있을 거야.

① 새로운 정보를 얻을 수 있기 때문에
② 타 문화를 이해하는 데 도움이 되기 때문에
③ 모둠 구성원의 유대감을 강화할 수 있기 때문에
④ 다양한 삶을 간접적으로 경험할 수 있기 때문에
⑤ 더 나은 인간으로 성장하는 데 도움이 되기 때문에

17 [A]로 보아 모둠에서 『지구인의 도시 사용법』을 선정한 기준으로 가장 적절한 것은?

① 책의 가격
② 판매 부수
③ 작가의 유명도
④ 제목의 참신성과 흥미도
⑤ 주제로 선정한 분야와 관련한 신뢰성

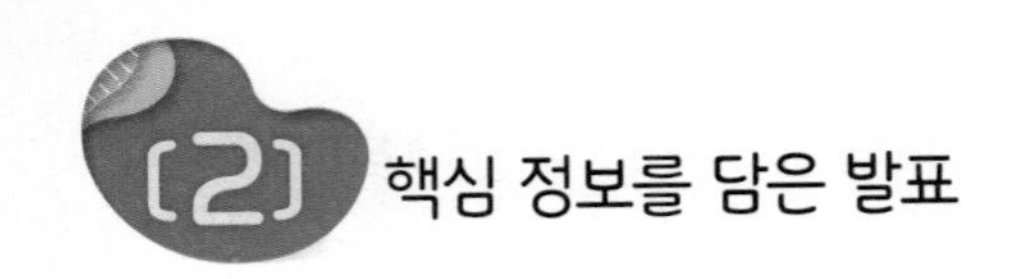

(2) 핵심 정보를 담은 발표

2단계 책 읽고, 발표 주제 정하기

2 책을 읽고, 다음 독서 카드를 작성해 보자.

예시 답 ››

책 제목 / 글쓴이	『지구인의 도시 사용법』 / 박경화
내용 한 줄 요약	바다에 버려진 플라스틱 쓰레기 때문에 바다가 오염되었고, 바다에서 살아가는 생물들이 멸종할 위기에 처했다.
가장 인상 깊었던 부분	미국의 사진작가 크리스 조던은 2009년 북태평양 미드웨이섬에서 촬영한 충격적인 사진을 누리집에 공개했다. 사진 속에는 멸종 위기 종인 앨버트로스가 죽어 있었고, 그 몸속에는 작은 플라스틱 조각들이 가득 차 있었다.
깨달은 점	북태평양은 매우 깨끗한 지역이고 생물들이 살아가기에 좋은 곳이라고 생각했다. 하지만 새의 뱃속에 플라스틱 조각들이 가득 차 있었다는 이야기를 읽고는 환경 문제가 우리가 생각하는 것보다 매우 심각한 상황임을 깨달았다.

3 모둠별로 책 읽기 경험을 나누고, 발표하고 싶은 주제를 정해 보자.

(1) 자신이 기록한 독서 카드를 바탕으로, 책을 읽으면서 느낀 점을 자유롭게 이야기해 보자.

예시 답 ›› 난 행복하고 가치 있는 삶이란 남부러울 것 없이 풍요롭게 사는 것이라고 생각했어. 하지만 이 책을 읽으면서 지구가 인간의 이기심과 탐욕 때문에 병들고 있고, 다양한 생명이 소리 없이 사라지고 있다는 사실을 알게 되었지. 이제부터라도 환경 오염의 심각성을 인식하고, 다양한 생명체가 공존할 수 있는 지구를 지켜 나가도록 친환경적인 삶을 살기로 결심했어.

(2) 책의 내용과 관련하여 학급 친구들에게 발표하고 싶은 주제를 정해 보자.

우리 모둠은 『평화는 나의 여행』이라는 책을 읽으면서, 공정 무역 제품을 사는 일이 왜 착한 소비인지 생각해 봤어. 그래서 우리 모둠은 공정 무역을 소개하고, 착한 소비 생활을 알려 주는 발표를 할 거야.

예시 답 ›› 무분별한 플라스틱 사용 때문에 발생한 바다 오염의 심각성을 살펴보고, 그 해결 방법을 찾아보자.

간단 체크 활동 문제

18 독서 카드를 작성하면 좋은 점으로 알맞지 않은 것은?

① 자신의 독서 습관을 점검할 수 있다.
② 앞으로 독서 계획을 세울 때 도움이 된다.
③ 자신의 생각을 체계적으로 정리할 수 있다.
④ 책을 읽고 느낀 감동을 오래 기억할 수 있다.
⑤ 계속 자신이 좋아하는 분야의 책을 위주로 선택하여 읽을 수 있다.

19 독서 카드에 포함될 수 있는 항목으로 알맞지 않은 것은?

① 전체 차례
② 더 알고 싶은 점
③ 책 제목과 글쓴이
④ 책을 읽고 깨달은 점
⑤ 가장 인상 깊었던 부분

20 책에서 발표하고 싶은 주제를 정할 때 고려할 기준으로 알맞지 않은 것은?

① 책 내용과 관련이 있는가?
② 글쓴이의 관점이 자신과 같은가?
③ 다양한 의견을 나눌 만한 화제인가?
④ 듣는 이가 이해하는 데 어려움은 없는가?
⑤ 책을 읽고 느낀 감동을 잘 나타내고 있는가?

3단계 발표 내용 구성하기

4 발표 내용을 어떻게 구성할지 모둠 구성원과 함께 계획해 보자.

(1) 발표 주제를 고려하여 핵심 정보를 선별한 다음, 개요를 작성해 보자.

예시 답 》

발표 주제: 무분별한 플라스틱 사용 때문에 발생한 바다 오염의 심각성을 살펴보고, 그 해결 방법을 찾아보자.

구분	내용
처음	• 인사 및 발표자 소개 • 모둠에서 책을 읽은 동기 제시 • 책에서 얻은 깨달음 및 발표 주제 제시
가운데	• 플라스틱의 정의와 플라스틱 때문에 발생한 바다 오염 실태 제시 • 플라스틱이 생태 환경에 미치는 영향 분석 • 플라스틱 사용을 줄이기 위한 구체적인 해결 방안 제시
끝	• 지구 환경 오염을 예방하기 위한 당부 • 끝인사

(2) 모둠 구성원과 역할을 분담하여 발표에 활용할 자료를 찾아보자.

예시 답 》

자료 1	자료 2	자료 3
사진, 「미드웨이 – 자이어로부터의 메시지」	그래프, 폐기된 플라스틱 처리 실태	영상, 지구 환경 오염을 막는 방법
• **자료 내용:** 앨버트로스라는 새가 플라스틱을 먹고 죽음. • **활용 방법:** 플라스틱이 지구 환경에 좋지 않은 영향을 미치는 사례로 제시함.	• **자료 내용:** 폐기된 플라스틱 대부분이 바다에 버려지는 경우가 많음. • **활용 방법:** 플라스틱이 바다 오염을 일으키는 요인임을 보여 주는 자료로 활용함.	• **자료 내용:** 일상생활에서 플라스틱 사용을 줄여야 함. • **활용 방법:** 플라스틱 사용을 줄이는 방법을 안내하는 자료로 활용함.

간단 체크 활동 문제

21 〈보기〉의 발표 주제를 고려할 때, 발표 내용에 사용할 내용 조직 방법으로 적절한 것은?

〈보기〉
발표 주제: 무분별한 플라스틱 사용 때문에 발생한 바다 오염의 심각성을 살펴보고, 그 해결 방법을 찾아보자.

① 대상의 외형에 따라 내용을 구성한다.
② 공간의 이동에 따라 내용을 구성한다.
③ 단계나 절차에 따라 내용을 구성한다.
④ 원인과 결과에 따라 내용을 구성한다.
⑤ 문제와 해결 방법에 따라 내용을 구성한다.

22 〈보기〉의 내용을 효과적으로 전달하기 위해 활용할 수 있는 자료로 가장 적절한 것은?

〈보기〉
플라스틱이 바다 오염을 일으키는 요인이다.

① 플라스틱으로 배를 만들어 바다를 횡단한 사람의 인터뷰 기사
② 일상생활에서 플라스틱 사용을 줄이는 방법을 소개하는 영상
③ 앨버트로스라는 새가 플라스틱을 먹고 죽은 모습을 담은 사진
④ 오랜 시간이 지나도 플라스틱은 분해되지 않는다는 내용을 담고 있는 과학 잡지
⑤ 폐기된 플라스틱 대부분이 바다에 버려지는 경우가 많다는 것을 보여 주는 그래프

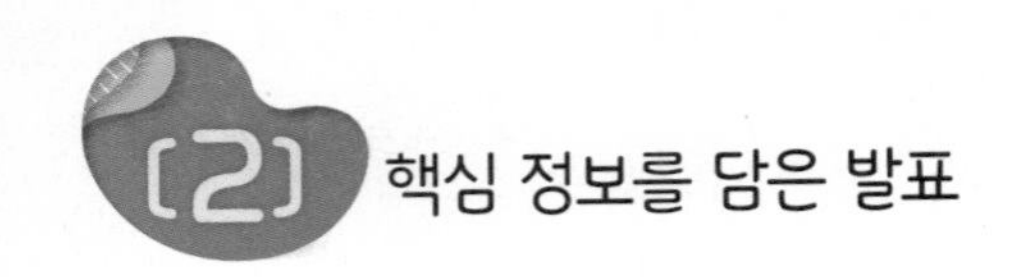

(2) 핵심 정보를 담은 발표

4단계 발표문 작성하기

5 발표문을 작성해 보자.

발표문을 작성할 때 고려할 점

- 처음: 듣는 이의 관심을 끌고 발표할 주제 안내하기
- 가운데: 구체적인 발표 내용을 쉽고 분명하게 표현하기
- 끝: 전체 내용을 요약하고 중요한 부분을 강조하며 발표 마무리하기

예시 답〉〉 안녕하세요? 저는 '발표의 달인' 모둠에서 발표를 맡은 오경민입니다. 저희 모둠은 환경 문제에 관심이 있는 친구들이 많아서, 그와 관련된 책을 함께 읽기로 하였습니다. 그래서 읽게 된 『지구인의 도시 사용법』이란 책은 환경부가 선정한 2016년 우수 환경 도서입니다. 저희는 이 책을 읽고 플라스틱 쓰레기장이 되어 버릴 정도로 바다 오염 상태가 심각하다는 것을 깨달았습니다. 그래서 오늘은 이 문제를 살펴보면서 함께 해결 방안을 찾아보고자 합니다.

먼저 화면의 사진을 보시죠. 이 사진은 무엇을 찍은 것일까요? 네, 바로 죽은 새입니다. 이 사진은 사진작가 크리스 조던이 북태평양에 있는 미드웨이섬에서 찍은 「미드웨이–자이어로부터의 메시지」라는 사진입니다. 이 새는 지구상에서 가장 큰 새로 알려진 앨버트로스라는 새인데요. 앨버트로스는 왜 죽었을까요? 사진을 자세히 보시면, 새의 뱃속에 이상한 것들이 있습니다. 이것은 바로 플라스틱입니다. 이 새는 플라스틱을 먹고 위장 장애나 영양 실조로 죽은 것입니다.

플라스틱은 석유에서 추출한 원료를 결합하여 만든 화합물입니다. 개발된 지 100년 정도가 되었지만 절연성이 뛰어나고 가벼워 지금까지도 널리 쓰입니다. 그런데 플라스틱은 잘 썩지 않아서, 분해되는 데 500년 이상이 걸린다고 합니다. 그러다 보니 플라스틱은 지구 환경을 위협하는 존재가 되었습니다.

미국에서 유명한 두 대학이 공동으로 연구하여 『사이언스 어드밴시스』에 게재한 논문에 따르면, 1950년~2015년 동안 세계에서 생산된 플라스틱은 83억 톤에 달하고, 이 가운데 63억 톤이 쓰레기로 폐기되었다고 합니다. 폐기된 쓰레기 중 약 9 퍼센트만이 재활용되었고, 12 퍼센트는 소각되었으며, 나머지 79 퍼센트는 매립되거나 자연에 그대로 버려졌다고 합니다. 플라스틱은 특히 바다에 버려지는 경우가 많은데, 2015년 기준으로 약 1억 5000만 톤의 플라스틱이 바다를 떠돌고 있다고 합니다. 그들은 2050년이 되면 물고기보다 플라스틱 쓰레기가 더 많아질 것이라고 예측합니다.

이렇듯 바다를 떠도는 플라스틱 쓰레기는 관광 산업이나 수산업에 막대한 피해를 줄 뿐만 아니라, 바다 생태계에도 막대한 영향을 미칩니다. 특히 잘게 부서진 미세한 플라스틱은 물고기나 새들이 쉽게 먹을 수 있어 그들의 생명을 해치고, 그것을 먹는 다른 해양 생물이나 사람에게까지도 악영향을 끼친다고 합니다.

그렇다고 플라스틱을 전혀 사용하지 않을 수는 없을 것입니다. 하지만 지구 환경과 생태계를 보호하려면 플라스틱을 덜 쓰고, 재활용하는 습관을 길러야 합니다. 일상생활에서 쉽게 실천할 방법으로는 무엇이 있을까요? 맞습니다. 일회용 비닐봉지 대신에 친환경 가방을, 플라스틱 컵 대신에 머그잔을 사용하는 것도 좋은 방법입니다. 플라스틱으로 된 일회용 수저는 될 수 있으면 사용하지 않고, 과대 포장 제품은 되도록 사지 않거나 포장재를 구매한 곳에 두고 오는 것도 좋습니다. 그리고 무엇보다 플라스틱을 재활용할 수 있도록 분리수거를 철저히 하는 것이 중요합니다.

이번 발표를 준비하면서 생각한 것보다 바다 오염이 심각한 수준에 이르렀음을 알 수 있었습니다. 우리가 쉽고 편리하다고 플라스틱을 무분별하게 사용한 결과겠죠. 하지만 늦었다고 생각할 때가 바로 시작할 때입니다. 지구 환경과 생태계를 위한 변화의 시작은 바로 여러분의 손에 달려 있습니다. 이상으로 저희가 준비한 발표를 마칩니다. 저희 발표를 끝까지 들어 주셔서 감사합니다.

간단 체크 활동 문제

23 발표를 준비할 때에 발표문을 작성해야 하는 이유로 알맞지 않은 것은?

① 말할 때의 불안감을 덜 수 있다.
② 내용을 빠뜨리지 않고 전달할 수 있다.
③ 발표 시간에 맞게 분량을 조절할 수 있다.
④ 발표 내용을 체계적으로 조직 및 구성할 수 있다.
⑤ 손짓과 몸짓을 적절히 활용하고 올바른 시선 처리를 할 수 있다.

24 발표문의 각 단계에서 제시되어야 할 내용으로 알맞지 않은 것은?

① 처음: 발표자 소개
② 처음: 발표 주제 안내
③ 가운데: 구체적인 발표 내용 제시
④ 가운데: 전체 발표 내용 요약정리
⑤ 끝: 중요한 부분의 강조

25 발표문을 작성할 때 고려할 점이 아닌 것은?

① 주어진 발표 시간
② 발표의 목적과 의도
③ 듣는 이가 질문할 내용
④ 듣는 이의 지적 수준과 관심사
⑤ 발표할 장소에서 활용할 수 있는 매체

내용 점검하고 보완하기

6 발표문을 점검해 보고, 어떤 부분을 보완해야 할지 생각해 보자.

(1) 다음 기준에 따라 발표 내용을 점검해 보자.

예시 답 〉〉

평가 기준			
• 주제가 명확하게 드러나는가?	상 ☑	중 ☐	하 ☐
• 발표 내용은 통일성을 갖추고 있는가?	상 ☐	중 ☑	하 ☐
• 발표 내용을 체계적으로 구성하였는가?	상 ☑	중 ☐	하 ☐
• 핵심 정보를 전달할 수 있는 자료를 활용하였는가?	상 ☐	중 ☑	하 ☐
• 자료의 내용을 정확하게 분석하고, 이를 효과적으로 전달하였는가?	상 ☐	중 ☑	하 ☐

(2) (1)의 점검 결과를 바탕으로, 부족한 부분을 어떻게 보완할지 말해 보자.

예시 답 〉〉

보완할 내용 마지막 부분에서 발표 내용을 한 줄 내외로 정리하여 주제를 더 명확하게 드러낼 것이다. / 플라스틱으로 오염된 바다의 상태를 적나라하게 보여 주는 다큐멘터리 영상을 찾아, 이를 가운데 부분에서 활용하여 문제의 심각성을 강조할 것이다.

발표하기

7 완성한 내용을 친구들 앞에서 발표해 보자.

예시 답 〉〉 생략

간단 체크 활동 문제

26 발표문을 점검할 때의 기준으로 알맞지 않은 것은?

① 주제가 명확히 드러나는가?
② 발표 내용을 체계적으로 구성하였는가?
③ 자료의 내용을 정확하게 분석하였는가?
④ 핵심 정보를 담은 자료를 활용하였는가?
⑤ 듣는 이의 흥미를 반영해 다양한 주제를 표현하였는가?

27 발표를 할 때의 태도로 알맞지 않은 것은?

① 바른 자세로 발표한다.
② 듣는 이의 반응을 살핀다.
③ 발표문을 준비한 그대로 읽는다.
④ 발표 내용에 맞는 적절한 몸짓을 활용한다.
⑤ 발표 내용에 맞춰 목소리 크기, 속도 등을 조절한다.

활동 마당

이 활동은
누리 소통망에서 일상을 소개할 때, '핵심어 표시(해시태그)'로 핵심 정보를 나타내 봄으로써 다른 사람과 소통하는 역량을 키우는 활동입니다.

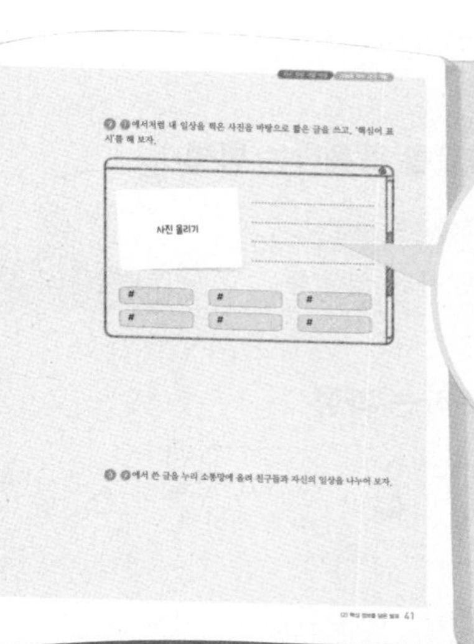

시험에는
• 글이나 사진을 핵심어로 표현하는 문제
• 핵심어를 사용하여 소통할 때의 효과를 묻는 문제
등이 출제될 수 있습니다.

• 정답과 해설 05쪽

●● '기아 문제의 심각성과 해결 방법'의 짜임

중심 화제 및 목적 제시	발표 주제를 선정한 동기 및 발표 ❶ ☐☐ 소개

문제 제기	원인 분석	해결 방법 제시
• 세계 기아의 실태 제시 • 기아 문제의 심각성 제시	• '시장 경제 체제'의 문제 • '❷ ☐☐☐☐'의 문제 • '사막화 현상'의 문제	• 기부 활동에 참여하기 • 기아 문제의 심각성 알리기 • 기아 관련 정책이나 소식에 관심 기울이기

주제 강조 및 당부	• 내용 요약정리 / • 청중의 인식 변화 요구

●● '기아 문제의 심각성과 해결 방법'에 활용한 자료의 핵심 정보와 효과

	핵심 정보	종류	효과
자료 1	기아를 겪고 있는 사람들의 분포와 비율	지도	세계 기아 인구의 분포와 비율을 한눈에 파악하도록 하여, 기아 문제의 심각성을 분명하게 드러냄.
자료 2	전 세계 평균 식품 에너지 공급 충분성 지수	❸ ☐☐☐	전 세계 평균 식품 에너지 공급 충분성의 변화를 한눈에 파악할 수 있게 해 줌으로써, 식량이 충분한데도 기아 문제가 해결되지 않는 원인을 생각해 보게 함.
자료 3	사막화에 따른 문제	사진	사막화가 진행된 호수의 모습을 보여 줌으로써, '사막화 현상'을 쉽게 이해하게 함.
자료 4	구호 단체에서 펼치고 있는 기부 활동	영상	우리가 참여할 수 있는 구호 단체의 활동을 소개해 줌으로써, 기아 문제 해결에 적극적으로 ❹ ☐☐하도록 유도함.

●● 발표의 내용 조직 방법

발표 목적이나 대상의 특성	내용 조직 방법
어떤 대상을 소개할 때	대상의 구조나 쓰임, 외형 등에 따라 내용을 구성
어떤 사건이나 현상을 소개할 때	시간의 순서나 공간의 이동, 사건의 ❺ ☐☐과 결과, 문제와 해결 방법에 따라 내용을 구성
조사 결과나 실험의 과정을 보고할 때	단계나 절차에 따라 내용을 구성

●● 발표에서 자료를 활용하는 방법

발표에 활용할 자료		
표, 그래프, 사진, 영상 등	➲	자료의 ❻ ☐☐ ☐☐가 발표 내용을 이해하는 데 도움이 되는지를 생각해 보고, 도움이 되는 자료를 발표할 때 활용해야 함.

●● 책 읽고 발표하는 과정

책 ❼ ☐☐하기 ➲ 책 읽고, 발표 주제 정하기 ➲ 발표 내용 구성하기 ➲ 발표문 작성하기 ➲ 내용 점검하고 보완하기

소단원 문제

● 정답과 해설 05쪽

01~04 다음을 읽고, 물음에 답하시오.

(가) 저희 모둠에서는 지난번 독서 모둠 활동 때, 유엔 인권 위원회 식량 특별 조사관이었던 장 지글러가 쓴 『왜 세계의 절반은 굶주리는가?』라는 책을 읽었습니다. 이 책을 읽으면서 그동안 우리가 세계의 기아 문제에 얼마나 무관심했는지를 깨달았습니다. 그래서 오늘은 이 문제를 여러분과 함께 살펴보려고 합니다.

(나) 이 지도는 전 세계에서 영양실조를 겪고 있는 사람들의 분포와 비율을 나타낸 '세계 기아 실태 지도'입니다. 보시는 바와 같이 기아 인구는 세계 곳곳에 넓게 퍼져 있으며, 심각한 곳은 전체 인구의 35 퍼센트 이상이 기아로 고통받고 있습니다. 유엔 세계 식량 계획[WFP]에서 발표한 통계 자료에 따르면 세계 인구의 약 9분의 1이 극심한 영양실조를 겪고 있고, 5세 이하의 영·유아 중 절반이 영양실조로 사망하고 있다고 하니, 정말 안타까운 일입니다. / 그렇다면 이러한 문제는 식량이 부족해서 일어나는 것일까요?

(다) 유엔 식량 농업 기구[FAO]에서 발표한 '평균 식품 에너지 공급 충분성' 자료를 보면, 전 세계 평균 식품 에너지 공급 충분성 지수는 계속 증가하여 2014년~2016년에는 약 125 퍼센트에 이르고 있습니다. 이는 전 세계 모든 사람에게 식품을 충분히 공급하고도 남는다는 것을 뜻합니다.

(라) 첫 번째는 '(㉠   )'의 문제입니다. 일부 기업이나 정부에서는 이익을 많이 남기려고 농산물의 가격을 올리거나 농산물의 생산량을 줄이기도 합니다. 그러면 식량 가격이 상승하고, 가난한 나라들은 식량을 구하는 것이 점점 어려워집니다. 결국 그 피해는 다시 굶주리던 사람들에게 돌아가는 것이죠.

(마) 이 영상에서 말하는 것처럼, 만 원이면 무려 5인 가족에게 한 달 동안 먹을 식량을 제공할 수 있습니다. 우리 반 친구들이 다함께 돈을 모은다면, 한 달에 만 원 정도는 기부할 수 있을 것입니다. 또 저희 모둠처럼 기아 문제의 심각성을 주변에 알리거나, 기아 관련 정책이나 소식에 관심을 기울이는 일도 기아 문제를 해결하는 데 큰 도움이 됩니다.

학습 활동 응용

01 이 발표에 대한 설명으로 알맞지 않은 것은?

① 질문을 던져 듣는 이의 관심을 유도하고 있다.
② 책에서 얻은 깨달음을 발표 동기로 제시하고 있다.
③ 문제의 원인을 분석하고 그 해결 방안을 제시하고 있다.
④ 직접 조사한 통계 자료를 활용하여 신뢰성을 높이고 있다.
⑤ 다양한 매체 자료를 활용하여 핵심 내용을 전달하고 있다.

학습 활동 응용

02 (가)~(마) 중, 다음 자료를 활용해서 발표해야 하는 부분으로 알맞은 것은?

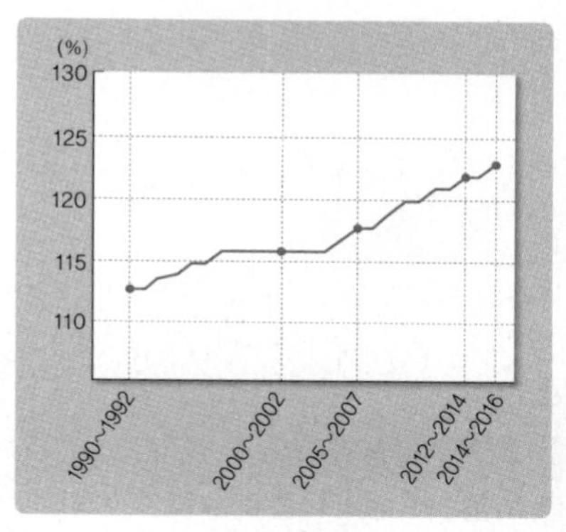

① (가) ② (나) ③ (다) ④ (라) ⑤ (마)

03 ㉠에 들어갈 말로 알맞은 것은?

① 부정부패 ② 빈부격차
③ 사막화 현상 ④ 식량 자급률
⑤ 시장 경제 체제

서술형

04 이 발표에서 〈보기〉의 역할을 하는 매체를 찾아 2음절로 쓰시오.

보기
듣는 이가 참여할 수 있는 구호 단체의 활동을 소개함으로써, 문제 해결에 동참하도록 유도한다.

어휘력 키우기

교과서 42~43쪽

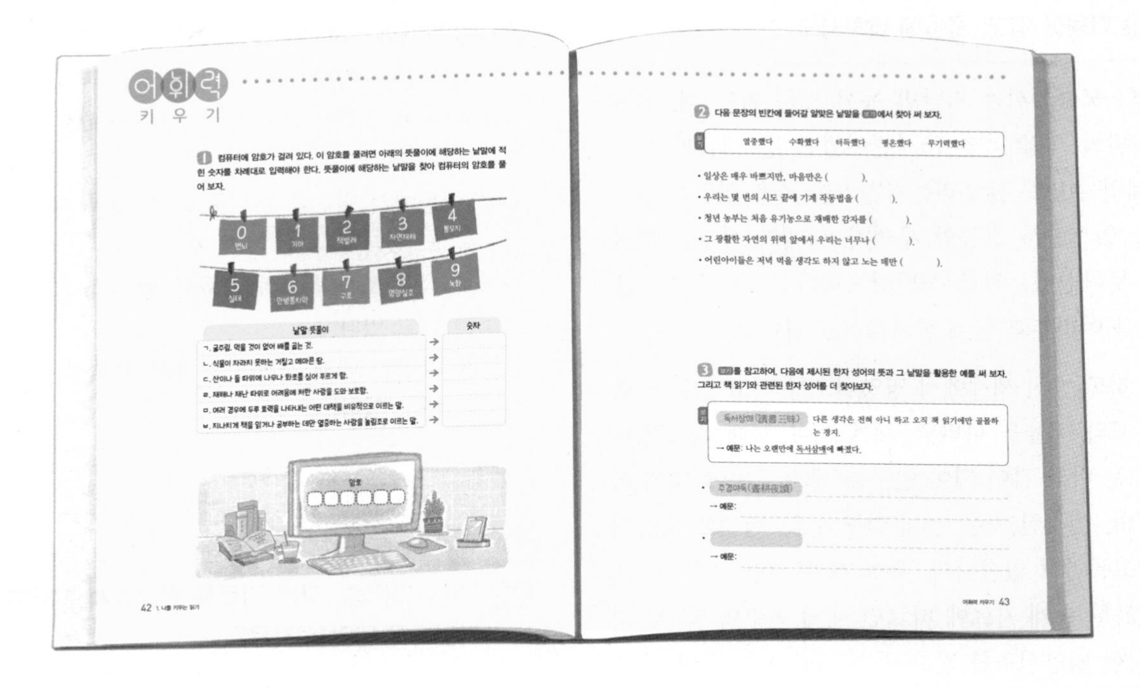
어휘력 키우기

1 컴퓨터에 암호가 걸려 있다. 이 암호를 풀려면 아래의 뜻풀이에 해당하는 낱말에 적힌 숫자를 차례대로 입력해야 한다. 뜻풀이에 해당하는 낱말을 찾아 컴퓨터의 암호를 풀어 보자.

0 번뇌 / 1 기아 / 2 책벌레 / 3 자연재해 / 4 불모지 / 5 실태 / 6 만병통치약 / 7 구호 / 8 영양실조 / 9 녹화

낱말 뜻풀이		숫자
ㄱ. 굶주림. 먹을 것이 없어 배를 곯는 것.	→	
ㄴ. 식물이 자라지 못하는 거칠고 메마른 땅.	→	
ㄷ. 산이나 들 따위에 나무나 화초를 심어 푸르게 함.	→	
ㄹ. 재해나 재난 따위로 어려움에 처한 사람을 도와 보호함.	→	
ㅁ. 여러 경우에 두루 효력을 나타내는 어떤 대책을 비유적으로 이르는 말.	→	
ㅂ. 지나치게 책을 읽거나 공부하는 데만 열중하는 사람을 놀림조로 이르는 말.	→	

암호

42 1. 나를 키우는 읽기

2 다음 문장의 빈칸에 들어갈 알맞은 낱말을 보기에서 찾아 써 보자.

보기: 열중했다 수확했다 터득했다 평온했다 무기력했다

- 일상은 매우 바쁘지만, 마음만은 ( ).
- 우리는 몇 번의 시도 끝에 기계 작동법을 ( ).
- 청년 농부는 처음 유기농으로 재배한 감자를 ( ).
- 그 광활한 자연의 위력 앞에서 우리는 너무나 ( ).
- 어린아이들은 저녁 먹을 생각도 하지 않고 노는 데만 ( ).

3 보기를 참고하여, 다음에 제시된 한자 성어의 뜻과 그 낱말을 활용한 예를 써 보자. 그리고 책 읽기와 관련된 한자 성어를 더 찾아보자.

보기: 독서삼매(讀書三昧) 다른 생각은 전혀 아니 하고 오직 책 읽기에만 골몰하는 경지.
→ 예문: 나는 오랜만에 독서삼매에 빠졌다.

- 주경야독(晝耕夜讀)
→ 예문:
-
→ 예문:

어휘력 키우기 43

예시답안

1.

낱말 뜻풀이		숫자
ㄱ. 굶주림. 먹을 것이 없어 배를 곯는 것.	→	1 기아
ㄴ. 식물이 자라지 못하는 거칠고 메마른 땅.	→	4 불모지
ㄷ. 산이나 들 따위에 나무나 화초를 심어 푸르게 함.	→	9 녹화
ㄹ. 재해나 재난 따위로 어려움에 처한 사람을 도와 보호함.	→	7 구호
ㅁ. 여러 경우에 두루 효력을 나타내는 어떤 대책을 비유적으로 이르는 말.	→	6 만병통치약
ㅂ. 지나치게 책을 읽거나 공부하는 데만 열중하는 사람을 놀림조로 이르는 말.	→	2 책벌레

• 암호: 149762

2.

• 일상은 매우 바쁘지만, 마음만은 (평온했다).
• 우리는 몇 번의 시도 끝에 기계 작동법을 (터득했다).
• 청년 농부는 처음 유기농으로 재배한 감자를 (수확했다).
• 그 광활한 자연의 위력 앞에서 우리는 너무나 (무기력했다).
• 어린아이들은 저녁 먹을 생각도 하지 않고 노는 데만 (열중했다).

3.

• 주경야독(晝耕夜讀): 낮에는 농사를 짓고 밤에는 글을 읽는다는 뜻으로, 바쁘고 어려운 중에도 꿋꿋이 공부함을 이르는 말.
→ 예문: 그 사람은 주경야독으로 대학을 졸업하였다.
• 등화가친(燈火可親): 서늘한 가을밤은 등불을 가까이 하여 글 읽기에 좋다는 말. → 예문: 가을은 등화가친의 계절이다.

확인 문제

01 낱말의 뜻풀이가 바르지 않은 것은?

① 평온하다: 조용하고 평안하다.
② 열중하다: 한 가지 일에 정신을 쏟다.
③ 무기력하다: 시원스럽게 넓고 환하다.
④ 터득하다: 깊이 생각하여 이치를 깨달아 알아내다.
⑤ 수확하다: 익거나 다 자란 농수산물을 거둬들이다.

02 밑줄 친 낱말의 사용이 바르지 않은 것은?

① 구급 대원들이 신속한 구호 활동을 벌였다.
② 이 땅은 불모지라 쉽게 농사를 지을 수 있다.
③ 그는 주경야독으로 공부해서 시험에 합격했다.
④ 기아로 힘들어하는 어린이들을 외면하지 말자.
⑤ 4차 산업 혁명이 미래의 만병통치약은 아니다.

01~04 다음 글을 읽고, 물음에 답하시오.

가 이덕무는 서자여서 아무리 학식이 뛰어나도 벼슬을 할 수가 없었어. 너무나 가난하여 식구들의 끼니를 걱정해야 했지만 자신이 할 수 있는 일은 별로 없었지. 아무리 서자라도 양반은 양반이니까 아무 일이나 할 수는 없었거든. 그러니 얼마나 답답했겠어. 그럴 때 위로가 되고 힘을 준 것이 바로 책과 그 책을 읽고 함께 이야기를 나눌 수 있는 벗들이었지.

나 나는 지극히 슬프더라도 한 권의 책을 들고 내 슬픈 마음을 위로하며 조용히 책을 읽는다. 그러다 보면 절망스러운 마음이 조금씩 안정된다. 내가 온갖 색깔을 볼 수 있는 눈을 가졌다 해도 만일 서책을 읽지 못하는 까막눈이라면 장차 무슨 수로 내 마음을 다스릴 수 있을 것인가.

다 이렇게 보니까 글을 읽는 것은 정말 만병통치약인 것 같아. 글 속에 담긴 뜻을 이해하면서 지혜로워지고, 몰랐던 것들을 알게 되면서 지식을 쌓는 건 말할 것도 없고, 배고픔이나 추위도 잊을 수 있고, 걱정이나 근심을 해결하며 몸의 병도 낫게 한다니, 이보다 더 좋은 만병통치약이 어디 있겠어?

라 공원이나 건물 가에서 흔히 볼 수 있는 키 작은 관목들만 봐도 그렇다. 숲이 생길 때 가장 중심부에서 그 틀을 잡아 주는 ㉠관목들은 어느 정도 숲이 완성되면 키 큰 나무들에게 자리를 내주고 언저리, 즉 숲의 주변부로 밀려난다. 키가 큰 교목들 틈에선 살아날 수가 없기 때문이다.

마 아무런 생명도 없던 메마른 땅에 평상시에 외면만 당하던 풀들이 들어와 개척자 역할을 한다. 이들은 불모지에 가장 먼저 들어와 지반을 안정시키고 다른 나무들이 살아갈 윤택한 토양을 만들어 낸다. 흔히 잡풀 취급을 하는 쑥이나 억새, 고사리가 바로 이런 ㉡'개척 식물'들이다.

바 "[ⓐ]"라는 말은 비단 나무 사회에만 통용되는 말은 아닐 것이다. 세상 모든 것은 저마다 가치를 지니고 있다. 하루살이 같은 삶, 내일이 보이지 않는 삶이라 하더라도 분명 살아가는 이유가 있고, 가치가 있는 것이다. 그러므로 그 가치를 알고 묵묵히 제 역할을 해낼 때, 결국 그것이 자기를 지키고 세상을 지키는 길이 된다.

고난도 서술형

01 (가)~(다)의 제목은 「읽으면 읽을수록 좋은 만병통치약」이다. 이러한 제목과 관련지어 글쓴이가 전하려는 바가 무엇인지 쓰시오.

조건
① 청유형으로 쓸 것

02 (다)에 대한 설명으로 알맞지 않은 것은?

① 글을 읽으면 좋은 점을 나열하고 있다.
② 읽기의 가치와 중요성을 강조하고 있다.
③ 읽기를 만병통치약에 빗대어 표현하고 있다.
④ 글쓴이가 자신이 한 말에 대한 근거를 제시하고 있다.
⑤ 스스로 질문을 한 후 이에 대답을 제시하며 관점의 변화를 드러내고 있다.

03 ㉠과 ㉡의 공통점으로 가장 적절한 것은?

① 윤택한 토양을 만들어 낸다.
② 키가 크고 화려한 식물이다.
③ 숲의 중심부에 끝까지 자리한다.
④ 쑥이나 억새, 고사리가 여기에 속한다.
⑤ 자신을 내세우지 않고 묵묵히 자신의 역할을 한다.

04 ⓐ에 들어갈 말로 알맞은 것은?

① 못생긴 나무가 산을 지킨다.
② 나무를 보고 숲을 보지 못한다.
③ 될성부른 나무는 떡잎부터 알아본다.
④ 열 번 찍어 아니 넘어가는 나무 없다.
⑤ 가지 많은 나무에 바람 잘 날이 없다.

• 정답과 해설 05쪽

05~08 **다음을 읽고, 물음에 답하시오.**

(가) 안녕하세요? 저는 ○○ 모둠에서 발표를 맡은 양세민입니다. 저희 모둠에서는 지난번 독서 모둠 활동 때, 유엔 인권 위원회 식량 특별 조사관이었던 장 지글러가 쓴 『왜 세계의 절반은 굶주리는가?』라는 책을 읽었습니다. 이 책을 읽으면서 그동안 우리가 세계의 기아 문제에 얼마나 무관심했는지를 깨달았습니다. 그래서 오늘은 이 문제를 여러분과 함께 살펴보려고 합니다.

(나) 기아 인구는 세계 곳곳에 넓게 퍼져 있으며, 심각한 곳은 전체 인구의 35 퍼센트 이상이 기아로 고통받고 있습니다. 유엔 세계 식량 계획[WFP]에서 발표한 통계 자료에 따르면 세계 인구의 약 9분의 1이 극심한 영양실조를 겪고 있고, 5세 이하의 영·유아 중 절반이 영양실조로 사망하고 있다고 하니, 정말 안타까운 일입니다.

(다) 유엔 식량 농업 기구[FAO]에서 발표한 '평균 식품 에너지 공급 충분성' 자료를 보면, 전 세계 평균 식품 에너지 공급 충분성 지수는 계속 증가하여 2014년~2016년에는 약 125 퍼센트에 이르고 있습니다. 이는 전 세계 모든 사람에게 식품을 충분히 공급하고도 남는다는 것을 뜻합니다. 이처럼 충분한 식량이 있는데도 수많은 사람이 기아에 시달리고 있다니 이해하기 어렵습니다. 과연 그 원인은 무엇일까요?

(라) 이 영상에서 말하는 것처럼, 만 원이면 무려 5인 가족에게 한 달 동안 먹을 식량을 제공할 수 있습니다. 우리 반 친구들이 다함께 돈을 모은다면, 한 달에 만 원 정도는 기부할 수 있을 것입니다. 또 저희 모둠처럼 기아 문제의 심각성을 주변에 알리거나, 기아 관련 정책이나 소식에 관심을 기울이는 일도 기아 문제를 해결하는 데 큰 도움이 됩니다.

(마) 지금까지 기아 문제의 심각성과 그 원인, 그리고 우리가 할 수 있는 일을 알아보았습니다. 여러분, 법정 스님은 "나만 다 차지하고 살 수 있는 세상이 아니다. 서로 얽혀 있고 서로 의지해 있다."라고 하였습니다. 그렇습니다. 법정 스님의 말처럼 세계의 기아 문제는 결코 우리와 동떨어진 일이 아닙니다. 우리 모두의 문제입니다. 오늘 발표를 듣고, 여러분도 세계의 이웃을 생각하여 함께 고민해 주세요.

05 **(가)~(마) 중, 〈보기〉의 설명에 해당하는 것은?**

보기
- 앞부분의 내용을 요약정리하고 있다.
- 듣는 이의 인식 변화를 요구하고 있다.

① (가) ② (나) ③ (다) ④ (라) ⑤ (마)

06 **이 발표에서 활용한 말하기 전략에 해당하지 않는 것은?**

① 질문을 던져 듣는 이의 집중을 유도하고 있다.
② 관용 표현을 활용하여 듣는 이의 공감을 이끌어 내고 있다.
③ 구체적인 수치를 제시하여 정보를 명료하게 전달하고 있다.
④ 권위자의 말을 인용하여 듣는 이의 태도 변화를 유도하고 있다.
⑤ 자료의 출처가 권위 있는 기관임을 밝혀 신뢰성을 높이고 있다.

07 **다음은 (나)를 발표할 때 활용한 자료이다. 이에 대한 학생의 반응으로 가장 적절한 것은?**

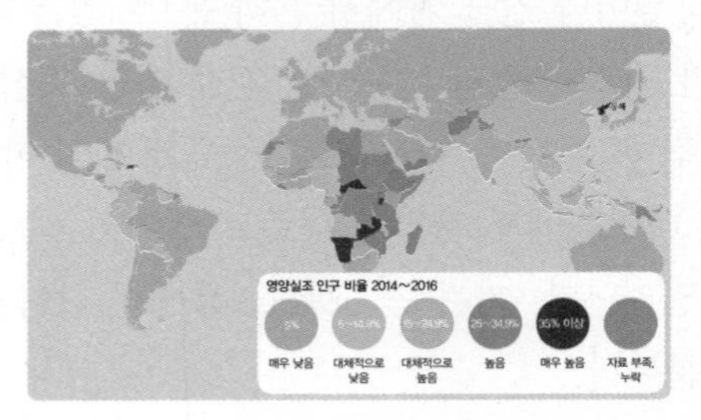

① 기아의 개념을 쉽게 이해할 수 있었어.
② 기아 인구의 변화 양상을 확인할 수 있었어.
③ 기아를 겪고 있는 사람들의 분포와 비율을 한눈에 파악할 수 있었어.
④ 기아 문제가 시청각 자료로 제시되어 내용을 효과적으로 이해할 수 있었어.
⑤ 기아에 시달리고 있는 사람들이 특정 대륙에만 몰려 있는 현실이 안타까웠어.

서술형

08 **이 발표에서 제안한, 문제를 해결하기 위한 방법을 모두 찾아 쓰시오.**

창의적 사고력을 키우는

창의·융합

교과서 46~49쪽

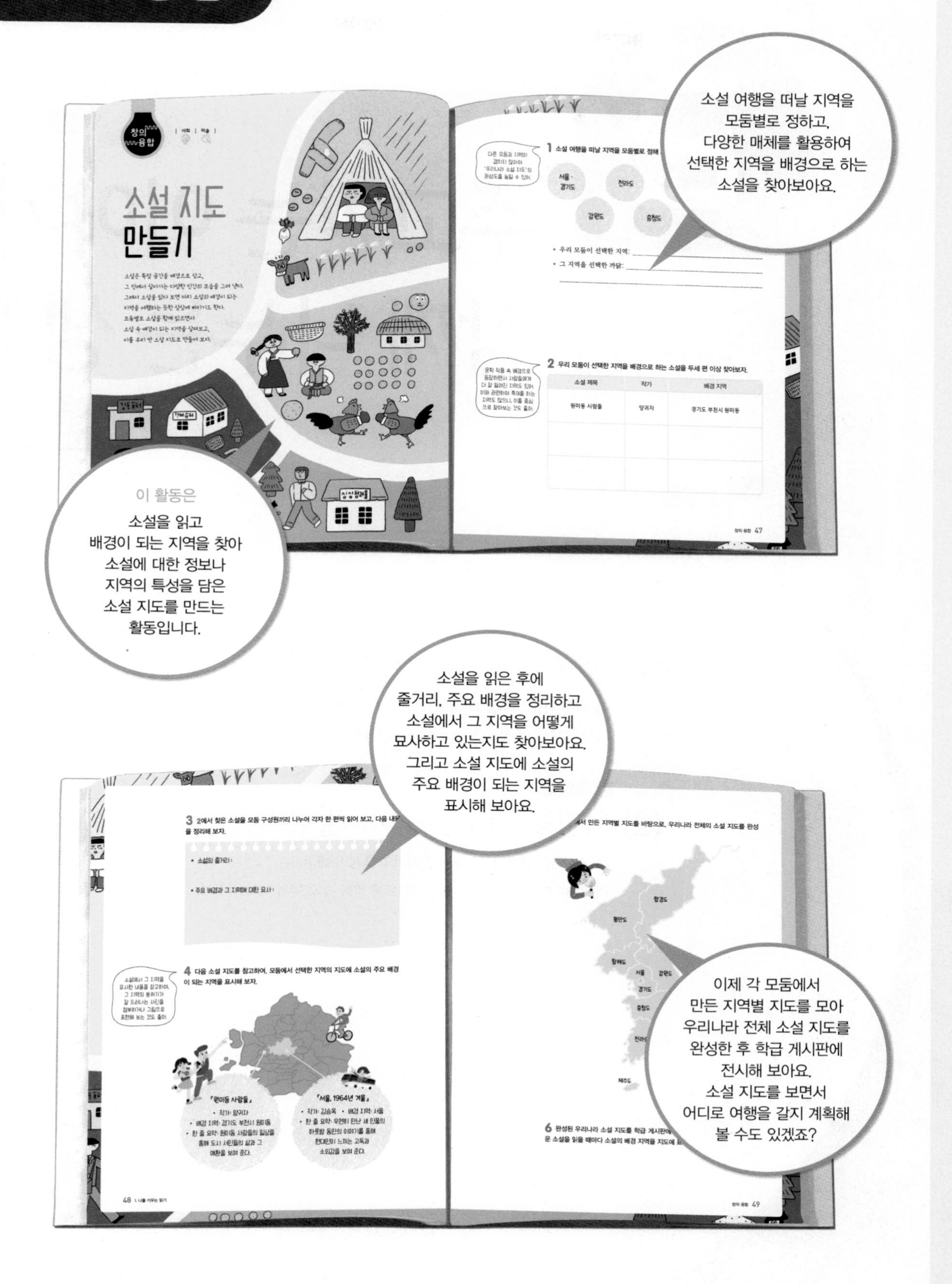

2

의사소통 역량

주고받는 이야기, 함께 나누는 생각

문법

(1) 담화의 개념과 특성

- 담화의 개념과 특성 파악하기
- 담화 구성 요소를 고려하여 상황극 만들기

듣기·말하기

(2) 의미를 나누는 듣기·말하기

- 의미 공유 과정으로서 듣기·말하기의 특성 이해하기
- 협력적인 듣기·말하기가 이루어지도록 영화 속 인물의 대사 바꾸기

왜 배울까?

"잘한다."라는 표현은 다른 사람을 칭찬할 때 사용할 수도 있지만, 다른 사람을 나무랄 때도 사용할 수 있다. 같은 말(글)도 말하는 이(글쓴이)나 듣는 이(읽는 이)뿐만 아니라 구체적인 시간과 공간, 사회·문화적 배경 등에 따라 다른 뜻으로 쓰일 수 있기 때문이다. 이처럼 의사소통에는 다양한 요소가 영향을 미치므로 우리는 이를 고려하여 다른 사람과 소통해야 한다. 이와 더불어 협력적인 태도 역시 중요하다. 듣기·말하기는 말하는 이와 듣는 이가 생각을 주고받으며 의미를 함께 만들어 나가는 과정이기 때문이다. 의사소통에 관여하는 다양한 요소를 알고 협력적인 태도를 갖추면 다른 사람과 원활하게 소통할 수 있을 것이다.

뭘 배울까?

이 단원에서는 의사소통 역량을 기르기 위해 담화의 개념과 특성을 알아보고, 이를 바탕으로 담화 상황에 맞게 소통하는 방법을 배울 것이다. 또한 다양한 듣기·말하기 장면을 살펴보면서 의미 공유 과정으로서의 듣기·말하기 활동이 지닌 특성을 알아볼 것이다.

• 정답과 해설 06쪽

길잡이

담화란

말하는 이(글쓴이)와 듣는 이(읽는 이)를 포함하여 구체적인 맥락 속에서 이루어지는 발화(문장)나 발화(문장)의 연속체를 말한다.

담화의 구성 요소

담화 참여자	• 말하는 이(글쓴이)와 듣는 이(읽는 이)를 가리킴. • 담화를 생성하고 수용하는 사람으로, 담화가 성립되기 위한 필수 요소임.
전달하려는 내용	말하는 이(글쓴이)와 듣는 이(읽는 이)가 주고받는 정보를 가리킴.
맥락	상황 맥락(담화가 이루어지는 시간과 공간)과 사회·문화적 맥락(담화에 영향을 주는 사회·문화·역사적 상황)을 가리킴.

상황 맥락의 개념과 특성

개념	담화가 이루어지는 구체적인 시간 및 공간을 말함.
특성	• 담화에 직접적으로 관련되어 의사소통에 영향을 줌. • 담화가 언제, 어디서 이루어지느냐에 따라 담화의 뜻과 표현 등이 달라짐. 예 "잘 봐라.": 말이 이루어지는 시간과 공간에 따라 "집을 잘 지켜라."라는 뜻으로 쓰일 수도 있고, "시험을 잘 쳐라."라는 뜻으로 쓰일 수도 있음.

사회·문화적 맥락의 개념과 구성 요소 및 특성

개념		담화에 영향을 주는 사회·문화·역사적 상황 및 언어 공동체의 의식이나 가치 등을 말함.
구성 요소 및 특성	지역	같은 언어를 사용하더라도 지역에 따라 말이 달라지기도 하는데, 이를 '지역 방언'이라고 함.
	세대	세대에 따라 사용하는 언어가 달라지기도 함.
	성별	말을 하는 사람의 성별에 따라 말투나 사용하는 어휘 등에 차이가 생기기도 함.
	문화	문화권에 따라 그 나라만의 관습적인 언어 표현을 사용하기도 함.
	역사적 상황	특정한 역사를 배경으로 한 담화는, 말하는 이(글쓴이)와 듣는 이(읽는 이)가 그 역사적 상황과 정서를 같이 공유하고 있을 때 담화 참여자 간의 원활한 의사소통이 이루어질 수 있음.

간단 체크 개념 문제

1 담화에 대한 설명이 맞으면 ○표, 틀리면 ×표 하시오.

(1) 담화는 말하는 이와 듣는 이, 전달하려는 내용, 맥락으로 구성된다. (　　)

(2) 담화의 구체적인 뜻은 맥락 속에서 결정되므로 원활하게 의사소통하려면 맥락을 고려해야 한다. (　　)

(3) 상황 맥락은 언어 공동체의 의식이나 가치를 담고 있으며, 인종, 국적, 지역, 성별 등과 관련된다. (　　)

2 다음 빈칸에 들어갈 알맞은 말을 쓰시오.

> □□ □□이란 대화를 하거나 글을 읽고 쓰는 활동에 직접적인 관련을 맺고 있는 맥락으로, 담화가 이루어지는 구체적인 시간과 공간을 뜻한다.

3 원활한 의사소통을 위해 고려해야 할 사회·문화적 맥락의 요소가 아닌 것은?

① 지역　② 세대
③ 문화　④ 성별
⑤ 장소

교과서 55~69쪽

• 정답과 해설 06쪽

담화의 개념과 특성

학습 목표 담화의 개념과 특성을 이해할 수 있다.

이해
❶ 담화의 개념과 특성 파악하기
❷ 담화의 구성 요소 파악하기

학습 포인트
❶ 담화의 개념과 특성
❷ 담화의 구성 요소

1 담화의 개념과 특성을 알아보자.

(1) 다음 상황에서 "어떻게 왔어?"라는 말의 뜻이 무엇일지 말해 보자.

답 어디가 아프니?

(2) (1)에 제시된 상황 이외에 "어떻게 왔어?"라는 말을 쓸 수 있는 다른 상황을 떠올려 보자.

상황 1

아침에 체험 활동 장소에서, 한 친구가 다른 친구에게 무엇을 타고 왔는지 물어보는 상황

세민: 어떻게 왔어?
민재: 난 버스 타고 왔어.

"어떻게 왔어?"

상황 2

예시 답›› 토요일 오후 전시회장에서, 전시회에 참가한 윤하가 자신이 미처 초대하지 못한 민재가 찾아온 것을 보고 놀라서, 민재에게 어떻게 알고 왔냐고 물어보는 상황

윤하: 어떻게 왔어?
민재: 선호가 알려 줬어.

간단 체크 활동 문제

01 1-(1)의 담화 상황에 대한 분석으로 알맞지 않은 것은?

① 듣는 이: 학생
② 시간: 오전 10시
③ 공간: 학교 보건실
④ 말하는 이: 양호 선생님
⑤ 말하는 이가 전달하고자 하는 내용: 쉬는 시간에 오지 않고 왜 수업 시간에 왔니?

02 1-(1)과 (2)에서 "어떻게 왔어?"의 의미가 다른 이유로 알맞은 것은?

① 듣는 이의 성별이 다르기 때문에
② 대화를 나누는 상황이 다르기 때문에
③ 대화 참여자의 배경지식이 다르기 때문에
④ 말하는 이의 출신 지역이 다르기 때문에
⑤ 대화에 참여한 인원의 수가 다르기 때문에

(1) 담화의 개념과 특성

(3) (2)의 상황 중 하나를 골라 (1)의 상황과 어떻게 다른지 정리해 보자.

	(1)의 상황	(2)의 상황
말하는 이	보건 선생님	답 윤하
듣는 이	배가 아픈 학생	답 □□
시간 및 공간	오전 10시(수업 시간) / 학교 보건실	답 토요일 오후 / 전시회장
"어떻게 왔어?"라는 말의 뜻	답 어디가 아프니?	답 어떻게 알고 왔니?

(4) (1)~(3)을 바탕으로, 다음 빈칸에 알맞은 말을 써 보자.

> 말이나 글의 뜻은 답 □□□□ □(글쓴이), 듣는 이(읽는 이), 시간과 공간에 따라 달라질 수 있다. 그러므로 말이나 글의 뜻을 정확하게 이해하려면 답 말하는 이(글쓴이), 듣는 이(읽는 이), □□□ □□ 등을 고려하여야 한다.

2 담화에 말하는 이와 듣는 이가 어떤 영향을 미치는지 알아보자.

(1) ②와 ③의 말하는 이와 듣는 이의 관계가 어떻게 다른지 살펴보자.

- ②: 의사와 환자
- ③: 답 □□과 신발 가게 점원

(2) ②와 ③에서 "불편하지는 않으세요?"라는 말이 각각 어떤 뜻으로 쓰였을지 말해 보자.

답 ②의 말은 '팔이 아프지는 않으신가요?'라는 뜻으로, ③의 말은 '신발이 발에 잘 맞나요?'라는 뜻으로 쓰였다.

간단 체크 활동 문제

중요 **03** 말의 뜻에 영향을 미치는 요소로 알맞지 않은 것은?

① 시간
② 공간
③ 듣는 이
④ 말하는 이
⑤ 말소리의 크기

04 담화 참여자의 직업을 고려하여 ㉠과 ㉡의 의미를 각각 쓰시오.

3 담화에 시간과 공간이 어떤 영향을 미치는지 알아보자.

(1) ㉮와 ㉯에서 "지금 몇 시니?"라는 말이 각각 어떤 뜻으로 쓰였을지 말해 보자.

이제 그만 자고 어서 일어나.

답 게임은 그만하고 이제 자야지.

• ㉮와 ㉯의 상황에 맞는 대답을 써 보자.

답 • 네, 얼른 일어날게요.
• 10분만 더 잘게요.

답 • 네, 곧 잘게요.
• 이것만 마무리하고 잘게요.

(2) ㉮~㉰에서 "양심을 지키세요."라는 문구가 어떤 뜻을 나타낼지 써 보자.

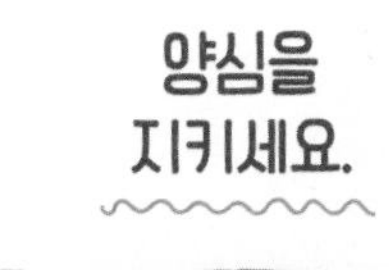

차례를 지키세요.

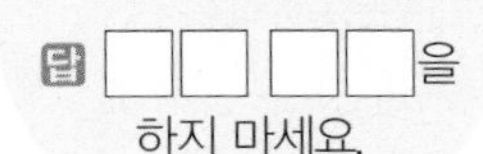

답 □□ □□을 하지 마세요.

답 쓰레기를 버리지 마세요.

• 이 문구가 사용될 수 있는 공간을 더 찾아보고, 그 뜻을 써 보자.

공간	뜻
도서관	책을 찢지 마세요.
답 시험장	답 부정행위를 하지 마세요.
답 화장실	답 화장실을 깨끗하게 사용하세요.

간단 체크 활동 문제

05 담화 상황으로 보아, ㉢에 대한 대답으로 적절한 것은?

① 벌써 11시네요.
② 최선을 다할게요.
③ 이제 그만할게요.
④ 문 좀 닫아 주세요.
⑤ 사생활을 지켜 주세요.

중요

06 〈보기〉의 문구가 사용된 장소와 그 의미의 연결이 적절하지 않은 것은?

보기

양심을 지키세요.

① 지하철역: 차례를 지키세요.
② 도서관: 조용히 책을 읽으세요.
③ 공원: 쓰레기를 버리지 마세요.
④ 건널목 앞: 무단 횡단을 하지 마세요.
⑤ 시험장: 친구들과 사이좋게 이야기하세요.

4 담화에 지역이나 세대, 문화의 차이가 어떤 영향을 주는지 알아보자.

가 나

(1) 가에서 안내문을 지역 방언으로 쓴 까닭과 안내문을 표준어로 풀이한 까닭을 추측해 보자.

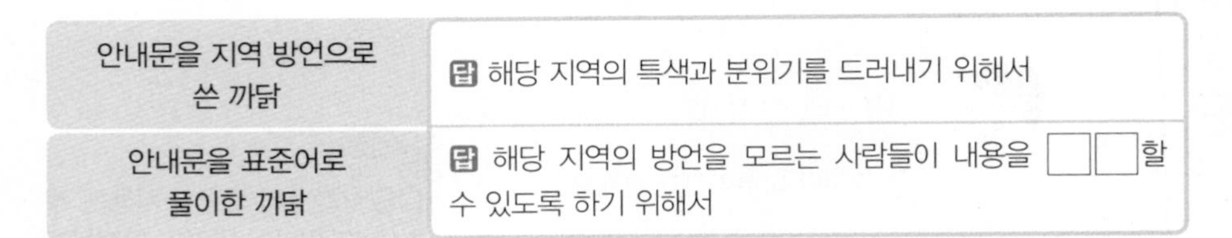

안내문을 지역 방언으로 쓴 까닭	답 해당 지역의 특색과 분위기를 드러내기 위해서
안내문을 표준어로 풀이한 까닭	답 해당 지역의 방언을 모르는 사람들이 내용을 □□할 수 있도록 하기 위해서

(2) 나에서 아빠와 딸의 대화가 원활하게 진행되지 못한 까닭을 말해 보자.

답 딸이 아빠가 모르는 낱말(줄인 말)을 사용했기 때문이다.

지식 사전

지역에 따른 언어 차이

지역에 따라 같은 말이 서로 다른 의미로 사용되기도 하고, 다른 말이 같은 의미로 사용되기도 함.

예 손님: 콩지름('콩나물'의 방언) 주세요.
가게 주인: 콩기름은 없어요.

→ 같은 대상인 콩나물을 가리키는 말이 지역마다 다르기 때문에 손님과 가게 주인이 의사소통을 원활하게 하지 못함. 손님이 콩나물이라는 표준어를 쓰거나 대상을 직접 가리키면서 말해야 함.

지역 방언의 개념과 특성

개념	한 언어에서, 지역적으로 분화되어 지역에 따라 다르게 쓰는 말
특성	• 해당 지역의 고유한 정서와 문화가 담겨 있음. • 같은 지역 사람들 간의 친밀감을 높이고 유대감을 느끼게 함. • 문학 작품에서 사용하면 풍부한 정서와 감정을 전달할 수 있음. • 독립된 언어 공동체를 형성하므로 그 지역 출신이 아니면 말의 뜻을 이해하기 어려움. 예 할머니 → 할무이(경남), 할망(경북, 제주), 할마시(강원, 경남)

세대에 따른 언어 차이

세대에 따라 사용하는 언어가 달라지기도 함.

예 젊은 세대는 '버카충(버스 카드 충전)', '문상(문화 상품권)', '열공(열심히 공부하다)'과 같은 줄인 말이나 'ㅋㅋ(전달하고자 하는 내용을 빠르게 전달하기 위해 낱말의 초성자만을 사용)', '^^(감정을 풍부하게 전달하기 위해 그림말을 사용)' 등과 같은 온라인상의 용어를 즐겨 사용하는 경향이 있음.

간단 체크 활동 문제

07 (가)에서 안내문을 지역 방언으로 쓴 까닭으로 가장 적절한 것은?

① 지역 방언의 역할을 소개하기 위해
② 지역의 특색과 분위기를 드러내기 위해
③ 지역의 오랜 역사와 전통을 알리기 위해
④ 지역 사람들 간의 친밀감을 높이기 위해
⑤ 다른 지역에서 볼 수 없는 자연 환경을 자랑하기 위해

08 (나)에서 아빠와 딸의 대화가 원활하지 못한 이유로 알맞은 것은?

① 남성과 여성이 사용하는 어휘가 달라서
② 서로의 문화적 특수성을 인정하지 않아서
③ 아빠가 딸이 사용한 외래어의 뜻을 알지 못해서
④ 말소리는 같지만 지역에 따라 뜻이 다른 단어를 사용해서
⑤ 아빠가 젊은 세대가 사용하는 말의 의미를 이해하지 못해서

(3) 다음의 일기를 쓴 외국인이 '이모', '언니'라는 호칭을 어색하게 느낀 까닭을 말해 보자.

20○○년 ○○월 ○○일

한국말은 어려워

민재와 설렁탕을 먹으러 갔는데, 민재가 식당에서 일하는 아주머니에게 "이모, 여기 설렁탕 두 그릇 주세요."라고 했다. 그런데 우리 옆자리 손님도 "이모, 저희는 된장찌개요."라고 하는 것이 아닌가? 나는 깜짝 놀라 민재에게 "모두 친척이야?"라고 물었다. 민재는 웃으며 아니라고 말했다.

밥을 먹고 나와서 어떤 옷 가게 앞을 지나가고 있을 때였다. 그 옷 가게의 주인이 나에게 "언니, 예쁜 옷 많아요. 들어와서 구경하세요!"라고 말했다. 가게 주인은 나보다 나이가 훨씬 많아 보였다. 그런데 왜 나를 '언니'라고 부르는 거지? 한국 사람들은 왜 아무에게나 '이모', '언니'라고 부르는 걸까? 나는 잘 모르겠다. 한국말은 참 어렵다.

답 원래 '□□'는 어머니의 여자 형제를 가리키는 말이고, '□□'는 같은 부모에게서 태어난 사이이거나 일가친척 가운데 항렬이 같은 동성의 손위 형제를 이르거나 부르는 말이다. 그러나 우리나라 문화에서는 친척이나 연상이 아니더라도 남남끼리의 여자들 사이에서 친근감 있는 어투로 상대를 부를 때 '이모', '언니'를 사용하기도 한다. 하지만 이 일기를 쓴 외국인은 이러한 우리의 말 문화를 잘 알지 못한다. 그래서 '이모', '언니'의 사전적 뜻만을 생각했기 때문에 이 외국인은 서로 모르는 사이인데도 '이모', '언니'라고 호칭하는 것을 어색하게 느낀 것이다.

(4) (1)~(3)의 내용으로 미루어 볼 때 우리가 다른 사람과 원활하게 의사소통하려면 무엇을 고려해야 하는지 말해 보자.

답 다른 사람과 의사소통할 때에는 지역이나 세대, 문화 등에 따라 사용하는 언어 표현이 다르거나, 표현이 같더라도 서로 다른 뜻으로 받아들일 수 있다는 것을 고려해야 한다. 예를 들어, 지역이나 세대가 다른 사람과 의사소통할 때에는 상대가 이해할 수 있는 언어 표현을 사용하도록 노력해야 한다. 다른 문화권의 사람과 대화할 때에는, 우리의 문화가 담긴 관용적 표현보다는 구체적이고 □□ □□ 표현을 사용하거나, 상대가 이해하지 못하는 우리 문화를 친절하게 설명해 주어야 한다.

지식 사전

문화에 따른 언어 차이

문화권에 따라 그 나라만의 관습적인 언어 표현을 사용하기도 함.

예 우리나라 사람들은 뜨거운 음식을 먹을 때 그 음식이 뜨거우면서도 속을 후련하게 한다는 의미로 "시원하다."라고 말을 하는데, 이러한 문화를 잘 알지 못하는 다른 나라 사람들에게는 그 의미가 제대로 전달되지 않을 수 있음.

문화에 따른 언어 차이를 해결하기 위한 태도

다른 문화권의 사람들과 의사소통을 해야 하는 경우가 많아졌지만, 문화의 차이 때문에 의사소통에 어려움을 겪기도 함.

⬇

- 상대의 문화를 인정하고 이해해야 함.
- 관용적인 표현보다는 가급적 구체적이고 직접적인 표현을 사용해야 함.
- 우리의 문화와 생활 방식에 대해 친절하게 안내하는 등 배려하는 마음으로 상대와 대화를 해야 함.

간단 체크 활동 문제

09 외국인이 쓴 (3)의 일기를 통해 알 수 있는 사실로 알맞은 것은?

① 성별의 차이가 언어 사용에 영향을 미치기도 한다.
② 지역에 따라 같은 말이 다른 의미로 사용되기도 한다.
③ 문화의 차이가 의사소통의 어려움을 일으키기도 한다.
④ 세대에 따라 같은 말을 다른 의미로 사용하기도 한다.
⑤ 개인의 취향에 따라 사전적 의미와는 상관없는 뜻으로 낱말을 사용할 수 있다.

10 다른 문화권에 속한 사람과 대화할 때 고려해야 할 점으로 적절하지 않은 것은?

① 구체적이고 직접적인 표현을 사용한다.
② 상대를 배려하는 마음으로 대화를 한다.
③ 상대의 문화를 인정하고 이해하며 말한다.
④ 우리 문화의 특성을 친절하게 설명해 준다.
⑤ 우리 문화가 담긴 관용적 표현을 살려 말한다.

5 담화를 이해하기 위해 역사적 상황을 고려해야 하는 까닭을 생각해 보자.

남아프리카 공화국의 흑인과 백인 대부분은 아파르트헤이트에 미래가 없다는 것을 잘 알고 있습니다. 평화와 안전을 위해, 우리는 결단력 있게 집단행동을 하여 인종 차별 체제를 끝내야 합니다. 자유를 얻기 위해 우리가 저항하고 행동할 때 민주주의는 우리의 눈앞에 다가올 것입니다.

자유를 위한 우리의 행진은 돌이킬 수 없습니다. 우리는 두려움이 우리의 길을 막도록 내버려 두어서는 안 됩니다. 통합되고 민주적이며 인종 차별이 없는 남아프리카 공화국에서 이루어지는, 모든 유권자가 참여하는 보통 선거만이 평화와 인종 화합을 이룰 수 있는 유일한 길입니다.

– 베로니크 타조, 『넬슨 만델라』

(1) 다음은 이 연설문을 읽은 학생들이 나눈 대화이다. 이 학생들이 연설문을 이해하는 데 어려움을 느낀 까닭을 말해 보자.

답 그 당시 남아프리카 공화국의 ☐☐☐ 상황을 잘 알지 못하기 때문에

(2) 이 연설문이 쓰인 당시 남아프리카 공화국의 역사적 상황을 조사해 보자.

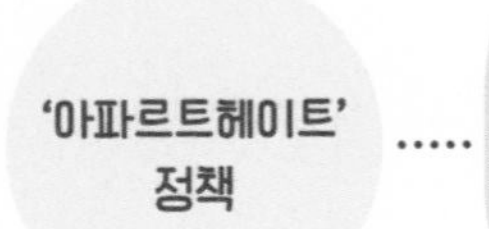

'아파르트헤이트' 정책 ·····

'아파르트헤이트'는 '분리, 격리'를 뜻하는 말로, 백인의 특권을 보장하고 흑인과 백인을 분리하기 위한 정책을 가리킨다. 이 정책에 따라 남아프리카 공화국 정부는 신분증에 피부색을 표시하였으며, 흑인의 거주 지역을 제한하고 흑인이 식당이나 버스 등을 이용하는 데에 제약을 두었다. 또한 흑인에게는 선거권을 주지 않는 등 흑인을 차별하였다.

– 두산 백과(http://www.doopedia.co.kr)

간단 체크 활동 문제

11 이 연설문을 통해 알 수 있는 당시 남아프리카 공화국의 시대 상황으로 알맞은 것은?

① 백인만이 거주했다.
② 인종 차별이 있었다.
③ 보통 선거가 실시되었다.
④ 민주주의가 자리 잡았다.
⑤ 흑인에게 자유가 있었다.

12 [A], [B]로 보아 학생들이 이 연설문을 이해하기 어려워한 까닭으로 적절한 것은?

① 남아프리카 공화국의 지리적 특성을 배우지 않았기 때문에
② 그 당시 남아프리카 공화국의 역사적 상황을 모르기 때문에
③ 연설자가 말하고자 하는 바가 명확히 드러나지 않았기 때문에
④ 연설자가 연설하는 장소와 시간이 구체적으로 드러나지 않았기 때문에
⑤ 연설자가 주장하는 내용이 현실의 상황과 맞지 않는 이야기였기 때문에

'넬슨 만델라'의 활동 ····· 답 '넬슨 만델라'는 아프리카 민족 회의(ANC) 청년 동맹을 설립하고 흑인 차별 정책에 불복종 비폭력 운동을 벌였다. 그러나 정부에서 무력으로 흑인 저항 운동을 탄압하자, 비밀 군대를 조직하여 무장 투쟁을 전개하였다. 그러던 중 1962년에 체포되어 27년을 복역하였다. 이후 1994년에 남아프리카 공화국 최초의 흑인 참여 자유 총선거에서 대통령으로 선출되었다.

(3) (2)를 바탕으로 이 연설문을 다시 읽어 보자. 그리고 연설문을 이해하는 데 역사적 상황을 조사하기 전과 후가 어떻게 다른지 말해 보자.

답 남아프리카 공화국의 역사적 상황을 알지 못했을 때는 '넬슨 만델라'가 무엇을 이야기하고자 하는지 짐작만 할 뿐, 깊이 있게 이해하기는 어려웠다. 특히 '아파르트헤이트'와 같은 낱말의 뜻을 전혀 이해할 수 없었다. 그러나 남아프리카 공화국의 역사적 상황을 알고 나니, 연설문의 내용을 더욱 깊이 있게 이해할 수 있었고, '넬슨 만델라'의 감정도 와닿았다.

학습콕

❶ 담화의 개념과 특성

개념	구체적인 □□ 속에서 이루어지는 발화(문장)나 발화(문장)의 연속체를 말함.
특성	담화의 구성 요소가 복합적으로 작용하여 다양한 양상으로 나타남.

❷ 담화의 구성 요소

(1) 담화 참여자

말하는 이(글쓴이)	전달하고자 하는 내용을 표현하는 사람
듣는 이(읽는 이)	말하는 이(글쓴이)가 표현한 내용을 수용하는 사람

→ 말하는 이(글쓴이)와 듣는 이(읽는 이)의 의도, 처지, 관계 등에 따라 같은 말(글)이라도 그 뜻이 달라지기도 하고, 표현 자체가 바뀌기도 함.

(2) 전달하려는 내용

말하는 이(글쓴이)와 듣는 이(읽는 이)가 주고받는 정보

(3) 맥락

• 

시간	담화가 이루어지는 구체적인 시간
공간	담화가 이루어지는 구체적인 공간

→ 담화는 언제, 어디에서 이루어지느냐에 따라 그 뜻이나 표현 등이 달라지기도 함.

• 사회·문화적 맥락

지역	같은 언어를 사용하더라도 지역에 따라 말이 달라지기도 함.
세대	세대에 따라 사용하는 언어가 달라지기도 함.
성별	말을 하는 사람의 성별에 따라 말투나 어휘 등에 차이가 생기기도 함.
□□	문화권에 따라 그 나라만의 관습적인 언어 표현을 사용하기도 함.
역사적 상황	특정한 역사를 배경으로 한 담화는, 말하는 이(글쓴이)와 듣는 이(읽는 이)가 그 역사적 상황과 정서를 같이 공유하고 있을 때 담화 참여자 간의 원활한 의사소통이 이루어질 수 있음.

→ 원활하게 의사소통을 하기 위해서는 사회·문화적 맥락을 이해하고, 인종이나 국적, 지역이나 성별과 관련된 □□□ 표현을 사용하지 않도록 유의해야 함.

간단 체크 활동 문제

13 이 연설문이 쓰일 당시의 역사적 상황을 조사하는 방법으로 알맞지 않은 것은?

① 인터넷 백과사전에서 '아파르트헤이트'의 뜻을 찾아본다.
② 인터넷 누리집에서 '넬슨 만델라'의 활동을 검색해 본다.
③ 의학 잡지에서 백인과 흑인의 유전자적 유사성을 찾아본다.
④ 도서관에서 '넬슨 만델라'의 생애를 기록한 책을 찾아본다.
⑤ 서점에서 남아프리카 공화국의 역사를 담은 책을 찾아 읽는다.

중요

14 다음은 이 연설문을 깊이 이해하기 위한 과정이다. 빈칸에 공통으로 들어갈 사회·문화적 맥락의 요소를 쓰시오.

(　　　)을/를 알기 전
연설의 목적과 사용된 낱말의 뜻을 이해할 수 없었음.
⬇
(　　　)을/를 알고 난 후
연설문의 내용을 더욱 깊이 있게 이해할 수 있었고, 연설자의 감정에 공감하게 됨.

(1) 담화의 개념과 특성

적용
❶ 담화의 구성 요소를 고려하여 담화 상황 만들기
❷ 담화 상황을 토대로 상황극을 만들고 발표하기

주어진 조건에 따라 담화 상황을 꾸며 보고, 이를 상황극으로 발표해 보자.

1 담화를 이루는 구성 요소를 설정해 보자.

(1) 다음을 참고하여 모둠별로 시간, 공간, 목적 카드를 만들어 보자.

시간	공간	목적
아침, 점심, 저녁, 등교 시간, 수업 시간 등	집, 영화관, 박물관, 시장, 교실 등	감사, 칭찬, 설득, 격려, 양보 등

예시 답〉〉 • 시간: 하교 시간, 늦은 밤 등
• 공간: 식당, 버스 정류장 등
• 목적: 위로, 축하 등

(2) 모둠별로 만든 시간, 공간, 목적 카드를 모아 각각의 바구니에 담아 보자.

예시 답〉〉 생략

(3) 모둠별로 바구니에서 시간, 공간, 목적 카드를 한 장씩 뽑아 보자.

예시 답〉〉 • 시간 카드: 저녁
• 공간 카드: 집
• 목적 카드: 감사

간단 체크 활동 문제

15 다음 말의 목적을 담화 상황에 맞게 바르게 파악한 것은?

"잘한다."

① 엄마가 책상을 어지럽힌 아들에게 → 격려
② 집에 교과서를 두고 온 친구에게 → 설득
③ 농구 경기에서 골을 넣은 친구에게 → 양보
④ 장난을 치다 모둠 과제를 망친 친구에게 → 칭찬
⑤ 뛰어놀다가 휴대 전화를 잃어버린 동생에게 → 질책

16 다음 두 상황에서 담화의 뜻을 달라지게 하는 데 가장 크게 영향을 미친 요인으로 적절한 것은?

• 상황 1: (방에서 늦잠을 자는 아들에게) "지금 몇 시니?"
• 상황 2: (방에서 늦은 밤까지 게임을 하는 아들에게) "지금 몇 시니?"

① 시간
② 공간
③ 듣는 이
④ 말하는 이
⑤ 세대 차이

2 1에서 설정한 구성 요소를 고려하여 담화 상황을 꾸며 보자.

(1) 다음처럼 모둠별로 토의하여 담화가 이루어지는 구체적인 상황을 만들어 보자.

[A]

예시 답》 민정: 우리가 뽑은 시간 카드는 '저녁', 공간 카드는 '집', 목적 카드는 '감사'야.
규혁: 그렇구나. 이 카드로 우리에게 익숙한 담화 상황을 생각해 보자. '저녁' 시간에 '집'에서 무엇을 하고 있을까?
수민: 저녁에 집에 들어가면 친구들 대부분은 먼저 씻은 다음에 밥을 먹지 않을까?
건우: 좋아. 그럼 '감사'의 목적이 나와야 하니까……. 저녁 식사를 차려 주신 부모님께 고마움을 표현하는 상황으로 하자.

(2) (1)에서 토의한 내용을 정리해 보자.

예시 답》

시간과 공간	저녁 / 집
담화 목적	감사
등장인물	엄마, 아빠, 수민
구체적인 상황	맛있는 저녁을 준비해 주신 부모님께 고맙다고 말씀드리는 상황

3 다음을 참고하여 2에서 꾸민 담화 상황에 맞게 대본을 작성한 다음, 상황극을 발표해 보자.

대 본

버스 창가 자리에 앉아 있는 민재, 졸고 있다. 버스가 정류장에 멈추자 목발을 짚은 지우가 올라탄다. 지우, 민재 앞에 가 선다. 잠시 뒤, 사람들을 모두 태운 버스가 출발하자, 미처 손잡이를 잡지 못한 지우는 민재 쪽으로 쓰러진다.

민재: (깜짝 놀라며) 뭐야!
지우: (난처해하며) 미안해.
민재: (완전히 잠을 깨고 정신을 차렸다.) 아, 지우였구나. 괜찮아?
지우: 응. 목발이 아직 익숙하지 않아서……. 손잡이를 못 잡았어.
민재: 자느라 널 미처 못 봤나 봐. (자리에서 일어나며) 여기에 앉아서 가.
지우: 괜찮아. 서서 갈 수 있어.

간단 체크 활동 문제

17 [A]의 토의를 통해 설정한 담화 상황으로 알맞지 않은 것은?

① 시간: 아침
② 공간: 버스 안
③ 목적: 자리 양보
④ 등장인물: 몸이 불편한 어른과 학생
⑤ 상황: 의자에 앉아 있던 친구가 자리를 양보함.

18 다음은 담화의 구성 요소를 나타낸 것이다. ㉠의 구성 요소 중 그 성격이 다른 것은?

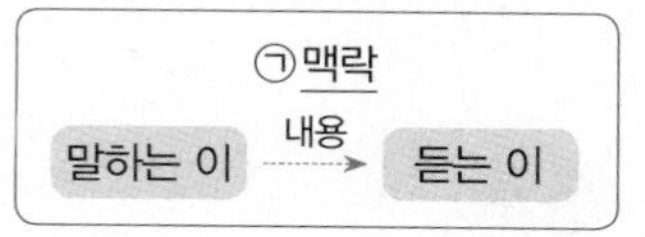

① 지역
② 세대
③ 문화
④ 역사적 상황
⑤ 시간과 공간

민재: 다리 다쳤잖아. 네가 앉아서 가야 내 마음도 편해.
지우: (마지못해 자리에 앉으며) 고마워. 대신 내가 가방 들게. 이리 줘.
민재: (가방을 건네며) 고마워.

민재와 지우, 활짝 웃는다.

예시 답 〉〉

[A]
수민: (시무룩한 표정으로 부엌에 들어오며) 다녀왔습니다.
엄마: 수민이 왔니? 손 씻고 앉아. 오늘 아빠가 너 먹으라고 불고기를 하셨어.
수민: (눈이 번쩍 뜨이며) 우아! 제가 제일 좋아하는 고기네요!
아빠: 네가 며칠 동안 기운이 없어 보여서 아빠가 솜씨 좀 발휘했지. 오이 무침은 엄마가 한 거야.
수민: 아, 요 며칠 좀 피곤하더라고요. 역시 날 알아주는 건 아빠, 엄마뿐이네요. 정말 고마워요.
엄마: 그래. 얼른 먹고 기운 내.

4 다른 모둠에서 발표한 상황극을 보고 평가해 보자.

예시 답 〉〉

평가 기준	
• 시간, 장소, 목적에 맞게 담화 상황을 구성하였는가?	★★★★★
• 담화 상황에 맞게 대화를 하였는가?	★★★★★
• 연기가 자연스러웠는가?	★★★★☆

간단 체크 활동 문제

19 [A]를 상황극으로 표현할 때 연출자의 지시 사항으로 알맞은 것은?

① '수민'을 말하는 이, 엄마, 아빠를 듣는 이로 고정할게요.
② '수민'은 들어오며 밝은 목소리로 부모님께 인사해 주세요.
③ 소품을 활용하여 공간적 배경인 '수민'의 방을 꾸며 주세요.
④ '수민'은 부모님께 감사함을 표현하는 상황이 잘 드러나도록 연기해 주세요.
⑤ '수민'은 현실성을 높이기 위해 실제 담화 상황보다 과장되게 연기해 주세요.

활동 마당

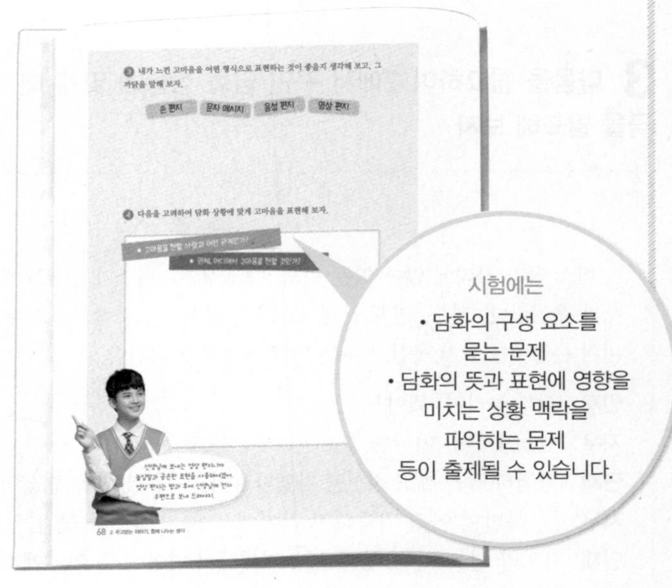

• 정답과 해설 07쪽

담화의 개념과 특성

개념	말하는 이(글쓴이)와 듣는 이(읽는 이)를 포함하여 구체적인 맥락 속에서 이루어지는 ❶□□(문장)나 발화(문장)의 연속체
특성	• 말하는 이(글쓴이)와 듣는 이(읽는 이)의 의도나 처지, 관계 그리고 상황 맥락과 사회·문화적 맥락 등에 따라 그 의미가 달라짐. • 담화의 구성 요소가 복합적으로 작용하여 다양한 양상으로 나타남.

담화의 구성 요소

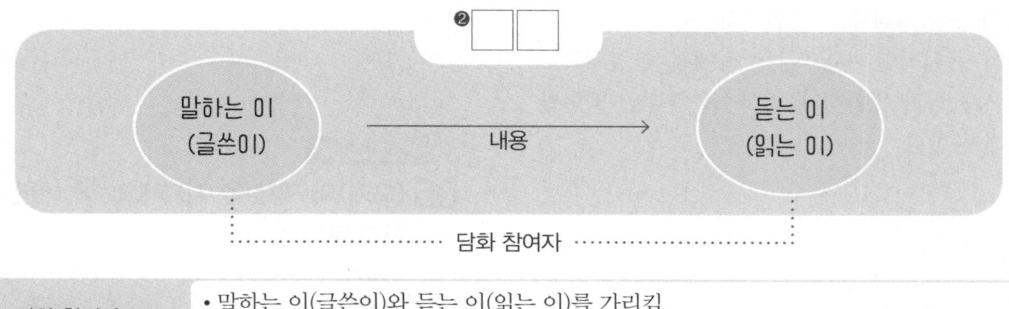

담화 참여자	• 말하는 이(글쓴이)와 듣는 이(읽는 이)를 가리킴. • 담화를 생성하고 수용하는 사람으로, 담화가 성립되기 위한 필수 요소임.
전달하려는 ❸□□	말하는 이(글쓴이)와 듣는 이(읽는 이)가 주고받는 정보를 가리킴.
맥락	상황 맥락(담화가 이루어지는 시간과 공간)과 사회·문화적 맥락(담화에 영향을 주는 사회·문화·역사적 상황)을 가리킴.

맥락을 고려한 바람직한 의사소통 태도

상황 맥락	• 담화가 이루어지는 구체적인 ❹□□ 및 공간을 말함. • 담화가 이루어지는 장면과 직접 관련된 맥락임. 예 "지금 몇 시니?" – 늦잠 자는 아들에게: "이제 그만 자고 어서 일어나." – 늦은 밤까지 게임을 하는 아들에게: "게임은 그만하고 이제 자야지."
사회·문화적 맥락	• 담화에 영향을 주는 사회·문화·역사적 상황 및 언어 공동체의 의식이나 가치 등을 말함. • 담화에 간접적으로 영향을 미치는 사회·문화적 요인과 관련된 맥락임. • 지역, 세대, 성별, ❺□□, 역사적 상황 등에 따라 다양하게 나타남. 예 – 지역: '부추'를 경상, 전북, 충청에서는 '정구지'라고 표현함. – 세대: 젊은 세대는 줄인 말이나 온라인상의 용어를 즐겨 사용함. – 성별: 여성은 남성에 비해 감정을 드러내는 언어를 더 많이 사용함. – 문화: 우리나라 사람들이 뜨거운 탕 요리를 먹으면서 "시원하다."라고 하는 것을 다른 문화권의 사람은 이해하지 못할 수 있음. – 역사적 상황: '넬슨 만델라'가 한 연설의 내용을 이해하려면 연설문이 쓰인 당시의 남아프리카 공화국의 역사적 상황을 이해해야 함.

↓

원활한 의사소통을 위해 갖추어야 할 태도

• 담화의 구체적인 뜻은 맥락 속에서 결정되므로 원활하게 의사소통하려면 맥락을 고려해야 함.
• 사회·문화적 맥락을 고려하여 서로의 차이를 인정하고, 인종이나 국적, 지역, 성별 등과 관련된 차별적 표현을 사용하지 않도록 노력해야 함.

시험에 나오는 소단원 문제

01 담화에 대한 설명으로 알맞지 않은 것은?

① 담화는 담화 참여자와 전달하려는 내용, 맥락으로 구성된다.
② 담화가 이루어지는 시간과 공간에 따라 담화의 뜻이 달라진다.
③ 말하는 이와 듣는 이의 의도나 처지, 관계 등이 담화의 표현에 영향을 미친다.
④ 담화는 생각이나 감정을 말과 글로 표현할 때 완결된 내용을 나타내는 단위이다.
⑤ 담화의 구체적인 뜻은 맥락 속에서 결정되므로 다른 사람들과 원활하게 의사소통하려면 맥락을 고려해야 한다.

학습 활동 응용

02 다음 양호 선생님의 말에 담긴 의미를 바르게 파악한 것은?

> 〈시간 및 공간: 오전 10시, 양호실〉
> 양호 선생님: (손으로 배를 부여잡고 고통스러운 표정으로 들어오는 학생에게) 어떻게 왔어?

① 어떻게 알고 왔어?
② 무엇을 타고 왔어?
③ 어디가 아파서 왔어?
④ 누구에게 듣고 왔어?
⑤ 어떤 선생님의 심부름으로 왔어?

학습 활동 응용

03 다음 상황에 어울리는 환자의 답변으로 적절한 것은?

> 의사: (팔을 수술한 후 재활 치료를 받으러 온 환자에게) 불편하지는 않으세요?

① 몸에 딱 맞군요.
② 팔이 좀 아프군요.
③ 자리가 꽤 불편하군요.
④ 마음이 좀 답답하군요.
⑤ 교통편이 좋지 않군요.

서술형 학습 활동 응용

04 상황 맥락을 고려하여 (가)와 (나)에서 엄마의 말에 담긴 의미를 각각 쓰시오.

학습 활동 응용

05 〈보기〉의 "양심을 지키세요."에 대한 설명으로 적절하지 않은 것은?

보기

① (가)에서는 "차례를 지키세요."라는 의미로 해석할 수 있다.
② (나)에서는 "무단 횡단을 하지 마세요."라는 의미로 해석할 수 있다.
③ (다)에서는 "쓰레기를 버리지 마세요."라는 의미로 해석할 수 있다.
④ (가)~(다)에서 '양심'은 모두 공중도덕 의식과 관련이 있다.
⑤ (가)~(다)를 통해 동일한 문구라도 시간에 따라 그 의미가 다르게 해석될 수 있음을 보여 준다.

서술형

06 의사소통 과정에 영향을 미치는 사회·문화적 맥락의 요소를 세 가지 이상 쓰시오.

학습 활동 응용

07 〈보기〉에서 안내문을 표준어로 풀이한 까닭으로 적절한 것은?

보기

① 세대 차이로 발생하는 의사소통의 어려움을 해결해 주기 위해서
② 문화의 차이로 의사소통에 어려움을 느끼는 외국인들을 배려하기 위해서
③ 해당 지역의 방언을 모르는 사람들이 내용을 이해할 수 있도록 하기 위해서
④ 성별에 따라 다르게 사용하는 어휘를 모두가 사용하는 표현으로 통일하기 위해서
⑤ 특정한 역사적 배경을 경험하지 못한 학생들에게 역사적 상황과 정서를 일깨워 주기 위해서

학습 활동 응용

08 〈보기〉의 대화 과정에서 딸이 고려하지 못한 것은?

보기

① 지역 차이　② 세대 차이
③ 성별 차이　④ 문화 차이
⑤ 역사적 상황

학습 활동 응용

09 다음은 외국인이 쓴 일기의 일부이다. 외국인이 '언니'라는 말을 어색하게 느낀 까닭으로 알맞은 것은?

> 밥을 먹고 나와서 어떤 옷 가게 앞을 지나가고 있을 때였다. 그 옷 가게의 주인이 나에게 "언니, 예쁜 옷 많아요. 들어와서 구경하세요!"라고 말했다. 가게 주인은 나보다 나이가 훨씬 많아 보였다. 그런데 왜 나를 '언니'라고 부르는 거지?

① 줄인 말의 뜻을 파악하지 못했기 때문에
② 우리말의 호칭 체계를 모르고 있었기 때문에
③ 옷 가게 주인이 공간을 고려하지 않고 말했기 때문에
④ '언니'라는 말의 사전적 의미를 잘못 알고 있었기 때문에
⑤ 우리나라의 관습적인 언어 표현을 이해하지 못했기 때문에

학습 활동 응용

10 다음 연설문을 읽은 학생들이 내용 이해를 위해 나눈 대화로 적절하지 않은 것은?

> 남아프리카 공화국의 흑인과 백인 대부분은 아파르트헤이트에 미래가 없다는 것을 잘 알고 있습니다. 평화와 안전을 위해, 우리는 결단력 있게 집단행동을 하여 인종 차별 체제를 끝내야 합니다. 자유를 얻기 위해 우리가 저항하고 행동할 때 민주주의는 우리의 눈앞에 다가올 것입니다.
> 자유를 위한 우리의 행진은 돌이킬 수 없습니다. 우리는 두려움이 우리의 길을 막도록 내버려 두어서는 안 됩니다. 통합되고 민주적이며 인종 차별이 없는 남아프리카 공화국에서 이루어지는, 모든 유권자가 참여하는 보통 선거만이 평화와 인종 화합을 이룰 수 있는 유일한 길입니다.
>
> – 베로니크 타조, 『넬슨 만델라』

① 연설자는 왜 보통 선거를 주장하고 있을까?
② 남아프리카 공화국의 위치와 면적을 알아볼까?
③ '아파르트헤이트'가 무엇이길래 미래가 없다고 말했을까?
④ 그 당시 남아프리카 공화국의 역사적 상황은 어떠했을까?
⑤ '넬슨 만델라'는 인종 차별을 없애기 위해 어떤 노력들을 했을까?

교과서 71~81쪽

(2) 의미를 나누는 듣기·말하기

학습 목표 듣기·말하기가 의미 공유 과정임을 이해하고 듣기·말하기 활동을 할 수 있다.

이해
❶ 듣기·말하기의 특성 이해하기
❷ 올바른 듣기·말하기 태도 이해하기

학습 포인트
❶ 의미 공유 과정으로서의 듣기·말하기
❷ 듣기·말하기 활동을 할 때 갖춰야 할 올바른 태도

1 듣기·말하기의 특성을 알아보자.

㉮
: 킥킥, 재미있네. 다른 이야기는 없어? 알면 더 해 줘.
:

㉯
: 킥킥, 재미있네. 그런데 천일염이 정확히 무엇을 뜻하는 거지?
:

(1) ㉮와 ㉯의 대화가 원활하게 진행되도록, 이어질 내용을 상상하여 빈칸에 써 보자.

답 • ㉮: 좋아. "신발이 화가 났다."라는 말을 세 글자로 표현하면 뭐게? 신발 끈이야!
• ㉯: 나도 궁금해서 '천일염'을 검색해 보았는데, 천일염의 '천일'은 '하늘 천(天)' 자와 '해 일(日)' 자래. 천일염은 '바닷물을 햇볕과 바람으로 증발시켜서 얻은 소금'이라는 뜻이야.

(2) (1)에서 알 수 있는 듣기·말하기의 특성을 말해 보자.

답 같은 말로 대화를 시작했는데도, 여학생의 □□에 따라 대화가 다른 방향으로 진행되고 있다. 이로 보아 듣기·말하기 활동은 일방적으로 이루어지는 것이 아니라, 말하는 이와 듣는 이가 함께 참여하여 새로운 의미를 만들어 나가는 과정임을 알 수 있다.

간단 체크 활동 문제

01 (가)와 (나)의 대화가 이어질 때 남학생이 할 수 있는 말로 적절하지 않은 것은?

① (가): 어부가 싫어하는 가수는? 배철수야.
② (가): 다른 이야기는 준비를 못 했네. 다음에 더 해 줄게.
③ (가): 천일염은 김치를 담그거나 간장, 된장을 만들 때 주로 사용된다고 해.
④ (나): '바닷물을 햇볕과 바람으로 증발시켜서 얻은 소금'을 뜻해.
⑤ (나): 정확한 뜻은 나도 모르겠네. 인터넷 사전에서 같이 찾아볼까?

02 (가)와 (나)의 대화에서 알 수 있는 듣기·말하기의 특성으로 알맞지 않은 것은?

① 듣기·말하기 활동은 처음에 정해진 방향으로 고정된다.
② 듣기·말하기 활동은 일방적으로 이루어지는 것이 아니다.
③ 말하는 이와 듣는 이가 함께 내용을 창조하고 그 의미를 공유한다.
④ 대화 참여자들의 배경지식이나 관계에 따라 진행 방향이 결정된다.
⑤ 같은 말로 대화를 시작해도 상대의 반응에 따라 다른 방향으로 진행될 수 있다.

2 ㉮~㉰의 상황을 고려하여 듣기·말하기 과정에서 유의할 점을 생각해 보자.

㉮

㉯

㉰

(1) 각 상황에서 인물이 상대에게 말을 건넨 목적을 써 보자.

㉮의 강연자	답 우리나라의 석탑에 대한 ☐☐를 전달하기 위해서
㉯의 아들	답 주말에 놀이공원에 가자고 엄마를 설득하기 위해서
㉰의 '영서'	답 '서우'와 빨리 친해지기 위해서

지식 사전

말하기의 목적

- 정보 전달하기: 어떤 대상에 대한 정보나 지식을 전달하는 말하기
- 설득하기: 주장을 내세워 듣는 이로 하여금 따르도록 하는 말하기
- 친교 표현하기: 다른 사람과 관계를 친밀하게 유지하기 위한 말하기
- 정서 표현하기: 말하는 이의 여러 가지 감정을 솔직하게 드러내는 말하기

간단 체크 활동 문제

03 (가)~(다)의 상황에서 대화 참여자들의 문제점으로 알맞지 않은 것은?

① (가)의 강연자는 어려운 용어를 사용하고 있다.
② (가)의 남학생은 강연 주제도 모르고 강연을 듣고 있다.
③ (나)의 엄마는 아들의 제안을 듣지 못한 척 대답하지 않고 있다.
④ (다)의 '영서'는 상대가 불쾌해할 수 있는 말을 하고 있다.
⑤ (다)의 '서우'는 상대에게 자신의 감정을 직접적으로 드러내고 있다.

04 (가)에서 청중을 대상으로 한 강연자의 말하기 목적을 5어절로 쓰시오.

(2) ㉮~㉰에서 의사소통이 잘 되기 위해 듣기·말하기 참여자에게 필요한 것이 무엇인지 말해 보자.

3 다음 소설에 나타난 아빠와 아들의 대화를 살펴보면서, 협력적으로 듣고 말하는 태도의 중요성을 알아보자.

갈래	장편 소설, 성장 소설, 외국 소설	성격	자전적, 회상적
시점	1인칭 주인공 시점	배경	미국 버몬트주의 한 농장
제재	울타리를 세우는 일		
주제	울타리의 의미에 대한 깨달음		
특징	• 어린아이의 시선으로 대상을 바라봄. • 상대가 이해하기 쉽도록 구체적인 예를 들어 설명하는 모습이 나타남.		

우리는 태너 아저씨네 땅과 우리 땅을 나누는 울타리에서 기둥을 고치고 있었다.
"울타리라는 거 참 우스워요. 안 그래요, 아빠?"
"왜 그렇게 생각하니?"
"아빠랑 태너 아저씨는 친구잖아요. 이웃사촌 말예요. 그런데도 마치 전쟁을 하듯이 이렇게 울타리를 세우고 있잖아요. 이 세상에서 사람만이 자기 걸 지키려고 울타리를 세우는 것 같아요."
"그렇지 않아."

간단 체크 활동 문제

중요
05 (가)~(다)의 듣기·말하기 참여자가 갖추어야 할 태도로 알맞지 않은 것은?

① (가)의 강연자는 학생들의 지식수준을 고려해야 한다.
② (가)의 학생들은 강연을 듣기 전에, 강연 주제와 관련된 내용을 알아보아야 한다.
③ (나)의 엄마는 아들의 말을 긍정적인 태도로 들어야 한다.
④ (나)의 아들은 타당한 근거를 들어 엄마를 설득해야 한다.
⑤ (다)의 여학생은 자기 감정을 직접적으로 드러내야 한다.

06 소설 속 아빠와 아들의 대화를 바탕으로 다음 빈칸에 공통으로 들어갈 말을 쓰시오.

대화의 주제	(　　　)을/를 세우는 일
비유적 표현	아들은 이 세상에서 사람만이 자기 것을 지키기 위해 전쟁을 하듯이 (　　　)을/를 세운다면서 그것에 대해 부정적 인식을 드러냄.

아빠가 말했다.
"동물들은 울타리를 세우지 않잖아요."
"아니야, 동물들도 울타리를 세운단다. 봄에 수컷 울새가 보금자리를 마련해야 암컷이 수컷에게 날아가거든. 수컷은 보금자리로 울타리를 세우는 거야."
"그런 말은 처음 들어요."
"울새가 노래하는 거 많이 들어 봤지? 그 소리는 말야, 이 나무는 내 거니까 가까이 오지 말라는 뜻이야. 그 소리도 울새의 울타리인 셈이지."
"엉터리."
"여우를 본 적 있니?"
"물론 여러 번 봤죠."
"내 말은, 자세히 살펴봤냐구. 여우는 매일같이 자기 영토를 돌아다니며 나무나 바위 여기저기에 소변을 보지. 그게 여우의 울타리야. 그 이상은 잘 모르겠지만, 살아 있는 모든 생명체는 어떤 식으로든 울타리를 세울 것 같아. 나무가 뿌리로 울타리를 만들 듯이 말이야."
"그렇다면 그건 전쟁이 아니네요."
"평화로운 전쟁이야. 내가 알기로는 벤저민 플랭클린 태너는 자기네 소가 우리 옥수수밭을 망가뜨리는 걸 좋아하지 않을 사람이야. 우리 소가 자기네 밭을 망가뜨린다면 나보다 더 속상해할 사람이고 말이야."
"태너 아저씨는 좋은 이웃이에요, 아빠."
"그 사람도 나처럼 자기네 땅과 우리 땅을 구분하는 울타리가 있어야 한다고 생각할 거다. ㉠울타리는 이웃을 갈라놓는 게 아니라 하나로 만들어 준다는 사실을 태너 아저씨도 잘 알고 있어."
"그런 생각은 미처 못 했어요."
"이제 알게 됐잖니."

– 로버트 뉴턴 펙, 『돼지가 한 마리도 죽지 않던 날』

(1) 아빠와 아들이 나눈 대화의 주제를 말해 보자.

답 □□□를 세우는 일

(2) 아빠와 대화를 나누면서, 아들이 생각하는 '울타리'의 의미가 어떻게 달라졌는지 정리해 보자.

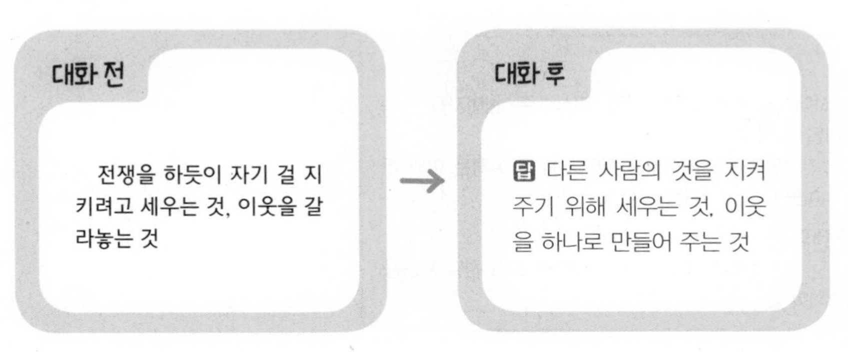

간단 체크 활동 문제

07 (중요) 아빠와 아들에 대한 설명으로 가장 적절한 것은?

① 아빠는 울타리를 부정적으로 여기고 있다.
② 아빠는 아들에게 자신의 생각을 강요하고 있다.
③ 아빠와 아들은 서로 자신의 의견을 내세우며 양보하고 있지 않다.
④ 아들은 처음에는 울타리가 이웃을 하나로 만들어 준다고 생각하였다.
⑤ 아들은 아빠와 대화를 하면서 울타리에 대한 생각이 차츰 변하고 있다.

08 아빠가 아들에게 ㉠과 같이 말한 이유로 적절한 것은?

① 울타리로 서로의 영토를 구분하는 데에 한계가 있음을 설명하기 위해
② 살아 있는 모든 생명체가 울타리를 만들고 있다는 사실을 설명하기 위해
③ 울타리가 서로에게 피해를 끼치는 것을 막아 준다는 사실을 알려 주기 위해
④ 자신의 주관 없이 아버지의 생각을 그대로 받아들이는 아들을 깨우치기 위해
⑤ 생명체가 세우는 주변의 다양한 울타리를 아들에게 직접 만들어 보라고 권유하기 위해

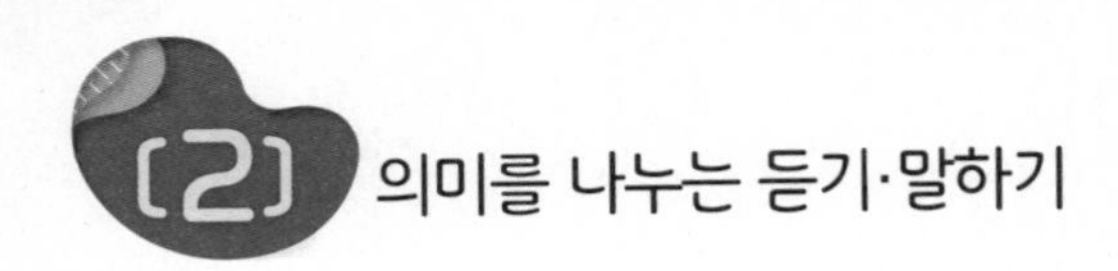

(2) 의미를 나누는 듣기·말하기

(3) 아빠와 아들의 듣기·말하기 태도로 알맞은 것을 골라 보자.

예시 답 〉〉

- 대화에 협력적으로 참여한다. ✓
- 자기 생각을 일방적으로 말한다. ☐
- 대화 주제에서 벗어난 이야기를 자주 한다. ☐
- 상대의 처지나 지식수준 등을 고려하여 말한다. ✓
- 상대의 말에 관심을 보이며 적극적으로 반응한다. ✓

- 이와 같은 듣기·말하기 태도가 두 사람의 의사소통에 어떤 영향을 미쳤는지 말해 보자.

답 처음에는 '울타리'에 대한 아빠와 아들의 생각이 완전히 ☐☐였다. 하지만 아빠가 울새와 여우를 예로 들어, '울타리'의 의미를 아들의 눈높이에 맞게 설명해 주었다. 아들은 자신과 다른 의견에도 귀를 기울이고, 동의하는 부분에는 맞장구를 쳤다. 이처럼 적극적이고 협력적인 태도가 두 사람의 의견을 일치하게 만들었다.

(4) 자신의 듣기·말하기 태도를 되돌아보고, 앞으로의 다짐을 말해 보자.

예시 답 〉〉 나는 지금까지 나와 다른 의견에는 귀를 기울이지 않았다. 내 생각만이 옳다고 생각했기 때문이다. 하지만 앞으로는 열린 마음으로 나와 다른 생각도 존중하고 경청해야겠다.

학습콕

❶ **의미 공유 과정으로서의 듣기·말하기**

- 듣기·말하기는 처음에 같은 이야기로 시작하더라도 참여자들의 상황, 지식수준, 참여자들 간의 ☐☐ 등에 따라 전혀 다른 방향으로 전개될 수 있음.
- 듣기·말하기 활동은 일방적으로 뜻을 전달하고 전달받는 의사소통 과정이 아니고, 말하는 이와 듣는 이가 함께 참여하여 내용을 창조하고 그 의미를 ☐☐하는 과정임.

❷ **듣기·말하기 활동을 할 때 갖춰야 할 올바른 태도**

의미 공유를 잘 하기 위해서는 의사소통의 ☐☐, 참여자의 지식수준, 참여자 간의 친밀도 등을 고려하고 듣기·말하기 활동에 협력적으로 참여해야 함.

간단 체크 활동 문제

09 아빠와 아들의 듣기·말하기 태도로 알맞은 것은?

① 아들은 아빠의 말에 관심을 보이지 않았다.
② 아빠는 아들의 지식수준을 고려하여 말하였다.
③ 아빠는 아들의 기분을 고려하지 않고 말하였다.
④ 아빠는 대화 주제에서 벗어난 예를 들어 말하였다.
⑤ 아들은 자기 생각을 아빠에게 일방적으로 말하였다.

중요

10 일상에서 듣기·말하기를 할 때의 올바른 태도로 적절하지 않은 것은?

① 상대의 의견을 무시하지 않고 경청한다.
② 상대의 말에 적극적으로 반응하며 듣는다.
③ 상대의 입장과 처지를 배려하며 말하고 듣는다.
④ 말하려는 내용이 주제와 관련되어 있는지 살펴본다.
⑤ 자신의 의견과 다르면 상대가 말하는 중간에라도 질문을 한다.

적용

❶ 영화 속 인물들의 듣기·말하기가 원활하게 이루어지지 않은 까닭 파악하기
❷ 영화 속 인물에게 바람직한 듣기·말하기 태도 조언하기
❸ 영화 속 인물들의 대화를 협력적인 듣기·말하기로 수정하기

영화 속 인물들의 듣기·말하기 태도를 살펴보고, 협력적인 듣기·말하기가 되도록 대사를 바꾸어 써 보자.

갈래	시나리오	성격	일상적, 현실적, 교훈적
주제	청소년기 꿈의 좌절과 극복		
특징	• 다문화 가정에서 일어나는 갈등과 화해의 과정이 잘 드러남. • 청소년 인권을 주제로 한 옴니버스 영화에 포함되어 있는 작품임.		

달리는 차은

민예지 외

앞부분 줄거리 '차은'이 다니던 학교의 육상부가 해산되자, 육상부 친구들은 서울로 전학을 간다. '차은'도 육상부 코치 선생님에게 전학을 권유받는다. '차은'은 서울로 전학 가 육상을 계속하고 싶지만, 아버지는 이를 허락하지 않는다. 어느 날, '차은'과 '영찬'이 함께 있는 것을 본 '차은'의 엄마는 '영찬'을 집으로 초대한다. '차은'의 엄마가 필리핀 출신인 것을 알게 된 '영찬'은 학교 친구들에게 이 사실을 알리고, 몇몇 친구는 '차은'을 '필리핀'이라고 부르며 놀린다.

S# 18 차은네 마당 / 낮

툇마루에 누워 만화책을 읽고 있는 차은, 새 운동화에 신이 난 동민이 차은을 부르며 마당으로 들어온다. 동민을 따라 들어오는 엄마.

동민: 누나! 이것 좀 봐라! 새 운동화다!

차은이 별 관심을 보이지 않자, 동민은 "아빠!" 하고 부르며 쪼르르 밖으로 나가고, 쇼핑백을 들고 선 엄마가 차은의 곁에 앉는다.

엄마: 차은아! 집에 있었어? 안 나갔어?
차은: ㉠(꿈쩍도 않는다.)
엄마: 엄마가 뭐 사 왔어. 맞혀 봐!

엄마가 들고 있던 쇼핑백에서 신발을 꺼내 차은 앞에 자랑하듯 내놓는다.

엄마: 짜잔! 차은아! 이거 봐 봐!
차은: …….
엄마: 너, 달리기 잘한다며? 너 달리기할 때 신으라고.

차은, 읽던 만화책을 챙겨 들고 일어선다.

간단 체크 활동 문제

11 '앞부분 줄거리'로 보아, '차은'이 ㉠과 같이 행동한 이유로 가장 적절한 것은?

① 육상부 친구들이 서울로 전학을 가서
② 육상부 코치 선생님에게 전학을 권유받아서
③ 엄마가 사 온 새 운동화가 마음에 들지 않아서
④ 육상을 계속하고 싶지만 엄마가 허락하지 않아서
⑤ 엄마가 필리핀 출신이라고 친구들에게 놀림을 받아서

12 다음 설명에 해당하는 소재를 찾아 2어절로 쓰시오.

• '차은'의 불만을 드러나게 하는 소재
• '차은'에 대한 엄마의 애정이 담긴 소재

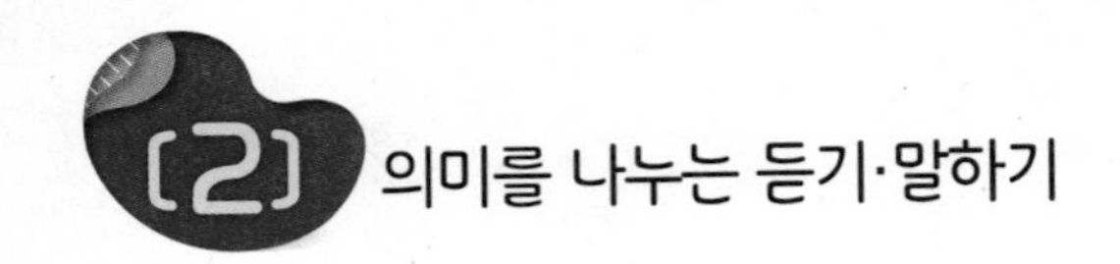

(2) 의미를 나누는 듣기·말하기

차은: 달리기할 때 그런 거 신는 거 아니거든!

엄마: 왜? 이거 마음에 안 들어?

차은, 엄마가 뽐내는 새 운동화를 쳐다보지도 않고, 제 신발을 챙겨 신는다.

엄마: 안 예뻐? 되게 비싼 건데. (새 운동화를 차은 앞에 내려놓으며) 그럼 남자 친구 만날 때 신어!

차은: 걔 남자 친구 아니거든. 내가 남자 친구 아니라고 몇 번이나 말해! 내 말 못 알아들어!

엄마: …….

차은: …….

엄마: (속상한 마음에 새 운동화를 차은의 앞에 던지듯 놓으며) 그래! 신지 마! 갖다 버려!

차은: 그래! 버려!

차은, 새 운동화를 발로 차더니, 대문을 향해 걸어 나간다.

1 이 장면에서 듣기·말하기가 원활하게 이루어지지 않은 까닭을 써 보자.

답 • '차은'이 엄마의 성의를 무시하고, 자기 기분이 좋지 않다는 이유로 엄마에게 무작정 화를 냈기 때문이다.
• 엄마는 '차은'과 대화하려는 시도는 하지만, '차은'에게 속상한 일이 있었다는 것을 눈치 채지 못하고, 운동화 이야기만 하기 때문이다.

2 이 장면에 등장하는 인물 중 한 명에게 듣기·말하기 태도와 관련하여 조언을 해 보자.

예시 답 》 • 차은아, 요새 속상한 일이 많지? 아버지도 네 마음을 몰라주고, 친구들은 사정도 모르면서 놀리기만 하고 말이야. 하지만 아무리 마음이 안 좋다고 해도, 엄마께 그렇게 말씀드리면 대화도 제대로 이루어지지 않을뿐더러 엄마의 마음도 많이 상하실 거야. 무턱대고 화를 내기보다는, 네 속마음도 얘기하면서 함께 고민하면 문제를 쉽게 해결할 수 있을 거야.
• 차은이 어머님, 차은이가 어머님 마음을 몰라주고 저렇게 화만 내니 많이 속상하셨죠? 그런데도 차은이와 어떻게든 대화를 해 보려고 노력하신 점은 잘 알아요. 하지만 다른 일로 기분이 좋지 않은 차은이에게 운동화 이야기만 하셔서 대화를 이어 가기 어려웠던 게 아니었나 싶어요. 차은이에게 혹시 속상한 일이 있었던 건 아닌지 헤아려 가며 대화를 나누셨다면 차은이도 조금씩 마음을 열지 않았을까요?

간단 체크 활동 문제

13 엄마와 '차은'의 대화가 원활하지 못했던 이유로 알맞은 것끼리 묶은 것은?

ㄱ. '차은'이 엄마에게 무작정 화를 내며 말해서
ㄴ. '차은'이 엄마가 사 온 운동화를 부끄러워해서
ㄷ. 엄마가 '차은'과의 대화를 시도하지 않고 화를 내서
ㄹ. 엄마가 '차은'의 속상한 마음도 모르고 운동화 이야기만 해서

① ㄱ, ㄴ ② ㄱ, ㄹ
③ ㄴ, ㄷ ④ ㄴ, ㄹ
⑤ ㄷ, ㄹ

14 '차은'의 듣기·말하기 태도에 대한 조언으로 적절한 것은?

① 동생에게는 항상 친절하게 말해 주렴.
② 기분에 따라 말하는 태도를 바꾸는 것은 좋지 않아.
③ 가족들과 함께 있을 때는 공동의 관심사로 이야기해 보렴.
④ 엄마에게 먼저 너의 고민을 털어놓고 함께 해결책을 찾아봐.
⑤ 엄마가 사 온 운동화의 모양과 기능을 먼저 살펴보고 평가하면 좋겠어.

3 두 인물의 대화가 원활하게 진행될 수 있도록 대사를 바꾸어 써 보자.

힘없어 보이는 차은. 차은의 이런 모습이 신경이 쓰이는지 엄마가 차은에게 조심스럽게 말을 건다.

예시 답 〉〉 엄마: 차은아! 집에 있었어? 안 나갔어?
차은: (힘없이) 네. 그냥 집에 있었어요.
엄마: 차은아, 왜 이렇게 힘이 없어? 무슨 일 있니? 엄마가 차은이 운동화 사 왔어!
차은: 고마워요. 그런데 엄마, 전 지금 혼자 있고 싶어요.
엄마: 무슨 일인데? 엄마랑 같이 상의하면 안 될까? 혼자보다는 둘이 고민하는 게 덜 외롭잖아.
차은: (한참 고민하다가) 음, 엄마께 너무 죄송한데 사실은 친구들이 자꾸 엄마가 필리핀에서 온 것 때문에 저를 놀려요.
엄마: 네가 그런 놀림을 당했구나. 엄마도 아주 속상하다. 그렇지만 차은아, 엄마는 네가 어떤 모습이든 항상 자랑스럽고, 그 모습 그대로를 사랑한단다. 차은이도 엄마를 그렇게 생각해 주면 안 될까?
차은: 네. 저도 그래요. 엄마는 항상 제게 최고의 엄마예요.
엄마: 고맙구나. 네가 그렇게 생각한다면 친구들이 놀릴 때 당당하게 이야기해 주면 좋겠어.
차은: 네. 그럴게요. 죄송해요, 엄마.

차은과 엄마, 서로를 바라보며 웃는다.

간단 체크 활동 문제

15 다음은 엄마와 '차은'의 대화를 바꾸어 쓴 것이다. 다음 중, 협력적인 듣기·말하기로 볼 수 <u>없는</u> 것은?

엄마: ① 차은아! 왜 이렇게 힘이 없어? 무슨 일 있니?
차은: (힘없이) ② 엄마, 죄송하지만 지금은 혼자 있고 싶어요.
엄마: (조심스럽게) ③ 무슨 일 때문에 그러는지 엄마랑 상의하면 안 될까?
차은: (엄마를 보지도 않고 차갑게) ④ 제가 좀 전에 혼자 있고 싶다고 말씀드렸잖아요.
엄마: ⑤ 그래, 차은이 기분이 풀리면 그때 이야기해 주렴.

활동 마당

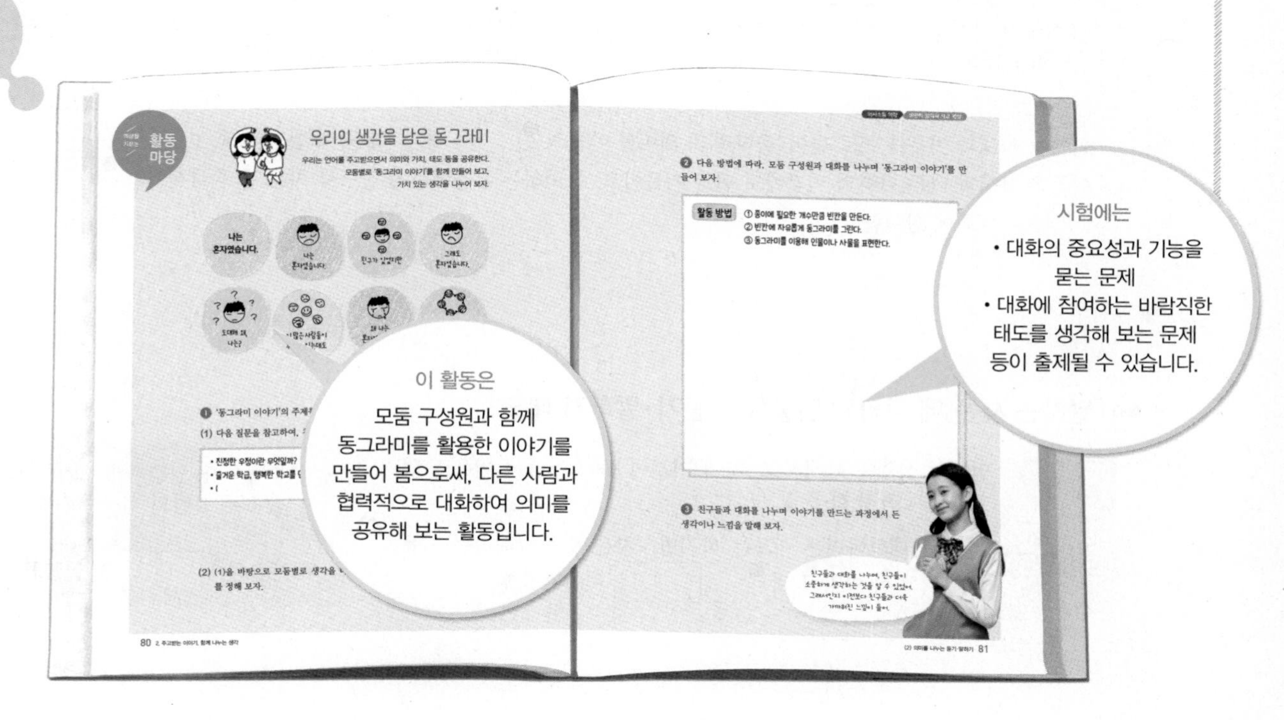

• 정답과 해설 09쪽

●● 의미 공유 과정으로서의 듣기·말하기

듣기·말하기 활동은 같은 내용으로 시작하더라도 참여자들의 상황, 지식수준, 참여자들 간의 관계 등에 따라 전혀 다른 방향으로 전개될 수 있음.

⇩

듣기·말하기 활동은 일방적으로 뜻을 전달하고 전달받는 ❶□□□□ 과정이 아니고, 말하는 이와 듣는 이가 함께 참여하여 내용을 창조하고 그 의미를 공유하는 과정이기 때문임.

●● 듣기·말하기 활동을 할 때 갖춰야 할 올바른 태도

듣기·말하기 활동에 협력적으로 참여하는 방법	• 상대의 의견이나 가치관을 존중하고 상대의 말을 수용하려는 태도로 들어야 함. • 상대의 처지와 입장을 이해하고 상대의 말에 적극적으로 ❷□□하면서 들어야 함. • 상대의 처지나 지식수준 등을 고려하여 말할 내용을 선정하고, 친밀감이 형성되도록 우호적으로 말해야 함.

→ ❸□□ 공유를 잘 하기 위해서는 의사소통의 목적과 참여자의 지식수준, 참여자 간의 친밀도 등을 고려하고 듣기·말하기 활동에 협력적으로 참여해야 함.

●● 『돼지가 한 마리도 죽지 않던 날』에 나타난 협력적인 듣기·말하기 과정

'❹□□□'를 바라보는 아들의 관점 변화

아빠와 대화를 하기 전		아빠와 대화를 나눈 후
전쟁하듯이 자기 걸 지키려고 세우는 것, 이웃을 갈라놓는 것(부정적)	⇨	다른 사람의 것을 지켜 주기 위해 세우는 것, 이웃을 하나로 만들어 주는 것(긍정적)

• 아빠는 울새와 여우를 예로 들어 '울타리'의 의미를 아들의 ❺□□□에 맞게 설명해 줌.
• 아들은 자신과 다른 아빠의 의견에도 귀를 기울이고, 동의하는 부분에는 맞장구를 치는 등 적극적이고 ❻□□□으로 대화에 참여함.

●● 「달리는 차은」에 나타난 인물들의 듣기·말하기 태도

'차은'	엄마의 성의를 무시하고, 자기 기분이 좋지 않다는 이유로 엄마에게 무작정 화를 냄.
엄마	'차은'과 대화하려는 시도는 하지만, '차은'이 속상해하는 이유를 알려고 하지 않고 새 ❼□□□ 이야기만 함.

⇨

• 의미 공유가 원활하게 이루어지지 않아 두 사람의 의사소통이 잘 되지 않음.
• 두 사람의 ❽□□이 심화됨.

시험에 나오는 소단원 문제

• 정답과 해설 09쪽

01 듣기·말하기에 대한 설명으로 알맞지 않은 것은?

① 활발한 진행을 위해 참여자들이 협력적으로 참여해야 한다.
② 처음에 같은 이야기로 시작하더라도 다른 방향으로 전개될 수 있다.
③ 참여자들의 상황이나 지식수준, 참여자들의 관계 등에 영향을 받는다.
④ 말하는 이가 일방적으로 말을 하고 듣는 이가 그것을 경청하는 과정이다.
⑤ 말하는 이와 듣는 이가 함께 내용을 창조하고 그 의미를 공유하는 과정이다.

학습 활동 응용

02 다음 상황에서 아들이 엄마에게 말을 건넨 목적으로 알맞은 것은?

① 설명 ② 설득
③ 친교 표현 ④ 정서 표현
⑤ 정보 전달

학습 활동 응용

03 다음 상황에 대한 설명으로 알맞지 않은 것은?

① '서우'와 '영서'는 처음 만난 사이이다.
② '영서'의 말하기 목적은 친교 표현이다.
③ '영서'는 '서우'가 불쾌해할 수 있는 말을 하였다.
④ '서우'는 '영서'의 말을 듣고 그에 대한 감정을 직접적으로 드러내었다.
⑤ '서우'는 '영서'의 말하기 태도가 지닌 문제점을 지적하고 대안을 제시하였다.

04~05 다음 글을 읽고, 물음에 답하시오.

"아빠랑 태너 아저씨는 친구잖아요. 이웃사촌 말예요. 그런데도 마치 전쟁을 하듯이 이렇게 울타리를 세우고 있잖아요. 이 세상에서 사람만이 자기 걸 지키려고 울타리를 세우는 것 같아요."
"그렇지 않아." / 아빠가 말했다. 〈중략〉
"여우를 본 적 있니?" / "물론 여러 번 봤죠."
"내 말은, 자세히 살펴봤냐구. 여우는 매일같이 자기 영토를 돌아다니며 나무나 바위 여기저기에 소변을 보지. 그게 여우의 울타리야. 그 이상은 잘 모르겠지만, 살아 있는 모든 생명체는 어떤 식으로든 울타리를 세울 것 같아. 나무가 뿌리로 울타리를 만들 듯이 말이야." / "그렇다면 그건 전쟁이 아니네요."
"평화로운 전쟁이야. 내가 알기로는 벤저민 플랭클린 태너는 자기네 소가 우리 옥수수밭을 망가뜨리는 걸 좋아하지 않을 사람이야. 우리 소가 자기네 밭을 망가뜨린다면 나보다 더 속상해할 사람이고 말이야."
"태너 아저씨는 좋은 이웃이에요, 아빠."
"그 사람도 나처럼 자기네 땅과 우리 땅을 구분하는 울타리가 있어야 한다고 생각할 거다. 울타리는 이웃을 갈라놓는 게 아니라 하나로 만들어 준다는 사실을 태너 아저씨도 잘 알고 있어."
"그런 생각은 미처 못 했어요." / "이제 알게 됐잖니."

학습 활동 응용

04 이 글에 나타난 아빠와 아들의 듣기·말하기 태도를 〈보기〉에서 모두 골라 묶은 것은?

보기
ㄱ. 자기 생각을 일방적으로 말하고 있다. ㄴ. 상대의 말에 적극적으로 반응하고 있다. ㄷ. 상대의 지식수준을 고려하여 말하고 있다. ㄹ. 대화 주제에서 벗어난 이야기를 자주 하고 있다.

① ㄱ, ㄴ ② ㄴ, ㄷ ③ ㄷ, ㄹ
④ ㄱ, ㄴ, ㄷ ⑤ ㄴ, ㄷ, ㄹ

서술형

05 이 글에서 아빠와 아들이 공통적으로 생각하는 '울타리'의 의미를 쓰시오.

• 정답과 해설 09쪽

06~08 다음 글을 읽고, 물음에 답하시오.

앞부분 줄거리 '차은'이 다니던 학교의 육상부가 해산되자, 육상부 친구들은 서울로 전학을 간다. '차은'도 육상부 코치 선생님에게 전학을 권유받는다. '차은'은 서울로 전학 가 육상을 계속하고 싶지만, 아버지는 이를 허락하지 않는다. 어느 날, '차은'과 '영찬'이 함께 있는 것을 본 '차은'의 엄마는 '영찬'을 집으로 초대한다. '차은'의 엄마가 필리핀 출신인 것을 알게 된 '영찬'은 학교 친구들에게 이 사실을 알리고, 몇몇 친구는 '차은'을 '필리핀'이라고 부르며 놀린다.

S# 18 차은네 마당 / 낮

툇마루에 누워 만화책을 읽고 있는 차은, 새 운동화에 신이 난 동민이 차은을 부르며 마당으로 들어온다. 동민을 따라 들어오는 엄마.

동민: 누나! 이것 좀 봐라! 새 운동화다!

차은이 별 관심을 보이지 않자, 동민은 "아빠!" 하고 부르며 쪼르르 밖으로 나가고, 쇼핑백을 들고 선 엄마가 차은의 곁에 앉는다.

엄마: 차은아! 집에 있었어? 안 나갔어?

차은: (꿈적도 않는다.) / 엄마: 엄마가 뭐 사 왔어. 맞혀 봐!

엄마가 들고 있던 쇼핑백에서 신발을 꺼내 차은 앞에 자랑하듯 내놓는다.

엄마: 짜잔! 차은아! 이거 봐 봐! / 차은: …….

엄마: ㉠<u>너, 달리기 잘한다며? 너 달리기할 때 신으라고.</u>

차은, 읽던 만화책을 챙겨 들고 일어선다.

차은: ㉡<u>달리기할 때 그런 거 신는 거 아니거든!</u>

엄마: 왜? 이거 마음에 안 들어?

차은, 엄마가 뽐내는 새 운동화를 쳐다보지도 않고, 제 신발을 챙겨 신는다.

엄마: 안 예뻐? 되게 비싼 건데. (새 운동화를 차은 앞에 내려놓으며) 그럼 남자 친구 만날 때 신어!

차은: 걔 남자 친구 아니거든. 내가 남자 친구 아니라고 몇 번이나 말해! ㉢<u>내 말 못 알아들어!</u>

엄마: ……. / 차은: …….

엄마: (속상한 마음에 새 운동화를 차은의 앞에 던지듯 놓으며) ㉣<u>그래! 신지 마! 갖다 버려!</u>

차은: 그래! 버려!

차은, 새 운동화를 발로 차더니, 대문을 향해 걸어 나간다.

06 이 글에서 알 수 있는 '차은'에 대한 설명으로 알맞은 것끼리 묶은 것은?

ㄱ. '차은'은 '영찬'과 헤어져 기분이 좋지 않다.
ㄴ. '차은'은 육상에 소질이 있고, 달리기하는 것을 좋아한다.
ㄷ. '차은'은 자신의 기분이 좋지 않다는 이유로 엄마에게 화풀이를 하고 있다.
ㄹ. '차은'은 '영찬'이 자신의 남자 친구인 것을 몰라주는 엄마에게 화가 났다.

① ㄱ, ㄴ ② ㄱ, ㄷ ③ ㄴ, ㄷ
④ ㄴ, ㄹ ⑤ ㄷ, ㄹ

학습 활동 응용

07 이 글에 나타난 엄마의 듣기·말하기 태도에 대해 조언한 내용으로 알맞은 것은?

① '차은'의 말을 무시하지 말고 경청해 주세요.
② '차은'의 잘못을 지적한 후에는 따뜻한 말로 위로해 주세요.
③ '차은'의 말을 무조건적으로 수용하지 말고, 비판적으로 들어 주세요.
④ '차은'에게 무슨 일이 있었는지 물어보며 조심스럽게 대화해 보세요.
⑤ '차은'이 버릇없이 말하면 그냥 넘어가지 말고 단호하게 꾸짖어 주세요.

서술형

08 ㉠~㉣ 중, 올바른 말하기 태도가 드러난 부분을 찾고, 그렇게 생각한 이유를 쓰시오.

어휘력 키우기

교과서 82~83쪽

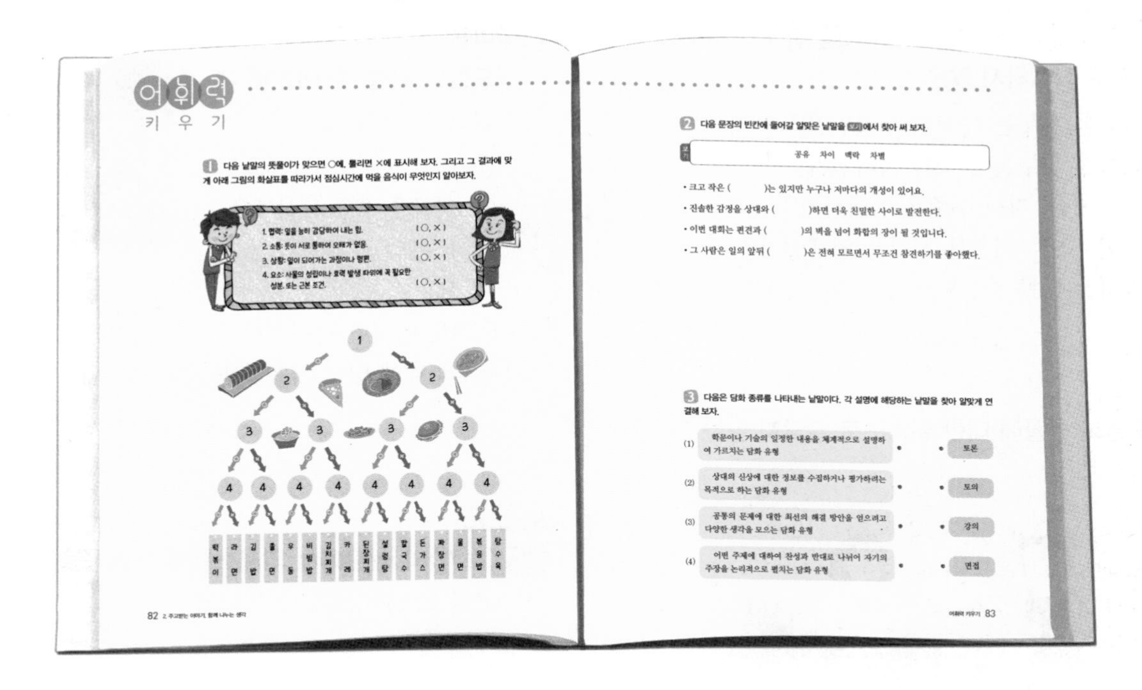
어휘력 키우기

1 다음 낱말의 뜻풀이가 맞으면 ○에, 틀리면 ×에 표시해 보자. 그리고 그 결과에 맞게 아래 그림의 화살표를 따라가서 점심시간에 먹을 음식이 무엇인지 알아보자.

1. 협력: 일을 능히 감당하여 내는 힘. (○, ×)
2. 소통: 뜻이 서로 통하여 오해가 없음. (○, ×)
3. 상황: 일이 되어가는 과정이나 형편. (○, ×)
4. 요소: 사물의 성립이나 효력 발생 따위에 꼭 필요한 성분. 또는 근본 조건. (○, ×)

2 다음 문장의 빈칸에 들어갈 알맞은 낱말을 보기에서 찾아 써 보자.

보기: 공유 차이 맥락 차별

• 크고 작은 (　　)는 있지만 누구나 저마다의 개성이 있어요.
• 진솔한 감정을 상대와 (　　)하면 더욱 친밀한 사이로 발전한다.
• 이번 대회는 편견과 (　　)의 벽을 넘어 화합의 장이 될 것입니다.
• 그 사람은 일의 앞뒤 (　　)은 전혀 모르면서 무조건 참견하기를 좋아했다.

3 다음은 담화 종류를 나타내는 낱말이다. 각 설명에 해당하는 낱말을 찾아 알맞게 연결해 보자.

(1) 학문이나 기술의 일정한 내용을 체계적으로 설명하여 가르치는 담화 유형 • • 토론
(2) 상대의 신상에 대한 정보를 수집하거나 평가하려는 목적으로 하는 담화 유형 • • 토의
(3) 공통의 문제에 대한 최선의 해결 방안을 얻으려고 다양한 생각을 모으는 담화 유형 • • 강의
(4) 어떤 주제에 대하여 찬성과 반대로 나뉘어 자기의 주장을 논리적으로 펼치는 담화 유형 • • 면접

82 · 83

1.

1. 협력: 일을 능히 감당하여 내는 힘. (○,⊗)
2. 소통: 뜻이 서로 통하여 오해가 없음. (◎ ×)
3. 상황: 일이 되어가는 과정이나 형편. (◎ ×)
4. 요소: 사물의 성립이나 효력 발생 따위에 꼭 필요한 성분. 또는 근본 조건. (◎ ×)

➡ 된장찌개

2.

• 크고 작은 (차이)는 있지만 누구나 저마다의 개성이 있어요.
• 진솔한 감정을 상대와 (공유)하면 더욱 친한 사이로 발전한다.
• 이번 대회는 편견과 (차별)의 벽을 넘어 화합의 장이 될 것입니다.
• 그 사람은 일의 앞뒤 (맥락)은 전혀 모르면서 무조건 참견하기를 좋아했다.

3.

(1) 강의　(2) 면접　(3) 토의　(4) 토론

확인 문제

01 낱말의 뜻풀이가 바르지 않은 것은?

① 상황: 일이 되어가는 과정이나 형편
② 차이: 고르거나 가지런하지 않고 차별이 있음.
③ 맥락: 사물 따위가 서로 이어져 있는 관계나 연관
④ 요소: 사물의 성립이나 효력 발생에 꼭 필요한 성분
⑤ 차별: 둘 이상의 대상을 각각 등급이나 수준 따위의 차이를 두어서 구별함.

02 밑줄 친 낱말의 사용이 바르지 않은 것은?

① 그의 주장에 토론하려고 자료를 모았다.
② 체험 학습을 어디로 갈 것인지 토의하였다.
③ 나와 동생은 어릴 적 추억을 공유하고 있다.
④ 우리 반은 옆 반과 협력하여 청소를 하였다.
⑤ 서로의 생각을 제대로 소통하는 것은 중요하다.

시험에 나오는 대단원 문제

01 담화 상황에서 원활한 의사소통을 위해 고려해야 할 내용으로 적절하지 않은 것은?

① 담화를 나누는 목적이 무엇인가?
② 담화를 나누는 장소가 어디인가?
③ 듣는 이의 지식 수준은 어떠한가?
④ 담화가 이루어지는 시간은 언제인가?
⑤ 말하는 이를 중심으로 한 표현을 사용하였는가?

02 다음 담화 상황에 대한 설명으로 알맞지 않은 것은?

① 담화 시간은 오전 10시이다.
② 담화 장소는 학교 보건실이다.
③ 담화 참여자는 남학생과 보건 선생님이다.
④ 담화 내용은 어디가 아픈지를 묻는 것이다.
⑤ 담화 참여자의 성별이 달라 의사소통에 어려움이 있다.

03 (가)~(다)에서 알 수 있는 담화의 특징으로 적절한 것은?

① 담화는 지역, 문화에 따라 의미가 달라진다.
② 동일한 표현은 항상 동일한 의미를 나타낸다.
③ 담화는 상황 맥락에 따라 다양하게 해석된다.
④ 같은 내용이라도 글쓴이에 따라 다른 의미로 해석된다.
⑤ 동일한 표현이라도 담화 상황에 따라 차별적 표현으로 쓰일 수 있다.

04 다음 상황에서 엄마의 의도를 고려할 때, 아들의 대답으로 적절한 것은?

① 네, 얼른 일어날게요.
② 지금은 오후 11시예요.
③ 10분만 더 자도 될까요?
④ 네, 이것만 마무리하고 곧 잘게요.
⑤ 제 앞에 있는 시계를 보고도 모르세요?

서술형

05 <보기>의 상황에서 의사소통에 어려움을 준 담화의 구성 요소를 2음절로 쓰시오.

보기

딸: 아빠! 저 남아공 해야 해서 오늘 좀 늦을 것 같아요.
아빠: 남아공? 갑자기 남아공은 왜? 그 나라를 조사하는 과제라도 있니?

06 다음은 외국인이 쓴 일기이다. 이를 통해 알 수 있는 사실로 알맞은 것은?

20○○년 ○○월 ○○일
민재와 설렁탕을 먹으러 갔는데, 민재가 식당에서 일하는 아주머니에게 "이모, 여기 설렁탕 두 그릇 주세요."라고 했다. 그런데 우리 옆자리 손님도 "이모, 저희는 된장찌개요."라고 하는 것이 아닌가? 나는 깜짝 놀라 민재에게 "모두 친척이야?"라고 물었다. 민재는 웃으며 아니라고 말했다.

① 성별에 따라 사용하는 어휘가 다른 경우가 있다.
② 지역에 따라 같은 말이 다른 의미로 사용되기도 한다.
③ 세대에 따라 같은 대상을 다른 말로 표현하기도 한다.
④ 문화의 차이가 의사소통에 어려움을 일으키기도 한다.
⑤ 지역에 따라 같은 대상을 가리키는 표현이 다를 수 있다.

07~08 **다음 글을 읽고, 물음에 답하시오.**

남아프리카 공화국의 흑인과 백인 대부분은 아파르트헤이트에 미래가 없다는 것을 잘 알고 있습니다. 평화와 안전을 위해, 우리는 결단력 있게 집단행동을 하여 인종 차별 체제를 끝내야 합니다. 자유를 얻기 위해 우리가 저항하고 행동할 때 민주주의는 우리의 눈앞에 다가올 것입니다.

자유를 위한 우리의 행진은 돌이킬 수 없습니다. 우리는 두려움이 우리의 길을 막도록 내버려 두어서는 안 됩니다. 통합되고 민주적이며 인종 차별이 없는 남아프리카 공화국에서 이루어지는, 모든 유권자가 참여하는 보통 선거만이 평화와 인종 화합을 이룰 수 있는 유일한 길입니다.

– 베로니크 타조, 『넬슨 만델라』

07 〈보기〉로 보아 이 글을 이해하는 데 필요한 요소로 적절한 것은?

| 보기 |

여학생: '아파르트헤이트'가 뭐길래 이 연설자는 '아파르트헤이트'에 미래가 없다고 말하는 걸까?
남학생: 나도 그 말을 이해하기 어려웠어. 그리고 이 연설자가 보통 선거를 주장하는 까닭도 잘 모르겠어.

① 지역적 상황
② 세대적 차이
③ 문화적 상황
④ 성별적 차이
⑤ 역사적 상황

08 이 연설문을 읽고 나눈 대화 내용으로 적절하지 <u>않은</u> 것은?

① 수민: 연설자는 피부색에 따른 차별 문제를 비판하고 있어.
② 은정: 연설자는 보통 선거만이 민주주의와 평화를 이룰 수 있는 방법이라고 생각해.
③ 희수: 인종 차별주의자들을 대상으로 이러한 연설을 한 이유도 보통 선거를 실시하기 위해서야.
④ 연우: 난 이 연설문만으로는 내용을 이해하기 어려워서 당시 '넬슨 만델라'의 활동을 찾아보았어.
⑤ 현지: 이 연설문이 쓰인 당시의 사회·문화적 맥락을 고려하면 내용을 한결 쉽게 이해할 수 있지.

09 다음 대화 상황에 대한 설명으로 알맞지 <u>않은</u> 것은?

남학생: 너 혹시 소금의 유통 기한 알아?
여학생: 소금에도 유통 기한이 있어?
남학생: 1,000일이야. 천일염이라고 하잖아.

↙	↘
여학생: 킥킥, 재미있네. 다른 이야기는 없어? 알면 더 해 줘. 남학생: 좋아. "신발이 화가 났다."라는 말을 세 글자로 표현하면 뭐게? 신발 끈이야!	여학생: 킥킥, 재미있네. 그런데 천일염이 정확히 무엇을 뜻하는 거지? 남학생: 천일염은 '바닷물을 햇볕과 바람으로 증발시켜서 얻은 소금'이라는 뜻이야.

① 남학생을 중심으로 대화가 이루어지고 있다.
② 여학생의 반응에 따라 대화가 다른 방향으로 진행되고 있다.
③ 남학생과 여학생이 함께 내용을 창조하고 그 의미를 공유하고 있다.
④ 남학생과 여학생의 배경지식과 경험이 대화 내용에 영향을 미치고 있다.
⑤ 남학생과 여학생은 상대의 말에 관심을 보이며 대화에 적극적으로 참여하고 있다.

고난도 서술형

10 다음 상황에서 원활한 대화가 이루어질 수 있도록 남학생과 여학생에게 조언해 줄 말을 쓰시오.

조건

① 남학생과 여학생에게 필요한 듣기·말하기 태도를 각각 '~해야 해.' 형식의 한 문장으로 쓸 것

11~14 다음 글을 읽고, 물음에 답하시오.

우리는 태너 아저씨네 땅과 우리 땅을 나누는 울타리에서 기둥을 고치고 있었다.

㉠"울타리라는 거 참 우스워요. 안 그래요, 아빠?"

"왜 그렇게 생각하니?"

"아빠랑 태너 아저씨는 친구잖아요. 이웃사촌 말예요. 그런데도 마치 전쟁을 하듯이 이렇게 울타리를 세우고 있잖아요. 이 세상에서 사람만이 자기 걸 지키려고 울타리를 세우는 것 같아요."

"그렇지 않아." / 아빠가 말했다.

"동물들은 울타리를 세우지 않잖아요."

"아니야, 동물들도 울타리를 세운단다. ⓐ봄에 수컷 울새가 보금자리를 마련해야 ⓑ암컷이 수컷에게 날아가거든. 수컷은 보금자리로 울타리를 세우는 거야."

"그런 말은 처음 들어요."

"ⓒ울새가 노래하는 거 많이 들어 봤지? 그 소리는 말야, 이 나무는 내 거니까 가까이 오지 말라는 뜻이야. 그 소리도 울새의 울타리인 셈이지."

"엉터리." / "여우를 본 적 있니?"

"물론 여러 번 봤죠."

"내 말은, 자세히 살펴봤냐구. ⓓ여우는 매일같이 자기 영토를 돌아다니며 나무나 바위 여기저기에 소변을 보지. 그게 여우의 울타리야. 그 이상은 잘 모르겠지만, 살아 있는 모든 생명체는 어떤 식으로든 울타리를 세울 것 같아. ⓔ나무가 뿌리로 울타리를 만들듯이 말이야."

㉡"그렇다면 그건 전쟁이 아니네요."

"평화로운 전쟁이야. 내가 알기로는 벤저민 플랭클린 태너는 자기네 소가 우리 옥수수밭을 망가뜨리는 걸 좋아하지 않을 사람이야. 우리 소가 자기네 밭을 망가뜨린다면 나보다 더 속상해할 사람이고 말이야."

"태너 아저씨는 좋은 이웃이에요, 아빠."

"그 사람도 나처럼 자기네 땅과 우리 땅을 구분하는 울타리가 있어야 한다고 생각할 거다. 울타리는 이웃을 갈라놓는 게 아니라 하나로 만들어 준다는 사실을 태너 아저씨도 잘 알고 있어."

"그런 생각은 미처 못 했어요." / "이제 알게 됐잖니."

11 이 글에서 아빠와 아들이 나누는 대화의 중심 화제로 알맞은 것은?

① 울타리를 세우는 일
② 땅에 경계를 긋는 일
③ 인간과 동물의 보금자리
④ 이웃과의 갈등을 해결하는 방법
⑤ 동물들이 야생에서 먹이를 구하는 방법

12 이 글에 드러난 아빠와 아들의 듣기·말하기 태도로 알맞은 것은?

① 아빠는 객관적인 수치를 제시하여 아들을 설득하고 있다.
② 아빠는 권위적인 자세로 자기의 생각을 일방적으로 말하고 있다.
③ 어린아이인 아들은 주제에서 벗어난 이야기를 계속적으로 하고 있다.
④ 아들은 자신의 생각을 반복적으로 제시하여 주장을 관철시키고 있다.
⑤ 아빠와 아들은 적극적이고 협력적으로 대화에 참여하여 의견을 일치시켰다.

13 ㉠과 ㉡에서 알 수 있는 울타리에 대한 아들의 태도를 바르게 연결한 것은?

	㉠	㉡
①	부정적	긍정적
②	부정적	중립적
③	긍정적	부정적
④	긍정적	소극적
⑤	중립적	긍정적

14 ⓐ~ⓔ 중, 성격이 다른 하나는?

① ⓐ ② ⓑ ③ ⓒ ④ ⓓ ⑤ ⓔ

창의적 사고력을 키우는

창의·융합

교과서 86~89쪽

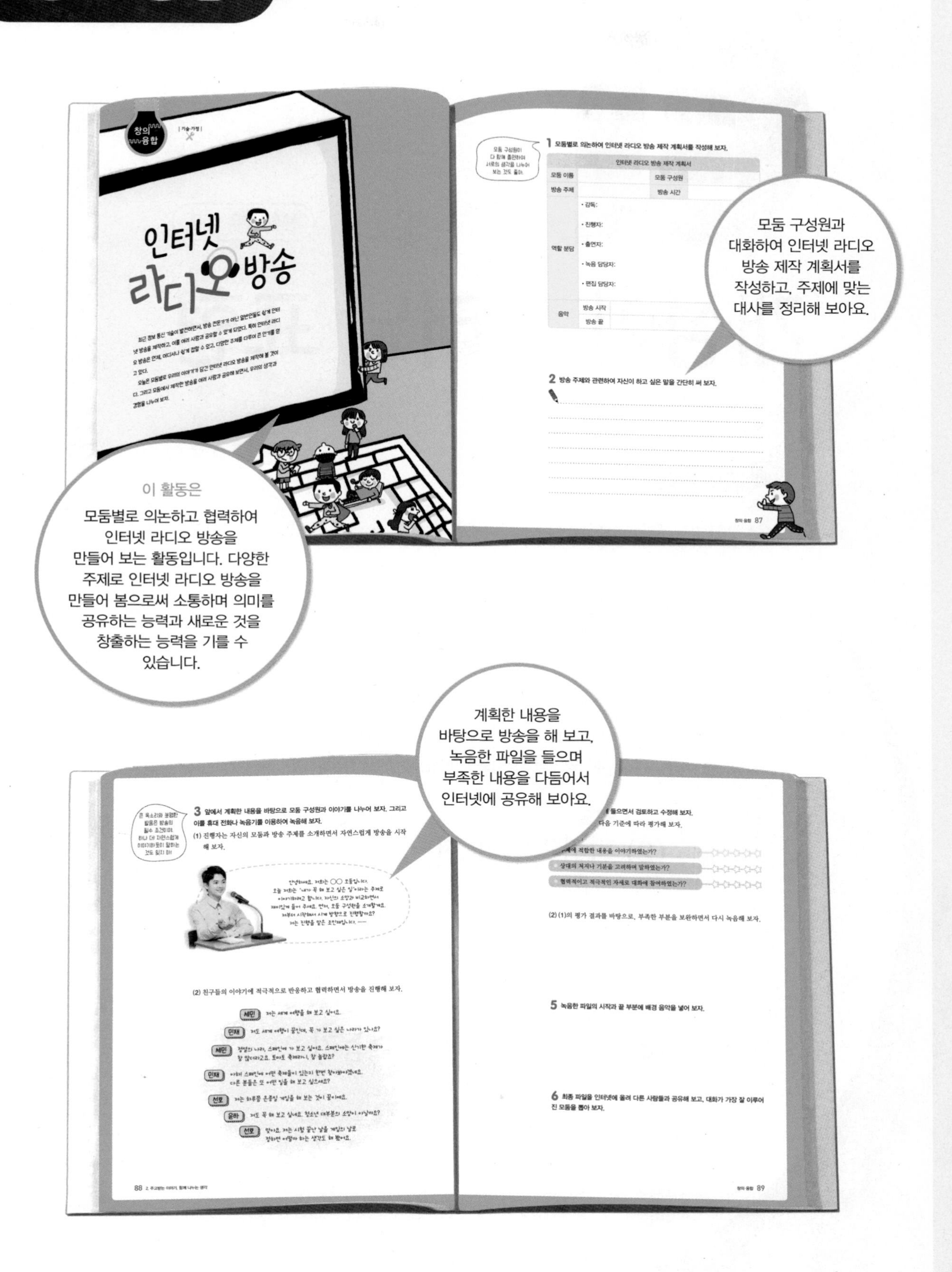

이 활동은

모둠별로 의논하고 협력하여 인터넷 라디오 방송을 만들어 보는 활동입니다. 다양한 주제로 인터넷 라디오 방송을 만들어 봄으로써 소통하며 의미를 공유하는 능력과 새로운 것을 창출하는 능력을 기를 수 있습니다.

모둠 구성원과 대화하여 인터넷 라디오 방송 제작 계획서를 작성하고, 주제에 맞는 대사를 정리해 보아요.

계획한 내용을 바탕으로 방송을 해 보고, 녹음한 파일을 들으며 부족한 내용을 다듬어서 인터넷에 공유해 보아요.

문화 향유 역량

3 개성이 드러난 표현

문학

(1) 창의적인 발상

_ 먼 후일(김소월), 봄 길(정호승)

- 운율, 반어, 역설의 개념과 그 효과 이해하기
- 자신의 경험과 생각을 창의적인 발상으로 형상화하기

문학

(2) 비판적인 표현

_ 이상한 선생님(채만식)

- 풍자의 개념과 그 효과 이해하기
- 우리 주변이나 사회의 문제를 풍자하기

쓰기

(3) 개성을 살리는 글다듬기

- 고쳐쓰기의 일반 원리 이해하기
- 자신이 쓴 글을 고쳐쓰기의 원리에 따라 고쳐 써 보기

왜 배울까?

사람들은 저마다의 생각이나 기호, 가치관 등이 있고, 이는 다른 사람과 나를 구별하는 고유한 특성, 즉 개성으로 나타난다. 우리는 서로 다른 개성을 지니고 있기 때문에, 다른 사람의 개성을 존중하면서도 자신의 개성을 적절히 드러내야 한다. 자신의 개성을 드러내기 위해서는, 먼저 자신의 가치 있는 경험을 창의적인 발상과 표현으로 형상화할 수 있어야 한다. 그리고 자신이 표현한 것을 끊임없이 검토하고 다듬으면서 자신의 개성이 적절히 드러났는지를 점검해야 한다. 이러한 과정을 거치면 자신의 개성을 좀 더 인상 깊게 드러낼 수 있을 뿐만 아니라, 풍성하고 다채로운 문화를 창조하는 데까지 나아갈 수 있을 것이다.

뭘 배울까?

이 단원에서는 문화 향유 역량을 기르기 위해 작가의 개성이 잘 드러나는 작품을 감상하면서, 자신의 개성을 드러낼 수 있는 다양한 표현 방법을 알아볼 것이다. 또한 고쳐쓰기의 일반 원리에 따라 자신이 쓴 글을 점검하고 고쳐 써 보면서, 한 편의 글을 완성해 볼 것이다.

길잡이

• 정답과 해설 11쪽

시란

마음속에 떠오르는 생각이나 느낌을 운율이 있는 언어로 압축하여 표현한 글을 말한다.

시의 갈래

형식에 따라	• 정형시: 일정한 형식과 규칙에 맞추어 지은 시. 우리나라의 시조, 한시(漢詩)의 절구와 율시 등이 있음. • 자유시: 정해진 형식이나 운율에 구애받지 않고 자유로운 형식으로 이루어진 시 • 산문시: 행을 구분하지 않고 산문처럼 줄글로 붙여서 쓴 시
내용에 따라	• 서정시: 개인의 감정이나 정서를 주관적으로 표현한 시 • 서사시: 역사적 사실이나 신화, 전설, 영웅의 이야기를 길게 서술한 시 • 극시: 희곡 형식으로 된 시. 전편이 운문체의 대사로 이루어짐.

운율의 개념과 효과

개념	시를 읽을 때 느껴지는 말의 가락을 뜻함. 같거나 비슷한 낱말 및 구절이 반복되거나 문장 구조가 반복될 때 생김.
효과	• 시에서 호흡을 부드럽게 함. • 시의 정서와 분위기를 드러냄.

운율의 종류

외형률	일정한 규칙이 반복되어 시의 표면에 드러나는 운율
내재율	일정한 규칙 없이 시 속에서 은근히 느껴지는 운율

반어의 개념과 효과

개념	원래의 뜻과 반대로 표현하는 것
효과	• 강한 인상을 줄 수 있음. • 그 안에 담긴 진심을 강조할 수 있음. • 대상을 비꼬거나 비판하는 뜻을 담을 수 있음.

역설의 개념과 효과

개념	겉으로는 뜻이 모순되고 이치에 맞지 않는 것 같지만, 그 속에 진리를 담고 있는 표현
효과	• 내면의 의미를 강조할 수 있음. • 참신한 느낌을 줄 수 있음. • 읽는 이에게 신선한 충격을 줌으로써 삶의 진리를 깨닫게 할 수 있음.

간단 체크 개념 문제

1 시에 대한 설명이 맞으면 ○표, 틀리면 ×표 하시오.

(1) 시의 갈래는 형식과 내용에 따라 구분할 수 있다. ( )

(2) 운율은 시의 호흡을 부드럽게 하고, 정서와 분위기를 드러낸다. ( )

(3) 모든 시에는 일정한 규칙의 운율이 반복된다. ( )

2 <보기>에서 설명하는 개념으로 알맞은 것은?

보기

자신의 속마음을 원래의 뜻과 반대로 표현하는 것을 의미하며, 사용하는 맥락에 따라 대상을 비꼬거나 비판하는 뜻을 담을 수 있다.

① 압축
② 반어
③ 역설
④ 외형률
⑤ 내재율

3 다음 빈칸에 들어갈 알맞은 말을 쓰시오.

□□(이)란 겉으로는 뜻이 모순되고 이치에 맞지 않는 것 같지만, 그 속에 진리를 담고 있는 표현을 의미한다.

제재 ❶

● 정답과 해설 11쪽

(1) 창의적인 발상 _ 먼 후일

학습 목표 운율, 반어, 역설에 대한 이해를 바탕으로 자신의 가치 있는 경험을 개성 있게 표현할 수 있다.

김소월(1902~1934)
시인. 본명은 정식. 전통적인 한의 정서가 담긴 시를 많이 남겼다. 주요 작품으로는 「산유화」, 「진달래꽃」, 「초혼」 등이 있다.

학습 포인트

❶ 운율을 형성하는 요소
❷ '잊었노라'에 담긴 의미

먼 훗날 당신이 찾으시면
그때에 내 말이 '잊었노라'

당신이 속으로 나무라면
'무척 그리다가 잊었노라'

그래도 당신이 나무라면
'믿기지 않아서 잊었노라'

㉠오늘도 어제도 아니 잊고
먼 훗날 그때에 '잊었노라'

학습콕

❶ 운율을 형성하는 요소

같은 □□의 반복	먼 훗날∨당신이∨찾으시면∨ 그때에∨내 말이∨'잊었노라'∨	➡	3음보 율격
같은 문장 구조 및 □□의 반복	• 1연: 먼 훗날 당신이 찾으시면 ~ '잊었노라' • 2연: 당신이 속으로 나무라면 ~ 잊었노라' • 3연: 그래도 당신이 나무라면 ~ 잊었노라'		• 가정형 문장의 반복 • '잊었노라'라는 시어의 반복

→ 3음보 율격을 바탕으로 미래 상황을 가정하는 표현과 특정 시어를 반복하여 애상적인 분위기와 정서를 심화함.

❷ '잊었노라'에 담긴 의미

표면적 의미	반어 →	내포적 의미
당신을 잊었다.		당신을 잊을 수 없다.

→ '당신'을 잊을 수 없다는 뜻을 □□로 표현하여 말하는 이의 애틋하고 간절한 심정을 강조함.

간단 체크 내용 문제

01 이 시에 대한 설명으로 적절하지 않은 것은?

① 애상적이면서도 민요적인 느낌을 주고 있다.
② 같은 문장 구조를 반복하여 운율을 형성하고 있다.
③ 미래의 상황을 가정하여 시의 흐름을 전개하고 있다.
④ 떠난 임을 잊지 못하는 안타까운 마음을 표현하고 있다.
⑤ '당신을 잊을 수 없다.'는 내용을 직설적으로 표현하고 있다.

02 이 시의 모든 연에서 반복적으로 사용하여 운율을 형성하는 시어를 찾아 쓰시오.

중요

03 ㉠에 나타난 말하는 이의 속마음으로 알맞은 것은?

① 먼 훗날에 '당신'을 만나고 싶다.
② 미래에는 '당신'을 잊을 수 있다.
③ '당신'이 돌아오실 것을 믿고 있었다.
④ 줄곧 '당신'을 잊지 못하고 그리워하였다.
⑤ '당신'의 질책 때문에 '당신'을 잊게 될 것이다.

이해
❶ 시의 운율과 그 효과 이해하기
❷ 시에서 말하는 이가 자신의 속마음을 표현한 방식 이해하기

1 이 시의 운율과 그 효과를 알아보자.

(1) 이 시를 낭송해 보고, 자신이 끊어 읽은 부분에 ∨ 표시를 해 보자.

답 먼 훗날 ∨ 당신이 ∨ 찾으시면 ∨
그때에 ∨ 내 말이 ∨ '잊었노라' ∨

당신이 ∨ 속으로 ∨ 나무라면 ∨
'무척 ∨ 그리다가 ∨ 잊었노라' ∨

그래도 ∨ 당신이 ∨ 나무라면 ∨
'믿기지 ∨ 않아서 ∨ 잊었노라' ∨

오늘도 ∨ 어제도 ∨ 아니 잊고 ∨
먼 훗날 ∨ 그때에 ∨ '잊었노라'

(2) 다음 편지글을 소리 내어 읽어 보고, 이 시를 낭송할 때와 느낌이 어떻게 다른지 말해 보자.

> 당신이 먼 훗날 나를 찾으시면 난 당신을 잊었다고 말할 거예요. 당신이 그런 나를 나무란다고 해도 당신을 잊었다고 말하겠습니다. 당신은 계속 나를 질책하겠지만, 난 믿기지 않아서 당신을 잊었다고 말하겠습니다. 먼 훗날 그때에 당신을 잊었다고 말하겠습니다.

답 편지글을 읽을 때보다 시를 읽을 때, 호흡이 더 규칙적이어서 □□□이 더 잘 느껴진다.

(3) 이 시에서 반복되는 표현을 찾아보고, 그와 같은 반복이 시의 운율을 형성하는 데 미치는 영향을 써 보자.

반복되는 표현	답 '~면 ~ 잊었노라' / '□□□□'
운율을 형성하는 데 미치는 영향	답 같은 시어나 비슷한 □□ □□가 반복되어 리듬감이 느껴진다.

간단 체크 활동 문제

01 이 시를 다음과 같이 끊어 읽을 때의 효과로 알맞은 것은?

> 먼 훗날∨당신이∨찾으시면∨
> 그때에∨내 말이∨'잊었노라'∨
>
> 당신이∨속으로∨나무라면∨
> '무척∨그리다가∨잊었노라'∨
> ⋮

① 대상에 대한 강한 인상을 받을 수 있다.
② 작품의 의도를 정확하게 이해할 수 있다.
③ 말하는 이의 정서에 대해 공감할 수 있다.
④ 호흡이 규칙적이어서 박자감을 느낄 수 있다.
⑤ 시어의 의미를 다양하고 포괄적으로 이해할 수 있다.

02 이 시에서 반복되는 문장 구조를 찾아 쓰시오.

2 이 시에서 말하는 이가 자신의 속마음을 표현한 방식을 알아보자.

(1) 말하는 이가 어떤 상황에 처해 있는지 짐작해 보자.

답 1연에서 '먼 훗날 당신이 찾으시면'이라고 □□의 상황을 가정한 것으로 볼 때, 말하는 이는 지금 '당신'과 이별한 상황임을 알 수 있다. 여기에서 '당신'은 '말하는 이'가 사랑하고 그리워하는 사람이라고 추측할 수 있다.

(2) 다음 표현에 담긴 말하는 이의 속마음과 사용된 표현 방식을 설명해 보자.

'잊었노라' 답 말하는 이는 줄곧 '당신'을 잊지 못하고 그리워하는 자신의 본심과 반대로 '잊었노라'라고 표현하였다.

(3) 말하는 이의 속마음이 직접적으로 드러나도록 다음 표현을 바꾸어 보자.

오늘도 어제도 아니 잊고
먼 훗날 그때에 '잊었노라'

답 오늘도 어제도 아니 잊고
먼 훗날 그때에도 잊지 못하리라

• 이와 같이 표현을 바꾸었을 때 시의 느낌이 어떻게 달라지는지 말해 보자.

답 • 말하는 이가 속마음을 반대로 표현하였을 때에는 말하는 이의 진심이 더 절실하게 느껴졌지만, 바꾸어 쓴 표현은 그 느낌이 덜하다.
• 말하는 이의 심리가 확실하게 드러나지만, '당신'을 그리워하는 절절한 마음은 잘 느껴지지 않는다.

학습콕

❶ 운율의 개념과 효과

개념	시를 읽을 때 느껴지는 말의 가락
효과	• 시에서 호흡을 부드럽게 함. • 시의 정서와 분위기를 드러냄.

→ 같거나 비슷한 낱말 및 구절, 문장 구조가 반복될 때 운율이 생김.

❷ 반어의 개념과 효과

개념	원래의 뜻과 반대로 표현하는 것
효과	• 강한 인상을 줄 수 있음. • 그 안에 담긴 진심을 강조할 수 있음. • 대상을 비꼬거나 비판하는 뜻을 담을 수 있음.

간단 체크 활동 문제

03 이 시의 말하는 이가 처한 상황으로 알맞은 것은?

① '당신'과 이별한 상황이다.
② '당신'을 만나러 가는 상황이다.
③ '당신'을 두고 떠나야 하는 상황이다.
④ '당신'과 이별하였다가 다시 만난 상황이다.
⑤ 먼 길을 떠난 '당신'이 무사히 돌아오기를 기원하는 상황이다.

04 이 시의 내용을 다음과 같이 바꾸었을 때의 느낌으로 알맞은 것은?

오늘도 어제도 아니 잊고
먼 훗날 그때에 '잊었노라'

⬇

오늘도 어제도 아니 잊고
먼 훗날 그때에도 잊지 못하리라

① 시의 정서를 효과적으로 부각한다.
② 말하는 이의 심리가 확실하게 드러난다.
③ 대상을 비꼬는 듯한 느낌이 잘 나타난다.
④ 말하는 이의 진심이 더욱 절실하게 느껴진다.
⑤ 바꾸기 전보다 '당신'에 대한 말하는 이의 애절한 마음이 더 잘 드러난다.

• 정답과 해설 11쪽

교과서 100~101쪽　제재 ❷

(1) 창의적인 발상 _ 봄 길

학습 목표 운율, 반어, 역설에 대한 이해를 바탕으로 자신의 가치 있는 경험을 개성 있게 표현할 수 있다.

정호승(1950~)
시인. 우리 사회의 가난하고 소외된 사람들에 대한 애정이 드러난 시를 많이 썼다. 주요 저서로는 『슬픔이 기쁨에게』, 『내가 사랑하는 사람』, 『서울의 예수』 등이 있다.

학습 포인트

❶ '봄 길'의 의미
❷ 역설 표현에 담긴 의미

길이 끝나는 곳에서도
길이 있다
길이 끝나는 곳에서도
길이 되는 사람이 있다
스스로 봄 길이 되어
끝없이 걸어가는 사람이 있다
강물은 흐르다가 멈추고
새들은 날아가 돌아오지 않고
하늘과 땅 사이의 모든 꽃잎은 흩어져도
보라
사랑이 끝난 곳에서도
사랑으로 남아 있는 사람이 있다
스스로 사랑이 되어
한없이 봄 길을 걸어가는 사람이 있다

학습콕

❶ '봄 길'의 의미
• 봄: 만물이 소생하는 계절로 ☐☐의 느낌을 표현함.
• ☐: 미래, 가능성의 의미를 내포하며, 긍정적, 희망적 가치를 표현함.

❷ 역설 표현에 담긴 의미

역설 표현	의미
길이 끝나는 곳에서도 길이 있다	절망적인 상황 속에도 희망이 존재함.
길이 끝나는 곳에서도 길이 되는 사람이 있다	절망적인 상황 속에서도 희망을 잃지 않는 사람이 있음.
사랑이 끝난 곳에서도 사랑으로 남아 있는 사람이 있다	희망이 없는, 고통만 남은 곳에도 다른 이에게 사랑을 베푸는 사람이 있음.

→ '길'이 끝났지만 '길'이 있고, '사랑'이 끝났지만 '사랑'으로 남아 있다는 ☐☐적인 상황을 제시하여 절망적인 상황일지라도 희망과 사랑이 있다는 믿음을 강조함.

간단 체크 내용 문제

01 이 시에 대한 설명으로 적절하지 않은 것은?

① 비슷한 시구를 반복하여 의미를 강조한다.
② 말하는 이의 의지적이고 단정적인 어조가 나타난다.
③ 절망적인 상황을 타인의 삶을 통해 비유적으로 표현한다.
④ 만물이 소생하는 계절인 '봄'을 통해 희망의 느낌을 표현한다.
⑤ 시련을 극복하고 스스로 사랑을 찾기 위해 노력하는 삶의 태도를 노래한다.

중요
02 다음 빈칸에 들어갈 알맞은 말을 쓰시오.

이 시는 절망적인 상황일지라도 희망과 사랑이 있다는 믿음을 ☐☐ 표현을 활용하여 강조하고 있다.

03 이 시에 나타난 말하는 이의 태도로 알맞은 것은?

① 낙관적, 소극적
② 비관적, 절망적
③ 비판적, 현실적
④ 적극적, 세속적
⑤ 의지적, 희망적

• 정답과 해설 12쪽

이해
❶ 시의 내용을 정리하면서 '봄 길을 걸어가는 사람'의 의미 파악하기
❷ 시의 표현상 특징과 그 효과 이해하기
❸ 말하는 이의 가치관 이해하기

1 이 시의 내용을 정리해 보면서, '봄 길을 걸어가는 사람'이 의미하는 바를 생각해 보자.

(1) 다음과 같이 이 시의 내용을 정리해 보자.

1~6행	절망적인 상황에서도 희망을 잃지 않는 사람이 있음.
7~9행	답 □□이 끝난 절망적인 상황이 찾아옴.
10~14행	답 사랑이 끝난 곳에서도 사랑을 베푸는 □□이 있음.

(2) (1)을 바탕으로 '봄 길을 걸어가는 사람'이 어떤 사람일지 말해 보자.

답 • 어떤 상황에서도 희망을 잃지 않고 묵묵히 걸어가는 사람일 것이다.
• 힘들고 어려운 일이 닥치더라도 □□하지 않고, 이를 극복하기 위해 노력하는 사람일 것이다.

2 이 시의 표현상 특징과 그 효과를 알아보자.

(1) 보기에서 설명하는 표현 방법을 활용한 구절을 시에서 찾아 써 보자.

> 보기
> 역설이란 겉으로는 뜻이 모순되고 이치에 맞지 않는 것 같지만, 그 속에 진리를 담고 있는 표현을 말한다. 예를 들어, "아아, 님은 갔지마는 나는 님을 보내지 아니하였습니다."라는 표현에서 '님이 갔다'라는 말과 '님을 보내지 않았다'라는 말은 논리적으로 맞지 않다. 하지만 그 속에는 비록 '님'이 떠났더라도 '님'을 기억하며 그리워하겠다는 말하는 이의 의지가 담겨 있는 것이다.

답 • 길이 끝나는 곳에서도 / 길이 있다
• 길이 끝나는 곳에서도 / 길이 되는 사람이 있다
• 사랑이 끝난 곳에서도 / 사랑으로 남아 있는 사람이 있다

간단 체크 활동 문제

01 이 시에서 말하는 '봄 길을 걸어가는 사람'으로 적절하지 않은 것은?

① 어떤 상황에서도 희망을 잃지 않는 사람
② 개인적인 꿈을 이루기 위해 노력하는 사람
③ 어떤 어려움도 극복하기 위해 노력하는 사람
④ 고난을 이겨 내기 위해 묵묵히 걸어가는 사람
⑤ 힘들고 어려운 일을 당하더라도 절망하지 않는 사람

02 다음 설명에 해당하는 시구로 알맞은 것은? (정답 2개)

> 겉으로는 뜻이 모순되고 이치에 맞지 않는 것 같지만, 그 속에 진리를 담고 있는 표현이다.

① 길이 끝나는 곳에서도 / 길이 있다
② 길이 끝나는 곳에서도 / 길이 되는 사람이 있다
③ 스스로 봄 길이 되어 / 끝없이 걸어가는 사람이 있다
④ 강물을 흐르다가 멈추고 / 새들은 날아가 돌아오지 않고
⑤ 스스로 사랑이 되어 / 한없이 봄 길을 걸어가는 사람이 있다

(2) (1)에서 찾은 구절에 담긴 참뜻을 써 보고, 이러한 표현 방법을 활용하여 얻을 수 있는 효과를 말해 보자.

표현에 담긴 참뜻 …… 답 절망적인 상황에서도 □□이 있고, 사랑이 사라졌다고 생각한 상황에서도 사랑을 지키려고 노력하는 사람이 있다는 뜻이다.

표현의 효과 …… 답 이 시는 '길'이 끝났지만 '길'이 있고, '사랑'이 끝났지만 '사랑'으로 남아 있다며 모순적인 상황을 제시하고 있다. 이 시의 말하는 이는 이와 같은 모순적인 상황을 제시하여 읽는 이에게 신선한 충격을 주는 한편, 읽는 이로 하여금 그 안에 담긴 의미를 진지하게 생각해 보게 함으로써 삶의 □□를 깨닫게 하고 있다.

3 지금까지의 활동을 바탕으로, 말하는 이가 중요하게 생각하는 가치가 무엇일지 이야기해 보자.

답 이 시의 말하는 이는 절망적인 상황에서도 희망과 사랑이 존재한다는 믿음을 드러내고 있다. 이를 통해 말하는 이는 어떤 상황 속에서도 희망과 사랑을 품은 채로 꿋꿋하게 살아가는 삶의 태도를 중요하게 생각하고 있음을 알 수 있다.

학습콕

❶ 역설의 개념과 효과

개념	겉으로는 뜻이 모순되고 이치에 맞지 않는 것 같지만, 그 속에 진리를 담고 있는 표현
효과	• 내면의 의미를 강조할 수 있음. • 참신한 느낌을 줄 수 있음. • 읽는 이에게 신선한 충격을 줌으로써 삶의 진리를 깨닫게 할 수 있음.

간단 체크 활동 문제

03 다음 시구에 대한 설명으로 알맞지 <u>않은</u> 것은?

> 사랑이 끝난 곳에서도
> 사랑으로 남아 있는 사람이 있다

① 읽는 이에게 신선한 충격을 준다.
② 겉으로 보기에는 모순되는 상황이다.
③ 사랑의 아픔을 언젠가는 이겨 낼 수 있다는 내용이다.
④ 절망적인 상황에서도 희망이 있다는 것을 나타내고 있다.
⑤ 읽는 이로 하여금 그 안에 담긴 의미를 진지하게 생각해 보게 한다.

04 다음 빈칸에 들어갈 알맞은 말을 쓰시오.

> 이 시의 말하는 이는 어떤 상황 속에서도 (   )와/과 (   )을/를 품은 채로 꿋꿋하게 살아가는 삶의 태도를 중요하게 생각한다.

❶ 반어 표현에 나타난 말하는 이의 심정 추측하기
❷ 자신의 마음을 반대로 표현한 경험 말하기
❸ 반어 표현이 담긴 노랫말 짓기

다음은 사랑하는 사람과 이별한 슬픔을 담은 노랫말이다. 이 노랫말에 나타난 말하는 이의 심정을 생각해 보고, 반어 표현을 활용하여 자신의 경험을 개성 있게 표현해 보자.

갈래	노랫말	성격	반어적, 애상적
제재	이별과 그리움		
주제	이별의 슬픔과 그리움		
특징	반어 표현을 활용하여 말하는 이의 슬픔을 강조함.		

비와 당신

작사·작곡 방준석

이젠 당신이 그립지 않죠, 보고 싶은 마음도 없죠.
사랑한 것도 잊혀 가네요, 조용하게.
알 수 없는 건 그런 내 맘이
비가 오면 눈물이 나요.
아주 오래전 당신 떠나던 그날처럼.
이젠 괜찮은데, 사랑 따윈 저버렸는데
바보 같은 난 눈물이 날까.

아련해지는 빛바랜 추억 그 얼마나 사무친 건지.
미운 당신을 아직도 나는 그리워하네.
이젠 괜찮은데, 사랑 따윈 저버렸는데
바보 같은 난 눈물이 날까.
다신 안 올 텐데, 잊지 못한 내가 싫은데
언제까지 내 맘은 아플까.
이젠 괜찮은데, 사랑 따윈 저버렸는데
바보 같은 난 눈물이 날까.

1 이 노랫말에서 반어 표현을 찾아보고, 거기에 담긴 말하는 이의 심정을 추측하여 써 보자.

답 이 노랫말에서 "이젠 당신이 그립지 않죠, 보고 싶은 마음도 없죠.", "이젠 괜찮은데, 사랑 따윈 저버렸는데" 등을 반어 표현으로 볼 수 있다. 말하는 이는 여전히 '□□'을 그리워하고 있으며, 자신의 슬픈 심정을 반어 표현으로 강조하고 있다.

간단 체크 활동 문제

05 이 노랫말에 대한 설명으로 알맞지 않은 것은?

① 대중가요의 노랫말에 해당한다.
② 자신을 떠나간 '당신'에 대한 원망이 나타난다.
③ '눈물'을 통해 그리움과 슬픔의 감정을 표현한다.
④ '당신'을 그리워하는 자신에 대한 안타까움이 나타난다.
⑤ 모순되는 표현을 사용해 그리운 마음을 직접적으로 표현한다.

06 이 노랫말에서 다음 설명에 해당하는 구절을 모두 찾아 쓰시오.

> 실제로 나타내고자 하는 것과 반대로 표현하여 강한 인상을 주는 방법이다.

2 이 노랫말처럼 자신의 마음을 반대로 표현한 경험을 말해 보자.

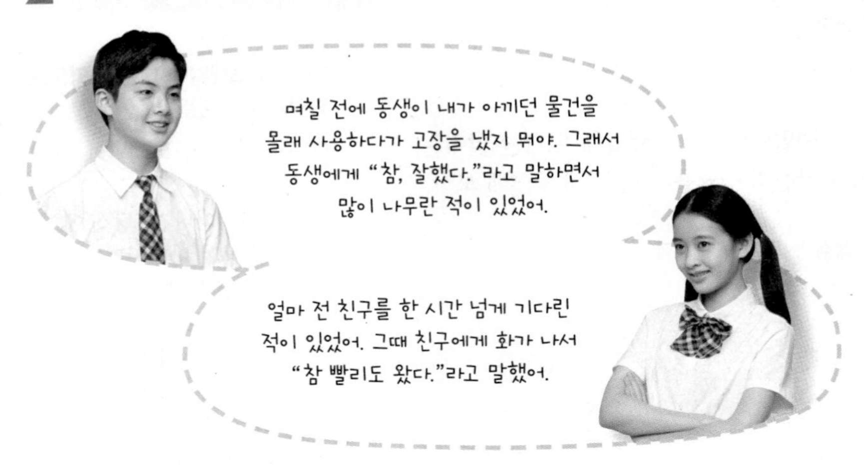

예시 답 》 저번에 친구 한 명이 가족과 함께 제주도로 여행을 다녀왔다고 엄청 자랑하더라. 나는 부모님이 항상 바쁘셔서 함께 여행을 가기가 어려워. 그래서 그 친구가 매우 부러웠어. 하지만 부러워하면 지는 것 같아서, "난 제주도에는 별로 가고 싶지 않더라."라고 말하며 애써 부러움을 감추었지.

3 2에서 떠올린 경험을 바탕으로, 반어 표현이 담긴 노랫말을 지어 보자.

예시 답 》 늘 꿈꿔 온 제주도의 푸른 바다. 우리 가족과 함께 가고 싶었지. 하지만 나는 갈 수 없었어. 그런데 너의 자랑은 끝이 없었고, 나는 가고 싶지 않다 말했네. 부러우면 네게 지는 거니까.

간단 체크 활동 문제

07 다음에서 밑줄 친 부분의 뜻으로 알맞은 것은?

> 얼마 전 친구를 한 시간 넘게 기다린 적이 있었어. 그때 친구에게 화가 나서 "참 빨리도 왔다."라고 말했어.

① 내가 늦게 와서 미안해.
② 왜 이렇게 늦게 온 거야.
③ 네가 너무 빨리 와서 놀랐어.
④ 네가 약속 시간을 잘못 알았나 보다.
⑤ 먼저 왔으면 나에게 연락을 했었어야지.

활동 마당

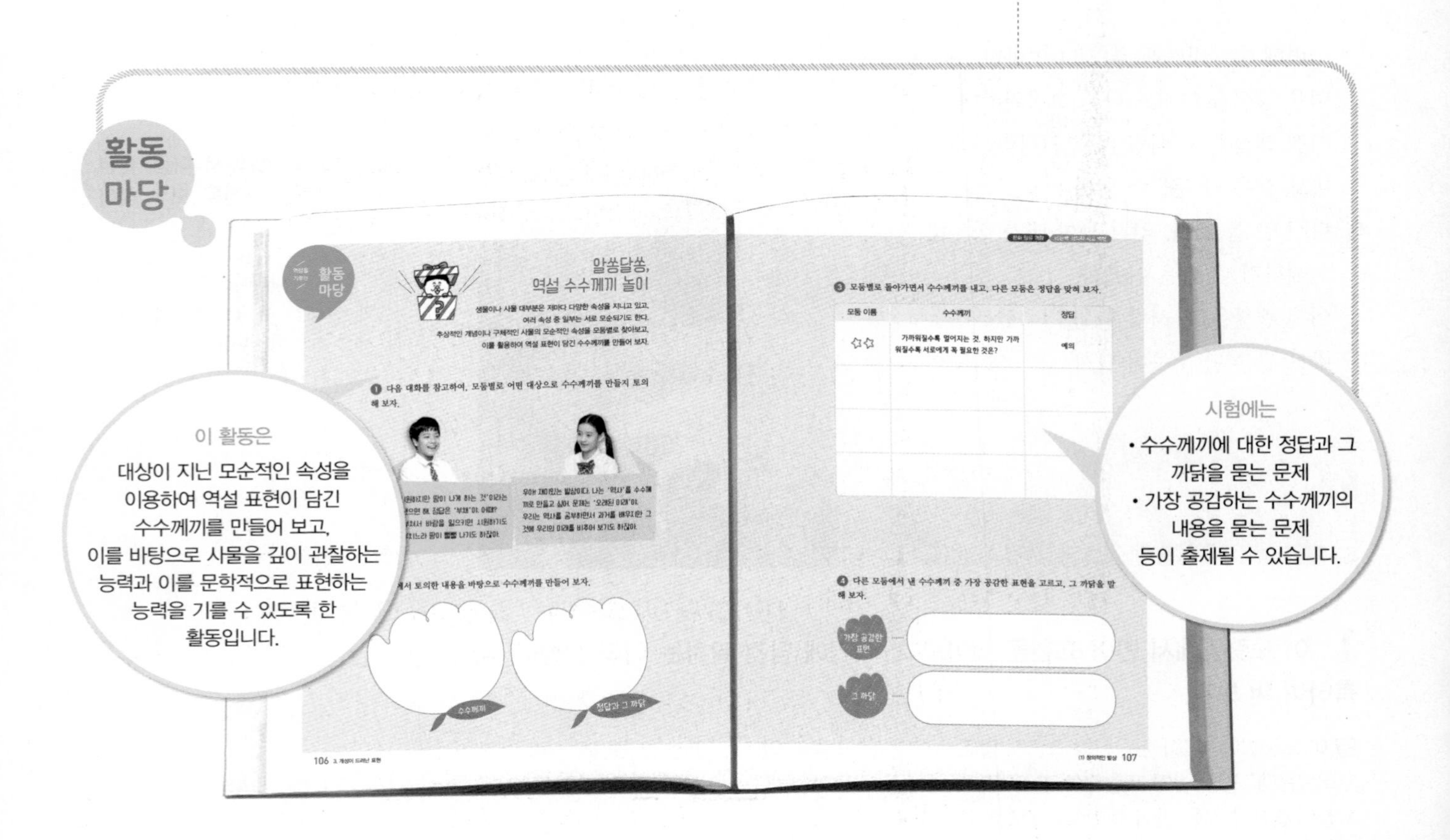

이 활동은
대상이 지닌 모순적인 속성을 이용하여 역설 표현이 담긴 수수께끼를 만들어 보고, 이를 바탕으로 사물을 깊이 관찰하는 능력과 이를 문학적으로 표현하는 능력을 기를 수 있도록 한 활동입니다.

시험에는
• 수수께끼에 대한 정답과 그 까닭을 묻는 문제
• 가장 공감하는 수수께끼의 내용을 묻는 문제
등이 출제될 수 있습니다.

• 정답과 해설 12쪽

본문 제재 ① 「먼 후일」

갈래	자유시, 서정시	성격	서정적, 민요적, 애상적
운율	내재율	제재	이별
주제	떠난 임을 잊을 수 없는 마음		
특징	• 같거나 비슷한 시어 및 시구를 반복하여 운율을 형성함. • 반어 표현을 사용하여 의미를 강조함.		

「먼 후일」의 짜임

1연		2연		3연		4연
먼 훗날 '당신'을 만나게 될 때 말하는 이의 반응	→	'당신'의 ❶□□에 대한 말하는 이의 반응	→	'당신'의 계속되는 질책에 대한 말하는 이의 반응	→	'당신'을 잊지 못하는 말하는 이의 ❷□□한 마음

말하는 이의 처지

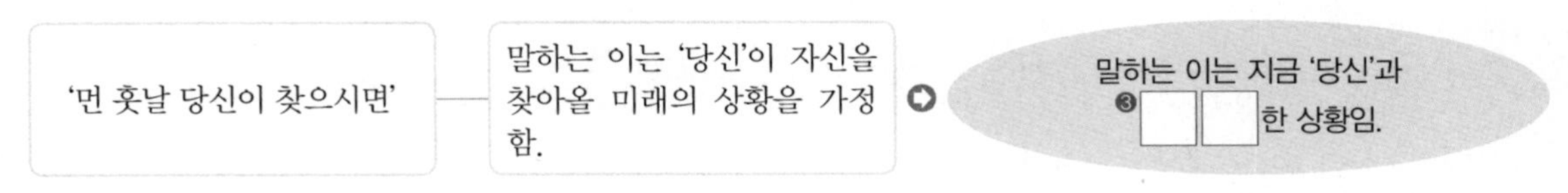
'먼 훗날 당신이 찾으시면' — 말하는 이는 '당신'이 자신을 찾아올 미래의 상황을 가정함. → 말하는 이는 지금 '당신'과 ❸□□한 상황임.

운율을 형성하는 요소와 그 효과

같은 음보의 반복	1 2 3 먼 훗날 ∨ 당신이 ∨ 찾으시면 ∨ 1 2 3 그때에 ∨ 내 말이 ∨ '잊었노라' ∨	❹□□□ 율격
같은 문장 구조의 반복	먼 훗날 당신이 찾으시면 ~ '잊었노라' 당신이 속으로 나무라면 ~ 잊었노라' 그래도 당신이 나무라면 ~ 잊었노라'	미래의 상황을 가정하는 '~면 ~ 잊었노라'라는 문장의 반복
같은 ❺□□의 반복	'잊었노라'	'잊었노라'라는 특정 시어의 반복

↓

애상적인 분위기와 정서를 심화함.

'잊었노라'의 반어적 의미

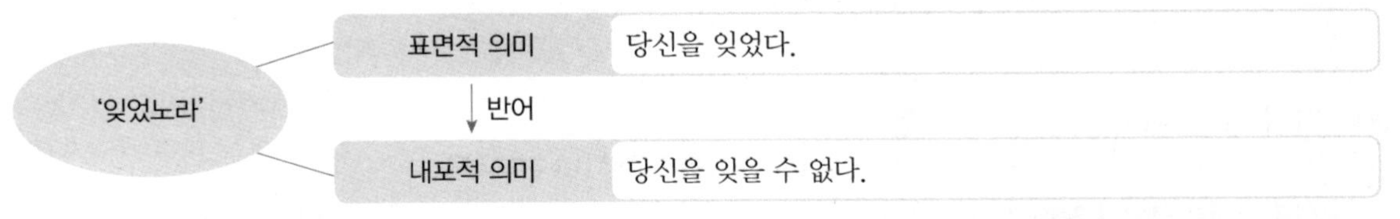

'잊었노라'	표면적 의미	당신을 잊었다.
	↓ 반어	
	내포적 의미	당신을 잊을 수 없다.

→ 반어 표현을 활용하여 당신을 잊을 수 없다는 뜻을 '잊었노라'라고 반대로 표현함으로써 애틋하고 간절한 심정을 강조함.

본문 제재 ② 「봄 길」

갈래	자유시, 서정시	성격	역설적, 의지적, 희망적
운율	내재율	제재	봄 길
주제	시련을 극복하고 스스로 사랑을 찾기 위해 노력하는 삶의 태도		
특징	• 의지적이고 단정적인 어조를 사용함. • 비슷한 시구를 반복하여 주제를 강조함.		

「봄 길」의 짜임

1~6행	7~9행	10~14행
절망적인 상황에서도 희망을 잃지 않는 사람이 있음.	사랑이 끝난 ❻ □□적인 상황이 찾아옴.	사랑이 끝난 곳에서도 사랑을 베푸는 사람이 있음.

'봄 길'의 의미

'봄 길'
- 만물이 소생하는 계절인 '❼ □'으로 희망의 느낌을 표현함.
- '길'은 미래, 가능성의 의미를 내포하며, ❽ □□□, 희망적 가치를 표현함.

역설 표현에 담긴 의미와 그 효과

역설 표현	의미
• 길이 끝나는 곳에서도 / 길이 있다 • 길이 끝나는 곳에서도 / 길이 되는 사람이 있다 • 사랑이 끝난 곳에서도 / 사랑으로 남아 있는 사람이 있다	• 절망적인 상황 속에서도 희망이 존재함. • 절망적인 상황에서도 희망을 잃지 않는 사람이 있음. • 희망이 없는, 고통만 남은 곳에도 다른 이에게 사랑을 베푸는 사람이 있음.

역설 표현을 활용하여 절망적인 상황일지라도 희망과 사랑이 있다는 믿음을 강조함.

말하는 이의 태도

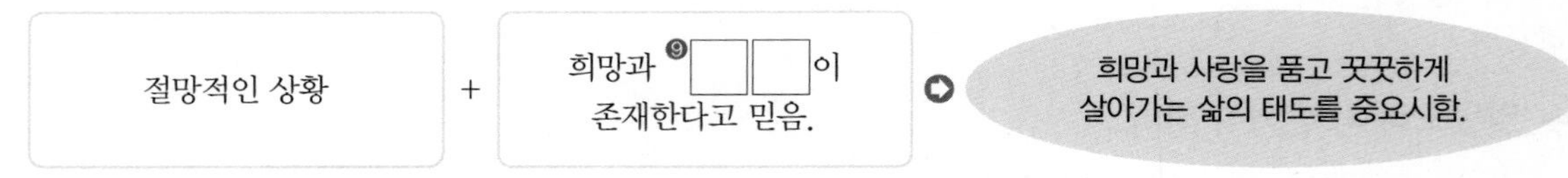

절망적인 상황 + 희망과 ❾ □□이 존재한다고 믿음. → 희망과 사랑을 품고 꿋꿋하게 살아가는 삶의 태도를 중요시함.

「비와 당신」에 나타난 반어 표현

- 이젠 당신이 그립지 않죠, 보고 싶은 마음도 없죠.
- 이젠 괜찮은데, 사랑 따윈 저버렸는데

→ '당신'에 대한 말하는 이의 ❿ □□□과 슬픔을 강조함.

소단원 문제

• 정답과 해설 12쪽

01~05 다음을 읽고, 물음에 답하시오.

(가) 먼 훗날 ⓐ당신이 찾으시면
그때에 내 말이 ㉠'잊었노라'

당신이 속으로 나무라면
'무척 그리다가 잊었노라'

그래도 당신이 나무라면
'믿기지 않아서 잊었노라'

오늘도 어제도 아니 잊고
먼 훗날 그때에 '잊었노라'

(나) 이젠 ⓑ당신이 그립지 않죠, 보고 싶은 마음도 없죠.
사랑한 것도 잊혀 가네요, 조용하게.
알 수 없는 건 그런 내 맘이
비가 오면 눈물이 나요.
아주 오래전 당신 떠나던 그날처럼.
이젠 괜찮은데, 사랑 따윈 저버렸는데
바보 같은 난 눈물이 날까.

아련해지는 빛바랜 추억 그 얼마나 사무친 건지.
미운 당신을 아직도 나는 그리워하네.
이젠 괜찮은데, 사랑 따윈 저버렸는데
바보 같은 난 눈물이 날까.
다신 안 올 텐데, 잊지 못한 내가 싫은데
언제까지 내 맘은 아플까.
이젠 괜찮은데, 사랑 따윈 저버렸는데
바보 같은 난 눈물이 날까.

01 (가)와 (나)의 공통점으로 알맞은 것은?

① 동일한 음보가 나타난다.
② 가요로 불릴 것을 목적으로 만들어졌다.
③ 일정한 규칙이 반복되어 운율이 나타난다.
④ 말하는 이는 사랑하는 사람과 이별한 상황이다.
⑤ 겉으로 뜻이 모순되고 이치에 맞지 않는 표현 방법을 사용하였다.

02 다음은 (가)를 끊어 읽은 것이다. 이에 대한 설명으로 알맞지 않은 것은?

> 먼 훗날∨당신이∨찾으시면∨
> 그때에∨내 말이∨'잊었노라'∨
>
> 당신이∨속으로∨나무라면∨
> '무척∨그리다가∨잊었노라'∨
> ⋮

① 3음보의 율격이 반복되고 있다.
② 낭송할 때 호흡이 규칙적으로 이루어진다.
③ 시행을 점층적으로 확장하여 의미를 강조한다.
④ 가정형 문장을 반복함으로써 박자감을 형성한다.
⑤ 시의 정서와 분위기를 파악하는 데 도움이 된다.

03 (나)에서 '당신'을 잊지 못하는 말하는 이의 심정을 드러내는 시어를 찾아 2음절로 쓰시오.

04 ㉠에 대한 설명으로 알맞지 않은 것은?

① 말하는 이의 본심과 반대로 표현한 것이다.
② '당신'에 대한 따뜻한 시선과 애정이 담긴 표현이다.
③ 표면적으로는 '당신을 잊었다.'는 의미를 나타낸다.
④ 실제적인 의미는 '당신을 잊을 수 없다.'에 해당한다.
⑤ 말하는 이의 애틋하고 간절한 심정을 강조하는 역할을 한다.

05 ⓐ와 ⓑ에 대한 말하는 이의 태도로 알맞은 것은?

	ⓐ	ⓑ
①	질책하며 원망함.	다시 보고 싶지 않음.
②	질책하며 원망함.	미워하면서도 그리워함.
③	사랑하며 잊지 못함.	미워하면서도 그리워함.
④	사랑하며 잊지 못함.	책망하며 붙잡고자 함.
⑤	다시 만나기를 기대함.	책망하며 붙잡고자 함.

06~10 다음 시를 읽고, 물음에 답하시오.

㉠길이 끝나는 곳에서도
길이 있다
길이 끝나는 곳에서도
길이 되는 사람이 있다
스스로 봄 길이 되어
끝없이 걸어가는 사람이 있다
강물은 흐르다가 멈추고
새들은 날아가 돌아오지 않고
하늘과 땅 사이의 모든 꽃잎은 흩어져도
보라
㉡사랑이 끝난 곳에서도
사랑으로 남아 있는 사람이 있다
스스로 사랑이 되어
한없이 **봄 길을 걸어가는 사람**이 있다

학습 활동 응용

06 〈보기〉는 이 시의 내용을 통해 '봄 길을 걸어가는 사람'의 의미를 파악한 내용이다. ㄱ~ㅁ에 들어갈 내용으로 알맞지 않은 것은?

보기

1~6행	ㄱ
7~9행	ㄴ
10~14행	ㄷ

'봄 길을 걸어가는 사람'의 의미: ㄹ, ㅁ

① ㄱ: 절망적인 상황에서도 희망을 잃지 않는 사람이 있음.
② ㄴ: 말하는 이를 위로하던 사람마저 떠난 절망적인 상황이 찾아옴.
③ ㄷ: 사랑이 끝난 곳에서도 사랑을 베푸는 사람이 있음.
④ ㄹ: 어떤 상황에서도 희망을 잃지 않고, 묵묵히 걸어가는 사람
⑤ ㅁ: 힘들고 어려운 일이 닥치더라도 절망하지 않고, 그것을 극복하기 위해 노력하는 사람

학습 활동 응용

07 이 시의 말하는 이가 중요하게 생각하는 가치로 가장 적절한 것은?
① 주관을 세우고 삶을 진지하게 살아가는 태도
② 자신에게 닥친 위기와 시련을 극복해 나가는 진취적인 자세
③ 현재의 삶을 성찰하면서도 미래의 삶에 대해 낙관적으로 바라보는 자세
④ 어려운 상황 속에서도 희망과 사랑을 품고 꿋꿋하게 살아가는 삶의 태도
⑤ 여유로움과 너그러움을 가지고 다른 사람을 포용하며 더불어 살려는 마음가짐

08 다음 설명에 해당하는 시어를 찾아 쓰시오.

- 만물이 소생하는 계절을 통해 희망의 느낌을 표현함.
- 미래와 가능성의 의미를 내포하여 긍정적이고 희망적인 가치를 표현함.

학습 활동 응용

09 ㉠에 대한 설명으로 알맞지 않은 것은?
① 내용상으로는 뜻이 모순된다.
② 이치에 맞지 않지만 그 속에 진리를 담고 있다.
③ 읽는 이가 그 안에 담긴 의미를 스스로 찾게 한다.
④ 절망적인 상황 속에서도 희망이 존재한다는 의미를 담고 있다.
⑤ 참신한 비유를 사용하여 말하는 이의 섬세하고 역동적인 어조를 나타낸다.

10 ㉡이 의미하는 바를 바르게 설명한 것은?
① 절망적인 상황에서 힘들어하는 사람이 있다.
② 이별의 슬픔에 충격을 받아 헤매는 사람이 있다.
③ 사랑을 잃고 희망이 없는 곳에서 좌절하는 사람이 있다.
④ 고통만 남은 상황에서도 다른 사람에게 사랑을 전하는 사람이 있다.
⑤ 사소한 이익에 얽매이지 않고 자신만의 가치를 추구하는 사람이 있다.

11~15 다음 시를 읽고, 물음에 답하시오.

가 먼 훗날 당신이 찾으시면
그때에 내 말이 ⓐ'잊었노라'

당신이 속으로 나무라면
'무척 그리다가 잊었노라'

그래도 당신이 나무라면
'믿기지 않아서 잊었노라'

오늘도 어제도 아니 잊고
먼 훗날 그때에 '잊었노라'

나 ㉠길이 끝나는 곳에서도
길이 있다
길이 끝나는 곳에서도
길이 되는 사람이 있다
스스로 봄 길이 되어
끝없이 걸어가는 사람이 있다
강물은 흐르다가 멈추고
새들은 날아가 돌아오지 않고
하늘과 땅 사이의 모든 꽃잎은 흩어져도
보라
ⓑ사랑이 끝난 곳에서도
사랑으로 남아 있는 사람이 있다
스스로 사랑이 되어
한없이 봄 길을 걸어가는 사람이 있다

11 (가), (나)에 대한 설명으로 알맞지 않은 것은?

① (가)와 (나)에는 계절적 배경이 드러난다.
② (가)와 (나)는 각각 비슷한 문장 구조를 반복한다.
③ (가)와 (나)는 개인의 감정이나 정서를 주관적으로 표현한다.
④ (가)는 (나)와 달리 두 행씩 연을 구분하여 시상을 전개한다.
⑤ (나)는 (가)와 달리 현재형의 문장을 사용하여 단정적인 느낌을 준다.

학습 활동 응용

12 〈보기〉는 (가)의 내용을 편지글로 바꾸어 쓴 것이다. 이에 대한 설명으로 알맞은 것은?

보기

당신이 먼 훗날 나를 찾으시면 난 당신을 잊었다고 말할 거예요. 당신이 그런 나를 나무란다고 해도 당신을 잊었다고 말하겠습니다. 당신은 계속 나를 질책하겠지만, 난 믿기지 않아서 당신을 잊었다고 말하겠습니다. 먼 훗날 그때에 당신을 잊었다고 말하겠습니다.

① 〈보기〉를 읽을 때 (가)에 비해 호흡이 더 규칙적이다.
② 〈보기〉는 (가)보다 문장 구조가 더 규칙적으로 반복된다.
③ 〈보기〉는 (가)에 비해 박자감과 시적 분위기가 덜 느껴진다.
④ 〈보기〉의 '잊었다'가 (가)의 '잊었노라'보다 더 인상적인 느낌을 준다.
⑤ 〈보기〉는 (가)에 비해 말하는 이의 심리와 감정이 더 절절하게 느껴진다.

학습 활동 응용

13 (가)의 말하는 이가 자신의 마음을 표현하는 방법으로 알맞은 것은?

① 자신의 본심과는 반대로 표현하고 있다.
② 자신의 마음을 자연물에 빗대어 나타내고 있다.
③ '당신'을 그리워하는 마음을 직설적으로 나타내고 있다.
④ 다른 사람의 입을 빌려 자신의 감정을 풍자적으로 전달하고 있다.
⑤ 겉으로는 이치에 맞지 않는 내용으로 자신의 마음을 표현하고 있다.

14 ㉠의 의미로 알맞은 것은?

① 어려움 끝에 결실을 얻는 장소
② 사랑이 끝나 버린 절망적인 공간
③ 이별한 사람을 다시 만나게 되는 계기
④ 사랑하는 사람과의 관계가 시작되는 시간
⑤ 다른 사람을 위해 희생하고 사랑을 베푸는 인물

15 ⓐ와 ⓑ에 사용된 표현 방법을 각각 쓰시오.

• 정답과 해설 13쪽

길잡이

소설이란

현실 세계에 있음 직한 일을 글쓴이가 상상하여 꾸며 쓴 이야기를 말한다.

소설 구성의 3요소

인물	소설 속에 등장하는 인물로, 사건을 진행시키며 주제를 이끌어 냄.
사건	소설 속에 등장하는 인물들이 겪는 일이나 벌이는 행동을 의미함.
배경	소설 속에 등장하는 인물이 생활하고 행동하는 시간과 장소를 의미함.

풍자의 개념과 효과

개념	사실을 과장하거나 왜곡하고, 비꼬아서 표현하여 웃음을 유발함으로써, 현실의 부정적 현상이나 모순을 폭로하는 것
효과	• 웃음을 유발하여 읽는 이와의 공감대를 형성할 수 있음. • 개인이나 사회의 부조리, 어리석음 등과 같은 부정적인 대상을 효과적으로 비판할 수 있음.

풍자 소설의 의미와 풍자 방식

의미	사회나 인생의 모순되고 불합리한 점을 날카롭게 폭로하고 비웃는 내용의 소설 예 일제 강점기의 현실을 태평세월로 믿는 주인공 윤 직원을 통하여 당시의 현실을 그린 「태평천하」, 광복 직후의 혼란스러운 시대 상황을 배경으로 헌 신을 고치는 일을 하던 '방삼복'이라는 인물이 '미스터 방'이 되는 과정을 그려 낸 「미스터 방」 등
풍자 방식	• 혼란하고 부조리한 사회 상황에서 기회주의적이거나 이기적인 사람의 생각이나 처신 등을 대상으로 함. • 부정적인 대상의 외모나 행동 등을 비꼬거나 빈정거리며, 조소하고 냉소함. • 풍자하는 대상의 특징을 본래보다 과장해서 표현하거나 의도적으로 우스꽝스럽게 묘사함.

서술자의 개념과 시점과의 관계

개념	작가가 소설 속에 내세운 대리인으로, 작가를 대신하여 허구적인 이야기를 전달하는 존재
시점과의 관계	• 1인칭 시점: 서술자가 소설 속에 '나'로 등장하는 경우 • 3인칭 시점 및 전지적 작가 시점: 서술자가 소설 속에 등장하지 않는 경우

서술자를 '어린아이'로 내세운 효과

• 사건을 있는 그대로 관찰하여 전달하므로, 사건을 객관적으로 다룰 수 있다.
• 상황을 정확하게 파악하지 못하고 판단이 미숙하므로, 읽는 이의 웃음을 유발하면서 비판하려는 대상의 부정적인 면모를 부각할 수 있다.

간단 체크 개념 문제

1 〈보기〉에서 설명하는 것으로 알맞은 것은?

보기
• 소설 구성의 3요소에 해당한다.
• 소설 속에 등장하는 인물이 겪는 일이나 벌이는 행동을 의미한다.

① 인물 ② 사건
③ 배경 ④ 풍자
⑤ 서술자

2 풍자에 대한 설명이 맞으면 ○표, 틀리면 ×표 하시오.

(1) 풍자는 사실을 과장하거나 왜곡하여 울음을 유발한다. ( )
(2) 풍자는 현실의 부정적 현상이나 모순을 폭로한다. ( )
(3) 풍자는 부정적인 대상을 효과적으로 비판할 수 있는 방법이다. ( )
(4) 풍자 소설에서 이야기를 전달하는 사람은 항상 어린아이이다. ( )

3 빈칸에 들어갈 알맞은 말을 쓰시오.

□□□은/는 소설 속에서 작가를 대신하여 허구적인 이야기를 전달하는 존재를 의미한다.

교과서 109~121쪽

● 정답과 해설 13쪽

비판적인 표현 _ 이상한 선생님

학습 목표 풍자에 대한 이해를 바탕으로 자신의 생각을 개성 있게 표현할 수 있다.

채만식(1902~1950)
소설가이자 극작가. 일제 강점기에 활발하게 활동한 소설가로 풍자성이 짙은 작품을 주로 썼다. 주요 작품으로는 「레디메이드 인생」, 「탁류」, 「태평천하」 등이 있다.

발단 학습 포인트

❶ '박 선생님'과 '강 선생님'의 모습

1

(가) 우리 박 선생님은 참 이상한 선생님이었다.

박 선생님은 생긴 것부터가 무척 이상하게 생긴 선생님이었다. 키가 한 뼘밖에 안 되어서 뼘생 또는 뼘박이라는 별명이 있는 것처럼, 박 선생님의 키는 키 작은 사람 가운데에서도 유난히 작은 키였다. 일본 정치 때에, 혈서로 지원병을 지원했다 체격 검사에 키가 제 척수에 차지 못해 낙방이 되었다면, 그래서 땅을 치고 울었다면, 얼마나 작은 키인지 알 일이다.

- 혈서: 제 몸의 피를 내어 자기의 결심, 청원, 맹세 따위를 글로 씀. 또는 그 글
- 척수: 치수. 길이에 대한 몇 자 몇 치의 셈
- 낙방: 시험, 모집, 선거 따위에 응하였다가 떨어짐.

그런 작은 키에 몸집은 그저 한 줌만 하고. 이 한 줌만 한 몸집, 한 뼘만 한 키 위에 깜짝 놀랄 만큼 큰 머리통이 위태위태하게 올라앉아 있다. 그래서 박 선생님 또 하나의 별명은 대갈장군이라고도 했다. / 머리통이 그렇게 큰 박 선생님의 얼굴은 어떻게 생겼느냐 하면, 또한 여느 사람과는 많이 달랐다.

뒤통수와 앞이마가 툭 내솟고, 내솟은 좁은 이마 밑으로 눈썹이 시꺼멓고, 왕방울 같은 두 눈은 부리부리하니 정기가 있고도 사납고, 코는 매부리코요, 입은 메기입으로 귀밑까지 넓죽 째지고, 목소리는 쇠꼬챙이로 찌르는 것처럼 쨍쨍하고.

- 정기: 생기 있고 빛이 나는 기운

(나) 이런 대갈장군인 뼘생 박 선생님과 아주 정반대로 생긴 이가 강 선생님이었다.

강 선생님은 키가 크고, 몸집도 크고, 얼굴이 너부룻하고, 얼굴이 검기는 해도 순하여 사나움이 든 데가 없고, 눈은 더 순하고, 허허 웃기를 잘하고, 별로 성을 내는 일이 없고, 아무하고나 장난을 잘하고……. 강 선생님은 이런 선생님이었다.

- 너부룻하고: '너부죽하다'의 방언. 조금 넓고 평평한 듯하고

(다) 뼘박 박 선생님과 강 선생님은 만나면 싸움이었다.

하학을 하고 나서, 우리가 청소를 한 교실을 둘러보다가 또는 운동장에서(그러니까 우리들이 여럿이는 보지 않는 곳에서 말이다.) 두 선생님이 만난다 치면, 강 선생님은 괜히 장난이 하고 싶어 박 선생님을 먼저 건드리곤 했다.

- 하학: 학교에서 그날의 수업을 마침.

하나는 커다란 몸집을 해 가지고 싱글싱글 웃으면서, 하나는 한 뼘만 한 키에 그 무섭게 큰 머리통을 한 얼굴을 바싹 대들고는 사나움이 졸졸 흐르면서, 그렇게 마주 서서 싸우는 모양은 마치 큰 수캐와 조그만 고양이가 마주 만난 형국이었다.

학습콕 소주제: '박 선생님'과 '강 선생님'의 □□ 및 성격을 소개함.

❶ '박 선생님'과 '강 선생님'의 모습

	'박 선생님'	'□□□□'
외모	작은 키에 사납게 생김.	키가 크고 순하게 생김.
성격	옹졸하고 화를 잘 냄.	마음이 넓고 여유로우며 온순함.

간단 체크 내용 문제

01 (가)에 나타난 '박 선생님'에 대한 '나'의 평가로 알맞은 것은?

① 가식적
② 부정적
③ 편파적
④ 합리적
⑤ 이해타산적

02 (나)에서 짐작할 수 있는 '강 선생님'의 성격으로 적절한 것은?

① 여유롭고 유순하다.
② 활발하고 수다스럽다.
③ 조급하고 욕심이 많다.
④ 옹졸하고 화를 잘 낸다.
⑤ 소심하고 자기중심적이다.

간단 체크 어휘 문제

다음 뜻풀이에 알맞은 낱말에 ○ 표 하시오.

(1) 생기 있고 빛이 나는 기운 (정기, 정열)

(2) 학교에서 그날의 수업을 마침. (하교, 하학)

(3) 시험, 모집, 선거 따위에 응하였다가 떨어짐. (낙마, 낙방)

(4) 제 몸의 피를 내어 자기의 결심, 청원, 맹세 따위를 글로 씀. 또는 그 글 (혈맹, 혈서)

전개 학습 포인트

❶ 일본 말 사용에 대한 '박 선생님'과 '강 선생님'의 태도

2

라 다른 학교에서도 다 그랬을 테지만 우리 학교에서도 그때 말로 '국어'라던 일본 말, 그 일본 말로만 말을 하게 하고 엄마 아빠 할 적부터 배운 조선말은 아주 한 마디도 쓰지 못하게 했다.

그러나 주재소의 순사, 면의 면 서기, 도 평의원을 한 송 주사, 또 군이나 도에서 연설하러 온 사람, 이런 사람들이나 조선 사람끼리 만나도 척척 일본 말로 인사를 하고 이야기를 했지, 다른 사람들이야 일본 사람과 만났을 때 말고는 다들 조선말로 말을 하고, 그래서 학교 문 밖에만 나가면 만판 조선말로 말을 하는 사람들이요, 더구나 집에 돌아가면 어머니, 아버지, 언니, 누나, 아기 모두들 조선말로 말을 했다. 그러니까 우리도 교실에서 공부를 하고 나와 운동장에서 우리끼리 놀고 할 때에는 암만해도 일본 말보다 조선말이 더 많이, 더 잘 나왔다.

- 주재소: 일제 강점기에, 순사가 머무르면서 사무를 맡아보던 경찰의 말단 기관
- 순사: 일제 강점기에 둔, 경찰관의 가장 낮은 계급. 또는 그 계급의 사람
- 평의원: 어떤 일을 평가하거나 심의하는 데 참여하는 사람
- 만판: 다른 것은 없이 온통 한 가지로

마 학교에서고 학교 밖에서고 조선말로 말을 하다 선생님한테 들키는 날이면 경치는 판이었다. 선생님들 중에서도 제일 심하게 밝히는 선생님이 뽐박 박 선생님이었다. 교장 선생님이나 다른 일본 선생님은 나무라기만 하고 마는 수가 있어도, 뽐박 박 선생님만은 절대로 용서가 없었다.

- 경치는: 혹독하게 벌을 받는

㉠나도 여러 번 혼이 나 보았다.

한번은 상준이 녀석과 어떡하다 쌈이 붙었는데 둘이 서로 부둥켜안고 구르면서 이 자식아, 저 자식아, 죽어 봐, 때려 봐, 하면서 한참 때리고 제기고 하는 참이었다.

- 제기고: 팔꿈치나 발꿈치 따위로 지르고

그런데, 느닷없이

"고랏! 조셍고데 겡까 스루야쓰가 이루까(이놈아! 조선말로 쌈하는 녀석이 어딨어)."

하면서 구둣발길로 넓적다리를 걷어차는 건, 정신없는 중에도 뽐박 박 선생님이었다.

우리 둘이는 그 자리에서 빰이 붓도록 따귀를 맞았고, 공부 시간에 들어가지도 못하고 그 시간 동안 변소 청소를 했고, 그리고 조행 점수를 듬뿍 깎였다.

- 조행: 태도와 행실을 아울러 이르는 말

간단 체크 내용 문제

03 (라)에서 알 수 있는 시대적 배경으로 알맞은 것은?

① 조선 후기
② 개화기
③ 일제 강점기
④ 6·25 전쟁 시기
⑤ 산업화 시기

중요

04 ㉠의 이유로 알맞은 것은?

① 시험 성적이 나빴기 때문에
② 친구와 심하게 다퉜기 때문에
③ 변소 청소를 하지 않았기 때문에
④ '박 선생님'에 대한 험담을 했기 때문에
⑤ 일본 말을 쓰지 않고 조선말을 썼기 때문에

간단 체크 어휘 문제

다음 뜻풀이에 해당하는 낱말을 〈보기〉에서 찾아 쓰시오.

보기: 만판, 경치는, 제기고

(1) 혹독하게 벌을 받는 (　　)

(2) 다른 것은 없이 온통 한 가지로 (　　)

(3) 팔꿈치나 발꿈치 따위로 지르고 (　　)

이렇게 뻼박 박 선생님한테 제일 중한 벌을 받는 때가 언제냐 하면, 조선말로 지껄이다 들키는 때였다.

바 강 선생님은 그와 반대로 아무 시비가 없었다.

교실에서 공부를 할 때 빼고는 그리고 다른 선생님, 그중에서도 교장 이하 일본 선생님들과 뻼박 박 선생님이 보지 않는 데서는, 강 선생님은 우리한테, 일본 말로 말을 하지 않았다. 우리들이 일본 말을 해도 강 선생님은 조선말을 하곤 했다.

우리가 어쩌다

"선생님은 왜 '국어(일본 말)'로 안 하세요?"

하고 물으면 강 선생님은 웃으면서

"나는 '국어'가 서툴러서 그런다."

하고 대답했다.

그렇지만 우리가 보기에도 강 선생님은 일본 말이 서투른 선생님이 아니었다.

학습콕

소주제: 자신은 물론 학생들에게도 일본 말을 쓸 것을 강요하는 '□ □□□'과 달리 '강 선생님'은 되도록 조선말을 씀.

❶ 일본 말 사용에 대한 '박 선생님'과 '강 선생님'의 태도

'박 선생님'	↔	'강 선생님'
일제에 동조하여 학생들에게 일본 말만 쓸 것을 강요함.	↔	수업 시간 외 평상시에는 의도적으로 일본 말 대신 □□□을 씀.

→ 일본 말 사용에 대한 '박 선생님'과 '강 선생님'의 대조적인 태도를 보여 줌으로써, '박 선생님'의 친일적인 태도를 부각하고 있음.

위기 학습 포인트

❶ 해방 소식에 대한 '박 선생님'과 '강 선생님'의 반응
❷ '박 선생님'이 '강 선생님'에게 꼼짝을 못하는 까닭

3

사 해방이 되던 바로 그 이튿날이었다.

여름 방학으로 놀던 때라, 나는 궁금해서 학교엘 가 보았다. 다른 아이들도 한 오십 명이나 와 있었다.

우리는 해방이라는 말은 아직 몰랐고, 일본이 전쟁에 지고 항복을 한 것만 알았다.

선생님들이, 그중에서도 뻼박 박 선생님이 그렇게도 일본(우리 대일본 제국)은 결단코 전쟁에 지지 않는다고, 기어코 전쟁에 이기고 천하에 못된 미국, 영국을 거꾸러뜨려 천황 폐하의 위엄을 이 전 세계에 드날릴 날이 머지않았다고, 하루에도 몇 번씩 그런 말을 해 쌓던 그 일본이 도리어 지고 항복을 하다니, 도무지 모를 일이었다.

(위엄: 존경할 만한 위세가 있어 점잖고 엄숙함. 또는 그런 태도나 기세)

직원실에는 교장 선생님과 두 일본 선생님 그리고 뻼박 박 선생님, 이렇게 네 분이 모여 앉아서 초상난 집처럼 모두 코가 쑤욱 빠져 가지고 있었다.

(코가 쑤욱 빠져: 근심에 싸여 기가 죽고 맥이 빠져)

간단 체크 내용 문제

05 '강 선생님'이 조선말을 쓰는 까닭으로 가장 알맞은 것은?

① 일본 말이 서툴러 이를 감추기 위해서
② 학생들의 일본 말 실력을 알아보기 위해서
③ 일제에 저항하고 민족정신을 지키기 위해서
④ 일본 선생님들에게 자신의 본심을 숨기기 위해서
⑤ 일본 말이 서툰 학생들과 친하게 지내기 위해서

06 다음과 같은 '박 선생님'의 말에서 알 수 있는 태도를 2어절로 쓰시오.

> • 우리 대일본 제국은 결단코 전쟁에 지지 않는다.
> • 미국, 영국을 거꾸러뜨려 천황 폐하의 위엄을 전 세계에 드날릴 것이다.

07 일본이 항복한 후에 '박 선생님'이 보인 모습으로 알맞은 것은?

① 기가 죽고 맥이 빠져 있다.
② 조선의 독립을 기뻐하고 있다.
③ 일본 선생님에게 호통을 치고 있다.
④ 학생들이 동요하지 않도록 단속하고 있다.
⑤ 해방 이후 해야 할 일을 차근차근 진행하고 있다.

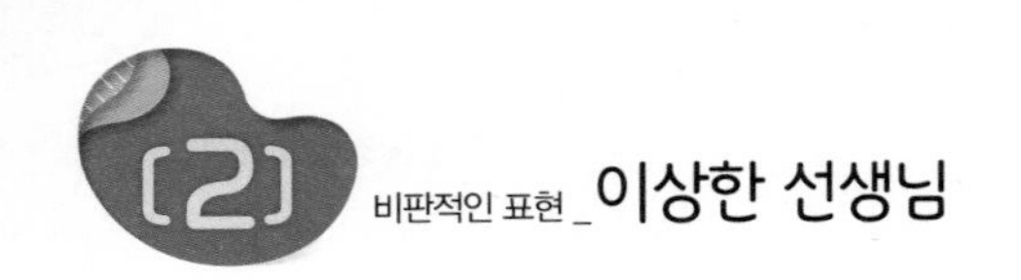

(아) 우리는 운동장 구석으로 혹은 직원실 앞뒤로 끼리끼리 모여 서서 제가끔 아는 대로 일본이 항복한 이야기를 하고 있었다. / 그때 6학년에 다니던 우리 사촌 언니 대석이가 뒤늦게야 몇몇 동무와 함께 떨떨거리고 달려들었다. 대석 언니는 똘똘하고 기운 세고 싸움 잘하고, 그러느라고 선생님들한테 꾸지람과 매는 도맡아 맞고, 반에서 성적은 제일 꼴찌인 천하 말썽꾼이었다. 대석 언니네 집은 읍에서 십 리나 되는 곳이었고, 그래서 오늘 아침에야 소문을 들었노라고 했다.

언니: 같은 부모에게서 태어난 사이이거나 일가친척 가운데 항렬이 같은 동성의 손위 형제를 이르거나 부르는 말. 여기서는 '형'을 뜻함.

(자) 대석 언니는 직원실을 넌지시 넘겨다보더니 싱끗 웃으면서 처억 직원실 안으로 들어섰다.

직원실 안에 있던 교장 선생님이랑 다른 두 일본 선생님이랑은 못 본 체하고 고개를 숙이고 있는데, 뺑박 박 선생님이 눈을 흘기면서 영락없이 일본 말로

영락없이: 조금도 틀리지 아니하고 꼭 들어맞게

"난다(왜 그래)?" / 하고 책망을 했다.

대석 언니는 그러나 무서워하지 않고 한다는 소리가

"선생님, 덴노헤이까가 고오상(천황 폐하가 항복)했대죠?" / 하고 묻는 것이다.

뺑박 박 선생님은 성을 버럭 내어 그 큰 눈방울을 부라리면서 여전히 일본 말로

"잠자쿠 있어. 잘 알지두 못하면서…… 건방지게시리." / 하고 좇아와서 곧 한 대 갈길 듯이 을러댔다. / 대석 언니는 되돌아 나오면서 커다랗게 소리쳤다.

"덴노헤이까 바가(천황 폐하 망할 자식)!" / "……."

만일 다른 때 누구든지 그런 소리를 했다간 당장 큰일이 날 판이었다. 그러나 ㉠교장 선생님이랑 두 일본 선생님은 그대로 못 들은 척 코만 빠뜨리고 앉았고, 뺑박 박 선생님도 잔뜩 눈만 흘기고 있을 뿐이지 아무렇지도 않았다. 그런 걸 보면 정녕 일본이 지고, 덴노헤이까가 항복을 했고, 그래서 인제는 기승을 떨지 못하는 모양인 것 같았다.

(차) 마침 강 선생님이 땀을 뻘뻘 흘리면서 헐떡거리고 뛰어왔다. 강 선생님은 본집이 이웃 고을이었다.

"오오, 느이들두 왔구나. 잘들 왔다. 느이들두 다들 알았지? 조선이, 우리 조선이 해방이 된 줄 알았지? 얘들아, 우리 조선이 독립이 됐단다, 독립이! 일본은 쫓겨 가구…… 그 지지리 우리 조선 사람을 못살게 굴구 하시하구 피를 빨아먹구 하던 일본이, 그 왜놈들이 죄다 쫓겨 가구, 우리 조선은 독립이 돼서 우리끼리 잘 살게 됐어, 잘 살게." / ㉡의젓하고 점잖던 강 선생님이 그렇게도 들이 날뛰고 덤비고 하는 것은 처음 보았다.

하시하구: 남을 얕잡아 낮추고

"자아, 만세 불러야지 만세. 독립 만세, 독립 만세 불러야지. 태극기 없니? 태극기, 아무두 안 가졌구나! 느인 참 태극기가 어떻게 생겼는지 구경도 못 했을 게다. 가만있자, 내 태극기 만들어 가지구 나올게."

그러면서 강 선생님은 직원실로 들어갔다.

간단 체크 내용 문제

08 '대석 언니'에 대한 설명으로 알맞지 않은 것은?

① 해방될 때 6학년에 다니고 있었다.
② 똘똘하고 기운 세고 싸움을 잘한다.
③ '나'와 사촌 관계에 있는 손위 여자 형제이다.
④ 천하 말썽꾼이지만 바른 말을 할 줄 아는 성격이다.
⑤ 집이 멀리 있어 조선이 해방되었다는 소식을 늦게 들었다.

09 ㉠과 같은 반응을 한 이유로 알맞은 것은?

① 조선말을 알아듣지 못했기 때문에
② 일본이 패망해서 기가 죽었기 때문에
③ 직원실에서 큰소리를 내면 안 되기 때문에
④ 말대꾸를 할 필요를 느끼지 못했기 때문에
⑤ 자기들끼리 대화하느라 신경을 쓰지 못했기 때문에

10 ㉡에 나타난 '강 선생님'의 심리 상태로 알맞은 것은?

① 기쁨과 감격
② 슬픔과 아픔
③ 좌절과 실망
④ 분노와 절망
⑤ 긴장과 두려움

카 강 선생님이 직원실로 들어서는 것을 보고 교장 선생님이랑 두 일본 선생님은 인사를 하려고 풀기(드러나 보이는 활발한 기운) 없이 일어섰다. / 강 선생님은 교장 선생님더러 말을 했다.

"당신들은 인제는 일없어(소용이나 필요가 없어.). 어서 집으로 가 있다가 당신네 나라루 돌아갈 도리나 허우." / "……."

아무도 대꾸를 못 하는데, 뼘박 박 선생님이 주저주저하다가

"아니, 자상히(찬찬하고 자세히) 알아보기나 하구서……."

하니까 강 선생님이 버럭 큰 소리로 말한다.

"무엇이 어째? 자넨 그래 무어가 미련이 남은 게 있어 왜놈들허구 대가리 맞대구 앉아서 수군덕거리나? 혈서로 지원병 지원 한 번 더 해 보고파 그러나? 아따, 그다지 애닯거들랑(애달프거들랑. 마음이 안타깝거나 쓰라리거들랑) 왜놈들 쫓겨 가는 꽁무니 따라 일본으로 가서 살지 그러나. 자네 같은 충신이면 일본서두 괄시는(업신여겨 하찮게 대함.) 안 하리." / "……."

뼘박 박 선생님은 그만 두말도 못 하고 얼굴이 벌게서, 어쩔 줄을 몰라 했다. 뼘박 박 선생님이 남한테 이렇게 꼼짝 못하는 것을 보기는 처음이었다.

타 강 선생님은 반지(얇고 흰 일본 종이)를 여러 장 꺼내 놓고 붉은 잉크와 푸른 잉크로 태극기를 몇 장이고 그렸다. 그려 내놓고는 또 그리고, 그려 내놓고 또 그리고, 얼마를 그리면서, 그러다 아주 부드럽고 조용한 목소리로

"여보게 박 선생?"

하고 불렀다. 그러고는 잠자코 앉아 있는 뼘박 박 선생님을 한 번 돌려다 보고 나서 타이르듯 말했다.

"내가 좀 흥분해서 말이 너무 박절했나(인정이 없고 쌀쌀했나) 보이. 어찌 생각하지 말게……. 그리고 인제는 자네나 나나, 그동안 지은 죄를 우리 조선 동포 앞에 속죄해야 할 때가 아닌가? 물론 이담에, 민족이 우리를 심판하고 죄에 따라 벌을 줄 날이 오겠지. 그러나 장차에 받을 민족의 심판과 벌은 장차에 받을 민족의 심판과 벌이고, 시방 당장 조선 민족의 한 사람으로 할 일이 조옴 많은가? 우리 같이 손목 잡구 건국에 도움될 일을 하세. 자아, 이리 와서 태극기 그리게. 독립 만세부터 한바탕 부르세." / "……."

뼘박 박 선생님은 아무 소리도 않고 강 선생님 옆으로 와서 태극기를 그리기 시작했다.

학습콕 소주제: 일제가 패망하고 □□이 독립함.

❶ 해방 소식에 대한 '박 선생님'과 '강 선생님'의 반응

'박 선생님'	↔	'강 선생님'
• 일본 선생님들과 직원실에 모여 앉아 초상난 집처럼 근심에 싸여 기가 죽고 □이 빠져 있음. • 일본의 패망을 쉽게 받아들이지 못함.	↔	• 평소와 다르게 들이 날뛰면서 기뻐함. • 독립 만세를 부르기 위해 손수 □□□를 만듦.

간단 체크 내용 문제

11 (카)에서 '강 선생님'이 '박 선생님'에게 화를 낸 이유로 알맞은 것은?

① '박 선생님'이 자신을 무시했기 때문에
② '박 선생님'이 일본으로 갈 것이기 때문에
③ '박 선생님'이 일본군에 지원하려 했기 때문에
④ '박 선생님'이 여전히 친일적인 태도를 보였기 때문에
⑤ '박 선생님'이 상황에 따라 행동을 다르게 했기 때문에

12 (타)의 내용을 다음과 같이 정리할 때, 빈칸에 들어갈 말을 차례대로 쓰시오.

> '강 선생님'은 '박 선생님'에게 (　　　)에 도움이 될 일을 하자고 설득함.

↓

> 일본의 패망을 받아들인 '박 선생님'은 '강 선생님'을 따라 (　　　)을/를 그리기 시작함.

간단 체크 어휘 문제

다음 낱말의 뜻풀이가 맞으면 ○표, 틀리면 ×표 하시오.

(1) 풀기: 딱딱하거나 차가운 분위기 (　　)

(2) 괄시: 업신여겨 하찮게 대함. (　　)

(3) 박절하다: 마음이 안타깝거나 쓰라리다. (　　)

❷ '박 선생님'이 '강 선생님'에게 꼼짝을 못하는 까닭

평소 '박 선생님'과 '강 선생님'은 만나기만 하면 싸우는 일이 많았음.	□□ 이후 →	'강 선생님'이 큰 소리로 자신을 꾸짖는데도 아무런 대꾸도 못하고 꼼짝 못함.

→ 조선의 독립을 진심으로 기뻐하는 '강 선생님'과 달리 '박 선생님'은 일제에 동조하고 일본을 찬양하였기 때문임.

절정 학습 포인트

❶ 광복 전과 후의 '박 선생님'의 태도 변화

파 그 뒤로 강 선생님과 뼘박 박 선생님은 사이가 매우 좋아졌다.

뼘박 박 선생님은 학과 시간마다 우리에게 여러 가지 좋은 이야기를 많이 해 주었다. 일본이 우리 조선을 뺏어 저의 나라에 속국으로 삼던 이야기도 해 주었다.

왜놈들은 천하의 불측한(생각이나 행동 따위가 괘씸하고 엉큼한) 인종이어서 남의 나라와 전쟁하기를 좋아하는 백성이라고 했다. 그래서 임진왜란 때에도 우리 조선에 쳐들어왔고, 그랬다가 이순신 장군이랑 권율 도원수한테 아주 혼이 나서 쫓겨 간 이야기도 해 주었다.

우리 조선은 역사가 사천 년이나 오래되고 그리고 세계의 어떤 나라 못지않게 훌륭한 문화가 발달한 나라라는 이야기도 해 주었다.

하 뼘박 박 선생님은 한편으로 열심히 미국 말을 공부했다. 그러면서 우리더러 졸업을 하고 중학교에 가거들랑 미국 말을 무엇보다도 많이 공부하라고, 시방은 미국 말을 모르고는 훌륭한 사람이 되지 못한다고 했다.

뼘박 박 선생님은 한 일 년 그렇게 미국 말 공부를 하더니, 그다음부터는 미국 병정이 오든지 하면 일쑤(드물지 아니하게 흔히) 통역을 하고 했다. 중학교에 다닐 때에 조금 배운 것이 있어서 그렇게 쉽게 체득했다고(몸소 체험하여 알게 됨.) 했다.

미국 병정은 벼 공출을(국민이 국가의 수요에 따라 농업 생산물이나 기물 따위를 의무적으로 정부에 내어놓음.) 감독하러 와서 우리 뼘박 박 선생님을 그 꼬마 자동차에 태워 가지고 동네 동네 돌아다녔다. 뼘박 박 선생님은 미국 양복을 얻어 입고, 미국 통조림이랑 과자를 얻어먹고 했다.

간단 체크 내용 문제

13 다음은 '박 선생님'이 해방 후에 학생들에게 가르친 것이다. 빈칸에 들어갈 내용으로 알맞은 것은?

- 일본인은 불측한 인종이며, 일본은 조선에 나쁜 일을 많이 저지른 나라임.
- 조선은 (　　　) 나라임.
- 미국 말을 열심히 공부해야 훌륭한 사람이 됨.

① 전쟁하기를 좋아하는
② 일본을 속국으로 삼았던
③ 과거에 일본을 침략했던
④ 역사가 길고 문화가 발달한
⑤ 일본이나 미국과 사이가 좋은

14 '박 선생님'이 미국 말을 열심히 공부하는 까닭으로 알맞은 것은?

① 미국으로 이민을 가기 위해서
② 자신이 담당하는 과목이 영어이기 때문에
③ 미국 말이 일본 말보다 배우기 쉽기 때문에
④ 미국에 협력하여 개인적인 이익을 얻기 위해서
⑤ 중학생일 때 열심히 공부하지 않은 것이 후회되어서

간단 체크 어휘 문제

다음 문장에 들어갈 적절한 낱말을 〈보기〉에서 찾아 쓰시오.

보기: 불측한, 체득, 공출

(1) 그는 나라에서 벌을 받자 (　　　) 마음을 품었다.

(2) 내가 (　　　)한 바에 의하면 사람이란 익을수록 고개가 숙어지는 법이다.

(3) 소년은 정이 들 대로 든 소를 (　　　)할 수가 없었다.

거 해방 뒤에 새로 온 김 교장 선생님이 갈려 가고 강 선생님이 교장이 되었다. 강 선생님이 교장이 된 다음부터는, 뺌박 박 선생님은 강 선생님과 도로 사이가 나빠졌다.

강 선생님은 교장이 된 지 일 년이 못 되어서 파면을 당했다.
(파면: 잘못을 저지른 사람에게 직무나 직업을 그만두게 함.)

어른들 말이, 강 선생님은 빨갱이라고 했다. 그래서 파면을 당했노라고 했다. 또 누구는, 뺌박 박 선생님이 강 선생님을 그렇게 꼬아 댄 것이지, 강 선생님은 하나도 빨갱이가 아니라고도 했다.

강 선생님이 파면을 당한 뒤를 물려받아 뺌박 박 선생님이 교장 선생님이 되었다. 교장이 된 뺌박 박 선생님은 그 작은 키가 으쓱했다.

학습콕 소주제: '강 선생님'이 ☐☐을 추종하는 '박 선생님'과 대립하다가 파면을 당함.

❶ 광복 전과 후의 '박 선생님'의 태도 변화

광복 전		광복 이후
• 조선말을 쓰는 학생들을 혼냄. • 일본 국왕을 찬양하고 ☐☐에 충성함.	➡	• 학생들에게 일본은 나쁜 나라라고 가르치면서, 일본을 적대시함. • 조선은 역사가 길고 문화가 발달한 나라라며 칭송함. • 학생들에게 미국 말을 공부할 것을 권유하면서, 미국에 협력함.

결말 학습 포인트

❶ '나'의 눈에 비친 '박 선생님'의 모습
❷ 어린아이를 서술자로 내세운 효과

너 뺌박 박 선생님은 미국을 침이 마르도록 칭찬했다. 이 세상에 미국같이 훌륭한 나라가 없고, 미국 사람같이 훌륭한 백성이 없다고 했다. 우리 조선은 미국 덕분에 해방이 되었으니까 미국을 누구보다도 고맙게 여기고, 미국이 시키는 대로 순종해야 하느니라고 했다.

㉠우리가 혹시 말끝에 "미국 놈……."이라고 하면, 뺌박 박 선생님은 단박 붙잡아다 벌을 세우곤 하였다. 전에 "덴노헤이까 바가(천황 폐하 망할 자식)!"라고 한 것만큼이나 엄한 벌을 주었다.

"이놈아 아무리 미련한 소견이기로, 자아 보아라. 우리 조선을 독립을 시켜 주느라구 자기 나라 백성을 많이 죽여 가면서 전쟁을 했지. 그래서 그 덕에 우리 조선이 왜놈의 압제에서 벗어나서 독립이 되질 아니했어? 그뿐인감? 독립을 시켜 주구 나서두 우리 조선 사람들 배 아니 고프구 편안히 잘 살라고 양식이야, 옷감이야, 기계야, 자동차야, 석유야, 설탕이야, 구두야, 무어 죄다 골고루 가져다주지 않어? 그런데 그런 고마운 사람들더러, 미국 놈이 무어야?"
(소견: 어떤 일이나 사물을 살펴보고 가지게 되는 생각이나 의견)

벌을 세우면서 뺌박 박 선생님은 이렇게 꾸짖곤 하였다.

간단 체크 내용 문제

15 (거)에서 일어난 사건으로 알맞지 않은 것은?

① 해방 후에 '강 선생님'이 교장이 되었다.
② '박 선생님'은 교장이 되고 나서 우쭐해하였다.
③ '강 선생님'은 교장이 된 지 일 년이 못 되어 파면을 당했다.
④ 해방 후에 '강 선생님'과 '박 선생님'의 사이는 더욱 좋아졌다.
⑤ '강 선생님'이 '박 선생님'의 모함을 받아 파면을 당했다는 소문이 돌았다.

16 다음은 ㉠에서 알 수 있는 '박 선생님'의 태도를 가리키는 단어의 뜻이다. 이 단어를 4음절로 쓰시오.

일관된 입장을 지니지 못하고 그때그때의 정세에 따라 이로운 쪽으로 행동하는 경향

17 (너)에 나타난 미국에 대한 '박 선생님'의 생각이 아닌 것은?

① 이 세상에서 가장 훌륭한 나라
② 조선이 순순히 따라야 하는 나라
③ 조선에 엄한 벌을 줄 수 있는 나라
④ 조선에 생필품을 지원하는 고마운 나라
⑤ 조선을 독립시켜 주기 위해 전쟁을 치른 나라

더 ㉠우리는 뻠박 박 선생님더러 미국에도 덴노헤이까가 있느냐고 물었다. 미국에 덴노헤이까가 있지 않고서야 그렇게 일본의 덴노헤이까처럼 우리 조선 사람을 친아들과 같이 사랑하고, 우리 조선 사람들이 잘 살도록 근심을 하며, 온갖 물건을 가져다주고 할 이치가 없기 때문이었다(해방 전에 뻠박 박 선생님은, 덴노헤이까는 우리 조선 사람들을 일본 사람들과 같이 사랑하고, 우리 조선 사람들이 잘 살기를 근심하신다고 늘 가르쳐 주곤 했다.).

㉡뻠박 박 선생님은 미국에는 덴노헤이까는 없고, 덴노헤이까보다 훌륭한 '돌멩이'라는 양반이 있다고 대답했다.

우리는 그럼 이번에는 그 '돌멩이'라는 훌륭한 어른을 위하여 '미국 신민노 세이시(미국 신민 서사)'를 부르고, 기미가요(일본의 국가) 대신 돌멩이 가요를 부르고 해야 하나 보다고 생각했다.

아무튼 뻠박 박 선생님은 참 이상한 선생님이었다.

학습콕 소주제: '나'는 미국을 □□하는 '박 선생님'을 이상하다고 생각함.

❶ '나'의 눈에 비친 '박 선생님'의 모습

'나' —이상한 선생님→ '박 선생님'의 모습

광복 전		광복 후
□□을 찬양함.	→	□□을 찬양함.

→ 광복 전에는 일본을 찬양했다가 광복 후에는 미국을 찬양하는 '박 선생님'의 기회주의적인 태도는, 판단이 미숙한 어린아이인 '나'에게 이상하게 느껴짐.

❷ 어린아이를 서술자로 내세운 효과

- 어리숙하고 순진한 어린아이의 시각으로 사건과 인물을 보여 줌.
- 비판하려는 대상의 부정적인 면모를 부각함.

→ 읽는 이의 웃음을 유발하고, □□의 효과를 높임.

간단 체크 내용 문제

18 ㉠과 ㉡에 대한 설명으로 알맞지 않은 것은?

① ㉠에는 '나'의 순진무구함이 나타난다.
② ㉠은 '나'가 어린아이이기 때문에 가능한 질문이다.
③ ㉡은 읽는 이의 웃음을 유발하는 기능을 한다.
④ ㉡을 통해 작품 속 등장인물의 부정적인 면을 부각한다.
⑤ ㉡에는 원래의 뜻과 반대되는 대답을 함으로써 자신의 생각을 강조하는 표현이 쓰였다.

중요

19 '나'가 '박 선생님'을 '이상한 선생님'이라고 평가한 까닭으로 알맞은 것은?

① 일본에 대한 사정을 잘 알지 못해서
② 미국에서는 돌멩이 가요를 부른다고 해서
③ 믿기 어려운 이야기로 학생들에게 웃음을 주어서
④ 이름으로 '돌멩이'를 사용하는 어른이 있다고 해서
⑤ 광복 전에는 일본을 찬양하다가, 광복 후에는 미국을 찬양해서

한끝의 한 끗

'박 선생님'을 소개합니다!

- **이름**: 박XX
- **직업**: 초등학교 선생님
- **별명**: 뼘생, 뼘박, 대갈장군
- **특징**:
  - 키가 작고 몸집이 한 줌만 하며 머리통이 큼.
  - 뒤통수와 앞이마가 툭 내솟고, 내솟은 좁은 이마 밑으로 눈썹이 시커멓고, 왕방울 같은 두 눈이 부리부리함.
  - 코는 매부리코에, 메기입은 귀밑까지 넓죽 째지고, 목소리는 쨍쨍함.
  - 옹졸하며 성미가 급하고 화를 잘 냄.

대일본 제국 만세! 천황 폐하 만만세!

"고랏! 조셍고데 겡까 스루야쓰가 이루까 (이놈아! 조선말로 쌈하는 녀석이 어딨어)."

조선 해방 후

뭐니 뭐니 해도 미국이 최고야!

"이놈아 아무리 미련한 소견이기로, 자아 보아라. 우리 조선을 독립을 시켜 주느라구 자기 나라 백성을 많이 죽여 가면서 전쟁을 했지. 그래서 그 덕에 우리 조선이 왜놈의 압제에서 벗어나서 독립이 되질 아니했어? 그뿐인감? 독립을 시켜 주구 나서두 우리 조선 사람들 배 아니 고프구 편안히 잘 살라고 양식이야, 옷감이야, 기계야, 자동차야, 석유야, 설탕이야, 구두야, 무어 죄다 골고루 가져다주지 않어? 그런데 그런 고마운 사람들더러, 미국 놈이 무어야?"

❶ 등장인물의 특징 파악하기
❷ '박 선생님'의 모습을 떠올려 보고, 풍자의 개념과 그 효과 이해하기

1 등장인물들의 특징을 중심으로 소설의 내용을 정리해 보자.

(1) 다음 항목에 따라 '박 선생님'과 '강 선생님'을 비교해 보자.

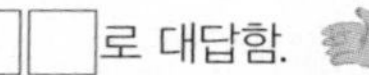

박 선생님	항목	강 선생님
• 키가 몹시 작고, 머리가 엄청 큼. • 옹졸하고 화를 잘 냄.	외모와 성격	답 • 키와 몸집이 크고 순하게 생김. • 잘 웃으며 온순함.
답 때리거나 중한 벌을 주는 등 학생들을 심하게 혼냄.	조선말을 사용하는 학생에 대한 태도	답 일본 말을 사용하라고 강요하지 않으며, 학생들이 일본 말로 물어도 □□□로 대답함.
답 기가 죽고 맥이 빠짐.	해방 소식에 대한 반응	답 평소와 다르게 들이 날뛰면서 기뻐함.
답 • 일본을 비난하며 미국을 칭송함. • 파면을 당한 '강 선생님' 대신 □□ □□□이 됨.	해방 후의 모습	교장 선생님이 되었으나 이내 파면을 당함.

(2) 해방 전과 후, 일본과 미국에 대한 '박 선생님'의 태도를 비교해 보자. 그리고 이를 바탕으로 '박 선생님'이 어떤 사람인지 말해 보자.

해방 전 답 미국을 못된 나라라고 생각하고, 일본을 찬양함.

해방 후 답 일본을 비난하고, 미국을 찬양함.

→ **'박 선생님'은** 답 시대적 상황에 따라 강한 쪽에 붙어 이익을 얻으려는 □□□□□인 성격을 지닌 **사람이야.**

간단 체크 활동 문제

01 '박 선생님'과 '강 선생님'에 대한 설명으로 알맞지 않은 것은?

① '박 선생님'은 키가 몹시 작고 머리가 엄청 크다.
② '박 선생님'은 일본이 패망하자 기가 죽고 맥이 빠졌다.
③ '강 선생님'은 마음이 넓고 여유로우며 유순한 성격이다.
④ '강 선생님'은 학생들에게 일본 말을 사용하라고 강요하지 않았다.
⑤ '강 선생님'은 해방 후 교장 선생님 자리를 '박 선생님'에게 양보하였다.

02 다음은 해방 전과 후의 미국과 일본에 대한 '박 선생님'의 태도이다. 이를 통해 알 수 있는 '박 선생님'의 성격은?

• 해방 전: 미국을 천하에 못된 나라라고 비난하고, 일본을 찬양함.

⬇

• 해방 후: 일본을 비난하고, 미국을 침이 마르도록 칭찬함.

① 기회주의
② 낙천주의
③ 이상주의
④ 침략주의
⑤ 형식주의

2 이 소설에 묘사된 '박 선생님'의 모습을 떠올려 보고, 풍자의 효과를 알아보자.

(1) 이 소설에서 '박 선생님'의 모습을 우스꽝스럽게 표현한 부분을 찾아보자.

> 예 일본 정치 때에, 혈서로 ㉠지원병을 지원했다 체격 검사에 키가 제 척수에 차지 못해 낙방이 되었다면, 그래서 땅을 치고 울었다면, 얼마나 작은 키인지 알 일이다.

답 • 작은 키에 몸집은 그저 한 줌만 하고. 이 한 줌만 한 몸집, 한 뼘만 한 키 위에 깜짝 놀랄 만큼 큰 머리통이 위태위태하게 올라앉아 있다. (교과서 109쪽)
• 뒤통수와 앞이마가 툭 내솟고, 내솟은 좁은 이마 밑으로 눈썹이 시꺼멓고, 왕방울 같은 두 눈은 부리부리하니 정기가 있고도 사납고, 코는 매부리코요, 입은 메기입으로 귀밑까지 넓죽 째지고, 목소리는 쇠꼬챙이로 찌르는 것처럼 쨍쨍하고. (교과서 109쪽)
• 하나는 한 뼘만 한 키에 그 무섭게 큰 머리통을 한 얼굴을 바싹 대들고는 사나움이 졸졸 흐르면서. (교과서 110쪽)
• 고랏! 조셍고데 겡까 스루야쓰가 이루까(이놈아! 조선말로 쌈하는 녀석이 어딨어). (교과서 112쪽)
• 뼘박 박 선생님은 미국에는 덴노헤이까는 없고, 덴노헤이까보다 훌륭한 '돌멩이'라는 양반이 있다고 대답했다. (교과서 121쪽)

(2) '박 선생님'을 우스꽝스럽게 표현하여 얻을 수 있는 효과를 써 보자.

답 • 읽는 이에게 □□을 유발한다.
• '박 선생님'의 기회주의적인 모습을 부각한다.
• '박 선생님'을 □□□으로 바라볼 수 있게 한다.

학습콕

❶ 풍자의 개념과 효과

개념	사실을 과장하거나 왜곡하고, 비꼬아서 표현하여 웃음을 유발함으로써, 현실의 부정적 현상이나 모순을 폭로하는 것
효과	• 웃음을 유발하여 읽는 이와의 공감대를 형성할 수 있음. • 개인이나 사회의 부조리, 어리석음 등과 같은 부정적인 대상을 효과적으로 비판할 수 있음.

간단 체크 활동 문제

03 ㉠으로 보아, '박 선생님'에게 밑줄 친 부분과 같은 별명이 생긴 이유로 적절한 것은?

> '박 선생님'에게는 '뼘생', '뼘박'이라는 별명이 붙었다. 또한 머리가 깜짝 놀랄 만큼 커서 '대갈장군'이라는 별명도 있다.

① 손이 크기 때문일 것이다.
② 유난히 키가 작기 때문일 것이다.
③ 손가락이 매우 길기 때문일 것이다.
④ 멋을 부리기를 좋아하기 때문일 것이다.
⑤ 일본 말을 특출하게 잘하기 때문일 것이다.

04 '박 선생님'을 우스꽝스럽게 표현하여 얻을 수 있는 효과가 아닌 것은? (정답 2개)

① 읽는 이에게 웃음을 유발한다.
② 겉모습과 다른 '박 선생님'의 장점을 강조한다.
③ '박 선생님'의 기회주의적인 모습을 부각한다.
④ '박 선생님'을 비판적으로 바라볼 수 있게 한다.
⑤ 읽는 이에게 신선한 충격을 주어 삶의 진리를 깨달을 수 있게 한다.

학습 활동

적용
❶ '백송골'이 나타나기 전후의 '두꺼비'의 모습 비교하기
❷ 각 동물이 상징하는 계층 이해하기
❸ 풍자하는 내용 파악하기

다음은 조선 후기의 사설시조이다. 이 사설시조에 등장하는 동물들이 상징하는 바를 생각해 보고, 작가가 무엇을 풍자하고자 하였는지 알아보자.

갈래	사설시조	성격	풍자적, 우의적, 해학적
제재	두꺼비, 파리, 백송골		
주제	탐관오리의 이중성 비판		
특징	탐관오리의 횡포와 허장성세를 우의적으로 풍자함.		

두꺼비 파리를 물고 [1]두엄 위에 [2]치달아 안자
건넛산 바라보니 [3]백송골이 떠 있거늘 가슴이 섬뜩하여 풀떡 뛰어 내닫다가 두엄 아래 자빠지거고
[4]모쳐라 날랜 나일망정 [5]어혈 질 뻔하여라.

– 작자 미상

1 **두엄** 풀, 짚 또는 가축의 배설물 따위를 썩힌 거름.
2 **치닫다** 위쪽으로 달리다. 또는 위쪽으로 달려 올라가다.
3 **백송골** 백송고리. 맷과의 하나. 매 종류 가운데 몸이 크며 성질이 굳세고 날쌔어 사냥하는 데 쓰인다.
4 **모쳐라** '마침'의 옛말. 어떤 경우나 기회에 알맞게. 또는 공교롭게.
5 **어혈** 타박상 따위로 살 속에 피가 맺힘. 또는 그 피.

1 '백송골'이 나타나기 전과 나타난 이후의 '두꺼비'의 모습을 비교해 보자.

나타나기 전		나타난 이후
파리를 물고 두엄 위에 앉아 있음.	➲	답 깜짝 놀라 □□치다가 넘어짐.

간단 체크 활동 문제

05 이 시조에 대한 설명으로 적절하지 않은 것은?
① 조선 후기의 사설시조이다.
② 중장의 길이가 평시조보다 길다.
③ 풍자적이고 해학적인 성격을 띤다.
④ 동물에 빗대어 비유적인 내용을 표현하였다.
⑤ 자연에 묻혀 조용하게 지내고 싶은 소망이 나타나 있다.

06 이 시조에서 '두꺼비'가 '백송골'을 보고 한 행동으로 알맞은 것은?
① 두엄 위로 올라감.
② 근처에 있는 숲으로 도망침.
③ 물고 있던 파리를 떨어뜨림.
④ 깜짝 놀라 도망치다가 자빠짐.
⑤ 파리와 함께 살 속에 맺힌 피를 뽑아냄.

• 정답과 해설 14쪽

2 이 사설시조가 창작된 시대 배경을 참고하여 각 동물이 무엇을 상징하는지 써 보자.

시대 배경

조선 후기에 부정부패가 극심해지면서, 백성의 삶은 힘들어질 수밖에 없었다. 지방의 [1]탐관오리들은 백성에게 억지로 곡식을 빌려주고 거기에 높은 이자를 매기거나 실제로 존재하지 않는 땅에 세금을 매기는 등의 방법으로 부당한 이익을 취했고, 이를 중앙의 고위 관료에게 뇌물로 바치기도 하였다. 이처럼 지방의 탐관오리들은 자신의 승진과 안위를 위해 힘없는 백성을 괴롭혔던 것이다.

1 **탐관오리** 백성의 재물을 탐내어 빼앗는, 행실이 깨끗하지 못한 관리.

답 지방의 탐관오리

답 힘없는 □□

답 중앙의 고위 관료

3 1과 2를 바탕으로 이 사설시조가 풍자하는 바가 무엇일지 말해 보자.

답 자신보다 더 큰 권력을 가진 중앙의 고위 관료에게는 굽실거리고 자신보다 힘이 없는 백성은 수탈하고 괴롭히는 탐관오리의 부조리함을 풍자하고자 하였다.

간단 체크 활동 문제

07 다음은 이 시조의 동물들이 상징하는 대상이다. 빈칸에 들어갈 내용으로 알맞은 것은?

- 두꺼비: 지방의 탐관오리
- 파리: (　　　　)
- 백송골: 중앙의 고위 관료

① 힘없는 백성
② 부를 축적한 상인
③ 권세를 휘두르는 지배층
④ 군사 일을 맡아보는 무관
⑤ 기술관이나 역관 등의 중인

08 다음 빈칸에 들어갈 알맞은 단어를 쓰시오.

> 이 작품은 '두꺼비'로 상징되는 탐관오리의 횡포와 허장성세를 우의적으로 □□하고 있다.

활동 마당

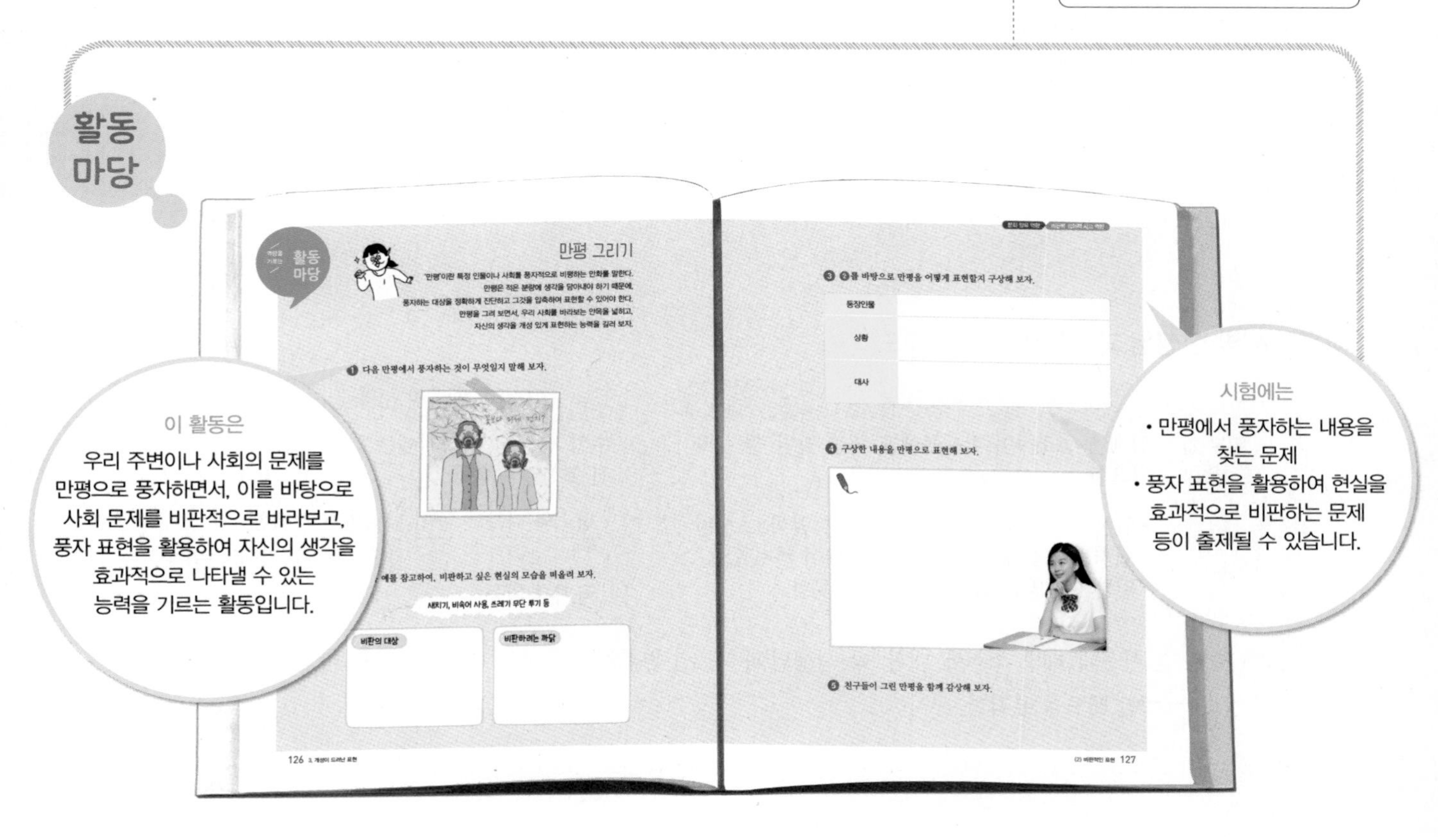

압축 파일

갈래	현대 소설, 단편 소설	성격	풍자적, 비판적
배경	해방 전후, 어느 초등학교	시점	1인칭 관찰자 시점
제재	기회주의적으로 행동하는 선생님		
주제	해방 전후의 혼란한 사회 상황 속에서 기회주의적으로 행동하는 인물 비판		
특징	• 어린아이를 서술자로 설정하여 주인공을 관찰함. • 인물의 외모와 행동을 과장하고 희화화하여 풍자함.		

●● 「이상한 선생님」의 짜임

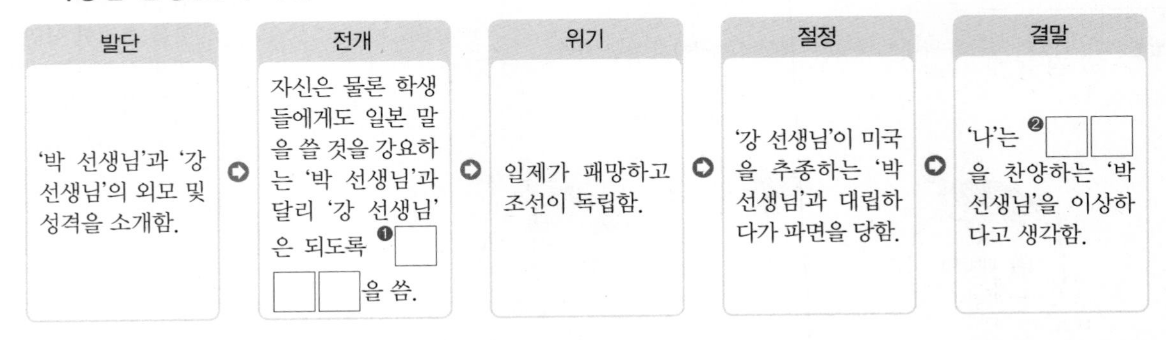

●● '박 선생님'과 '강 선생님'의 모습

'박 선생님'		'강 선생님'
작은 키에 사납게 생김.	← 외모 →	키가 크고 순하게 생김.
옹졸하고 화를 잘 냄.	← 성격 →	마음이 넓고 여유로우며 온순함.

●● '박 선생님'과 '강 선생님'의 태도

	'박 선생님'		'강 선생님'
일본 말 사용	일제에 동조하여 학생들에게 일본 말만 쓸 것을 강요함.	↔	수업 시간 외 평상시에는 의도적으로 일본 말 대신 조선말을 씀.
해방 소식	• 일본 선생님들과 직원실에 모여 앉아 초상난 집처럼 근심에 싸여 기가 죽고 맥이 빠져 있음. • 일본의 패망을 쉽게 받아들이지 못함.	↔	• 평소와 다르게 들이 날뛰면서 기뻐함. • ❸ □□ □□를 부르기 위해 손수 태극기를 만듦.

→ 일본 말 사용과 해방 소식에 대한 '박 선생님'과 '강 선생님'의 대조적인 태도를 통해, '박 선생님'의 ❹ □□□인 태도를 부각함.

광복 전과 후의 '박 선생님'의 태도 변화

광복 전

- 조선말을 쓰는 학생들을 혼냄.
- 일본 국왕을 찬양하고 일본에 충성함.

➡

광복 이후

- 학생들에게 일본은 나쁜 나라라고 가르치면서, 일본을 적대시함.
- ⑤ □□은 역사가 길고 문화가 발달한 나라라며 칭송함.
- 학생들에게 미국 말을 공부할 것을 권유하면서, 미국에 협력함.

→ 광복 전후 일본과 미국에 대한 '박 선생님'의 태도 변화를 통해, '박 선생님'의 기회주의적인 태도를 부각함.

'나'의 눈에 비친 '박 선생님'의 모습

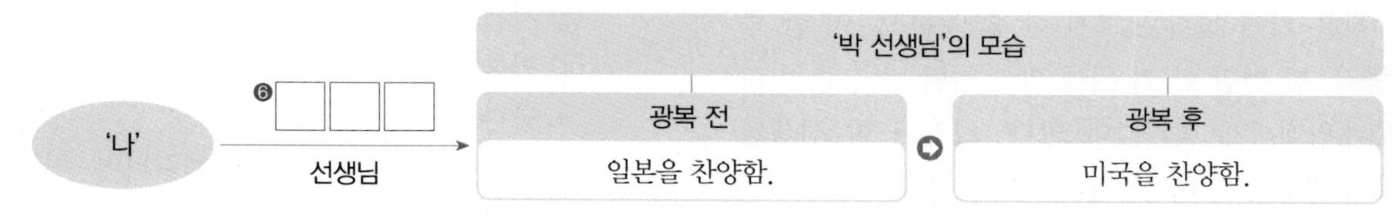

→ 광복 전에는 일본을 찬양했다가 광복 후에는 미국을 찬양하는 '박 선생님'의 기회주의적인 태도는 판단이 미숙한 어린아이인 '나'에게 이상하게 느껴짐.

'어린아이'를 서술자로 내세운 효과

- 어리숙하고 순진한 어린아이의 시각으로 사건과 인물을 보여 줌.
- 비판하려는 대상의 부정적인 면모를 부각함.

➡ 읽는 이의 ⑦ □□을 유발하고, 비판하려는 대상의 부정적인 면모를 부각하여 풍자의 효과를 높임.

「두꺼비 파리를 물고~」에 나타난 상징 표현

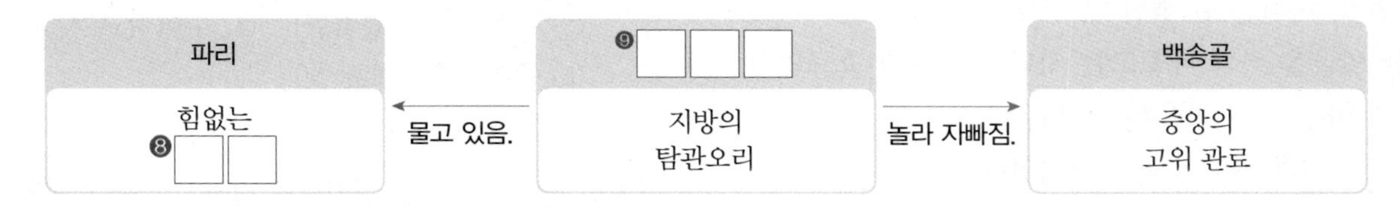

「두꺼비 파리를 물고~」에 나타난 풍자 표현

- 자신보다 더 큰 권력을 지닌 중앙의 고위 관료에게는 굽실거림.
- 자신보다 힘이 없는 백성은 수탈하고 괴롭힘.

➡ 탐관오리의 부조리함을 ⑩ □□함.

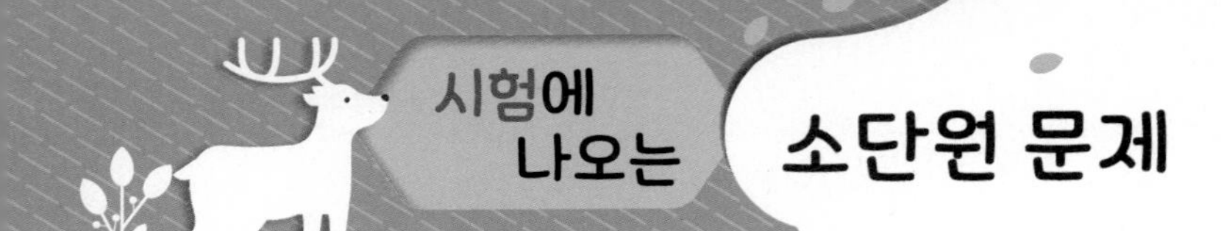

시험에 나오는 소단원 문제

01~05 다음 글을 읽고, 물음에 답하시오.

가 우리 박 선생님은 참 이상한 선생님이었다.

박 선생님은 생긴 것부터가 무척 이상하게 생긴 선생님이었다. 키가 한 뼘밖에 안 되어서 뼘생 또는 뼘박이라는 별명이 있는 것처럼, 박 선생님의 키는 키 작은 사람 가운데에서도 유난히 작은 키였다. ㉠일본 정치 때에, 혈서로 지원병을 지원했다 체격 검사에 키가 제 척수에 차지 못해 낙방이 되었다면, 그래서 땅을 치고 울었다면, 얼마나 작은 키인지 알 일이다.

그런 작은 키에 몸집은 그저 한 줌만 하고. 이 한 줌만 한 몸집, 한 뼘만 한 키 위에 깜짝 놀랄 만큼 큰 머리통이 위태위태하게 올라앉아 있다. 그래서 박 선생님 또 하나의 별명은 ㉡대갈장군이라고도 했다.

나 이런 대갈장군인 뼘생 박 선생님과 아주 정반대로 생긴 이가 강 선생님이었다. / 강 선생님은 키가 크고, 몸집도 크고, 얼굴이 너부룻하고, 얼굴이 검기는 해도 순하여 사나움이 든 데가 없고, 눈은 더 순하고, 허허 웃기를 잘하고, 별로 성을 내는 일이 없고, 아무하고나 장난을 잘하고……. 강 선생님은 이런 선생님이었다.

다 뼘박 박 선생님과 강 선생님은 만나면 싸움이었다.

하학을 하고 나서, 우리가 청소를 한 교실을 둘러보다가 또는 운동장에서(그러니까 우리들이 여럿이는 보지 않는 곳에서 말이다.) 두 선생님이 만난다 치면, 강 선생님은 괜히 장난이 하고 싶어 박 선생님을 먼저 건드리곤 했다. / 하나는 커다란 몸집을 해 가지고 싱글싱글 웃으면서, 하나는 한 뼘만 한 키에 그 무섭게 큰 머리통을 한 얼굴을 바싹 대들고는 사나움이 졸졸 흐르면서, 그렇게 마주 서서 싸우는 모양은 마치 ㉢큰 수캐와 조그만 고양이가 마주 만난 형국이었다.

라 다른 학교에서도 다 그랬을 테지만 우리 학교에서도 ⓐ그때 말로 '국어'라던 일본 말, 그 일본 말로만 말을 하게 하고 엄마 아빠 할 적부터 배운 ㉣조선말은 아주 한 마디도 쓰지 못하게 했다. / 그러나 주재소의 순사, 면의 면 서기, 도 평의원을 한 송 주사, 또 군이나 도에서 연설하러 온 사람, 이런 사람들이나 조선 사람끼리 만나도 척척 일본 말로 인사를 하고 이야기를 했지, 다른 사람들이야 일본 사람과 만났을 때 말고는 다들 조선말로 말을 하고, 그래서 학교 문 밖에만 나가면 만판 조선말로 말을 하는 사람들이요, 더구나 ㉤집에 돌아가면 어머니, 아버지, 언니, 누나, 아기 모두들 조선말로 말을 했다. 그러니까 우리도 교실에서 공부를 하고 나와 운동장에서 우리끼리 놀고 할 때에는 암만해도 일본 말보다 조선말이 더 많이, 더 잘 나왔다.

01 (가)~(다)의 구성 단계상 특징으로 알맞은 것은?

① 긴장감이 최고조에 이르며, 주제가 제시된다.
② 인물 간의 갈등이 고조되고 긴장감이 나타난다.
③ 사건이 시작되고 인물들 사이의 갈등이 나타난다.
④ 인물과 배경을 소개하고, 사건의 실마리가 나타난다.
⑤ 갈등이 해소되고 사건이 해결되며, 인물의 운명이 결정된다.

학습 활동 응용

02 (나)~(다)에 나타난 '강 선생님'에 대한 설명으로 알맞지 않은 것은?

① 키도 크고 몸집도 큰 편이다.
② 마음이 넓고 여유로운 성격이다.
③ 생김새가 '박 선생님'과 비슷하다.
④ 얼굴은 순하게 생겼고, 사나움이 든 데가 없다.
⑤ '박 선생님'을 만나면 괜히 장난을 치려고 한다.

03 (다)에 나타난 '박 선생님'과 '강 선생님'의 관계에 어울리는 한자 성어는?

① 견원지간(犬猿之間) ② 괄목상대(刮目相對)
③ 근묵자흑(近墨者黑) ④ 수어지교(水魚之交)
⑤ 죽마고우(竹馬故友)

04 ㉠~㉤에 대한 설명으로 알맞지 않은 것은?

① ㉠: '박 선생님'의 친일적인 태도가 드러난다.
② ㉡: '박 선생님'의 별명 중 하나이다.
③ ㉢: 몸집이 큰 '강 선생님'과 몸집이 작은 '박 선생님'을 비유한 표현이다.
④ ㉣: 당시에는 이것을 '국어'라고 불렀다.
⑤ ㉤: 조선의 보통 사람들이 조선말을 사용하는 방식이다.

05 ⓐ가 가리키는 시대적 배경을 쓰시오.

06~10 다음 글을 읽고, 물음에 답하시오.

(가) 학교에서고 학교 밖에서고 조선말로 말을 하다 선생님한테 들키는 날이면 경치는 판이었다. 선생님들 중에서도 제일 심하게 밝히는 선생님이 뼘박 박 선생님이었다. 교장 선생님이나 다른 일본 선생님은 나무라기만 하고 마는 수가 있어도, 뼘박 박 선생님만은 절대로 용서가 없었다.

(나) 교실에서 공부를 할 때 빼고는 그리고 다른 선생님, 그중에서도 교장 이하 일본 선생님들과 뼘박 박 선생님이 보지 않는 데서는, 강 선생님은 우리한테, 일본말로 말을 하지 않았다. 우리들이 일본 말을 해도 강 선생님은 조선말을 하곤 했다. / 우리가 어쩌다

"선생님은 왜 '국어(일본 말)'로 안 하세요?"

하고 물으면 강 선생님은 웃으면서

"나는 '국어'가 서툴러서 그런다." / 하고 대답했다.

그렇지만 우리가 보기에도 강 선생님은 일본 말이 서투른 선생님이 아니었다.

(다) 선생님들이, 그중에서도 뼘박 박 선생님이 그렇게도 일본(우리 대일본 제국)은 결단코 전쟁에 지지 않는다고, 기어코 전쟁에 이기고 천하에 못된 미국, 영국을 거꾸러뜨려 천황 폐하의 위엄을 이 전 세계에 드날릴 날이 머지않았다고, 하루에도 몇 번씩 그런 말을 해 쌓던 그 일본이 도리어 지고 항복을 하다니, 도무지 모를 일이었다. / 직원실에는 교장 선생님과 두 일본 선생님 그리고 뼘박 박 선생님, 이렇게 네 분이 모여 앉아서 ㉠<u>초상난 집처럼 모두 코가 쑤욱 빠져 가지고 있었다.</u>

(라) 뼘박 박 선생님은 한편으로 열심히 미국 말을 공부했다. 그러면서 우리더러 졸업을 하고 중학교에 가거들랑 미국 말을 무엇보다도 많이 공부하라고, ㉡<u>시방은 미국 말을 모르고는 훌륭한 사람이 되지 못한다고 했다.</u>

뼘박 박 선생님은 한 일 년 그렇게 미국 말 공부를 하더니, 그다음부터는 미국 병정이 오든지 하면 일쑤 통역을 하고 했다.

(마) 강 선생님은 교장이 된 지 일 년이 못 되어서 파면을 당했다. / 어른들 말이, 강 선생님은 빨갱이라고 했다. 그래서 파면을 당했노라고 했다. 또 누구는, 뼘박 박 선생님이 강 선생님을 그렇게 꼬아 댄 것이지, 강 선생님은 하나도 빨갱이가 아니라고도 했다.

강 선생님이 파면을 당한 뒤를 물려받아 뼘박 박 선생님이 교장 선생님이 되었다. 교장이 된 뼘박 박 선생님은 그 작은 키가 으쓱했다.

학습 활동 응용

06 **이 글에 나타난 '박 선생님'에 대한 설명으로 알맞은 것은?**

① 마음이 넓고 속이 깊다.
② 사소한 것에 얽매이지 않으며 너그럽다.
③ 다른 사람의 아픔을 공감하고 위로해 준다.
④ 전통을 고집하여 시대 변화에 적응하지 못한다.
⑤ 자신의 이익을 위해 힘이 강한 세력에 협력한다.

07 **'박 선생님'과 '강 선생님'에 대한 설명으로 알맞지 <u>않은</u> 것은?**

① '강 선생님'은 해방 후에 교장 선생님이 되었다.
② '강 선생님'은 일본 말이 서툴러 조선말을 사용했다.
③ '박 선생님'은 조선말을 사용하는 학생들에게 벌을 주었다.
④ '박 선생님'은 일본이 전쟁에서 지지 않을 것이라고 말했다.
⑤ '박 선생님'과 '강 선생님'은 같은 학교에서 근무를 하였다.

08 **(마)에서 '강 선생님'이 파면당한 까닭을 바르게 추측한 것은?**

① '박 선생님'이 모함했기 때문이다.
② '박 선생님'이 다른 사람을 추천했기 때문이다.
③ '강 선생님'이 일본으로 도망갔기 때문이다.
④ '강 선생님'이 일본에게 순종했기 때문이다.
⑤ '강 선생님'이 미국에 협력하지 않았기 때문이다.

09 **㉠의 이유를 쓰시오.**

10 **'박 선생님'이 ㉡처럼 말한 이유로 알맞은 것은?**

① 미국의 영향력이 커졌기 때문이다.
② 일본이 패망하고 조선이 독립했기 때문이다.
③ 미국이 조선말을 쓰지 못하게 했기 때문이다.
④ 미국은 역사가 길고 문화가 발달했기 때문이다.
⑤ 외국으로 나가면 미국 말을 써야 했기 때문이다.

11~15 다음을 읽고, 물음에 답하시오.

(가) 뼘박 박 선생님은 미국을 침이 마르도록 칭찬했다. 이 세상에 미국같이 훌륭한 나라가 없고, 미국 사람같이 훌륭한 백성이 없다고 했다. 우리 조선은 미국 덕분에 해방이 되었으니까 미국을 누구보다도 고맙게 여기고, 미국이 시키는 대로 순종해야 하느니라고 했다.

우리가 혹시 말끝에 "미국 놈……."이라고 하면, 뼘박 박 선생님은 단박 붙잡아다 벌을 세우곤 하였다. 전에 "덴노헤이까 바가(천황 폐하 망할 자식)!"라고 한 것만큼이나 엄한 벌을 주었다.

"이놈아 아무리 미련한 소견이기로, 자아 보아라. 우리 조선을 독립을 시켜 주느라구 자기 나라 백성을 많이 죽여 가면서 전쟁을 했지. 그래서 그 덕에 우리 조선이 왜놈의 압제에서 벗어나서 독립이 되질 아니했어? 〈중략〉 그런데 그런 고마운 사람들더러, 미국 놈이 무어야?"

벌을 세우면서 뼘박 박 선생님은 이렇게 꾸짖곤 하였다.

우리는 뼘박 박 선생님더러 미국에도 덴노헤이까가 있느냐고 물었다. 미국에 덴노헤이까가 있지 않고서야 그렇게 일본의 덴노헤이까처럼 우리 조선 사람을 친아들과 같이 사랑하고, 우리 조선 사람들이 잘 살도록 근심을 하며, 온갖 물건을 가져다주고 할 이치가 없기 때문이었다(해방 전에 뼘박 박 선생님은, 덴노헤이까는 우리 조선 사람들을 일본 사람들과 같이 사랑하고, 우리 조선 사람들이 잘 살기를 근심하신다고 늘 가르쳐 주곤 했다.).

뼘박 박 선생님은 미국에는 덴노헤이까는 없고, 덴노헤이까보다 훌륭한 '돌멩이'라는 양반이 있다고 대답했다.

우리는 그럼 이번에는 그 '돌멩이'라는 훌륭한 어른을 위하여 '미국 신민노 세이시(미국 신민 서사)'를 부르고, 기미가요(일본의 국가) 대신 돌멩이 가요를 부르고 해야 하나 보다고 생각했다.

아무튼 뼘박 박 선생님은 참 ㉠<u>이상한 선생님</u>이었다.

(나) 두꺼비 파리를 물고 두엄 위에 치달아 앉아
㉡<u>건넛산 바라보니 백송골이 떠 있거늘 가슴이 섬뜩하여 풀떡 뛰어 내닫다가 두엄 아래 자빠지거고</u>
모쳐라 날랜 나일망정 어혈 질 뻔하여라.

11 (가)와 (나)에 대한 설명으로 알맞은 것은?
① (가)는 조선 후기의 사회상을 담고 있다.
② (가)에서는 역사적 인물의 모습과 행동을 사실적으로 서술하고 있다.
③ (나)에서는 여러 가지 동물의 생태를 관찰하고 있다.
④ (나)는 두 개 이상의 평시조가 하나의 제목으로 엮여 있는 연시조의 일부분이다.
⑤ (가)와 (나)는 모두 부정적인 대상을 풍자하고 있다.

학습 활동 응용

12 (가)의 서술자에 대한 설명으로 알맞지 <u>않은</u> 것은?
① 읽는 이의 웃음을 유발한다.
② 순수하고 순진한 어린아이이다.
③ 상황을 정확하게 판단하는 데에 서투르다.
④ 작품 밖에서 인물의 행동이나 사건을 관찰하여 전달한다.
⑤ 비판하려는 대상의 기회주의적인 모습을 부각하는 역할을 한다.

서술형

13 다음 설명의 빈칸에 들어갈 알맞은 말을 쓰시오.

> (가)에 등장하는 '박 선생님'은 해방 전에는 '덴노헤이까'라는 일본 사람을 찬양했으며, 해방 후에는 '(　　　　)'라는 미국 사람을 찬양한다.

14 ㉠에 대한 설명으로 알맞은 것끼리 묶은 것은?

> ㄱ. '박 선생님'에 대한 '나'의 평가에 해당한다.
> ㄴ. '박 선생님'의 미래 지향적인 태도와 관련이 있다.
> ㄷ. '박 선생님'의 행동에 대한 작가의 시각이 드러난다.
> ㄹ. '박 선생님'의 외모만을 평가하는 사람들의 편견을 드러내는 표현이다.

① ㄱ, ㄴ　② ㄱ, ㄷ　③ ㄴ, ㄷ
④ ㄴ, ㄹ　⑤ ㄷ, ㄹ

15 ㉡에 나타난 '두꺼비'의 모습으로 알맞은 것은?
① 고집스럽다.　② 용맹스럽다.
③ 자연스럽다.　④ 우스꽝스럽다.
⑤ 거추장스럽다.

개성을 살리는 글다듬기

● 정답과 해설 16쪽

학습 목표 고쳐쓰기의 일반 원리를 고려하여 글을 고쳐 쓸 수 있다.

이해
❶ 글, 문단, 문장, 낱말 수준에서 글을 고쳐 쓰는 방법 이해하기
❷ 고쳐쓰기의 개념과 방법 이해하기

학습 포인트
❶ 고쳐쓰기의 개념 및 수준과 방법
❷ 고쳐쓰기의 일반 원리

갈래	수필	성격	회고적, 경험적
제재	병아리 '민들레'		
주제	병아리 '민들레'와의 추억과 '민들레'에 대한 그리움		

민들레

(가) 그 날은 가만히 있어도 땀이 날 정도로 무척 더웠다. 나는 빨리 집에 들어가 씻고 싶다는 기억뿐이었다. 나는 걸음을 재촉하여 집 근처에 도착했다. 그런데 골목길 한구석에서 주인을 잃어버린 강아지가 나를 애처롭게 바라보고 있었다. **모른체하고** 집에 들어가려 했지만, 난 발을 뗄 수 없었다. 문득 민들레가 떠올랐기 때문이다. 힘없는 눈빛으로 날 바라보던 민들레가.

(나) 초등학교 2학년 때, 어느 봄날이었다. 한 할머니께서 병아리를 나누어 주는 걸 보았다. 노란 털로 **덥여** 있는 병아리는 정말 매력적이었다. 그런데 난 그 앞에 쪼그리고 앉아 한참이나 병아리를 바라보았다. 나는 병아리를 키우게 해 달라고 엄마께 타이르기 시작했다. 처음에는 반대하셨던 엄마도 결국은 허락해 주셨다. 그렇게 나와 민들레의 인연이 시작되었다.

(다) 사랑스러운 민들레는 우리 집 마당에서 지냈다. 그래서 비가 오는 날이면 마당에 혼자 있을 민들레가 걱정스러웠다. 나는 비가 오면 엄마 몰래 민들레를 방 안에 데리고 올 것이다. 엄마께 들킬지도 모른다는 생각에 가슴이 두근거렸다. 하지만 민들레와 함께하는 기쁨이 더 컸기에 엄마의 꾸중도 대수롭지 않았다. 당시 나는 동생과 한방을 써서 조금 불편했다.

(라) 병아리를 집으로 데려온 날, 우리 가족은 병아리에게 민들레라는 이름을 지어주었다. 병아리가 민들레처럼 모질게 어느 곳에서나 잘 자라길 바라면서 말이다. 민들레는 우리를 참 잘 따랐다. 우리가 "민들레!" 하고 부르면 자기 이름을 알아듣고 우리 곁으로 다가왔고, 우리 곁을 맴돌면서 삐악삐악 노래도 부르고 귀여웠고, 우리는 그런 민들레를 사랑할 수밖에 없었다.

간단 체크 활동 문제

01 이 글에 대한 설명으로 적절하지 않은 것은?
① 반려동물을 주요 소재로 삼고 있다.
② 일정한 형식에 구애받지 않는 갈래이다.
③ 대상에 대한 설명을 목적으로 한 글이다.
④ 현재에서 과거를 회상하며 이야기가 전개된다.
⑤ 글쓴이가 초등학생 때 겪은 일을 회상하며 쓴 글이다.

02 (가)~(라)의 내용으로 알맞지 않은 것은?
① (가): 주인을 잃어버린 강아지를 발견하고 '민들레'를 떠올림.
② (나): '민들레'와의 인연이 시작됨.
③ (다): '민들레'를 마당에서 기르고 싶어 함.
④ (라): 병아리에게 '민들레'라는 이름을 지어 줌.
⑤ (라): '민들레'가 우리 가족의 사랑을 받음.

(마) 병아리는 아직 다 자라지 않은 어린 닭으로 닭의 새끼를 말한다. 병아리는 노랗고 부드러운 털을 가지고 있다. 병아리의 먹이에는 곡식류인 쌀이나, 좁쌀, 보리, 콩 등이 있는데, 부화한(동물의 알 속에서 새끼가 껍데기를 깨고 밖으로 나온) 지 얼마 안 된 병아리에게는 딱딱한 알곡(낟알로 된 곡식)을 그대로 주기보다는 잘게 부숴 주는 것이 좋다.

(바) 그러나 그런 기쁨도 잠시뿐이었다. 어느 날, 민들레는 어디가 아픈지 꼼짝도 않고 하루 종일 시름시름 앓았다. 우리 가족은 밤을 꼬박 새우며 민들레를 정성껏 보살폈다. 하지만 민들레는 일어날 낌새를 전혀 보였고, 결국 우리 곁을 떠났다. 나는 작별 인사도 제대로 하지 못하고 민들레를 떠나보냈다는 생각에 가슴이 막막했다. 그 후로 오랜 시간이 지났지만, 이렇게 안쓰러운 동물들을 볼 때면 어김없이 민들레가 떠오른다. 난 강아지를 어두운 길에 두고 올 수 없어서, 우리 집으로 데리고 들어갔다. 가족들은 깜짝 놀랐지만, 내게 감언이설을 듣고 강아지의 주인을 찾는 것도 도와주었다. 그리고 다음 날 **다행이** 강아지의 주인을 찾을 수 있었다. 강아지를 보내고 돌아오는 길이었다. 무심코 바닥을 보니, 길 **틈세**에 핀 민들레가 바람에 흔들리고 있었다. 마치 하늘나라에 있는 민들레가 내게 손을 흔들어 주는 것 같았다. 민들레와 함께한 시간은 짧았지만, 나와 민들레의 시간은 앞으로 계속될 것이다. 민들레와의 추억은 영원할 테니까.

---

1 글 수준에서 글을 고쳐 쓰는 방법을 알아보자.

(1) 글쓴이가 '병아리와의 추억'을 전하려는 목적으로 이 글을 썼다고 할 때, 글의 제목이 적절한지 말해 보자.

> 난 이 글의 제목인 「민들레」가 ((적절하다) / 적절하지 않다)고 생각해.
>
> 왜냐하면 답 읽는 이가 처음에 「민들레」라는 제목만 보고 식물인 민들레와 관련된 이야기인 줄 알았다가, 병아리와 관련된 이야기라는 것을 알게 되면 색다르게 느낄 것 같기 때문이야.
>
> 답 • '적절하지 않다'를 골랐을 경우: 난 이 글의 제목인 「민들레」가 적절하지 않다고 생각해. 왜냐하면 「민들레」라는 제목이 읽는 이의 흥미를 불러일으키는 것 같지 않기 때문이야.

• 글의 제목이 적절하지 않다면, 제목을 어떻게 고치면 좋을지 말해 보자.

답 글쓴이가 '민들레'와 함께한 시간이 길지는 않았지만, 그 추억을 오래도록 기억하겠다는 내용이니까, 나라면 역설 표현을 활용해서 「짧았던, 하지만 영원한 만남」이라고 지을 거야.

(2) (가)~(바) 중에서 주제와 맞지 않아 삭제해야 할 문단이 있는지 살펴보자. 있다면 그 까닭과 함께 말해 보자.

답 (마)를 삭제해야 한다. 왜냐하면 (마)를 제외한 다른 문단은 모두 병아리 '민들레'와의 □□을 이야기하고 있는데, (마)는 병아리의 특성을 설명하고 있기 때문이다.

간단 체크 활동 문제

03 이 글의 제목에 대해 나눈 의견으로 적절하지 않은 것은?

① 연우: '민들레'라는 제목을 처음 보고는 식물에 대한 이야기인 줄 알았어.
② 보희: 너도 그랬어? 그래서 난 제목을 주제와 더 밀접해 보이도록 고치면 좋을 것 같아.
③ 혜지: 나도 다른 제목으로 바꾸는 게 좋다고 생각해. '민들레'라는 제목은 읽는 이의 흥미를 불러일으키는 것 같지 않거든.
④ 현무: 나는 바꾸지 않는 게 좋다고 생각해. 오히려 제목과 다르게 병아리와 관련된 이야기여서 색다르게 느껴지던데.
⑤ 미준: 맞아. 나도 제목을 보고 식물 민들레와 병아리의 차이점을 알 수 있었기 때문에 이대로 두는 게 좋다고 생각해.

중요
04 다음은 이 글의 주제이다. (가)~(바) 중에서 주제와 어울리지 않는 문단의 기호를 쓰시오.

> 병아리 '민들레'에 대한 추억과 '민들레'에 대한 그리움

2 문단 수준에서 글을 고쳐 쓰는 방법을 알아보자.

(1) ㉮~㉳를 다시 배열하여 글의 흐름을 자연스럽게 고쳐 보자.

답

(2) ㉰에서 삭제해야 하는 문장을 찾고, 그 까닭을 말해 보자.

삭제해야 하는 문장	그 까닭
답 당시 나는 동생과 한방을 써서 조금 불편했다.	답 앞부분은 비가 오는 날이면 '민들레'를 방에 들였다는 내용인데, 이 문장은 동생과 방을 함께 써서 불편했다는 내용이어서 앞의 내용과 이어지지 않기 때문이다.

(3) 다음 교정 기호를 사용하여 ㉳를 두 문단으로 나누어 보고, 그 까닭을 말해 보자.

교정 기호	뜻	사용 예
⌐ (줄 내림 기호)	줄을 아래로 내려서 씀.	…… 우리는 모두 그 소식을 듣고 어떤 말도 할 수 없었다. 그런데 그 순간 교실 바깥에서 크게 웃는 소리가 들려왔다. ……

답 …… 나는 작별 인사도 제대로 하지 못하고 민들레를 떠나보냈다는 생각에 가슴이 막막했다. 그 후로 오랜 시간이 지났지만, 이렇게 안쓰러운 동물들을 볼 때면 어김없이 민들레가 떠오른다. ……

• 그 까닭: 답 '□ □□'를 기점으로 앞부분은 '민들레'와의 추억을 회상하는 장면이고, 뒷부분은 현재의 시간으로 돌아와 강아지를 발견한 뒤의 이야기를 들려주는 장면이기 때문이다.

3 문장 수준에서 글을 고쳐 쓰는 방법을 알아보자.

(1) 보기를 참고하여 다음 문장들이 어색한 까닭을 생각해 보고, 이들을 알맞게 고쳐 써 보자.

보기
• 한 할머니께서 병아리를 나누어 주는 걸 보았다.

어색한 까닭 높임 표현을 잘못 사용하였다.

고친 표현 한 할머니께서 병아리를 나누어 주시는 걸 보았다.

간단 체크 활동 문제

중요

05 (다)의 내용 중 어색한 부분에 해당하는 것끼리 묶은 것은?

• 사랑스러운 민들레는 우리 집 마당에서 지냈다. ……… ㄱ
• 그래서 비가 오는 날이면 마당에 혼자 있을 민들레가 걱정스러웠다. ……… ㄴ
• 나는 비가 오면 엄마 몰래 민들레를 방 안에 데리고 올 것이다. ……… ㄷ
• 엄마께 들킬지도 모른다는 생각에 가슴이 두근거렸다. ……… ㄹ
• 하지만 민들레와 함께하는 기쁨이 더 컸기에 엄마의 꾸중도 대수롭지 않았다. ……… ㅁ
• 당시 나는 동생과 한방을 써서 조금 불편했다. ……… ㅂ

① ㄱ, ㄷ ② ㄴ, ㄹ
③ ㄷ, ㅂ ④ ㄹ, ㅁ
⑤ ㄷ, ㄹ, ㅂ

06 다음 문장이 어색한 까닭으로 알맞은 것은?

아버지께서 가게에서 나와 동생에게 장난감을 사 주었다.

① 시제 표현이 적절하지 않다.
② 높임 표현을 잘못 사용하였다.
③ 맞춤법에 어긋나는 낱말을 사용하였다.
④ 문장의 길이가 길어서 이해하기 어렵다.
⑤ 부사어와 서술어가 적절하게 호응하지 않는다.

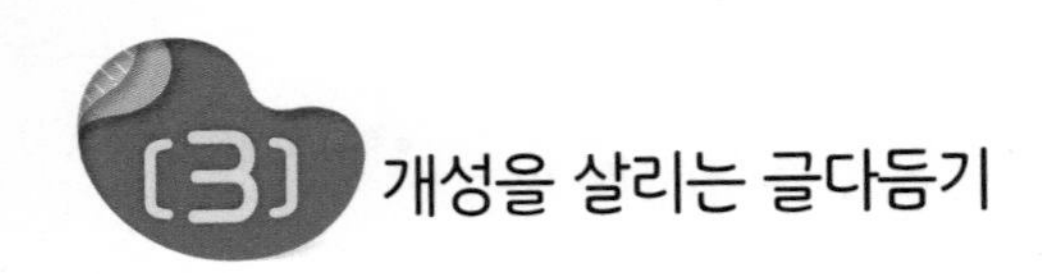

(3) 개성을 살리는 글다듬기

- 나는 비가 오면 엄마 몰래 민들레를 방 안에 데리고 올 것이다.

어색한 까닭 답 ☐☐의 일을 이야기하고 있는데, "데리고 올 것이다."와 같이 ☐☐의 일로 표현하였기 때문이다.

고친 표현 답 나는 비가 오면 엄마 몰래 민들레를 방 안에 데리고 왔다.

- 하지만 민들레는 일어날 낌새를 전혀 보였고, 결국 우리 곁을 떠났다.

어색한 까닭 답 '전혀'는 주로 ☐☐을 나타내는 말과 어울리는 부사어인데, '보였고'라는 말이 이어지기 때문이다.

고친 표현 답 하지만 민들레는 일어날 낌새를 전혀 ☐☐☐ ☐☐☐, 결국 우리 곁을 떠났다.

(2) ㉯에서 부적절한 이음말이 사용된 문장을 찾아 바르게 고쳐 써 보자.

답 그런데 난 그 앞에 쪼그리고 앉아 한참이나 병아리를 바라보았다. → ☐☐☐ 난 그 앞에 쪼그리고 앉아 한참이나 병아리를 바라보았다.

(3) ㉱의 다음 문장이 읽기 불편한 까닭을 생각해 보고, 이를 읽기 쉽게 고쳐 써 보자.

> 우리가 "민들레!" 하고 부르면 자기 이름을 알아듣고 우리 곁으로 다가왔고, 우리 곁을 맴돌면서 삐악삐악 노래도 부르고 귀여웠고, 우리는 그런 민들레를 사랑할 수밖에 없었다.

답 • 읽기 불편한 까닭: 문장이 너무 길어서 문장 전체의 뜻을 이해하며 읽기에 어렵다.
• 고친 표현: 우리가 "민들레!" 하고 부르면 민들레는 자기 이름을 알아듣고 우리 곁으로 다가왔다. 그러고는 우리 곁을 맴돌면서 삐악삐악 노래를 불렀다. 그런 민들레의 모습은 정말 귀엽고 사랑스러웠다.

4 낱말 수준에서 고쳐 쓰는 방법을 알아보자.

(1) 다음 낱말들이 적절하지 않은 까닭을 생각해 보고, 알맞은 낱말을 찾아 써 보자.

낱말	적절하지 않은 까닭		고쳐 쓴 낱말
기억	답 문장의 맥락상 '어떤 일을 하려고 마음을 먹음. 또는 그런 마음.'을 뜻하는 낱말을 써야 하는데, '기억'은 이전의 경험을 도로 생각해 내는 것을 뜻하므로 적절하지 않다.	➲	답 ☐☐
타이르기	'타이르다'는 '잘 깨닫도록 일의 이치를 밝혀 말해 주다.'라는 뜻으로, 어린아이인 글쓴이가 '엄마'에게 떼를 쓰는 상황과 어울리지 않는다.	➲	조르기
모질게	답 '모질다'는 '기세가 몹시 매섭고 사납다.'라는 뜻으로, '민들레'가 잘 자라길 바라는 글쓴이의 마음을 담아내지 못한다.	➲	답 굳세게, 튼튼하게

간단 체크 활동 문제

07 다음 문장 중 부사어의 쓰임이 적절하지 않은 것은?

① 이 라면은 전혀 새로운 맛이 납니다.
② 그는 부끄러워 차마 얼굴을 들 수가 없었다.
③ 그의 병세는 예전에 비해 별로 나아진 것이 없었다.
④ 네가 이 시험에 합격한 것은 결코 우연한 일이 아니다.
⑤ 바다에서 지진이 일어난 뒤에는 반드시 해일이 일어난다.

중요

08 다음 밑줄 친 부분 중 어색한 것을 찾아 바르게 고친 것은?

> 그 날은 가만히 있어도 땀이 날 정도로 무척 더웠다. 나는 빨리 집에 들어가 씻고 싶다는 기억뿐이었다. 나는 걸음을 재촉하여 집 근처에 도착했다.

① 가만히 → 얌전히
② 무척 → 절대로
③ 기억 → 생각
④ 재촉하여 → 독촉하여
⑤ 도착했다 → 도달했다

막막했다	답 '막막하다'는 '의지할 데 없이 외롭고 답답하다.'라는 뜻으로, '민들레'를 떠나보낸 글쓴이의 마음을 담아내지 못한다.	➡	답 먹먹했다
감언이설	답 '감언이설'은 '귀가 솔깃하도록 남의 비위를 맞추거나 이로운 조건을 내세워 꾀는 말.'이라는 뜻으로, 맥락상 적절하지 않다.	➡	답 □□□□ ('처음부터 끝까지의 과정'이라는 뜻)

(2) 다음 낱말들을 맞춤법에 맞게 고쳐 써 보자.

모른체하고	모른 체하고	덥여	답 덮여
다행이	답 다행히	틈세	답 □□

5 보기를 참고하여, 1~4에서 활용한 고쳐쓰기 방법을 말해 보자.

보기

글을 쓰는 것은 어떤 의미에서 계속해서 고쳐 쓰는 활동이라 할 수 있다. 그만큼 글을 잘 쓰기 위해서는 글을 적절히 수정할 수 있는 능력이 필요하다. 고쳐쓰기는 크게 추가, 삭제, 대치, 재구성 활동으로 이루어진다. 추가는 내용을 덧붙이는 것이고, 삭제는 특정한 내용을 빼는 활동이다. 그리고 대치는 그 위치에서 다른 내용으로 바꾸는 경우이고, 재구성은 앞뒤 순서를 바꾸거나 몇 부분을 하나로 줄이거나 늘이면서 내용을 조정하는 활동을 말한다.

– 이재승, 『글쓰기 교육의 원리와 방법』

답 주제에 맞지 않는 문단은 삭제함. / 문단 순서를 재구성함. / 어색한 낱말을 다른 낱말로 대치함. 등

학습콕

❶ 고쳐쓰기의 개념 및 수준과 방법

개념	글의 잘못된 부분을 바로잡아서 다시 쓰는 일로, 글의 □□나 글을 쓴 □□에 맞게 다듬어서 읽는 이가 이해하기 쉽게 개선하는 것
수준과 방법	• 문맥에 어울리지 않는 낱말 고쳐 쓰기 • 표현 효과를 고려하여 문장 고쳐 쓰기 • 문장이 자연스럽게 이어지지 못한 부분 고쳐 쓰기 • 주제에서 벗어난 내용 고쳐 쓰기 • 글 전체 수준에서 고쳐 쓰기

→ 고쳐쓰기에는 □□, 문장, 문단, □의 수준에 해당하는 범위가 있음.

❷ 고쳐쓰기의 일반 원리

- □□: 새로운 내용을 덧붙이는 것
- 삭제: 불필요한 내용을 빼는 것
- 대치: 그 위치에서 다른 내용으로 바꾸는 것
- 재구성: 앞뒤 순서를 바꾸거나 몇 부분을 하나로 줄이거나 늘이면서 내용을 조정하는 것

간단 체크 활동 문제

09 다음 빈칸에 들어갈 한자성어로 알맞은 것은?

> 학교에서 집으로 돌아오는 길에 주인을 잃어버린 강아지를 발견했다. 나는 애처로운 느낌이 들어 그 강아지를 데리고 집으로 들어갔다. 가족들은 깜짝 놀랐지만, 내가 강아지를 발견하고 집으로 데리고 오기까지의 (　　　)을/를 듣고는 강아지의 주인을 찾는 것을 도와주었다.

① 갑론을박(甲論乙駁)
② 불문곡직(不問曲直)
③ 왈가왈부(曰可曰否)
④ 자력갱생(自力更生)
⑤ 자초지종(自初至終)

10 다음에서 설명하는 고쳐쓰기의 일반 원리에 해당하는 것은?

> • 앞뒤 순서를 바꾸면서 내용을 조정하는 것
> • 몇 부분을 하나로 줄이거나 늘이면서 내용을 조정하는 것

① 추가
② 삭제
③ 대치
④ 이동
⑤ 재구성

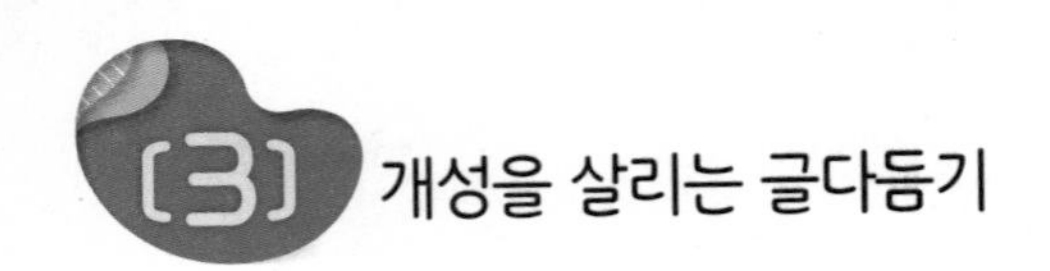

(3) 개성을 살리는 글다듬기

적용
❶ 자신의 경험을 담아 글 쓰기
❷ 고쳐쓰기의 일반 원리에 따라 자신이 쓴 글 점검하기
❸ 고쳐 쓰기 계획에 따라 자신이 쓴 글 고쳐쓰기

자신의 경험을 담아 한 편의 글을 써 보고, 고쳐쓰기의 일반 원리를 활용하여 고쳐 써 보자.

1 자신의 경험을 담아 한 편의 글을 써 보자.

(1) 다음을 참고하여 글감을 떠올려 보고, 그와 관련된 경험을 말해 보자.

요즘 내 관심사 / 행복했던 순간 / 기억에 남는 사람 / 깨달음을 준 사건

예시 답〉〉 요즘 내 관심사는 소비자의 권리이다. 해외에 사는 어린 사촌 동생이 오랜만에 놀러 와서 내 용돈으로 과자를 사 주었는데, 가격은 비싼데 양이 너무 적어서 화가 났던 경험이 생각난다.

(2) 앞에서 떠올린 경험을 정리하여 아래의 빈칸에 써 보자.

예시 답〉〉

해외에 사는 어린 사촌 동생이 오랜만에 놀러 옴.

사촌 동생에게 과자를 사 주려고 가게에 감.

과자의 □□이 생각보다 비싼데도, 양이 적어 실망함.

과대 포장과 관련된 기사를 읽음.

(3) (2)를 바탕으로 글의 주제와 글을 쓰는 목적을 정해 보자.

나는 부모님과 경주에 갔던 경험을 주제로 글을 쓸 거야. 친구들에게 내가 다녀온 여행지를 소개해 주고 싶어.

예시 답〉〉 난 □□를 샀다가 실망했던 경험을 바탕으로, 상품을 과대 포장하여 판매하는 것을 비판하는 글을 쓸 거야.

(4) 앞에서 떠올린 내용을 바탕으로 자신이 쓸 글의 개요를 작성해 보자.

예시 답〉〉

제목	과자 양이 적어 실망한 일
처음	• 오랜만에 사촌 동생을 만난 일 – 지난 설에 오랜만에 우리 집에 사촌 동생 서정이가 놀러 옴. – 서정이에게 주려고 서정이가 좋아하는 과자를 사 놓기로 함.

간단 체크 활동 문제

11 자신의 경험을 글로 쓰기 위한 과정으로 알맞지 않은 것은?

① 자신의 경험 떠올리고 정리하기
↓
② 자료를 활용하여 글의 내용 뒷받침하기
↓
③ 글의 개요 작성하기
↓
④ 개요를 바탕으로 글 쓰기
↓
⑤ 쓴 글을 읽어 보며 고쳐쓰기

12 자신의 경험을 바탕으로 글을 쓰고자 할 때, 글감으로 적절하지 않은 것은?

① 기억에 남는 여행지
② 내가 좋아하는 음악
③ 미래의 먹거리 전망
④ 요즘의 새로운 관심사
⑤ 나에게 깨달음을 준 사건

가운데	• 용돈이 부족해 과자를 신중하게 고른 일 – 과자의 값이 너무 비싸 놀랐고, 사촌 동생이 좋아하는 과자를 많이 사 주지 못해 미안함. – 용돈에 맞게 과자를 신중하게 고름. • 포장지를 뜯어 보니 과자 양이 너무 적어 실망했던 일 – 즐거운 마음으로 과자 포장지를 뜯고 접시에 덜었는데, 생각보다 양이 너무 적어서 실망함. – 양이 적어도 과자를 맛있게 먹는 사촌 동생을 보며 다행이라고 생각함. – 화가 나서 인터넷에서 '과대 포장된 과자'와 관련한 글을 검색해 봄. – 과자가 손상되지 않도록 질소를 채워 넣는다는 글을 읽었지만, 소비자의 마음을 헤아리지 못한 것 같다고 생각함.
끝	• 기사문을 읽고 허탈했던 심정 – – 과자 회사는 과자의 손상을 막기 위해서라는 핑계를 대면서 소비자를 속이는 것 같다고 생각함. – 과자 회사의 누리집에 항의하는 글을 올리기로 결심함.

(5) (4)에서 작성한 개요를 바탕으로 한 편의 글을 써 보자.

제목: **예시 답**〉〉 과자 양이 적어 실망한 일

지난 설 때였다. 명절을 맞이하여 온 친척이 오랜만에 우리 집에 모이기로 하였다. 해외에 있는 사촌 동생 서정이도 말이다. 나는 오랫동안 보지 못했던 서정이를 볼 수 있다는 생각에 마음이 들떴다. 그날 아침부터 부모님께서는 음식을 장만하고, 집안을 청소하느라 매우 분주하셨다. 나 역시 부모님을 도와 내 방이며 집안을 정리하느라 정신이 없었지만, 서둘러야만 했다. 나는 서정이가 오기 전에 서정이가 좋아하는 과자를 사 놓을 생각이었다. 그래서 서둘러 집안일을 마치고, 곧장 가게로 향했다.

가게에는 각양각색의 과자들이 진열되어 있었다. 나는 과자를 보고 무척 좋아할 서정이의 얼굴을 떠올리며 과자를 골랐다. 그런데 이게 뭔가. 평소 엄마께서 사 주시는 과자만 먹어서 몰랐는데, 직접 사러 와 보니, 과자의 가격이 생각했던 것보다 훨씬 비쌌다. 지갑을 열어 확인해 보니, 서정이가 좋아하는 과자를 다 사기에는 돈이 턱없이 부족했다. 모처럼 만나는 건데 서정이에게 맛있는 과자를 마음껏 사 주지 못하는 것이 무척 아쉬웠다. 하지만 가진 돈이 얼마 없는 걸 어쩌겠는가. 나는 하는 수 없이 가지고 있는 돈에 맞추어 과자를 신중하게 골랐다. 과자를 고르는 내내, 과자가 적어서 서정이가 실망하면 어쩌나 걱정했다.

나는 집에 돌아와서 예쁜 접시에 과자를 담기 시작했다. 어? 나는 고개를 갸우뚱할 수밖에 없었다. 과자를 세 봉지나 뜯었는데, 그 내용물이 접시 하나도 가득 채우지 못한 것이다. 가격은 비싼데 봉지 안에 들어 있는 내용물이 터무니없이 적으니 정말 화가 났다. 단 음식을 많이 먹으면 건강에 해로우니 소비자가 먹는 양을 조절해 주려고 배려한 것인가 싶었다. 과자 회사가 어찌나 고맙던지. 다행히 서정이는 적은 양에도 투정을 부리지 않고, 과자를 맛있게 먹었다. 조그만 입안에 과자를 꾸역꾸역 집어넣어서 양쪽 볼이 한없이 빵빵했다. 서정이는 통통한 볼이 부풀어서 입안 가득 도토리를 채워 넣은 다람쥐처럼 귀여웠다. 하지만 서정이가 과자를 먹는 모습을 보고 있어도 분노와 의문은 사라지지 않았다. 나는 정말 궁금했다. 과자의 양이 왜 이렇게 적은 지가 말이다. 우리 집에 오느라 피곤했는지, 아니면 과자를 먹고 배가 불렀는지 서정이는 텔레비전을 보다가 이내 잠들었다. 난 내 방으로 들어가 컴퓨터를 켰다. 그리고 인터넷에서 '과자 포장'을 검색해 보니 과대 포장과 관련하여 불만을 드러낸 블로그 글이나 그 문제에 대한 기사가 많았다. 글들은 하나같이 과대 포장의 문제점을 지적하는 내용을 담고 있었다. 과자가 손상되지 않도록 봉지 안에 질소를 채워 넣은 것이라고는 하지만, 터무니없이 양이 적은 과자를 비싸게 사야 하는 소비자의 마음을 헤아리지 못했다는 생각이 들었다.

간단 체크 활동 문제

13 자신의 경험을 글로 쓰기 위해 개요를 작성할 때, 유의할 점으로 알맞지 않은 것은?

① 글의 주제와 글을 쓰는 목적을 고려한다.
② 시간적·공간적 순서에 따라 내용을 조직한다.
③ 내용을 앞뒤의 논리적 관계에 따라 자연스럽게 조직한다.
④ 글에 담을 내용을 '처음 – 가운데 – 끝' 부분으로 나누어 본다.
⑤ 고쳐쓰기는 글을 다 쓴 뒤에 하는 것이므로 먼저 글을 끝까지 쓰도록 한다.

14 다음은 자신의 경험을 글로 쓰기 위해 작성한 개요이다. 빈칸에 들어갈 제목으로 적절한 것은?

제목	( )
처음	오랜만에 사촌 동생을 만나 과자를 사 주기로 함.
가운데	• 용돈이 부족해 과자를 신중하게 고름. • 포장지 속의 과자 양이 적어 실망함.
끝	과자 회사의 누리집에 항의 글을 올리기로 결심함.

① 즐거운 간식 시간과 과자
② 사촌 동생과 과자로 나눈 정
③ 소비자를 배려하는 고마운 과자 회사
④ 고래 같은 봉지 속의 쥐꼬리 같은 과자
⑤ 신중하게 고른 과자, 사라지는 것은 순식간

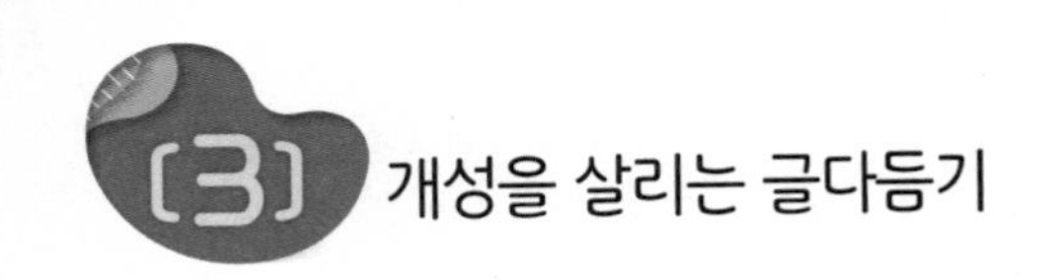

개성을 살리는 글다듬기

나는 블로그 글과 기사를 읽으면서, 참 씁쓸했다. 과자가 손상되면 손상된 대로 과자의 양이 적으면 적은 대로 소비자의 기분이 상할 테니, 과자 회사는 난처할지도 모르겠다. 하지만 그렇다 하더라도, 내용물이 그 값어치만큼은 들어 있어야 소비자가 과자 회사의 입장을 이해할 수 있지 않을까? 과자의 손상을 막는다는 것은 어쩌면 이익을 높이려는 과자 회사의 핑계일지도 모르겠다는 생각이 들었다. 그래서 난 과자 회사의 누리집에 이와 관련하여 항의하는 글을 올려야겠다고 결심했다. 내 항의에 귀를 기울일지는 모르겠지만, '공기 반, 과자 반'에 불만이 있는 소비자가 있다는 사실을 알려 주고 싶다. 그러나 나처럼 생각하는 사람들이 하나둘 불만을 드러낼 때, 과자 회사도 생각을 바꿀 것이라 믿기 때문이다.

2 자신이 쓴 글을 다시 한번 읽어 보면서, 고쳐 써야 할 부분이 있는지 살펴보자.

예시 답 〉〉

점검 수준	점검한 내용	점검 결과 (○ / ×)
글	글의 주제가 잘 드러나는가?	○
	글의 제목이 적절한가?	×
	글의 흐름이 자연스러운가?	×
	보충해야 할 내용이나 삭제해야 할 내용이 있는가?	○
문단	문단과 문단, 문장과 문장의 연결이 자연스러운가?	○
	문단의 중심 생각이 잘 드러나는가?	×
	문단의 길이가 적절한가?	×
문장	문장의 길이는 적절한가?	○
	문장에 쓰인 낱말들 사이의 호응이 자연스러운가?	×
	우리말 어법에 맞게 표현하였는가?	○
낱말	문맥에 적절한 낱말을 사용하였는가?	○
	맞춤법에 맞게 표현하였는가?	×

3 2에서 점검한 내용에 따라 자신의 글을 어떻게 고쳐 쓸지 계획해 보자.

예시 답 〉〉

수준	고쳐쓰기 계획
글	• 「과자 양이 적어 실망한 일」이라는 제목은 읽는 이의 □□를 불러일으키기에 부족하다. 그래서 좀 더 재미있고 흥미로운 제목으로 바꿀 것이다. • 첫 번째 문단에서 부모님을 도와 집안일을 한 내용은 이 글의 주제와 크게 관련이 없으므로, 지금보다 더 간략하게 줄일 것이다. • 세 번째 문단에서 과자를 먹는 서정이의 귀여운 모습을 묘사한 부분은 글의 자연스러운 흐름에 방해가 되므로, 삭제할 것이다.
문단	• 세 번째 문단은 너무 길고, 두 개의 □□ 내용이 담겨 있다. 그래서 중심 화제가 바뀌는 '서정이가 과자 먹는 부분'을 기준으로 하여 두 문단으로 나눌 것이다.
문장	• 네 번째 문단의 마지막 문장에서 '그러나'는 문맥에 맞지 않는 접속어이므로, 다른 접속어로 바꾸거나 삭제할 것이다.
낱말	• 세 번째 문단의 "과자의 양이 왜 이렇게 적은 지가 말이다."라는 문장에서 '적은 지'의 □□□□가 적절하지 않으므로, '적은지'로 고칠 것이다.

간단 체크 활동 문제

15 '고쳐쓰기'에 대한 설명으로 알맞지 않은 것은?

① 읽는 이가 이해하기 쉽게 글을 개선하는 것이다.
② 글의 주제나 글을 쓴 목적에 맞게 다듬는 것이다.
③ 글의 잘못된 부분을 바로잡아서 다시 쓰는 일이다.
④ 글, 문단, 문장, 낱말 수준으로 내용을 점검하며 고쳐 쓴다.
⑤ 고쳐쓰기가 끝나기 전에는 글을 다른 사람에게 보여 주지 않는 것이 좋다.

16 다음은 '고쳐쓰기'의 어느 수준에 해당하는 내용인지 쓰시오.

> • 제목이 읽는 이의 흥미를 불러일으키기에 부족하여 좀 더 재미있고 흥미로운 제목으로 바꾼다.
> • '처음' 부분의 일부 내용은 글의 주제와 관련이 없으므로, 지금보다 내용을 줄이거나 삭제한다.

• 정답과 해설 16쪽

4 3에서 계획한 내용에 따라 자신의 글을 고쳐 써 보자.

제목: 예시 답 ›› 공기 반, 과자 반

지난 설 때였다. 명절을 맞이하여 온 친척이 오랜만에 우리 집에 모이기로 하였다. 해외에 있는 사촌 동생 서정이도 말이다. 나는 오랫동안 보지 못했던 서정이를 볼 수 있다는 생각에 마음이 들떴다. 나는 서정이가 오기 전에 서정이가 좋아하는 과자를 사 놓을 생각이었다. 그래서 서둘러 집안일을 마치고, 곧장 가게로 향했다.

가게에는 각양각색의 과자들이 진열되어 있었다. 나는 과자를 보고 무척 좋아할 서정이의 얼굴을 떠올리며 과자를 골랐다. 그런데 이게 뭔가. 평소 엄마께서 사 주시는 과자만 먹어서 몰랐는데, 직접 사러 와 보니 과자의 가격이 생각했던 것보다 훨씬 비쌌다. 지갑을 열어 확인해 보니, 서정이가 좋아하는 과자를 다 사기에는 돈이 턱없이 부족했다. 모처럼 만나는 건데 서정이에게 맛있는 과자를 마음껏 사 주지 못하는 것이 무척 아쉬웠다. 하지만 가진 돈이 얼마 없는 걸 어쩌겠는가. 나는 하는 수 없이 가지고 있는 돈에 맞추어 과자를 신중하게 골랐다. 과자를 고르는 내내, 과자가 적어서 서정이가 실망하면 어쩌나 걱정했다.

나는 집에 돌아와서 예쁜 접시에 과자를 담기 시작했다. 어? 나는 고개를 갸우뚱할 수밖에 없었다. 과자를 세 봉지나 뜯었는데 그 내용물이 접시 하나도 가득 채우지 못한 것이다. 가격은 비싼데 봉지 안에 들어 있는 내용물이 터무니없이 적으니 정말 화가 났다. 단 음식을 많이 먹으면 건강에 해로우니 소비자가 먹는 양을 조절해 주려고 배려한 것인가 싶었다. 과자 회사가 어찌나 고맙던지.

다행히 서정이는 적은 양에도 투정을 부리지 않고 과자를 맛있게 먹었다. 하지만 서정이가 과자를 먹는 모습을 보고 있어도 분노와 의문은 사라지지 않았다. 나는 정말 궁금했다. 과자의 양이 왜 이렇게 적은지가 말이다. 우리 집에 오느라 피곤했는지, 아니면 과자를 먹고 배가 불렀는지 서정이는 텔레비전을 보다가 이내 잠들었다. 난 내 방으로 들어가 컴퓨터를 켰다. 그리고 인터넷에서 '과자 포장'을 검색해 보니 과대 포장과 관련하여 불만을 드러낸 블로그 글이나 그 문제에 대한 기사가 많았다. 글들은 하나같이 과대 포장의 문제점을 지적하는 내용을 담고 있었다. 과자가 손상되지 않도록 봉지 안에 질소를 채워 넣은 것이라고는 하지만, 터무니없이 양이 적은 과자를 비싸게 사야 하는 소비자의 마음을 헤아리지 못했다는 생각이 들었다.

나는 블로그 글과 기사를 읽으면서, 참 씁쓸했다. 과자가 손상되면 손상된 대로 과자의 양이 적으면 적은 대로 소비자의 기분이 상할 테니, 과자 회사는 난처할지도 모르겠다. 하지만 그렇다 하더라도, 내용물이 그 값어치만큼은 들어 있어야 소비자가 과자 회사의 입장을 이해할 수 있지 않을까? 과자의 손상을 막는다는 것은 어쩌면 이익을 높이려는 과자 회사의 핑계일지도 모르겠다는 생각이 들었다. 그래서 난 과자 회사의 누리집에 이와 관련하여 항의하는 글을 올려야겠다고 결심했다. 내 항의에 귀를 기울일지는 모르겠지만, '공기 반, 과자 반'에 불만이 있는 소비자가 있다는 사실을 알려 주고 싶다. 나처럼 생각하는 사람들이 하나둘 불만을 드러낼 때, 과자 회사도 생각을 바꿀 것이라 믿기 때문이다.

간단 체크 활동 문제

중요

17 다음과 같이 밑줄 친 부분을 고쳐 쓴 이유로 알맞은 것은?

> 나는 정말 궁금했다. 과자의 양이 왜 이렇게 <u>적은 지가</u> 말이다.

⬇

> 나는 정말 궁금했다. 과자의 양이 왜 이렇게 <u>적은지가</u> 말이다.

① 맞춤법에 맞지 않기 때문이다.
② 문맥에 적절한 낱말이 아니기 때문이다.
③ 문단의 중심 생각이 잘 드러나지 않기 때문이다.
④ 문장의 길이가 너무 길어 이해하기 힘들기 때문이다.
⑤ 문장에 쓰인 낱말의 호응이 자연스럽지 않기 때문이다.

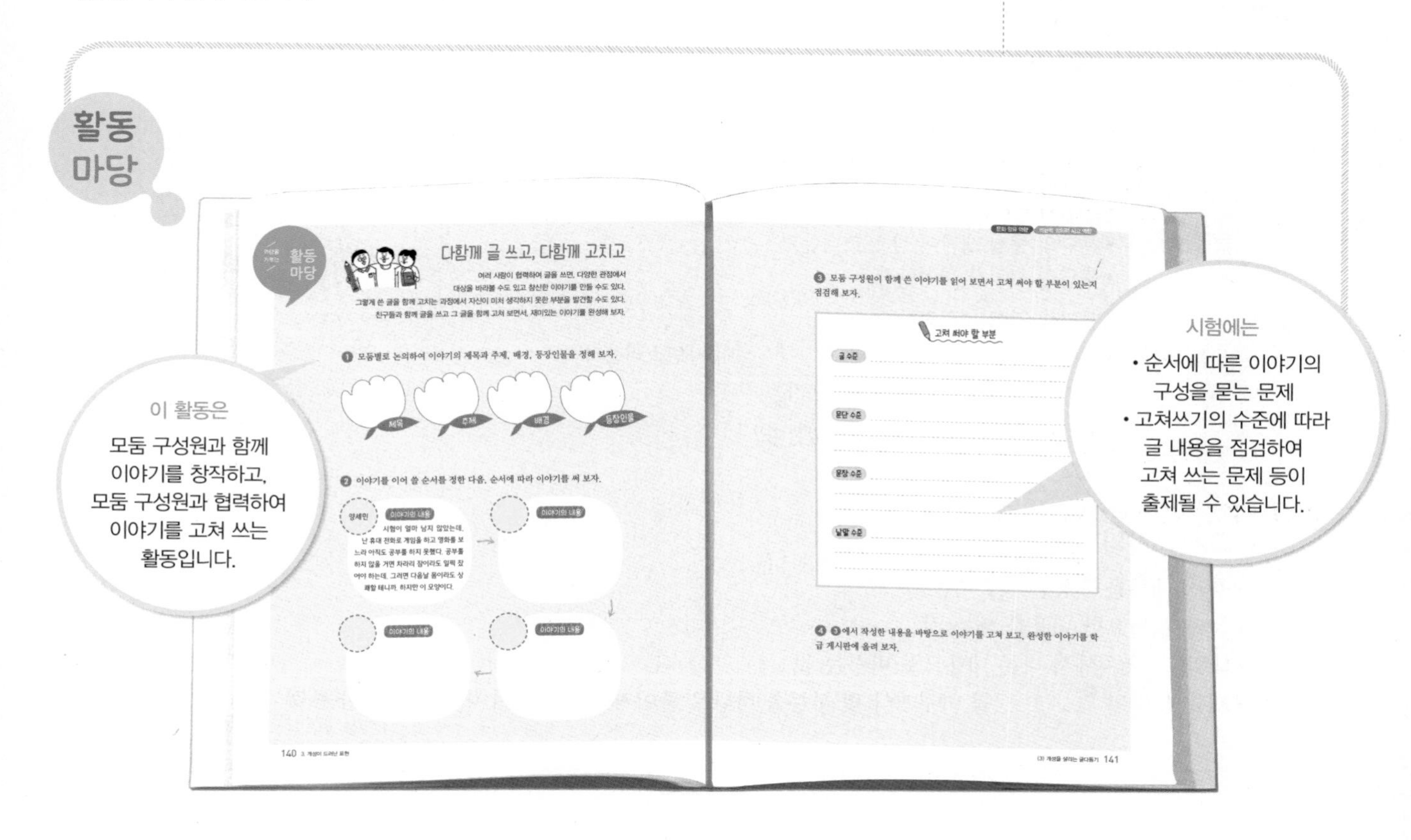

• 정답과 해설 17쪽

갈래	수필	성격	회고적, 경험적
제재	병아리 '민들레'	주제	병아리 '민들레'와의 추억과 '민들레'에 대한 그리움

「민들레」의 짜임

처음	골목길에서 주인을 잃은 강아지를 보고 '민들레'를 떠올림.
가운데	초등학교 2학년 때 우리 가족과 짧은 시간을 함께 보내고 죽은 '민들레'
끝	강아지를 주인에게 보내고 '민들레'와의 추억을 오래도록 간직할 것임을 다짐하는 '나'

「민들레」를 고쳐 쓰며 사용한 고쳐쓰기의 방법

글 수준	• 글의 ❶ ☐☐ 수정하기 • 주제와 맞지 않는 문단 삭제하기	문장 수준	• 높임 표현, 시제 표현 수정하기 • ❷ ☐☐☐와 서술어 호응 맞추기 • 적절한 이음말(접속어)로 바꾸기 • 의미가 명확한 문장으로 수정하기
문단 수준	• 문단 재배치하기 • 불필요한 문장 삭제하기 • 문단 구분하여 나누기	낱말 수준	• 적절하지 않은 낱말 수정하기 • ❸ ☐☐☐에 맞게 고치기

고쳐쓰기의 개념

글의 잘못된 부분을 바로잡아서 다시 쓰는 일로, 글의 주제와 글의 목적에 맞게 다듬어서 ❹ ☐☐ ☐가 이해하기 쉽게 개선하는 것을 말한다.

고쳐쓰기의 범위

글 수준	• 글의 ❺ ☐☐가 잘 드러나는가? • 글의 제목이 적절한가? • 글의 흐름이 자연스러운가? • 보충해야 할 내용이나 삭제해야 할 내용이 있는가?
문단 수준	• 문단과 문단, 문장과 문장의 ❻ ☐☐이 자연스러운가? • 문단의 중심 생각이 잘 드러나는가? • 문단의 길이가 적절한가?
문장 수준	• 문장의 길이는 적절한가? • 문장에 쓰인 낱말들 사이의 ❼ ☐☐이 자연스러운가? • 우리말 어법에 맞게 표현하였는가?
낱말 수준	• 문맥에 적절한 낱말을 사용하였는가? • 맞춤법에 맞게 표현하였는가?

고쳐쓰기의 일반 원리

- 추가: 새로운 내용을 덧붙이는 것
- 삭제: 불필요한 내용을 빼는 것
- 대치: 그 위치에서 다른 내용으로 바꾸는 것
- 재구성: 앞뒤 ❽ ☐☐를 바꾸거나 몇 부분을 하나로 줄이거나 늘이면서 내용을 조정하는 것

시험에 나오는 소단원 문제

• 정답과 해설 17쪽

01~04 다음 글을 읽고, 물음에 답하시오.

(가) 초등학교 2학년 때, 어느 봄날이었다. 한 할머니께서 병아리를 나누어 주시는 걸 보았다. 노란 털로 덮여 있는 병아리는 정말 매력적이었다. 그래서 난 그 앞에 쪼그리고 앉아 한참이나 병아리를 바라보았다. 나는 병아리를 키우게 해 달라고 엄마께 조르기 시작했다. 처음에는 반대하셨던 엄마도 결국은 허락해 주셨다. 그렇게 나와 민들레의 인연이 시작되었다.

(나) 사랑스러운 민들레는 우리 집 마당에서 지냈다. 그래서 비가 오는 날이면 마당에 혼자 있을 민들레가 걱정스러웠다. 나는 비가 오면 엄마 몰래 민들레를 방 안에 데리고 왔다. 엄마께 들킬지도 모른다는 생각에 가슴이 두근거렸다. 하지만 민들레와 함께하는 기쁨이 더 컸기에 엄마의 꾸중도 대수롭지 않았다. 당시 나는 동생과 한방을 써서 조금 불편했다.

(다) 병아리를 집으로 데려온 날, 우리 가족은 병아리에게 민들레라는 이름을 지어 주었다. 병아리가 민들레처럼 모질게 어느 곳에서나 잘 자라길 바라면서 말이다. 민들레는 우리를 참 잘 따랐다. 우리가 "민들레!" 하고 부르면 민들레는 자기 이름을 알아듣고 우리 곁으로 다가왔다. 그러고는 우리 곁을 맴돌면서 삐악삐악 노래를 불렀다. 그런 민들레의 모습은 정말 귀엽고 사랑스러웠다.

(라) 그러나 그런 기쁨도 잠시뿐이었다. 어느 날, 민들레는 어디가 아픈지 꼼짝도 않고 하루 종일 시름시름 앓았다. 우리 가족은 밤을 꼬박 새우며 민들레를 정성껏 보살폈다. 하지만 ㉠<u>민들레는 일어날 낌새를 전혀 보였고, 결국 우리 곁을 떠났다.</u> 나는 작별 인사도 제대로 하지 못하고 민들레를 떠나보냈다는 생각에 가슴이 먹먹했다.

학습 활동 응용

01 이 글을 내용의 흐름에 따라 바르게 재배열한 것은?

① (가) – (다) – (나) – (라)
② (가) – (다) – (라) – (나)
③ (나) – (다) – (가) – (라)
④ (다) – (나) – (가) – (라)
⑤ (라) – (가) – (다) – (나)

서술형 학습 활동 응용

02 글의 맥락을 고려할 때, (나)에서 삭제해야 하는 문장을 찾아 쓰시오.

학습 활동 응용

03 (다)에서 잘못 사용된 단어를 찾아 바르게 고친 것은?

① 데려온 → 데려 온
② 지어 주었다. → 지어주었다.
③ 모질게 → 튼튼하게
④ 바라면서 → 바래면서
⑤ 삐악삐악 → 삐약삐약

학습 활동 응용

04 ㉠이 어색한 이유를 바르게 설명한 것은?

① 문장이 너무 길어서 문장 전체의 뜻을 이해하기 어렵기 때문이다.
② 미래의 일을 이야기하고 있는데, 과거의 일로 표현하였기 때문이다.
③ 대상을 높여서 표현해야 하는데, 높임 표현을 사용하지 않았기 때문이다.
④ 글의 내용과 어울리지 않는 단어를 사용하여, 자연스러운 흐름을 방해했기 때문이다.
⑤ 부정하는 뜻을 나타내는 말과 함께 쓰이는 부사어와, 서술어가 적절하게 호응하지 않았기 때문이다.

05 다음 빈칸에 들어갈 말로 알맞은 것은?

> 글의 잘못된 부분을 바로잡아서 다시 쓰는 일을 (   )라고 한다. 이것은 자신이 쓴 글을 주제나 글을 쓴 목적에 맞게 다듬는 것을 말한다.

① 고쳐쓰기
② 평가하기
③ 글감 정하기
④ 개요 작성하기
⑤ 글의 주제와 글을 쓰는 목적 정하기

어휘력 키우기

교과서 142~143쪽

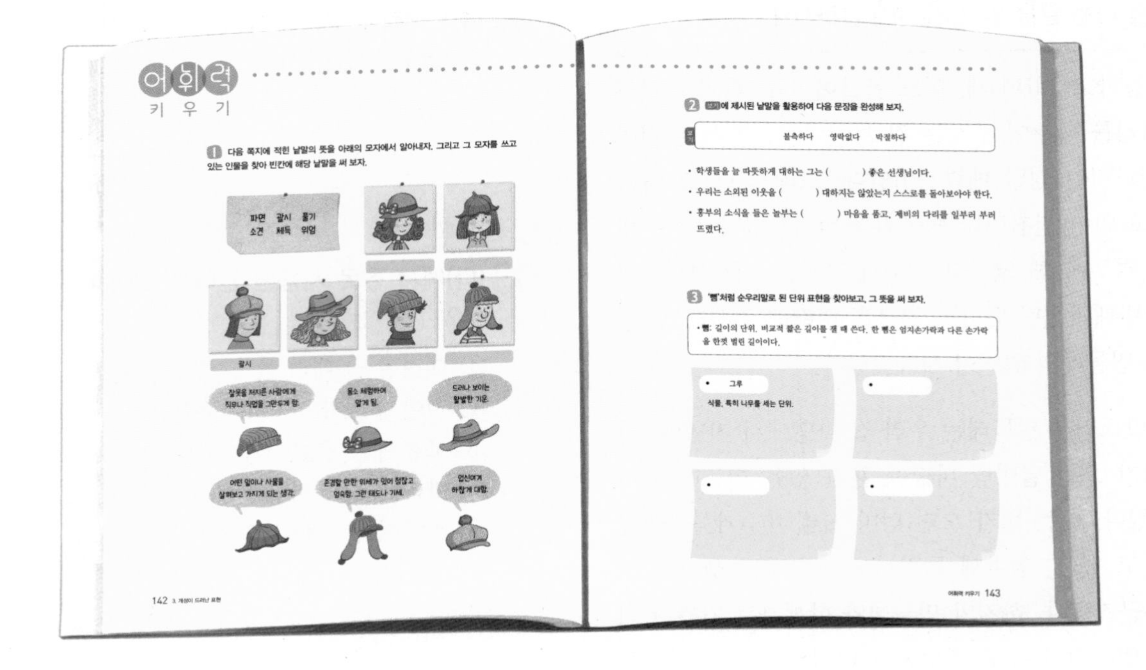
어휘력 키우기

1 다음 쪽지에 적힌 낱말의 뜻을 아래의 모자에서 알아내자. 그리고 그 모자를 쓰고 있는 인물을 찾아 빈칸에 해당 낱말을 써 보자.

파면 괄시 풀기
소견 체득 위엄

괄시

잘못을 저지른 사람에게 직무나 직업을 그만두게 함.

몸소 체험하여 알게 됨.

드러나 보이는 활발한 기운.

어떤 일이나 사물을 살펴보고 가지게 되는 생각.

존경할 만한 위세가 있어 점잖고 엄숙함. 그런 태도나 기세.

업신여겨 하찮게 대함.

142 3. 개성이 드러난 표현

2 보기에 제시된 낱말을 활용하여 다음 문장을 완성해 보자.

보기: 불측하다 영락없다 박절하다

• 학생들을 늘 따뜻하게 대하는 그는 (   ) 좋은 선생님이다.
• 우리는 소외된 이웃을 (   ) 대하지는 않았는지 스스로를 돌아보아야 한다.
• 흥부의 소식을 들은 놀부는 (   ) 마음을 품고, 제비의 다리를 일부러 부러뜨렸다.

3 '뼘'처럼 순우리말로 된 단위 표현을 찾아보고, 그 뜻을 써 보자.

• 뼘: 길이의 단위. 비교적 짧은 길이를 잴 때 쓴다. 한 뼘은 엄지손가락과 다른 손가락을 한껏 벌린 길이이다.

• 그루
식물, 특히 나무를 세는 단위.

•

•

•

어휘력 키우기 143

1.

- 잘못을 저지른 사람에게 직무나 직업을 그만두게 함. → 파면
- 몸소 체험하여 알게 됨. → 체득
- 드러나 보이는 활발한 기운. → 풀기
- 어떤 일이나 사물을 살펴보고 가지게 되는 생각. → 소견
- 존경할 만한 위세가 있어 점잖고 엄숙함. 또는 그런 태도나 기세. → 위엄
- 업신여겨 하찮게 대함. → 괄시

2.

- 학생들을 늘 따뜻하게 대하는 그는 (영락없이) 좋은 선생님이다.
- 우리는 소외된 이웃을 (박절하게) 대하지는 않았는지 스스로를 돌아보아야 한다.
- 흥부의 소식을 들은 놀부는 (불측한) 마음을 품고, 제비의 다리를 일부러 부러뜨렸다.

3.

- 그루: 식물, 특히 나무를 세는 단위.
- 벌: 옷을 세는 단위.
- 움큼: 손으로 한 줌 움켜쥘 만한 분량을 세는 단위.
- 아름: 두 팔을 둥글게 모아 만든 둘레 안에 들 만한 분량을 세는 단위.
- 다발: 꽃, 푸성귀, 돈 따위의 묶음을 세는 단위.
- 땀: 실을 꿴 바늘로 한 번 뜬 자국을 세는 단위.

확인 문제

01 밑줄 친 낱말의 사용이 바르지 않은 것은?

① 그의 형제들은 영락없이 닮았다.
② 아이가 가게에서 사탕을 한 다발 집어 들었다.
③ 안건에 대하여 각자의 소견을 말씀해 주십시오.
④ 돈 좀 있다고 사람을 이렇게 괄시해도 되는 겁니까?
⑤ 그의 거절하는 목소리가 박절하여 듣기에 거북하였다.

• 정답과 해설 18쪽

01~05 다음 시를 읽고, 물음에 답하시오.

(가) 먼 훗날 당신이 찾으시면
그때에 내 말이 '㉠잊었노라'

당신이 속으로 나무라면
'무척 그리다가 잊었노라'

그래도 당신이 나무라면
'믿기지 않아서 잊었노라'

오늘도 어제도 아니 잊고
먼 훗날 그때에 '잊었노라'

(나) ㉡길이 끝나는 곳에서도
길이 있다
ⓐ길이 끝나는 곳에서도
길이 되는 사람이 있다
스스로 봄 길이 되어
끝없이 걸어가는 사람이 있다
ⓑ강물은 흐르다가 멈추고
새들은 날아가 돌아오지 않고
하늘과 땅 사이의 모든 꽃잎은 흩어져도
ⓒ보라
사랑이 끝난 곳에서도
사랑으로 남아 있는 사람이 있다
ⓓ스스로 사랑이 되어
ⓔ한없이 봄 길을 걸어가는 사람이 있다

01 (가)와 (나)에 공통적으로 나타나는 운율 형성 방법으로 알맞은 것은?

① 비슷한 문장 구조를 반복한다.
② 민요에 나타나는 음보를 활용한다.
③ 같은 위치에 비슷한 소리의 시어를 사용한다.
④ 각 행의 길이를 일정하게 조절하여 배치한다.
⑤ 일정한 규칙이 반복되어 시의 표면에 운율이 드러난다.

02 (가)의 말하는 이가 처한 상황으로 알맞은 것은?

① 고난을 극복하기 위해 노력하는 상황이다.
② 자신을 나무라는 사람에게 반박하는 상황이다.
③ 사랑하고 그리워하는 사람과 이별한 상황이다.
④ 절망에 빠진 이들을 위로하고 보살피는 상황이다.
⑤ 멀리 떠난 연인이 무사히 돌아오기를 기다리는 상황이다.

고난도 서술형

03 ㉠에 나타나는 의미를 다음과 같이 구분하여 적고, 이러한 표현의 효과를 쓰시오.

• 겉으로 드러나는 의미:
• 말하는 이의 속마음:
→ 표현의 효과:

04 ㉡과 같은 표현 방법이 사용되지 않은 것은?

① 어린이는 어른의 아버지이다.
② 우리의 청춘은 찬란한 슬픔의 봄이다.
③ 메아리가 길게 손을 흔들며 사라진다.
④ 임은 갔지만 나는 임을 보내지 않았습니다.
⑤ 깃발은 소리 없는 아우성으로 흔들리고 있다.

05 ⓐ~ⓔ 중, 다음 설명에 해당하는 것은?

• 명령형으로 표현하여 시상을 전환함.
• 시련을 극복하고 스스로 사랑을 찾기 위해 노력하는 삶의 태도에 대한 말하는 이의 의지를 강조함.

① ⓐ ② ⓑ ③ ⓒ ④ ⓓ ⑤ ⓔ

06~10 다음 글을 읽고, 물음에 답하시오.

(가) 키가 한 뼘밖에 안 되어서 ⓐ뼘생 또는 뼘박이라는 별명이 있는 것처럼, 박 선생님의 키는 키 작은 사람 가운데에서도 유난히 작은 키였다. ⓑ일본 정치 때에, 혈서로 지원병을 지원했다 체격 검사에 키가 제 척수에 차지 못해 낙방이 되었다면, 그래서 땅을 치고 울었다면, 얼마나 작은 키인지 알 일이다.

(나) 선생님들이, 그중에서도 뼘박 박 선생님이 그렇게도 일본(우리 대일본 제국)은 결단코 전쟁에 지지 않는다고, 기어코 전쟁에 이기고 천하에 못된 미국, 영국을 거꾸러뜨려 천황 폐하의 위엄을 이 전 세계에 드날릴 날이 머지않았다고, 하루에도 몇 번씩 그런 말을 해 쌓던 그 일본이 도리어 지고 항복을 하다니, 도무지 모를 일이었다. / 직원실에는 교장 선생님과 두 일본 선생님 그리고 뼘박 박 선생님, 이렇게 네 분이 모여 앉아서 ⓒ 초상난 집처럼 모두 코가 쑥욱 빠져 가지고 있었다.

(다) "내가 좀 흥분해서 말이 너무 박절했나 보이. 어찌 생각하지 말게……. 그리고 인제는 자네나 나나, ㉠그동안 지은 죄를 우리 조선 동포 앞에 속죄해야 할 때가 아닌가? 물론 이담에, 민족이 우리를 심판하고 죄에 따라 벌을 줄 날이 오겠지. 그러나 장차에 받을 민족의 심판과 벌은 장차에 받을 민족의 심판과 벌이고, 시방 당장 조선 민족의 한 사람으로 할 일이 조옴 많은가? 우리 같이 손목 잡구 건국에 도움될 일을 하세. 자아, 이리 와서 태극기 그리게. 독립 만세부터 한바탕 부르세." / "……."

뼘박 ㉡박 선생님은 아무 소리도 않고 강 선생님 옆으로 와서 태극기를 그리기 시작했다.

(라) 뼘박 박 선생님은 한 일 년 그렇게 미국 말 공부를 하더니, 그다음부터는 미국 병정이 오든지 하면 일쑤 통역을 하고 했다. 중학교에 다닐 때에 조금 배운 것이 있어서 그렇게 쉽게 체득했다고 했다.

ⓓ미국 병정은 벼 공출을 감독하러 와서 우리 뼘박 박 선생님을 그 꼬마 자동차에 태워 가지고 동네 동네 돌아다녔다. 뼘박 박 선생님은 미국 양복을 얻어 입고, 미국 통조림이랑 과자를 얻어먹고 했다.

(마) ⓔ뼘박 박 선생님은 미국에는 덴노헤이까는 없고, 덴노헤이까보다 훌륭한 '돌멩이'라는 양반이 있다고 대답했다. / 우리는 그럼 이번에는 그 '돌멩이'라는 훌륭한 어른을 위하여 '미국 신민노 세이시(미국 신민 서사)'를 부르고, 기미가요(일본의 국가) 대신 돌멩이 가요를 부르고 해야 하나 보다고 생각했다. / 아무튼 뼘박 박 선생님은 참 이상한 선생님이었다.

06 (가)~(마)에 대한 설명으로 알맞지 않은 것은?

① (가): 주인공에 해당하는 인물을 소개한다.
② (나): 해방 직후의 주인공의 태도가 나타난다.
③ (다): 주인공과 주변 인물의 갈등이 심화한다.
④ (라): 주인공의 기회주의적인 면모가 드러난다.
⑤ (마): 주인공에 대한 서술자의 평가가 나타난다.

07 ㉠에 나타난 '강 선생님'의 심정으로 알맞은 것은?

① 조국의 독립에 벅찬 감격을 느낌.
② 패망한 일본을 보며 통쾌함을 느낌.
③ 민족의 심판과 벌을 앞두고 두려움을 느낌.
④ 일제에 동조하지는 않았지만, 책임감을 느낌.
⑤ 미국에 협력하는 '박 선생님'에게 실망감을 느낌.

08 '박 선생님'이 ㉡처럼 행동한 까닭을 쓰시오.

09 ⓐ~ⓔ에 대한 설명으로 적절하지 않은 것은?

① ⓐ: '박 선생님'의 키가 작아 붙은 별명이다.
② ⓑ: '박 선생님'의 친일적인 행태가 나타난다.
③ ⓒ: 기가 죽은 모습을 비유적으로 표현하였다.
④ ⓓ: 미국에 협력하는 '박 선생님'의 모습이 나타난다.
⑤ ⓔ: 박학다식한 '박 선생님'의 됨됨이가 강조된다.

10 이 글에서 비판적으로 바라보는 인물 유형으로 가장 알맞은 것은?

① 식민지 시절을 그리워하는 친일 세력
② 약한 자를 괴롭혀 이익을 취하는 지배 계층
③ 돈을 최고의 가치로 여기고 숭배하는 현대인
④ 정의롭지 못한 일을 보고도 모른 척하는 소시민
⑤ 사회적 혼란기에 시류에 따라 자신의 이익을 챙기는 지식인

11~14 **다음 글을 읽고, 물음에 답하시오.**

(가) 그 날은 가만히 있어도 땀이 날 정도로 무척 더웠다. 나는 빨리 집에 들어가 씻고 싶다는 생각뿐이었다. 나는 걸음을 재촉하여 집 근처에 도착했다. 그런데 골목길 한구석에서 주인을 잃어버린 강아지가 나를 애처롭게 바라보고 있었다. 모른 체하고 집에 들어가려 했지만, 난 발을 뗄 수 없었다. 문득 민들레가 떠올랐기 때문이다. 힘없는 눈빛으로 날 바라보던 민들레가.

(나) 초등학교 2학년 때, 어느 봄날이었다. 한 할머니께서 병아리를 **나누어 주는** 걸 보았다. 노란 털로 **덥여** 있는 병아리는 정말 매력적이었다. **그런데** 난 그 앞에 쪼그리고 앉아 한참이나 병아리를 바라보았다. 나는 병아리를 키우게 해 달라고 엄마께 **타이르기** 시작했다. 처음에는 반대하셨던 엄마도 **결국은** 허락해 주셨다. 그렇게 나와 민들레의 인연이 시작되었다.

(다) 사랑스러운 민들레는 우리 집 마당에서 지냈다. 그래서 비가 오는 날이면 마당에 혼자 있을 민들레가 걱정스러웠다. ㉠나는 비가 오면 엄마 몰래 민들레를 방 안에 데리고 올 것이다. 엄마께 들킬지도 모른다는 생각에 가슴이 두근거렸다. 하지만 민들레와 함께하는 기쁨이 더 컸기에 엄마의 꾸중도 대수롭지 않았다.

(라) 병아리는 아직 다 자라지 않은 어린 닭으로 닭의 새끼를 말한다. 병아리는 노랗고 부드러운 털을 가지고 있다. 병아리의 먹이에는 곡식류인 쌀이나, 좁쌀, 보리, 콩 등이 있는데, 부화한 지 얼마 안 된 병아리에게는 딱딱한 알곡을 그대로 주기보다는 잘게 부숴 주는 것이 좋다.

(마) 그러나 그런 기쁨도 잠시뿐이었다. 어느 날, 민들레는 어디가 아픈지 꼼짝도 않고 하루 종일 시름시름 앓았다. 우리 가족은 밤을 꼬박 새우며 민들레를 정성껏 보살폈다. 하지만 민들레는 일어날 낌새를 전혀 보이지 않았고, 결국 우리 곁을 떠났다. 나는 작별 인사도 제대로 하지 못하고 민들레를 떠나보냈다는 생각에 가슴이 ㉡막막했다. 그 후로 오랜 시간이 지났지만, 이렇게 안쓰러운 동물들을 볼 때면 어김없이 민들레가 떠오른다. 난 강아지를 어두운 길에 두고 올 수 없어서, 우리 집으로 데리고 들어갔다. 가족들은 깜짝 놀랐지만, 내게 ㉢감언이설을 듣고 강아지의 주인을 찾는 것도 도와주었다. 그리고 다음 날 다행히 강아지의 주인을 찾을 수 있었다. 강아지를 보내고 돌아오는 길이었다. 무심코 바닥을 보니, 길 틈새에 핀 민들레가 바람에 흔들리고 있었다. 마치 하늘나라에 있는 민들레가 내게 손을 흔들어 주는 것 같았다. 민들레와 함께한 시간은 짧았지만, 나와 민들레의 시간은 앞으로 계속될 것이다. 민들레와의 추억은 영원할 테니까.

서술형

11 **(가)~(마) 중 삭제해야 할 문단과 그 이유를 쓰시오.**

12 **(나)에서 어색한 부분을 고친 것으로 바르지 않은 것은?**

① 나누어 주는 → 나누어 주시는
② 덥여 → 덮여
③ 그런데 → 그래서
④ 타이르기 → 조르기
⑤ 결국은 → 반드시

13 **㉠을 고친 문장으로 알맞은 것은?**

① 나는 비가 오면 엄마 몰래 민들레를 방 안에 데리고 왔다.
② 나는 비가 오면 엄마 몰래 민들레를 방 안에 데리고 온다.
③ 나는 비가 왔으면 엄마 몰래 민들레를 방 안에 데리고 온다.
④ 나는 비가 온다면 엄마 몰래 민들레를 방 안에 데리고 올 것이다.
⑤ 나는 비가 왔으면 엄마 몰래 민들레를 방 안에 데리고 왔을 것이다.

서술형

14 **㉡과 ㉢을 다음과 같이 고쳤다고 할 때, 이에 해당하는 고쳐쓰기의 점검 수준을 쓰시오.**

> ㉡: 막막했다 → 먹먹했다
> ㉢: 감언이설 → 자초지종

● 정답과 해설 18쪽

15~18 다음을 읽고, 물음에 답하시오.

가 ⓐ먼 훗날 당신이 찾으시면
그때에 내 말이 '잊었노라'

당신이 속으로 나무라면 / '무척 그리다가 잊었노라'

그래도 당신이 나무라면 / '믿기지 않아서 잊었노라'

오늘도 어제도 아니 잊고 / 먼 훗날 그때에 '잊었노라'

나 ㉠길이 끝나는 곳에서도 / 길이 있다
길이 끝나는 곳에서도 / 길이 되는 사람이 있다
스스로 ⓑ봄 길이 되어 / 끝없이 걸어가는 사람이 있다
강물은 흐르다가 멈추고 / 새들은 날아가 돌아오지 않고
하늘과 땅 사이의 모든 꽃잎은 흩어져도
보라 / 사랑이 끝난 곳에서도
사랑으로 남아 있는 사람이 있다 / 스스로 사랑이 되어
한없이 봄 길을 걸어가는 사람이 있다

다 우리 박 선생님은 참 이상한 선생님이었다.
ⓒ박 선생님은 생긴 것부터가 무척 이상하게 생긴 선생님이었다. 키가 한 뼘밖에 안 되어서 뼘생 또는 뼘박이라는 별명이 있는 것처럼, 박 선생님의 키는 키 작은 사람 가운데에서도 유난히 작은 키였다. 일본 정치 때에, 혈서로 지원병을 지원했다 체격 검사에 키가 제 척수에 차지 못해 낙방이 되었다면, 그래서 땅을 치고 울었다면, 얼마나 작은 키인지 알 일이다.
그런 작은 키에 몸집은 그저 한 줌만 하고, 이 한 줌만 한 몸집, 한 뼘만 한 키 위에 깜짝 놀랄 만큼 큰 머리통이 위태위태하게 올라앉아 있다. 그래서 박 선생님 또 하나의 별명은 대갈장군이라고도 했다.

라 그 날은 가만히 있어도 땀이 날 정도로 무척 더웠다. 나는 빨리 집에 들어가 씻고 싶다는 ⓓ기억뿐이었다. 나는 걸음을 재촉하여 집 근처에 도착했다. 그런데 골목길 한구석에서 주인을 잃어버린 강아지가 나를 애처롭게 바라보고 있었다. ⓔ모른체하고 집에 들어가려 했지만, 난 발을 뗄 수 없었다. 문득 민들레가 떠올랐기 때문이다. 힘없는 눈빛으로 날 바라보던 민들레가.

15 (가)와 (나)에 대한 설명을 바르게 묶은 것은?

ㄱ. (가)는 대상과의 대화를 통해 시상이 전개된다.
ㄴ. (가)는 같은 시어를 반복하여 규칙적인 리듬감을 형성한다.
ㄷ. (나)는 말하는 이의 의지적이고 단정적인 어조가 나타난다.
ㄹ. (나)는 반어 표현을 사용하여 말하는 이의 심정을 강조하고 있다.

① ㄱ, ㄴ ② ㄱ, ㄷ
③ ㄴ, ㄷ ④ ㄱ, ㄴ, ㄹ
⑤ ㄴ, ㄷ, ㄹ

16 (다)에 대한 설명으로 알맞지 않은 것은?

① 서술자가 주인공인 '박 선생님'을 소개하고 있다.
② 주인공에 대한 서술자의 평가가 직접적으로 제시되어 있다.
③ 일본의 지배에서 독립하기 위해 노력한 인물에 대해 소개하고 있다.
④ 소설에서 인물과 배경을 소개하고, 사건의 실마리가 나타나는 부분에 해당한다.
⑤ 주인공의 별명과 그러한 별명을 얻게 된 이유를 외양 묘사와 함께 제시하고 있다.

서술형

17 ㉠에 사용된 표현의 개념을 다음과 같이 쓸 때, 빈칸에 들어갈 말을 차례대로 쓰시오.

겉으로는 뜻이 □□되고 이치에 맞지 않는 것 같지만, 그 속에 □□을/를 담고 있는 표현

18 ⓐ~ⓔ에 대한 설명으로 알맞지 않은 것은?

① ⓐ: 말하는 이가 처한 상황을 짐작할 수 있다.
② ⓑ: 희망의 공간이자 긍정적인 공간을 의미한다.
③ ⓒ: '박 선생님'에 대한 서술자의 부정적인 시각이 나타난다.
④ ⓓ: 고쳐쓰기의 낱말 점검 수준에서 적절하므로 수정하지 않는다.
⑤ ⓔ: 띄어쓰기가 잘못되었으므로 '모른 체하고'로 수정해야 한다.

창의적 사고력을 키우는

창의·융합

교과서 146~151쪽

자료·정보 활용 역량

더 쉽게 더 정확하게

읽기

(1) 다양한 설명 방법

_「지혜가 담긴 음식, 발효 식품」(진소영)

- 설명하는 글을 읽고 다양한 설명 방법 이해하기
- 설명 방법의 적절성과 효과 판단하기

쓰기

(2) 설명하는 글 쓰기

- 설명 방법을 활용하여 글을 쓰는 방법 이해하기
- 글쓰기 과정에 따라 설명하는 글 쓰기

왜 배울까?

정보가 사회의 중요한 자원인 오늘날에는 정보를 효과적으로 파악하고, 자신이 아는 정보를 정확하게 알리는 능력이 필요하다. 다양한 정보를 담는 설명하는 글에는 정의, 예시, 비교 등의 여러 설명 방법이 사용되므로 자신이 원하는 정보를 더욱 쉽게 얻으려면 어떤 설명 방법이 쓰였는지 파악하며 읽는 것이 좋다. 설명하는 글을 쓸 때에도 대상에 맞는 설명 방법을 활용할 수 있어야 한다. 대상의 특성에 알맞은 설명 방법을 사용하여 글을 쓰면, 읽는 이에게 정보를 더 쉽고 정확하게 전할 수 있기 때문이다. 이처럼 설명하는 글에 활용되는 여러 설명 방법을 이해하고 이를 적절히 사용한다면, 우리는 다른 사람들과 많은 정보를 공유할 수 있을 뿐더러 지식의 폭도 넓힐 수 있을 것이다.

뭘 배울까?

이 단원에서는 자료·정보 활용 역량을 기르기 위해 우리나라의 전통 발효 식품을 설명하는 글을 읽으면서 글에 사용된 설명 방법을 파악하고, 그 적절성과 효과를 평가해 볼 것이다. 그리고 이를 바탕으로 다양하고 적절한 설명 방법을 활용하여 설명하는 글을 써 볼 것이다.

길잡이

• 정답과 해설 19쪽

설명하는 글이란

독자가 어떠한 대상을 잘 이해할 수 있도록 객관적이고 논리적으로 서술한 글을 말한다.

설명하는 글의 구성 단계

처음	가운데	끝
• 설명 대상을 제시함. • 글을 쓰게 된 동기, 이유, 목적 등을 밝힘.	여러 가지 설명 방법을 사용하여 대상을 구체적으로 설명함.	• 설명한 내용을 요약정리하고 글을 마무리함. • 향후 과제나 당부의 말을 전하기도 함.

설명하는 글을 쓰는 과정

단계	내용
계획하기	글의 주제, 글을 쓰는 목적, 예상 독자 등을 구체적으로 설정함.
내용 생성하기	• 다양한 매체를 활용하여 주제와 관련 있는 내용의 자료를 수집함. • 주제와 상관없는 내용이 있는지, 더 필요한 내용이 없는지 점검함.
내용 조직하기	• 수집한 자료를 정리하여 설명하는 글의 구조인 '처음 – 가운데 – 끝'에 맞게 개요를 작성함. • 내용에 적절한 설명 방법과 자료 활용 계획을 세움.
표현하기	• 글의 목적과 주제에 맞게 씀. • 대상을 효과적으로 설명하는 방법을 사용함. • 읽는 이가 내용을 쉽게 이해할 수 있도록 씀.
평가하고 고쳐쓰기	• 평가 기준에 따라 자신이 쓴 글을 점검함. • 평가 결과를 바탕으로 잘못된 부분을 고쳐 쓰거나 부족한 부분을 보충함.

여러 가지 설명 방법

방법	설명
정의	대상의 본질, 개념, 뜻을 밝히며 설명하는 방법
예시	구체적인 예를 들어 설명하는 방법
비교	둘 이상의 대상을 견주어 서로 간의 공통점을 밝혀 설명하는 방법
대조	둘 이상의 대상을 견주어 서로 간의 차이점을 밝혀 설명하는 방법
인과	원인과 결과를 중심으로 설명하는 방법
구분	전체를 일정한 기준에 따라 나누어 설명하는 방법
분류	어떤 대상을 일정한 기준에 따라 종류별로 묶어 설명하는 방법
분석	하나의 대상을 몇 개의 부분이나 구성 요소로 나누어 설명하는 방법

간단 체크 개념 문제

1 다음 설명이 맞으면 ○표, 틀리면 ×표 하시오.

(1) 설명하는 글을 쓰는 목적은 독자를 설득하는 데 있다. ( )

(2) 설명하는 글을 쓸 때에는 흥미를 끌기 위해 대상을 과장하여 설명한다. ( )

(3) 설명하는 글에서 앞으로의 과제는 주로 끝부분에 제시된다. ( )

2 다음 빈칸에 들어갈 알맞은 말을 쓰시오.

> □□(이)란 둘 이상의 대상을 견주어서 공통점이나 비슷한 점을 중심으로 설명하는 방법을 말한다.

3 설명 방법과 그 예의 연결이 알맞지 않은 것은?

① 비교 – 사과와 배는 모두 둥글게 생겼다.
② 인과 – 오빠는 채식을 좋아하고, 동생은 육식을 좋아한다.
③ 정의 – 문학은 인간의 사상과 감정을 언어로 표현한 예술이다.
④ 예시 – 텃새에는 박새, 꿩, 올빼미, 크낙새, 오색딱따구리 등이 있다.
⑤ 분석 – 혈액은 고형 성분인 혈구와 액체 성분인 혈장으로 구성된다.

• 정답과 해설 19쪽

다양한 설명 방법 _ 지혜가 담긴 음식, 발효 식품

학습 목표 글에 사용된 다양한 설명 방법을 파악하며 글을 읽을 수 있다.

▷ 진소영(1976~)
교육자. 응용 물리학을 전공하였으며 물리, 화학 등 과학 분야의 다양한 책을 집필하고 있다.

처음 학습 포인트

❶ 처음 부분의 특징 ❷ 처음 부분에 사용된 설명 방법

(가) 중국 신장의 요구르트, 스페인 랑하론의 하몬, 우리나라 구례 양동 마을의 된장. 이 음식들의 공통점은 무엇일까? 이것들은 모두 발효 식품으로, 세계의 장수 마을을 다룬 어느 방송에서 각 마을의 장수 비결로 꼽은 음식들이다.

하몬: 돼지 뒷다리를 소금에 절여 발효시킨 스페인의 생햄
장수: 오래도록 삶.
비결: 세상에 알려져 있지 않은 자기만의 뛰어난 방법

(나) 발효 식품은 건강식품으로 널리 알려져 있다. 또한 다양한 발효 식품이 특유의 맛과 향으로 사람들의 입맛을 사로잡고 있다. ㉠앞에서 소개한 요구르트, 하몬, 된장을 비롯하여 달콤하고 고소한 향으로 우리를 유혹하는 빵, 빵과 환상의 궁합을 자랑하는 치즈 등을 그 예로 들 수 있다. 이렇게 몸에도 좋고 맛도 좋은 식품을 만들어 내는 발효란 무엇일까? 그리고 발효 식품은 왜 건강에 좋을까? 먼저 발효의 개념을 알아보고, 우리나라의 전통 발효 식품을 중심으로 발효 식품의 우수성을 자세히 알아보자.

학습콕 처음 | 소주제: 세계적으로 인정받는 □□ □□

❶ 처음 부분의 특징
□□을 활용하여 독자의 흥미를 유발하고, 가운데 부분에서 설명할 내용을 제시함.

❷ 처음 부분에 사용된 설명 방법

예시	앞에서 소개한 ~ □□ 등을 그 예로 들 수 있다.	발효 식품이 무엇인지 설명하기 위해 구체적인 예를 들어 설명함.

가운데 학습 포인트

❶ 가운데 부분에 사용된 설명 방법 ❷ 전통 발효 식품의 우수성

(다) ⓐ발효란 곰팡이나 효모와 같은 미생물이 탄수화물, 단백질 등을 분해하는 과정을 말한다. 미생물이 유기물에 작용하여 물질의 성질을 바꾸어 놓는다는 점에서 발효는 부패와 비슷하다. 하지만 발효는 우리에게 유용한 물질을 만드는 반면에, 부패는 우리에게 해로운 물질을 만들어 낸다는 점에서 차이가 있다. 그래서 발효된 물질은 사람이 안전하게 먹을 수 있지만, 부패한 물질은 식중독을 일으킬 수 있어서 함부로 먹을 수 없다.

미생물: 눈으로는 볼 수 없는 아주 작은 생물
유기물: 생체를 이루며, 생체 안에서 생명력에 의하여 만들어지는 물질
부패: 단백질이나 지방 따위의 유기물이 미생물의 작용에 의하여 분해되는 과정

간단 체크 내용 문제

중요 01 ㉠에 사용된 설명 방법을 한 단어로 쓰시오.

중요 02 (다)에 사용되지 않은 설명 방법은? (정답 2개)

① 인용 ② 정의 ③ 분석
④ 대조 ⑤ 비교

03 ⓐ에 대한 설명으로 알맞지 않은 것은?

① 식중독을 예방해 준다.
② 물질의 성질을 바꾸어 놓는다.
③ 사람에게 유용한 물질을 만든다.
④ 몸에도 좋고 맛도 좋은 식품을 만들 수 있다.
⑤ 미생물이 탄수화물, 단백질 등을 분해하는 과정이다.

간단 체크 어휘 문제

다음 뜻풀이에 해당하는 낱말을 〈보기〉에서 찾아 쓰시오.

보기: 부패, 장수, 비결

(1) 오래도록 삶. (　　　)

(2) 단백질이나 지방 따위의 유기물이 미생물의 작용에 의하여 분해되는 과정 (　　　)

(3) 세상에 알려져 있지 않은 자기만의 뛰어난 방법 (　　　)

라 그렇다면, 발효를 거쳐 만들어지는 전통 음식에는 무엇이 있을까? 가장 대표적인 전통 음식으로 ⓐ김치를 꼽을 수 있다. 김치는 채소를 오랫동안 저장해 놓고 먹기 위해 조상들이 생각해 낸 음식이다. 김치는 우리가 채소의 영양분을 계절에 상관없이 섭취할 수 있도록 해 주고, 발효 과정에서 더해진 좋은 성분으로 우리의 건강을 지키는 데도 도움을 준다.

마 김치 발효의 주역(주된 역할)은 젖산균이다. 채소를 묽은 농도(용액 따위의 진함과 묽음의 정도)의 소금에 절이면 효소 작용이 일어나면서 당분과 아미노산이 생기고, 이를 먹이로 삼아 여러 미생물이 성장하면서 발효가 시작된다. 이때 김치 발효에 가장 중요한 역할을 하는 젖산균도 함께 성장하고 증식한다(늘어서 많아진다). 젖산균은 포도당을 분해하면서 젖산을 만들어 낸다. ㉠젖산은 약한 산성 물질이어서 유해균이 증식하는 것을 억제하고, 김치가 잘 썩지 않게 한다. 그 덕분에 우리는 김치를 오래 두고 먹을 수 있다.

바 우리 김치가 우수한 것은 바로 이 젖산균과 젖산 때문이다. 젖산균과 젖산은 우리 몸 안에서 소화를 촉진하고 노폐물이 잘 배설될 수 있도록 돕는다. 또한 유해균이 번식하거나 발암 물질이 생성되는 것을 억제하기도 한다. 그래서 젖산균과 젖산이 풍부한 김치는 변비 및 대장암, 당뇨병 등을 예방하는 데에 효과적이다.

사 맛있는 음식을 만들 때 빠질 수 없는 전통 양념인 간장과 된장도 발효 식품이다. 먼저 간장을 만드는 과정을 살펴보자. 콩을 푹 삶아서 찧은 다음, 덩어리로 만든다. 이 콩 덩어리가 바로 메주이다. 메주를 따뜻한 곳에 두어 발효하고 소금물에 담가 우려낸다. 그 국물을 떠내어 달이면 간장이 완성된다.

아 메주가 소금물 속에서 발효될 때, 젖산균의 일종인 바실루스가 콩에 들어 있는 단백질을 분해하여 아미노산을 만들어 낸다. 그리고 아미노산은 소금물에 녹아들어 감칠맛을 더하고 영양소를 공급한다. 이처럼 간장은 음식을 더 맛있게 만들고 건강에도 좋기 때문에 우리 조상들은 장 담그는 일에 정성을 기울였다.

자 이제 된장을 만드는 과정을 살펴보자. 간장을 만들고 나면 메주가 남는다. 이 메주를 건져 내어 잘게 으깨고, 여기에 소금을 넣어서 잘 섞는다. 이를 장독에 넣어 1개월 이상 숙성시키면(효소나 미생물의 작용에 의하여 발효된 것이 잘 익게 하면), 맛있는 된장이 완성된다.

간단 체크 내용 문제

04 ⓐ에 대한 설명으로 알맞지 않은 것은?

① 변비, 대장암, 당뇨병 등을 예방한다.
② 우리 몸 안에서 소화와 배설을 돕는다.
③ 계절에 상관없이 채소의 영양분을 섭취할 수 있게 한다.
④ 발효된 채소를 저장하여 필요할 때에 만들어 먹는 식품이다.
⑤ 우리 몸 안에서 유해균이 번식하거나 발암 물질이 생성되는 것을 억제한다.

중요

05 ㉠에 사용된 설명 방법은?

① 정의 ② 인과 ③ 분석
④ 예시 ⑤ 대조

06 <보기>에서 설명하는 대상을 (아)에서 찾아 한 단어로 쓰시오.

보기
- 메주가 발효될 때 만들어짐.
- 바실루스가 단백질을 분해하여 만듦.
- 간장에 감칠맛을 더함.

(차) 된장은 필수 아미노산이 풍부해서, 아미노산이 적은 쌀밥을 주로 먹는 우리에게 꼭 필요한 식품이다. 또한 간 기능을 높이고, 피부병과 성인병을 예방하는(질병이나 재해 따위가 일어나기 전에 미리 대처하여 막는) 데에도 효과적이다. 이와 더불어 ㉡된장은 '암을 이기는 한국인의 음식' 중 하나로 꼽힐 정도로 항암 효과가 뛰어나다. 이는 메주가 발효되는 과정에서 항암 물질이 만들어지기 때문이다.

학습콕 가운데 | 소주제: 발효의 개념과 우리나라 전통 발효 식품의 □□□

❶ 가운데 부분에 사용된 설명 방법

정의	□□란 곰팡이나 효모와 같은 미생물이 탄수화물, 단백질 등을 분해하는 과정을 말한다.	발효의 개념을 밝히며 설명함.
비교	미생물이 유기물에 작용하여 물질의 성질을 바꾸어 놓는다는 점에서 발효는 □□와 비슷하다.	발효와 부패의 공통점을 밝혀 설명함.
대조	발효는 우리에게 유용한 물질을 만드는 반면에, 부패는 우리에게 해로운 물질을 만들어 낸다는 점에서 □□가 있다. 등	발효와 부패의 차이점을 밝혀 설명함.
인과	젖산은 약한 산성 물질이어서 유해균이 증식하는 것을 억제하고, 김치가 잘 썩지 않게 한다.	김치를 오래 두고 먹을 수 있는 원인이 젖산의 특성 때문임을 설명함.

❷ 전통 발효 식품의 우수성

김치	• 채소의 영양분을 계절에 상관없이 섭취할 수 있게 하고, 소화와 배설을 도움. • 유해균의 번식이나 발암 물질의 생성을 □□하고, 변비, 대장암, 당뇨병 등을 예방함.
간장	• 음식에 감칠맛을 더함. / • 영양소를 공급해 건강에도 좋음.
된장	• 필수 아미노산이 풍부함. • 간 기능을 높이고, 피부병과 성인병 예방에 효과적임. • □□ 효과가 뛰어남.

끝 학습 포인트

❶ 글의 주제 ❷ 글쓴이의 제안

(카) 지금까지 우리의 전통 음식을 중심으로 발효 식품의 우수성을 알아보았다. 발효 식품은 오래 보관할(물건을 맡아서 간직하고 관리할) 수 있고, 영양가가 풍부할 뿐만 아니라 그 재료와 미생물의 종류에 따라 독특한 맛과 향을 지녀서 우리 밥상을 풍성하게(넉넉하고 많게) 해 준다. 이렇게 멋진 발효 식품을 물려준 조상님께 고마워하면서, 오늘 저녁밥으로 보글보글 끓인 된장찌개와 아삭아삭한 김치를 먹는 것은 어떨까? 앞으로 전통 발효 식품을 발전시킬 방법도 생각해 보면서 말이다.

학습콕 끝 | 소주제: 우리의 전통 발효 식품의 우수성 강조와 이를 □□시켜 나가자는 제안

❶ 글의 주제

발효 식품의 우수성	발효 식품은 오래 □□할 수 있고, 영양가가 풍부할 뿐 아니라 그 재료와 미생물의 종류에 따라 독특한 맛과 향을 지님.

❷ 글쓴이의 제안

우리 전통 발효 식품의 □□를 강조하며, 이를 발전시킬 방법을 생각해 보자고 제안함.

간단 체크 내용 문제

07 ㉡의 구체적인 이유를 찾아 7어절로 쓰시오.

08 (카)로 보아, 글쓴이가 궁극적으로 말하고자 하는 바로 알맞은 것은?

① 발효의 과학적 원리
② 발효 식품의 제조 과정
③ 전통 발효 식품의 가치
④ 발효 식품의 다양한 쓰임새
⑤ 발효 식품이 건강에 미치는 영향

간단 체크 어휘 문제

다음 뜻풀이에 알맞은 낱말에 ○표 하시오.

(1) 넉넉하고 많다. (융성하다, 풍성하다)

(2) 물건을 맡아서 간직하고 관리하다. (보관하다, 보호하다)

(3) 질병이나 재해 따위가 일어나기 전에 미리 대처하여 막다. (예방하다, 예비하다)

학습 활동

교과서 161~167쪽

이해
❶ 글의 짜임 파악하기
❷ 각 문단의 주요 내용 정리하기
❸ 글에 사용된 설명 방법과 그 효과 이해하기

1 설명하는 글의 구조를 바탕으로 이 글의 내용을 정리해 보자.

구성	문단	내용
처음	(가), (나)	발효가 무엇인지, 발효 식품이 왜 우수한지 알아보자.
가운데	(다)	발효의 개념 • 미생물이 탄수화물, 단백질 등을 분해하는 과정이다.
	(라)~(바)	우리나라의 전통 발효 식품 ①: 김치 • 발효를 거쳐 만들어지는 대표 음식이다. • 주로 '답 젖산균 '에 의해 발효된다. • 답 변비, 대장암, 당뇨병 등을 예방하는 데에 효과적이다.
	(사), (아)	우리나라의 전통 발효 식품 ②: 답 간장 • 답 발효한 메주를 담갔던 소금물 을 달인 것이다. • 음식에 답 □□□ 을 더하고 건강에도 좋다.
	(자), (차)	우리나라의 전통 발효 식품 ③: 답 된장 • 간장을 만들고 남은 메주를 숙성시킨 것이다. • 특히 답 항암 효과가 뛰어나다.
끝	(카)	답 발효 식품의 □□□을 알고, 앞으로 전통 발효 식품을 발전시킬 방법을 생각해 보자.

2 글쓴이가 이 글을 쓴 까닭을 말해 보자.

답 발효의 □□을 설명하고, 우리나라 전통 발효 식품의 우수성을 알리기 위해서이다.

간단 체크 활동 문제

01 글의 구성 단계를 고려할 때, (가)~(나) 문단의 역할로 알맞은 것은?

① 글의 중심 내용을 풀이한다.
② 앞으로 설명할 대상을 소개한다.
③ 핵심 내용을 요약하고 정리한다.
④ 읽는 이의 궁금증을 해소해 준다.
⑤ 앞으로 해결해야 할 과제를 당부한다.

02 글쓴이가 이 글을 쓴 까닭으로 알맞은 것은?

① 여러 나라의 발효 식품들을 소개하기 위해서
② 발효 식품을 맛있게 먹는 방법을 전달하기 위해서
③ 우리나라 전통 발효 식품의 우수성을 알리기 위해서
④ 발효 식품을 만드는 과정의 어려움을 드러내기 위해서
⑤ 발효 식품을 활용한 질병 치료 방법을 안내하기 위해서

3 보기를 참고하여 이 글에 사용된 설명 방법과 그 효과를 알아보자.

보기	
예시	구체적인 예를 들어 설명하는 방법
인과	원인과 결과를 중심으로 설명하는 방법
정의	대상의 본질, 개념, 뜻을 밝히며 설명하는 방법
비교	둘 이상의 대상을 견주어 서로 간의 공통점을 밝혀 설명하는 방법
대조	둘 이상의 대상을 견주어 서로 간의 차이점을 밝혀 설명하는 방법

(1) 각 문장에 쓰인 설명 방법을 찾아 바르게 연결해 보자.

❶ 앞에서 소개한 요구르트, 하몬, 된장을 비롯하여 달콤하고 고소한 향으로 우리를 유혹하는 빵, 빵과 환상의 궁합을 자랑하는 치즈 등을 그 예로 들 수 있다.

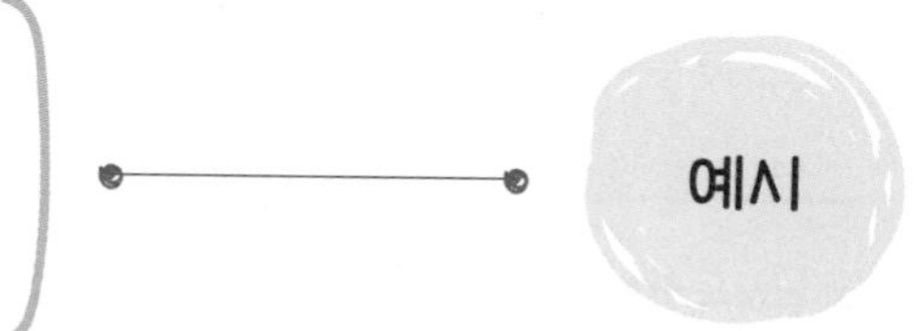

❷ 발효란 곰팡이나 효모와 같은 미생물이 탄수화물, 단백질 등을 분해하는 과정을 말한다.

❸ 미생물이 유기물에 작용하여 물질의 성질을 바꾸어 놓는다는 점에서 발효는 부패와 비슷하다.

❹ 하지만 발효는 우리에게 유용한 물질을 만드는 반면에, 부패는 우리에게 해로운 물질을 만들어 낸다는 점에서 차이가 있다.

❺ 젖산은 약한 산성 물질이어서 유해균이 증식하는 것을 억제하고, 김치가 잘 썩지 않게 한다.

인과

정의

비교

대조

지식 사전

그 밖의 설명 방법

구분	전체를 일정한 기준에 따라 나누어 설명하는 방법
분류	어떤 대상을 일정한 기준에 따라 종류별로 묶어 설명하는 방법
분석	하나의 대상을 몇 개의 부분이나 구성 요소로 나누어 설명하는 방법
열거	여러 가지 예나 사실을 낱낱이 죽 늘어놓아 설명하는 방법
인용	남의 말이나 글을 자신의 말이나 글 속에 끌어 써서 설명하는 방법

간단 체크 활동 문제

03 ❶에 대한 설명으로 알맞은 것은?

① 원인과 결과를 중심으로 설명하고 있다.
② 구체적인 예를 들어 대상을 설명하고 있다.
③ 대상의 본질, 개념, 뜻을 밝히며 설명하고 있다.
④ 어떤 대상을 일정한 기준에 따라 묶어 설명하고 있다.
⑤ 남의 말이나 글을 자신의 말이나 글 속에 끌어 써서 설명하고 있다.

04 '발효'와 '부패'의 차이점으로 알맞은 것은?

① 미생물의 작용 여부
② 생성 물질의 유해성 여부
③ 작용 물질의 성질 변화 여부
④ 생성 방법이 분해인지 합성인지의 차이
⑤ 생성 물질이 산성인지 염기성인지의 차이

05 ❶~❺ 중, 〈보기〉와 같은 설명 방법을 사용한 것을 쓰시오.

보기
고기를 태우면 벤조피렌과 같은 발암 물질이 발생하기 때문에 탄 고기를 먹으면 암이 발생할 확률이 높아진다.

(2) 이 글의 내용을 떠올리며, 보기의 빈칸에 들어갈 설명 방법을 써 보자.

보기

설명 방법은 문장이나 문단뿐 아니라 글 전체 수준에서도 사용된다. 이 글의 ㉣~㉫ 문단은 우리나라의 전통 발효 식품의 우수성을 설명하기 위한 (답 □□) 문단이다.

(3) ❶~❺에서 하나를 골라, 사용된 설명 방법이 대상을 이해하는 데에 도움을 주었는지 평가해 보자.

예시 답〉〉

❷ …… 발효의 뜻을 명확하게 밝혀서 발효가 무엇인지 쉽게 이해할 수 있었다.

❶ …… 발효 식품에는 무엇이 있는지 구체적인 □□을 예로 들어 설명하고 있어, 발효를 이해하는 데 도움이 되었다.

학습콕

❶ 설명 방법의 종류

예시	구체적인 예를 들어 설명하는 방법
인과	원인과 결과를 중심으로 설명하는 방법
정의	대상의 본질, 개념, 뜻을 밝히며 설명하는 방법
비교	둘 이상의 대상을 견주어 서로 간의 공통점을 밝혀 설명하는 방법
대조	둘 이상의 대상을 견주어 서로 간의 차이점을 밝혀 설명하는 방법

❷ 설명 방법 활용의 효과

	글쓴이	읽는 이
효과	내용을 정확하고 쉽게 전달할 수 있음.	내용을 쉽게 이해하고 기억할 수 있음.

간단 체크 활동 문제

06 〈보기〉에 사용된 설명 방법으로 설명하기에 가장 적절한 것은?

보기

오락 기능을 담당하는 텔레비전 프로그램의 장르에는 쇼, 코미디, 드라마, 스포츠 등이 있다.

① 시계의 구조
② 럭비와 미식축구의 차이점
③ 학생들이 사용하는 줄인 말
④ 말하기와 쓰기 영역의 공통점
⑤ 지구 온난화의 원인과 해결 방안

07 설명 방법을 적절하게 활용할 때 얻을 수 있는 효과로 알맞은 것은? (정답 2개)

① 글쓴이가 내용을 정확하고 쉽게 전달할 수 있다.
② 글쓴이가 더 많은 정보를 글 속에 담을 수 있다.
③ 읽는 이가 내용을 쉽게 이해하고 기억할 수 있다.
④ 글쓴이와 읽는 이가 직접적으로 의사소통할 수 있다.
⑤ 읽는 이가 새로 배운 정보를 활용하는 능력을 기를 수 있다.

❶ 짧은 글에 사용된 설명 방법 파악하기
❷ 설명하고자 하는 대상의 특성에 적절한 설명 방법 찾기

구분, 분류, 분석의 설명 방법을 알아보고, 설명하고자 하는 대상의 특성에 따라 어떤 방법을 사용하면 좋을지 생각해 보자.

1 ㉮~㉰에 쓰인 설명 방법이 무엇인지 구분, 분류, 분석 중에서 골라 보자.

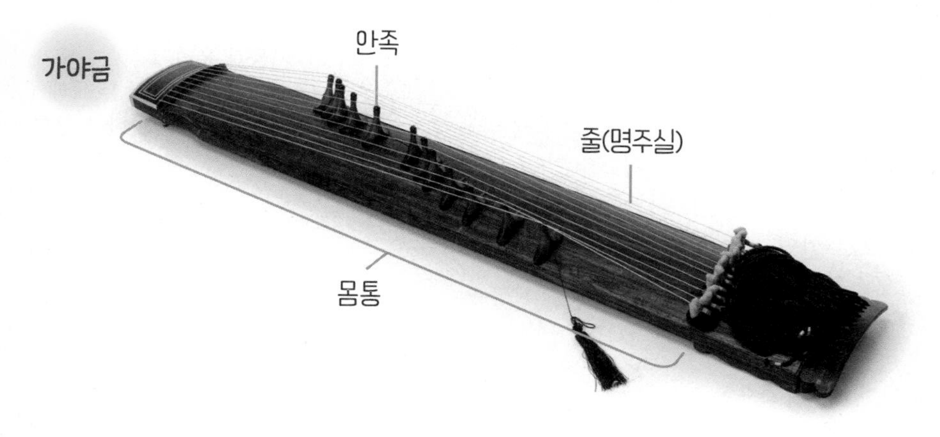

㉮ 국악기는 연주 방법에 따라 관악기, 현악기, 타악기로 나눌 수 있다. 관악기는 관 안의 공기를 진동시켜서, 현악기는 줄을 문지르거나 퉁겨서, 타악기는 두드려서 소리를 내는 악기이다. 가야금은 [㉠]에 속한다.

㉯ 단소·대금·피리 등과 같이 관을 통해 소리를 내는 관악기, 가야금·거문고·해금 등 명주실을 꼬아 만든 줄을 튕기거나 긁어서 소리를 내는 현악기, 장구·징·북 등 두드려 소리를 내는 타악기는 모두 우리 국악기에 속한다.

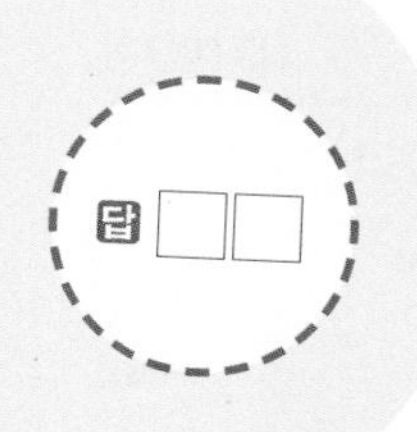

㉰ 가야금은 긴 몸통과 열두 개의 줄, 안족(雁足)으로 구성되어 있다. 가야금의 몸통은 소리가 울리게 하고, 열두 개의 줄은 각기 다른 높낮이의 소리를 낸다. 안족은 줄을 지탱하는 동시에 소리의 높낮이를 조절하는 역할을 한다.

– 김영운, 『국악 개론』

간단 체크 활동 문제

08 (가)~(다) 중, 〈보기〉와 같은 설명 방법을 사용한 것을 쓰시오.

보기
포유류의 심장은 2개의 심방과 2개의 심실로 나뉘어 있다. 그리고 심방과 심실 사이, 심실과 동맥 사이에는 혈액이 일정한 방향으로 흐를 수 있도록 역류를 방지하는 판막이 있다.

09 ㉠에 들어갈 말로 적절한 것은?

① 국악기 ② 관악기
③ 현악기 ④ 타악기
⑤ 선율 악기

10 (나)에서 국악기를 나눈 기준으로 알맞은 것은?

① 연주 방법
② 연주자의 수
③ 악기의 모양
④ 악기의 유래
⑤ 합주 가능 여부

2 지금까지 배운 설명 방법을 바탕으로 다음 활동을 해 보자.

(1) 다음 대상을 어떤 방법으로 설명하면 좋을지 그 까닭과 함께 써 보자.

	설명 방법	그 까닭
스마트폰의 다양한 기능	예시	스마트폰의 기능을 구체적으로 예를 들어 설명하면 이해하기가 쉬우므로
세대별로 즐겨 듣는 노래	답 구분	답 '세대별로 즐겨 듣는 노래'는 나이라는 기준에 따라 나뉘어 있으므로
	답 예시	답 세대별로 즐겨 듣는 노래가 무엇인지 예를 들어 설명해 주면 이해하기 쉬우므로
미세 먼지가 신체에 미치는 영향	답 □□	답 미세 먼지의 영향(원인)으로 생기는 신체 변화(결과)를 원인과 결과로 나누어 설명할 수 있으므로

(2) 다음 설명 방법을 사용할 때, 효과적으로 설명할 수 있는 내용에는 무엇이 있을지 간략하게 써 보자.

예시 답〉〉

비교와 대조	**한국과 중국의 음식**, 소설과 만화, 야구와 축구 등
분석	인간의 신체 구조, 비행기의 구조 등
예시	다양한 전통 의상의 예, 포유류의 예
구분과 분류	**품사의 종류**, 어휘의 체계, 시대의 구분 등
인과	감기 증상과 그 원인, 환경 오염의 원인과 실태 등

간단 체크 활동 문제

11 〈보기〉의 설명 방법을 사용하여 설명하기에 적절하지 않은 것은?

보기
구체적인 예를 들어 설명함.

① 기후별 숲의 종류
② 외국의 전통 의상
③ 거울과 유리의 차이
④ 세대별로 즐겨 듣는 노래
⑤ 스마트폰의 다양한 쓰임새

압축 파일

● 정답과 해설 20쪽

갈래	설명하는 글	성격	객관적, 논리적, 설명적
제재	우리나라의 전통 발효 식품	주제	우리나라의 전통 발효 식품의 우수성
특징	• 구체적인 식품을 예로 들어 발효 과정을 설명함. • 발효 식품을 만드는 과정을 순서대로 나열함.		

「지혜가 담긴 음식, 발효 식품」의 짜임

처음	가운데	끝
세계적으로 ❶□□받는 발효 식품	발효의 ❷□□과 우리나라 전통 발효 식품의 우수성	우리의 전통 발효 식품의 우수성 강조와 이를 발전시켜 나가자는 제안

이 글에 사용된 설명 방법

설명 방법이 쓰인 문장	설명 방법
앞에서 소개한 요구르트, 하몬, 된장을 비롯하여 달콤하고 고소한 향으로 우리를 유혹하는 빵, 빵과 환상의 궁합을 자랑하는 치즈 등을 그 예로 들 수 있다.	예시
발효란 곰팡이나 효모와 같은 미생물이 탄수화물, 단백질 등을 분해하는 과정을 말한다.	❸□□
미생물이 유기물에 작용하여 물질의 성질을 바꾸어 놓는다는 점에서 발효는 부패와 비슷하다.	비교
• 발효는 우리에게 유용한 물질을 만드는 반면에, ❹□□는 우리에게 해로운 물질을 만들어 낸다는 점에서 차이가 있다. • 발효된 물질은 사람이 안전하게 먹을 수 있지만, 부패한 물질은 식중독을 일으킬 수 있어서 함부로 먹을 수 없다.	대조
젖산은 약한 산성 물질이어서 유해균이 증식하는 것을 억제하고, 김치가 잘 썩지 않게 한다.	❺□□

전통 발효 식품의 우수성과 글쓴이의 제안

김치의 우수성	간장의 우수성	된장의 우수성
• 채소의 영양분을 ❻□□에 상관없이 섭취할 수 있게 해 줌. • 소화를 촉진하고 노폐물 배설을 도움. • 유해균의 번식 및 발암 물질의 생성을 억제함. • 변비, 대장암, 당뇨병 등을 예방하는 데에 효과적임.	• 음식에 감칠맛을 더함. • 영양소를 공급해 건강에도 좋음.	• 필수 아미노산이 풍부함. • 간 기능을 높임. • 피부병, 성인병을 ❼□□하는 데에 효과적임. • 항암 효과가 뛰어남.

발효 식품의 가치	발효 식품은 오래 보관할 수 있고, 영양가가 풍부하며, 독특한 맛과 향을 지님.
글쓴이의 제안	우리나라의 전통 발효 식품을 ❽□□시킬 방법을 생각해 보자고 제안함.

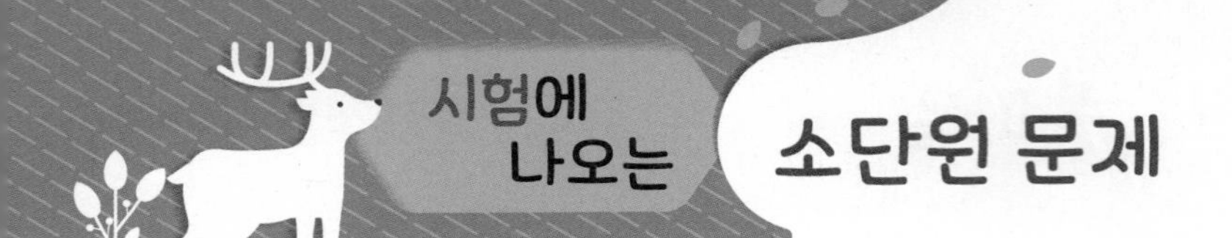

01~05 다음 글을 읽고, 물음에 답하시오.

가 발효 식품은 건강식품으로 널리 알려져 있다. 또한 다양한 발효 식품이 특유의 맛과 향으로 사람들의 입맛을 사로잡고 있다. ㉠앞에서 소개한 요구르트, 하몬, 된장을 비롯하여 달콤하고 고소한 향으로 우리를 유혹하는 빵, 빵과 환상의 궁합을 자랑하는 치즈 등을 그 예로 들 수 있다. 이렇게 몸에도 좋고 맛도 좋은 식품을 만들어 내는 발효란 무엇일까? 그리고 ⓐ발효 식품은 왜 건강에 좋을까? 먼저 발효의 개념을 알아보고, 우리나라의 전통 발효 식품을 중심으로 발효 식품의 우수성을 자세히 알아보자.

나 ㉡발효란 곰팡이나 효모와 같은 미생물이 탄수화물, 단백질 등을 분해하는 과정을 말한다. ㉢미생물이 유기물에 작용하여 물질의 성질을 바꾸어 놓는다는 점에서 발효는 부패와 비슷하다. 하지만 ㉣발효는 우리에게 유용한 물질을 만드는 반면에, 부패는 우리에게 해로운 물질을 만들어 낸다는 점에서 차이가 있다. 그래서 발효된 물질은 사람이 안전하게 먹을 수 있지만, 부패한 물질은 식중독을 일으킬 수 있어서 함부로 먹을 수 없다.

다 그렇다면, 발효를 거쳐 만들어지는 전통 음식에는 무엇이 있을까? 가장 대표적인 전통 음식으로 김치를 꼽을 수 있다. 김치는 채소를 오랫동안 저장해 놓고 먹기 위해 조상들이 생각해 낸 음식이다. 김치는 우리가 채소의 영양분을 계절에 상관없이 섭취할 수 있도록 해 주고, 발효 과정에서 더해진 좋은 성분으로 우리의 건강을 지키는 데도 도움을 준다.

라 김치 발효의 주역은 젖산균이다. 채소를 묽은 농도의 소금에 절이면 효소 작용이 일어나면서 당분과 아미노산이 생기고, 이를 먹이로 삼아 여러 미생물이 성장하면서 발효가 시작된다. 이때 김치 발효에 가장 중요한 역할을 하는 젖산균도 함께 성장하고 증식한다. 젖산균은 포도당을 분해하면서 젖산을 만들어 낸다. ㉤젖산은 약한 산성 물질이어서 유해균이 증식하는 것을 억제하고, 김치가 잘 썩지 않게 한다. 그 덕분에 우리는 김치를 오래 두고 먹을 수 있다.

01 이와 같은 글에 대한 설명으로 적절하지 않은 것은?

① 정보나 지식을 사실에 근거하여 전달한다.
② 객관적인 입장에서 정확한 내용을 설명한다.
③ 일정한 체계에 따라 글을 짜임새 있게 전개한다.
④ 읽는 이의 이해를 돕기 위해 쉽고 간결하게 표현한다.
⑤ 주장과 근거를 통해 읽는 이를 설득하는 것을 목적으로 한다.

학습 활동 응용

02 (가)에 대한 설명으로 알맞은 것은?

① 앞으로의 과제를 당부하고 있다.
② 설명한 내용을 요약정리하고 있다.
③ 문제 상황의 심각성을 밝히고 있다.
④ 앞으로 소개할 내용을 제시하고 있다.
⑤ 설명 대상을 구체적으로 설명하고 있다.

03 발효에 대한 설명으로 알맞지 않은 것은?

① 작용하는 과정에서 물질의 성질을 바꾼다.
② 특유의 맛과 향을 지닌 식품을 만들 수 있다.
③ 발효를 통해 만들어진 음식에는 김치가 있다.
④ 발효된 음식은 산성을 띠므로 빨리 먹어야 한다.
⑤ 미생물이 탄수화물, 단백질 등을 분해하는 과정이다.

학습 활동 응용

04 ㉠~㉤ 중, 〈보기〉와 같은 설명 방법이 쓰인 것은?

보기
우리말 중에서 가장 토박이 냄새가 나는 것은 땅 이름이다. '밤나뭇골', '방아다리', '찬우물', '샛말', '가는골' 등은 순우리말로 만든 땅 이름이다.

① ㉠ ② ㉡ ③ ㉢ ④ ㉣ ⑤ ㉤

서술형

05 ⓐ에 대한 대답을 (다)를 참고하여 한 문장으로 쓰시오.

06~08 다음 글을 읽고, 물음에 답하시오.

(가) 우리 김치가 우수한 것은 바로 이 젖산균과 젖산 때문이다. 젖산균과 젖산은 우리 몸 안에서 소화를 촉진하고 노폐물이 잘 배설될 수 있도록 돕는다. 또한 유해균이 번식하거나 발암 물질이 생성되는 것을 억제하기도 한다. 그래서 젖산균과 젖산이 풍부한 김치는 변비 및 대장암, 당뇨병 등을 예방하는 데에 효과적이다.

(나) 맛있는 음식을 만들 때 빠질 수 없는 전통 양념인 간장과 된장도 발효 식품이다. 먼저 간장을 만드는 과정을 살펴보자. 콩을 푹 삶아서 찧은 다음, 덩어리로 만든다. 이 콩 덩어리가 바로 메주이다. 메주를 따뜻한 곳에 두어 발효하고 소금물에 담가 우려낸다. 그 국물을 떠내어 달이면 간장이 완성된다.

(다) 메주가 소금물 속에서 발효될 때, 젖산균의 일종인 바실루스가 콩에 들어 있는 단백질을 분해하여 아미노산을 만들어 낸다. 그리고 아미노산은 소금물에 녹아들어 감칠맛을 더하고 영양소를 공급한다. 이처럼 간장은 음식을 더 맛있게 만들고 건강에도 좋기 때문에 우리 조상들은 장 담그는 일에 정성을 기울였다.

(라) 된장은 필수 아미노산이 풍부해서, 아미노산이 적은 쌀밥을 주로 먹는 우리에게 꼭 필요한 식품이다. 또한 간 기능을 높이고, 피부병과 성인병을 예방하는 데에도 효과적이다. 이와 더불어 된장은 '암을 이기는 한국인의 음식' 중 하나로 꼽힐 정도로 항암 효과가 뛰어나다. 이는 메주가 발효되는 과정에서 항암 물질이 만들어지기 때문이다.

(마) 지금까지 우리의 전통 음식을 중심으로 발효 식품의 우수성을 알아보았다. 발효 식품은 오래 보관할 수 있고, 영양가가 풍부할 뿐만 아니라 그 재료와 미생물의 종류에 따라 독특한 맛과 향을 지녀서 우리 밥상을 풍성하게 해 준다. 이렇게 멋진 발효 식품을 물려준 조상님께 고마워하면서, 오늘 저녁밥으로 보글보글 끓인 된장찌개와 아삭아삭한 김치를 먹는 것은 어떨까? 앞으로 전통 발효 식품을 발전시킬 방법도 생각해 보면서 말이다.

06 이 글을 읽고 난 후의 반응으로 적절하지 않은 것은?

① 초희: 암을 예방하기 위해서 된장을 자주 먹어야겠구나.
② 명우: 간장은 메주를 담갔던 소금물을 달여 만드는구나.
③ 영은: 김치는 젖산균과 젖산이 풍부해서 질병 예방 효과가 있구나.
④ 성진: 간장은 음식을 더 맛있게 만들지만 건강에 해로우니 적게 먹어야겠구나.
⑤ 현지: 발효 식품은 독특한 맛과 향을 지녀서 우리 밥상을 풍성하게 해 주는구나.

학습 활동 응용

07 이 글의 전개 방식에 대한 설명으로 적절한 것은?

① 반대되는 이론의 장단점을 열거한다.
② 전문가의 견해를 통해 핵심을 부각한다.
③ 다양한 예를 들어 대상의 특징을 설명한다.
④ 실험 결과를 제시해 과학적 원리를 도출한다.
⑤ 구체적인 통계 수치를 통해 의미를 분석한다.

서술형

08 (마)에서 드러나는 글쓴이의 제안을 한 문장으로 쓰시오.

학습 활동 응용

09 〈보기〉에 사용된 설명 방법으로 알맞은 것은?

| 보기 |
가야금은 긴 몸통과 열두 개의 줄, 안족(雁足)으로 구성되어 있다. 가야금의 몸통은 소리가 울리게 하고, 열두 개의 줄은 각기 다른 높낮이의 소리를 낸다. 안족은 줄을 지탱하는 동시에 소리의 높낮이를 조절하는 역할을 한다.

① 구분 ② 분석 ③ 대조 ④ 정의 ⑤ 비유

학습 활동 응용

10 제시된 내용과 그것을 효과적으로 설명할 수 있는 설명 방법의 연결이 적절하지 않은 것은?

① 곤충의 종류 – 예시
② 어휘의 체계 – 분류
③ 자전거의 구조 – 분석
④ 소설과 만화 – 비교와 대조
⑤ 세계 각국의 전통 의상 – 인과

교과서 169~181쪽

설명하는 글 쓰기

학습 목표 - 대상의 특성에 맞는 설명 방법을 사용하여 글을 쓸 수 있다.

이해

❶ 설명하는 글을 쓰는 과정 이해하기
❷ 대상의 특성에 맞는 설명 방법 이해하기

학습 포인트

❶ 설명하는 글을 쓰는 과정 ①: 계획하기

1 다음 상황을 보고, '민재'가 쓸 글의 주제와 목적, 예상 독자를 정리해 보자.

- **주제** 우리나라의 전통 놀이 '줄다리기'
- **목적** 답 줄다리기에 관한 여러 □□를 설명하기 위해서
- **예상 독자** 답 친구들

학습콕

❶ 설명하는 글을 쓰는 과정 ①: 계획하기

방법	글의 주제, 글을 쓰는 □□, 예상 독자 등을 떠올려 봄.
필요성	글의 주제, 글을 쓰는 목적, 예상 독자에 따라 글의 구성이나 내용이 달라질 수 있으므로 이를 구체적으로 설정해 두어야 함.

간단 체크 활동 문제

중요

01 설명하는 글을 쓸 때 첫 단계에서 해야 할 일은?
① 자료 수집
② 글의 개요 작성
③ 예상 독자 설정
④ 수집한 자료 정리
⑤ 대상에 따른 설명 방법 결정

02 '민재'가 글을 쓰려는 목적으로 가장 적절한 것은?
① 줄다리기의 장점을 홍보하려고
② 줄다리기가 재미있다는 것을 설득하려고
③ 줄다리기에 관한 여러 정보를 알려 주려고
④ 줄다리기를 체육 대회 종목으로 넣자고 제안하려고
⑤ 줄다리기와 관련된 경험을 통해 감동을 전달하려고

03 '민재'가 쓰고자 하는 글의 종류로 알맞은 것은?
① 수필 ② 설명문
③ 논설문 ④ 기행문
⑤ 광고문

학습 포인트

❶ 설명하는 글을 쓰는 과정 ②: 내용 생성하기
❷ '민재'가 수집한 자료의 내용과 그 자료에 사용된 설명 방법

2 다음은 '민재'가 수집한 줄다리기 관련 자료들이다. 각 자료에서 알 수 있는 내용과 사용된 설명 방법을 정리해 보자.

자료 1 책

자료 2 신문 기사

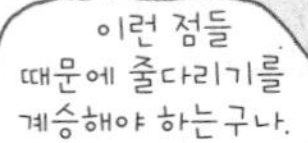

경남 도민 신문

2016년 5월 29일

민속 문화의 상징, 줄다리기의 가치

줄다리기는 매우 가치 있는 놀이이다. 우선 우리는 줄다리기에 참여함으로써 몸을 움직일 수 있다. 줄다리기는 오락거리로서 우리에게 즐거움을 주고, 근심과 걱정을 잊을 수 있도록 하여 정신적 건강에도 도움을 준다.

그뿐만 아니라, 줄다리기는 놀이에 참여하는 공동체를 결속하게 하고, 개인에게는 집단 구성원으로서의 정체성을 확립할 수 있도록 해 준다. 이기기 위해서는 모두가 힘을 합쳐야 하기 때문이다. 이렇듯 줄다리기는 신체적·정신적·사회적 측면에서 조화를 이루는 놀이여서 교육적으로 가치가 있다. 우리는 이를 잘 보존하고 계승하기 위해 노력해야 한다.

• 내용: 답 줄다리기의 ☐☐

• 설명 방법: 인과

간단 체크 활동 문제

04 '민재'가 수집한 '자료 1'과 '자료 2'에 대한 설명으로 적절하지 않은 것은?

① 글의 주제와 관련 있는 자료들이다.
② 주로 인쇄 매체에서 수집한 자료들이다.
③ '자료 1'에서 줄다리기의 개념을 파악할 수 있다.
④ '자료 2'에서 줄다리기를 계승해야 하는 이유를 알 수 있다.
⑤ 자료들을 활용하여 글을 쓸 때에는 원문을 그대로 인용해야 한다.

중요

05 '민재'가 수집한 '자료 2'에서 '줄다리기의 가치'를 설명한 방법으로 알맞은 것은?

① 비교　② 인과
③ 예시　④ 정의
⑤ 과정

자료 3 누리집

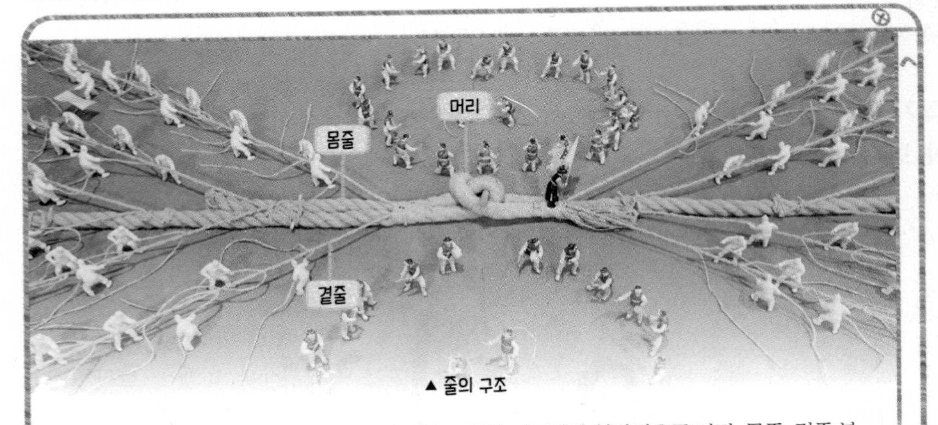

▲ 줄의 구조

㉠줄다리기에 사용하는 줄은 지역에 따라 조금씩 다르지만 일반적으로 머리, 몸줄, 곁줄 부분으로 나눌 수 있다. 줄은 전체적으로 앞부분은 굵고 끝으로 갈수록 가늘어진다. 중심의 굵은 줄을 원줄 또는 몸줄이라고 한다. 이 몸줄은 너무 크고 무거워서 직접 잡아서 당길 수가 없다. 그래서 곁줄이라고 불리는 작은 줄들을 몸줄의 좌우로 늘여 붙이고, 실제 놀이에서는 이것을 당긴다. 결국 전체 줄은 무수한 발들을 가진 지네 모양이 된다.

▲ 머리의 구조

줄은 미리 암줄과 수줄의 구분을 두어 만드는데, 앞부분은 '머리'라고 하는 올가미 모양으로 만든다. 수줄의 머리는 너비가 좁고, 암줄의 머리는 수줄보다 너비가 넓다. 이렇게 만든 줄을 연결할 때에는 수줄을 암줄 속에 깊이 질러 넣고, 두 줄 사이에 굵고 긴 나무 빗장을 끼워서 줄이 빠지지 않게 한다. '비녀목'이라고 부르는 이 나무는 수줄을 만든 편에서 준비하는데, 놀이 도중에 부러지게 되면 수줄 편이 진 것으로 간주한다.

– 네이버 지식 백과, 「줄다리기」

• 내용: 줄의 구조
• 설명 방법: 답 분석

간단 체크 활동 문제

06 '민재'가 '자료 3'을 통해 알게 된 내용은?

① 줄다리기 경기 규칙
② 줄다리기의 다른 이름
③ 줄다리기에서 '승패'의 의미
④ 줄다리기 줄을 제작하는 과정
⑤ 줄다리기에 사용하는 줄의 구조

중요
07 다음 중 ㉠과 같은 설명 방법을 사용한 것은?

① 인생은 짧고 예술은 길다.
② 초파리의 몸은 머리, 가슴, 배의 세 부분으로 나눌 수 있다.
③ 문화재란 문화 활동에 의하여 창조된 가치가 뛰어난 사물이다.
④ '해와 달이 된 오누이 이야기'와 '호랑이와 곶감 이야기'는 호랑이를 소재로 한 설화이다.
⑤ 씨름에서는 배지기, 등치기, 낚시걸이, 무릎치기, 뒤집기, 허리꺾기 등의 기술이 있다.

3 보기의 질문을 참고하여 줄다리기를 설명하는 글을 쓰는 데 필요한 자료를 더 찾아보자.

보기

- 줄다리기는 언제 시작되었을까?
- 줄다리기의 편은 어떻게 가를까?
- 줄다리기 놀이를 하는 방법은 무엇일까?
- 우리 민족이 줄다리기를 했던 까닭은 무엇일까?
- 우리나라는 줄다리기를 전승하기 위해 어떤 노력을 하고 있을까?

예시 답 〉〉

	찾은 자료의 간략한 내용	출처
자료 4	줄다리기의 기원은 정확히 알려지지는 않았지만, 우리나라에서는 벼농사가 활발하게 이루어졌던 한강 이남 지역에서 줄다리기 행사가 많이 이루어졌고, 이는 점차 북쪽으로 전해졌다. 그리고 중국과 일본, 동남아의 벼농사 지역에서도 우리와 비슷한 농경 행사로 줄다리기를 했다고 한다. 이처럼 동양의 줄다리기는 한 해 농사의 풍년과 복을 기원하는 주술적 성격이 강한 민속 행사로 시작되었던 것으로 보인다. 그러니 오락적 기능보다는 행사를 통해 촌락의 단합을 강조하는 의례적 측면이 더 강한 놀이였다고 할 수 있다.	최원석, 『과학은 놀이다』
자료 5	〈줄다리기의 편 구성 방식〉 줄다리기의 편을 가를 때 육지 지방에서는 대개 동부와 서부로 나누며, 섬 지방에서는 상촌·하촌으로 나누어 상촌은 남자 편, 하촌은 여자 편이 된다. 그리고 장가 안 간 총각은 여자 편이 된다. ㉡그런데 동부·서부로 나누면 경상남도 영산(靈山) 지방에서는 동부가 수줄, 서부가 암줄인데 반하여, 전라남도 강진 지방에서는 그 반대이다. 그러나 어쨌든 결과적으로 암줄이 이겨야 그해에 풍년이 든다는 점에서는 같다. 따라서, 대개 여자 편이 이기도록 남자 편이 양보하는 것이 묵계로 되어 있다.	한국 민족 문화 대백과사전 (http://encykorea.aks.ac.kr)
[자료 6]	〈줄다리기를 전승하려는 노력〉 우리나라는 전승 협회나 박물관에서 현재와 미래의 줄다리기 연행자에 해당하는 어린이들에게 줄다리기와 관련된 지식, 기술, 의미를 교육하고 있다. 초등학교에서 어린이들은 정규의 체육 수업이나 운동회에서 줄다리기를 경험할 수 있는데, 이 과정에서 어른과 협력하며 화합의 중요성을 깨닫고 유산이 지닌 가치를 배운다. 더불어 많은 지방 자치 단체가 과거에 사용했던 줄다리기 줄을 지역의 유산으로 지정하여 보존하고 있으며, 이를 통해서 줄다리기 놀이와 관련된 지식, 줄다리기 줄의 제작 방법 등에 관한 정보가 공유된다.	유네스코 인류 무형 문화유산 (http://www.unesco.org)

학습콕

❶ 설명하는 글을 쓰는 과정 ②: 내용 생성하기
- 다양한 매체를 활용하여 주제와 관련 있는 자료를 수집함.
- 수집한 자료에서 주제와 관련 있는 내용을 정리함.
- 더 필요한 자료가 있는지 점검함.

❷ '민재'가 수집한 자료의 내용과 그 자료에 사용된 설명 방법

	[자료 1]	[자료 2]	[자료 3]
자료를 수집한 매체	책(국어사전)	신문 기사	누리집
자료의 내용	줄다리기의 뜻	줄다리기의 가치	줄의 □□
사용된 설명 방법	□□	인과	분석

간단 체크 활동 문제

08 '자료 4'에 소제목을 붙인다고 할 때, 가장 적절한 것은?

① 동아시아의 교류
② 줄다리기의 유래
③ 민속 행사의 종류
④ 줄다리기의 오락성
⑤ 동서양 줄다리기의 차이

중요

09 〈보기〉에서 ㉡에 사용된 설명 방법만을 골라 바르게 묶은 것은?

| 보기 |
ㄱ. 대조　ㄴ. 비교
ㄷ. 예시　ㄹ. 분류
ㅁ. 분석

① ㄱ, ㄴ　② ㄱ, ㄷ
③ ㄴ, ㄹ　④ ㄷ, ㅁ
⑤ ㄹ, ㅁ

10 다음 질문 중, '자료 6'을 통해 알 수 있는 것은?

① 줄다리기는 언제 시작되었을까?
② 줄다리기의 편은 어떻게 가를까?
③ 줄다리기 놀이를 하는 방법은 무엇일까?
④ 우리 민족이 줄다리기를 했던 까닭은 무엇일까?
⑤ 우리나라는 줄다리기를 전승하기 위해 어떤 노력을 하고 있을까?

(2) 설명하는 글 쓰기

학습 포인트

❶ 설명하는 글을 쓰는 과정 ③: 내용 조직하기

4 앞에서 찾은 자료들을 활용하여 글을 쓰려고 한다. 전체적인 글의 흐름을 구성해 보자.

(1) 앞에서 찾은 자료를 바탕으로 개요를 작성해 보자.

예시 답〉〉

처음	우리의 전통 민속놀이인 '줄다리기'	
가운데	1. 줄다리기의 뜻과 유래 가. 줄다리기의 뜻 나. 줄다리기의 유래	자료 1 자료 4
	2. 줄다리기를 하는 방법 가. 줄다리기의 편 구성 방식 나. 줄다리기의 규칙	[자료 5]
	3. 줄다리기의 의의 가. 줄다리기가 지닌 가치 나. 줄다리기를 전승하려는 노력	[자료 2] [자료 6]
끝	줄다리기의 보존 및 계승 당부	

(2) (1)을 바탕으로 '가운데' 부분을 쓰려고 한다. 이때 어떤 설명 방법을 사용하면 좋을지 간략히 정리해 보자.

예시 답〉〉

설명할 항목	설명 방법	그 까닭
줄다리기의 뜻	정의	줄다리기의 뜻이 무엇인지 정확히 설명할 수 있으므로
줄다리기의 유래	인과	줄다리기가 생겨난 까닭을 읽는 이가 이해하기 쉽게 설명할 수 있으므로
줄다리기의 편 구성 방식	비교·대조	지역 간 줄다리기의 편 구성 방식의 공통점과 □□□을 분명하게 설명할 수 있으므로
줄다리기의 규칙	비교	전 지역에 공통적으로 적용되는 줄다리기의 규칙을 설명할 수 있으므로
	㉠	규칙을 순서대로 늘어놓아 알아보기 쉽게 할 수 있으므로
줄다리기의 가치	인과	줄다리기를 하면서 얻을 수 있는 점을 설득력 있게 설명할 수 있으므로
	㉡	전문가의 말을 빌려 글의 신뢰성을 높일 수 있으므로
줄다리기를 전승하려는 노력	예시	우리나라에서 줄다리기를 전승하기 위해 어떤 노력을 하고 있는지 구체적인 예를 들어 설명할 수 있으므로

학습콕

❶ 설명하는 글을 쓰는 과정 ③: 내용 조직하기
- 수집한 자료를 바탕으로 설명하는 글의 구조인 '처음 – 가운데 – 끝'에 맞게 □□를 작성함.
- 각 내용에 적절한 설명 방법과 자료 활용 계획을 세움.

간단 체크 활동 문제

중요

11 다음은 설명하는 글을 쓰는 과정이다. 빈칸에 들어갈 내용을 2어절로 쓰시오.

계획하기 ➲ 내용 생성하기 ➲ □

12 〈보기〉의 자료를 활용하여 작성한 4-(1) 개요의 내용으로 알맞은 것은?

보기
줄다리기는 놀이에 참여하는 공동체를 결속하게 하고, 개인에게는 집단 구성원으로서의 정체성을 확립할 수 있도록 해 준다.

① 가운데 – 1 – 가
② 가운데 – 1 – 나
③ 가운데 – 2 – 나
④ 가운데 – 3 – 가
⑤ 가운데 – 3 – 나

중요

13 ㉠과 ㉡에 들어갈 설명 방법을 바르게 연결한 것은?

	㉠	㉡
①	인용	분석
②	분석	과정
③	과정	구분
④	열거	비유
⑤	열거	인용

학습 포인트

❶ 설명하는 글을 쓰는 과정 ④: 표현하기
❷ 설명하는 글을 쓰는 방법

5 '가운데' 부분에 들어갈 내용 중 한 부분을 골라 한두 문단 정도의 글을 써 보자.

예

줄의 구조

줄다리기에 사용하는 줄은 지역마다 조금씩 다르지만 일반적으로 두 개의 줄을 연결하는 머리, 중심이 되는 몸줄, 사람들이 실제로 줄을 당길 수 있도록 연결한 곁줄로 이루어져 있다. 두 줄을 연결할 때에는 수줄의 머리를 암줄의 머리에 끼우고 중간에 비녀목이라는 굵고 긴 나무 빗장을 끼운다. ㉢이러한 줄은 멀리서 보면 무수한 발을 가진 지네와 비슷하다.

예시 답〉〉 〈줄다리기의 유래〉

줄다리기는 벼농사가 활발하게 이루어졌던 우리나라의 한강 이남에서 전해진 놀이이다. 중국과 일본, 동남아시아의 벼농사 지역에서도 우리와 비슷한 줄다리기를 농경 행사로 했다고 한다. 이를 보면 줄다리기는 단순히 오락적인 면을 뛰어넘어 한 해 농사의 풍년과 복을 기원하는 주술적 성격을 가진 민속놀이로 시작되었다고 할 수 있다.

6 친구들의 글을 읽고, 설명 방법을 잘 활용하여 쓴 글을 골라 보자.

예시 답〉〉 학급 친구가 쓴 '줄의 구조'를 설명한 글이 설명 방법을 잘 활용하여 쓴 글이라고 생각한다. 이 글은 줄다리기에 사용되는 줄의 구조를 머리, 몸줄, 곁줄의 부분으로 나누어 □□하고 있다. 또한 줄다리기의 줄을 무수한 발을 가진 지네에 비유하고 있다. 이 덕분에 줄의 구조를 머릿속에 그려 볼 수 있어서 글의 내용을 쉽게 이해할 수 있었다.

학습콕

❶ 설명하는 글을 쓰는 과정 ④: 표현하기
• 내용 □□하기 단계에서 작성한 개요를 바탕으로, 글의 목적과 주제에 맞게 글을 씀.
• 대상을 효과적으로 설명하는 방법을 사용하여 읽는 이가 내용을 쉽게 이해할 수 있도록 씀.

❷ 설명하는 글을 쓰는 방법

계획하기	예상 독자의 □□과 흥미 등을 고려하여 글쓰기 계획을 세움.
내용 생성하기	객관적이고 정확한 정보를 중심으로 자료를 수집함.
내용 조직하기	'처음 – 가운데 – 끝'으로 짜임새 있게 글의 내용을 조직함.
□□하기	설명하려는 대상이나 개념에 맞게 적절한 설명 방법을 활용하여 내용을 효과적으로 표현함.

간단 체크 활동 문제

14 설명하는 글을 쓰는 과정 중, 표현하기 단계에서 유의해야 할 점이 아닌 것은?

① 작성한 개요를 바탕으로 쓴다.
② 글의 목적과 주제에 맞게 쓴다.
③ 글솜씨가 드러나도록 화려한 표현을 많이 활용한다.
④ 읽는 이가 쉽게 이해할 수 있도록 명료하게 표현한다.
⑤ 대상을 효과적으로 표현할 수 있는 설명 방법을 사용한다.

중요

15 ㉢에 활용된 설명 방법에 대한 설명으로 가장 적절한 것은?

① 원인과 결과를 중심으로 설명하는 방법
② 대상의 본질, 개념, 뜻을 밝히며 설명하는 방법
③ 전체를 일정한 기준에 따라 나누어 설명하는 방법
④ 어떤 현상이나 대상을 다른 비슷한 현상이나 사물에 빗대어서 설명하는 방법
⑤ 중심 문장이나 문단의 내용을 보충하여 덧붙이거나, 상세하게 풀어 설명하는 방법

(2) 설명하는 글 쓰기

❶ 설명하는 글을 쓰는 과정에 따라 한 편의 글 쓰기
❷ 대상의 특성에 맞는 설명 방법을 활용하여 표현하기

대상의 특성에 맞는 설명 방법을 활용하여 한 편의 글을 써 보자.

1단계 내용 생성하기

1 다음 질문에 답해 보면서 친구와 공유할 정보를 생각해 보자.

질문 1 내가 잘 알고 있는 정보는 무엇인가?
질문 2 알아 두면 가치 있는 정보는 무엇인가?
질문 3 내가 평소에 관심이 많은 분야는 무엇인가?
질문 4 친구들의 관심과 흥미를 끌 수 있는 정보는 무엇인가?

예시 답》 귀지, 정전기, 클래식 등

2 1에서 고른 정보와 관련된 내용을 자유롭게 떠올려 보자.

예시 답》

귀지	귀지의 뜻, 귀지가 생기는 까닭, 귀지의 역할, 귀지에 대한 잘못된 상식, 귀지를 파면 안 되는 까닭 등
정전기	정전기의 뜻, 정전기가 생기는 이유, 정전기가 잘 생기는 조건, 정전기가 해로운 경우, 정전기가 이로운 경우, 정전기를 줄이는 방법 등
클래식	클래식의 뜻, 클래식의 역사, 클래식의 종류, 클래식의 현대적 변용 등

3 다음 조건을 고려하여, 떠올린 내용 중 글에 담을 항목을 골라 보자.

예시 답》

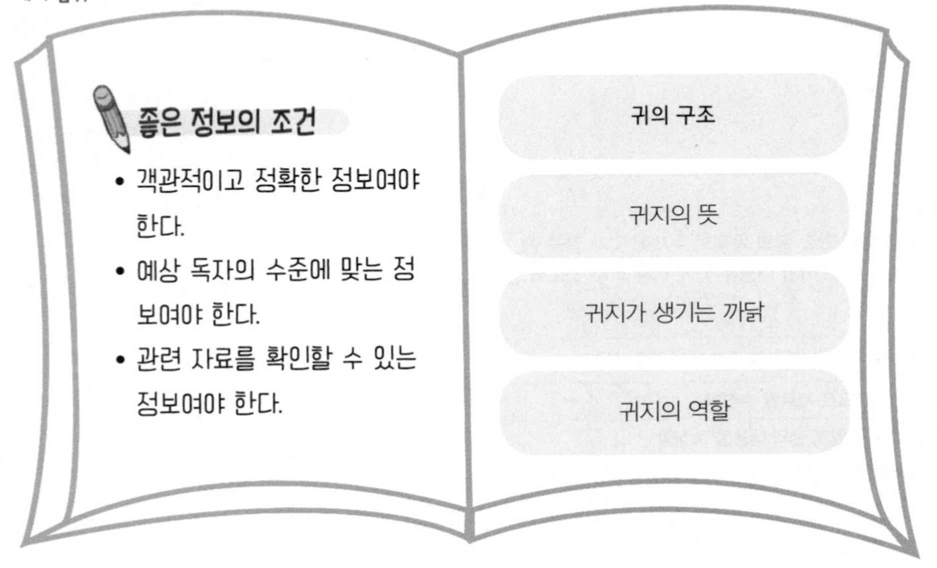

간단 체크 활동 문제

16 〈보기〉의 설명에 해당하는 글쓰기 과정으로 알맞은 것은?

보기
다양한 매체를 통해 글의 주제와 관련된 자료를 수집하여 내용을 만드는 과정이다.

① 계획하기
② 내용 생성하기
③ 내용 조직하기
④ 표현하기
⑤ 평가하고 고쳐쓰기

중요
17 설명하는 글을 쓰기 위해 수집한 자료들을 선별하는 기준으로 적절하지 않은 것은?

① 내용의 객관성
② 주제와의 관련성
③ 예상 독자의 수준
④ 수집한 매체의 종류
⑤ 자료 출처의 신빙성

18 〈보기〉의 자료를 활용하여 설명할 수 있는 내용으로 알맞은 것은?

보기
귀는 외이, 중이, 내이의 세 부분으로 이루어져 있다. 귓바퀴에서 고막까지의 윗구멍 부분을 외이라고 하고, 고막 안쪽의 넓은 방과 같은 곳을 중이라고 한다. 그리고 고실 안쪽을 내이라고 한다.

① 귀의 구조
② 귀지의 뜻
③ 귀지의 역할
④ 귀지가 생기는 까닭
⑤ 귀지를 파면 안 되는 까닭

4 글을 쓰기 위해 필요한 자료를 찾아 정리해 보자.

예시 답 〉〉

설명할 항목	찾은 내용 정리	출처
귀의 구조	귀는 외이, 중이, 내이로 나뉨.	백과사전
귀지가 생기는 까닭	귓구멍 속 분비물이 죽은 피부 껍질이나 이물질과 섞여 점액으로 변한 것임.	텔레비전 뉴스
귀지의 □□	귀지는 귓속으로 들어오는 이물질을 막아 주고, 귀를 따뜻하게 함.	건강 관련 누리집
귀지를 파면 안 되는 까닭	세균이 쉽게 침범하고, 만성 외이도염이 생길 수 있음.	신문 기사

2단계 내용 조직하기

5 4에서 수집한 자료를 바탕으로 글의 개요를 작성해 보자. 그리고 각 부분에서 어떤 설명 방법을 사용할지 함께 정리해 보자.

예

	설명할 항목	설명 방법	간략한 내용
처음	귀지의 뜻	정의	귓구멍 속에 낀 때를 말함.
가운데	귀의 구조	분석	외이, 중이, 내이 중에서 외이에서 귀지가 만들어짐.
	귀지가 생기는 까닭	인과	귓구멍 속 분비물이 변한 것임.
	귀지의 역할	예시	귓속으로 들어오려는 이물질을 막고, 귀를 따뜻하게 함.
끝	귀지를 파면 안 되는 까닭	㉠인과	세균이 쉽게 침범하고, 만성 외이도염이 생길 수 있음.

예시 답 〉〉 생략

6 작성한 개요를 바탕으로 설명하는 글을 써 보자.

예시 답 〉〉

제목: 귀지, 자주 파도 될까요?

귀지란 귓구멍 속에 낀 때를 말한다. 때라고 하니까 더럽고 쓸데없는 것이라고 생각하기 쉽지만 사실은 그렇지 않다. 귀지를 파지 않아도 되는 까닭을 알아보자. / 귀는 외이, 중이, 내이로 나뉘는데, 귀지는 외이에서 만들어진다. 외이는 외부의 침입자를 막는 작은 털들과 수많은 분비샘으로 이루어져 있다. / 귀지는 우리 귀를 보호하는 다양한 역할을 한다. 외이도에 있는 작은 털들과 함께 귀지는 귓속으로 들어오려는 이물질을 막아 준다. / 귀지는 눅눅한 귀지와 마른 귀지로 나뉘는데, 한국인의 귀지는 대부분 마른 귀지다. 마른 귀지는 파지 않아도 저절로 나오므로, 특별한 이상이 없다면 파지 않아도 된다. 또 귀지를 파게 되면 세균이 쉽게 침범하고, 만성 외이도염이 생길 수도 있으므로 주의해야 한다.

간단 체크 활동 문제

19 〈보기〉의 빈칸에 들어갈 알맞은 말을 쓰시오.

보기
□□은/는 글을 쓰기 전, 자료를 정리하여 글의 내용을 어떻게 구성할 것인지 한눈에 알아볼 수 있게 만든 표이다.

20 다음 중 ㉠의 설명 방법을 활용한 것은?

① 기후 변화 때문에 북극의 빙하가 녹고 있다.
② 올림픽 투기 종목에는 태권도, 유도, 레슬링, 복싱 등이 있다.
③ 로봇은 센서 장치, 제어 장치, 구동 장치, 전원 장치로 나뉜다.
④ 오로라는 주로 극지방에서 초고층 대기 중에 나타나는 발광 현상이다.
⑤ 표범은 몰래 접근하는 능력을 발휘해 주로 밤에, 치타는 빠른 발을 활용해 주로 낮에 사냥을 한다.

4단계 평가하고 고쳐쓰기

7 다음 평가 기준에 따라 자신이 쓴 글을 점검해 보자.

예시 답 〉〉

평가 기준	
• 대상을 이해하기 쉽게 설명하였는가?	★★★☆☆
• 대상의 특성에 맞는 설명 방법을 활용하였는가?	★★★☆☆
• 대상에 대한 정확한 정보와 사실을 바탕으로 썼는가?	★★★★☆
• '처음 – 가운데 – 끝'의 짜임에 맞게 잘 구성하였는가?	★★★★☆

8 평가 결과를 바탕으로 잘못된 부분을 고쳐 쓰거나 부족한 내용을 보충해 보자.

예시 답 〉〉

- **고쳐 쓸 부분:** 이 글에 사용한 '외이', '중이', '내이'를 쉬운 표현으로 바꾸고, 내용이 자연스럽게 연결되도록 문장을 다듬어야 한다. → 사람의 귀는 바깥귀, 가운데귀, 속귀 세 부분으로 나눌 수 있다. 이 중 바깥귀에는 외부의 침입자를 막아 주는 작은 털들과 수많은 분비샘이 있는데, 바로 이 바깥귀에서 귀지가 만들어진다.
- **보충할 내용:** 가운데 부분에 '□□의 역할'을 추가해야 한다. → 귀지는 털과 함께 따뜻한 외투 역할을 하기도 한다.

간단 체크 활동 문제

중요

21 설명하는 글을 평가하는 기준으로 적절하지 않은 것은?

① 대상을 이해하기 쉽게 설명하였는가?
② 대상의 특성에 맞는 설명 방법을 사용하였는가?
③ 제시한 근거가 글쓴이의 의견을 뒷받침하였는가?
④ 대상에 대한 정확한 정보와 사실을 바탕으로 썼는가?
⑤ '처음 – 가운데 – 끝'의 짜임에 맞게 내용을 구성하였는가?

활동 마당

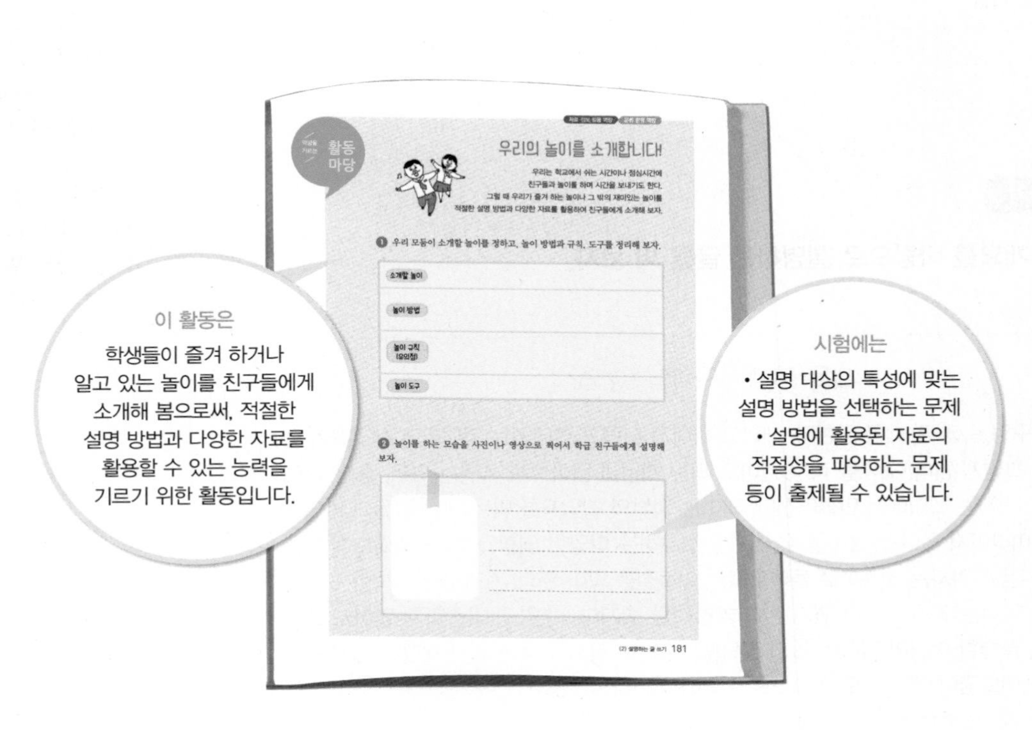

이 활동은
학생들이 즐겨 하거나 알고 있는 놀이를 친구들에게 소개해 봄으로써, 적절한 설명 방법과 다양한 자료를 활용할 수 있는 능력을 기르기 위한 활동입니다.

시험에는
• 설명 대상의 특성에 맞는 설명 방법을 선택하는 문제
• 설명에 활용된 자료의 적절성을 파악하는 문제
등이 출제될 수 있습니다.

• 정답과 해설 21쪽

●● 설명하는 글을 쓰는 과정과 방법

단계	내용	설명
계획하기	글의 주제, 글을 쓰는 목적, 예상 독자 등을 구체적으로 설정함.	예상 독자의 수준과 흥미 등을 고려하여 글쓰기 계획을 세움.
내용 ❶☐☐하기	• 다양한 매체를 활용하여 주제와 관련 있는 자료를 수집함. • 수집한 자료에서 주제와 관련 있는 내용을 정리함. • 더 필요한 자료가 있는지 점검함.	인쇄·방송·인터넷 매체 등에서 객관적이고 정확한 정보를 중심으로 자료를 수집함.
내용 조직하기	• 수집한 자료를 바탕으로 설명하는 글의 구조인 '처음 – ❷☐☐☐ – 끝'에 맞게 개요를 작성함. • 각 내용에 적절한 설명 방법과 자료 활용 계획을 세움.	'처음 – 가운데 – 끝'으로 짜임새 있게 글의 내용을 조직함.
표현하기	• 개요를 바탕으로 글의 목적과 주제에 맞게 글을 씀. • 대상을 효과적으로 설명하는 방법을 사용하여 읽는 이가 내용을 쉽게 이해할 수 있도록 씀.	설명하려는 대상이나 개념에 맞게 적절한 설명 방법을 활용하여 내용을 효과적으로 표현함.
평가하고 고쳐쓰기	• 평가 기준에 따라 글을 점검함. • 점검한 내용을 바탕으로 잘못된 부분은 고쳐 쓰고, 부족한 내용은 ❸☐☐함.	이해의 편의성, 설명 방법의 적절성, 정보의 정확성, 글 짜임의 적절성 등을 기준으로 글을 평가하고 이를 바탕으로 내용을 고쳐 씀.

●● '민재'의 글쓰기 과정

단계	내용
계획하기	우리나라의 전통 놀이 '❹☐☐☐☐'에 관한 정보를 친구들에게 소개하고자 함.
내용 생성하기	민재가 수집한 자료의 내용과 사용된 설명 방법 예 자료의 내용: 줄다리기의 뜻 / 줄다리기의 가치 / 줄의 구조 / 줄다리기의 유래 사용된 설명 방법: 정의 / 인과 / 분석 / 인과
내용 조직하기	수집한 자료의 내용을 활용하여 ❺☐☐를 작성하고, 구체적인 내용에 맞는 설명 방법을 정리함. 예 가운데 부분: '줄다리기의 뜻'을 정의의 설명 방법으로, '줄다리기의 유래'를 인과의 설명 방법으로 설명함.
표현하기	대상의 특성에 적합한 설명 방법을 활용하여 줄다리기를 설명하는 글을 씀. 예 줄의 구조: 분석과 비유를 활용하여 줄다리기에 사용하는 줄의 구조를 설명함.

●● 좋은 정보의 조건

• 객관적이고 정확한 정보여야 한다.
• 예상 독자의 ❻☐☐에 맞는 정보여야 한다.
• 관련 자료를 확인할 수 있는 정보여야 한다.

시험에 나오는 소단원 문제

● 정답과 해설 21쪽

01~04 다음을 읽고, 물음에 답하시오.

경남 도민 신문 2016년 5월 29일

민속 문화의 상징, 줄다리기의 가치

줄다리기는 매우 가치 있는 놀이이다. 우선 우리는 줄다리기에 참여함으로써 몸을 움직일 수 있다. 줄다리기는 오락거리로서 우리에게 즐거움을 주고, 근심과 걱정을 잊을 수 있도록 하여 정신적 건강에도 도움을 준다.

그뿐만 아니라, 줄다리기는 놀이에 참여하는 공동체를 결속하게 하고, 개인에게는 집단 구성원으로서의 정체성을 확립할 수 있도록 해 준다. 이기기 위해서는 모두가 힘을 합쳐야 하기 때문이다. 이렇듯 줄다리기는 신체적·정신적·사회적 측면에서 조화를 이루는 놀이여서 교육적으로 가치가 있다. 우리는 이를 잘 보존하고 계승하기 위해 노력해야 한다.

구분	내용
처음	우리의 전통 민속놀이인 '줄다리기'
가운데	1. 줄다리기의 뜻과 유래 ⓐ가. 줄다리기의 뜻 ⓑ나. 줄다리기의 유래
	2. 줄다리기를 하는 방법 가. [㉠] ⓒ나. 줄다리기의 규칙
	3. 줄다리기의 의의 ⓓ가. 줄다리기의 가치 ⓔ나. 줄다리기를 전승하려는 노력
끝	줄다리기의 보존 및 계승 당부

다 ㉡줄다리기에 사용하는 줄은 지역마다 조금씩 다르지만 일반적으로 두 개의 줄을 연결하는 머리, 중심이 되는 몸줄, 사람들이 실제로 줄을 당길 수 있도록 연결한 곁줄로 이루어져 있다. 두 줄을 연결할 때에는 수줄의 머리를 암줄의 머리에 끼우고 중간에 비녀목이라는 굵고 긴 나무 빗장을 끼운다. 이러한 줄은 멀리서 보면 무수한 발을 가진 지네와 비슷하다.

01 (가)의 자료에 대한 설명으로 알맞지 않은 것은?

① 자료의 출처가 나타나 있다.
② 인쇄 매체에서 수집한 자료이다.
③ 줄다리기의 유래가 드러나 있다.
④ 인과의 설명 방법을 활용하고 있다.
⑤ 줄다리기의 다양한 가치를 언급하고 있다.

학습 활동 응용

02 ㉠에 들어갈 수 있는 내용으로 가장 알맞은 것은?

① 줄다리기의 종류
② 줄다리기의 어원
③ 줄다리기의 위험성
④ 줄다리기의 편 구성 방식
⑤ 줄다리기와 관련된 민속 축제

03 ㉡에서 활용된 설명 방법을 한 단어로 쓰시오.

학습 활동 응용

04 〈보기〉를 활용하여 글을 쓴다고 할 때, ⓐ~ⓔ 중 〈보기〉를 활용하기에 적절한 곳은?

보기

우리나라는 전승 협회나 박물관에서 현재와 미래의 줄다리기 연행자에 해당하는 어린이들에게 줄다리기와 관련된 지식, 기술, 의미를 교육하고 있다. 초등학교에서 어린이들은 정규의 체육 수업이나 운동회에서 줄다리기를 경험할 수 있는데, 이 과정에서 어른과 협력하며 화합의 중요성을 깨닫고 유산이 지닌 가치를 배운다.

– 유네스코 인류 무형 문화유산

① ⓐ ② ⓑ ③ ⓒ ④ ⓓ ⑤ ⓔ

05 설명하는 글을 쓰는 과정에 대한 설명으로 알맞지 않은 것은?

① 계획하기: 글의 주제, 목적, 예상 독자 등을 설정한다.
② 내용 생성하기: 주제와 관련하여 자료를 수집하고 글에 들어갈 내용을 정리한다.
③ 내용 조직하기: 설명하는 글을 쓰는 데 필요한 자료를 더 찾아본다.
④ 표현하기: 다양한 설명 방법을 활용하여 목적에 맞게 글을 쓴다.
⑤ 평가하고 고쳐쓰기: 글의 내용을 점검하고, 이에 따라 글을 고쳐 쓴다.

어휘력 키우기

교과서 182~183쪽

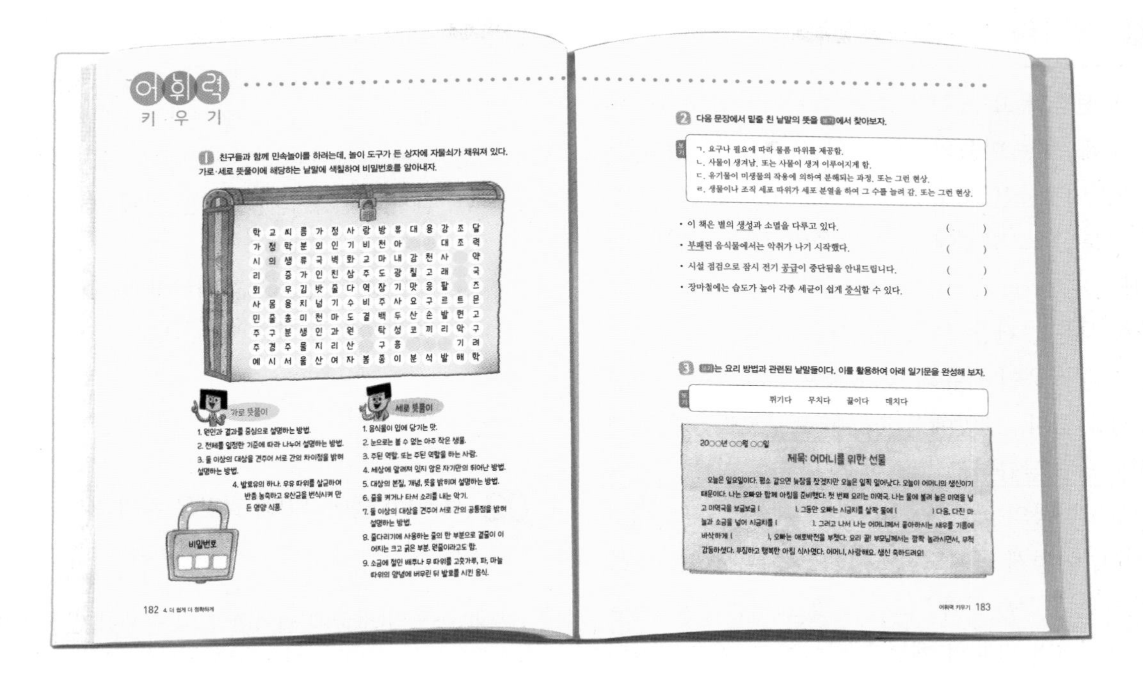

어휘력 키우기

1 친구들과 함께 민속놀이를 하려는데, 놀이 도구가 든 상자에 자물쇠가 채워져 있다. 가로·세로 뜻풀이에 해당하는 낱말에 색칠하여 비밀번호를 알아내자.

학	교	씨	름	가	정	사	랑	방	류	대	용	강	조	달
가	정	학	분	외	인	기	비	천	아			대	조	력
시	의	생	류	국	벽	화	교	마	내	감	천	사		약
리		증	가	인	친	삼	주	도	광	칠	고	래		국
회		무	김	밧	줄	다	역	장	기	맛	응	팔		즈
사	몸	용	치	넘	기	수	비	주	사	요	구	르	트	문
민	줄	총	미	천	마	도	결	백	두	산	손	발	현	고
주	구	분	생	인	과	원		탁	성	코	끼	리	악	구
주	경	주	물	지	리	산		구	홍				기	려
예	시	서	울	산	여	자	봄	종	이	분	석	발	해	학

가로 뜻풀이
1. 원인과 결과를 중심으로 설명하는 방법.
2. 전체를 일정한 기준에 따라 나누어 설명하는 방법.
3. 둘 이상의 대상을 견주어 서로 간의 차이점을 밝혀 설명하는 방법.
4. 발효유의 하나. 우유 따위를 살균하여 반쯤 농축하고 유산균을 번식시켜 만든 영양 식품.

세로 뜻풀이
1. 음식물이 입에 당기는 맛.
2. 눈으로는 볼 수 없는 아주 작은 생물.
3. 주된 역할. 또는 주된 역할을 하는 사람.
4. 세상에 알려져 있지 않은 자기만의 뛰어난 방법.
5. 대상의 본질, 개념, 뜻을 밝히며 설명하는 방법.
6. 줄을 켜거나 타서 소리를 내는 악기.
7. 둘 이상의 대상을 견주어 서로 간의 공통점을 밝혀 설명하는 방법.
8. 줄다리기에 사용하는 줄의 한 부분으로 곁줄이 이어지는 크고 굵은 부분. 원줄이라고도 함.
9. 소금에 절인 배추나 무 따위를 고춧가루, 파, 마늘 따위의 양념에 버무린 뒤 발효를 시킨 음식.

비밀번호

182 4. 더 쉽게 더 정확하게

2 다음 문장에서 밑줄 친 낱말의 뜻을 보기에서 찾아보자.

보기
ㄱ. 요구나 필요에 따라 물품 따위를 제공함.
ㄴ. 사물이 생겨남. 또는 사물이 생겨 이루어지게 함.
ㄷ. 유기물이 미생물의 작용에 의하여 분해되는 과정. 또는 그런 현상.
ㄹ. 생물이나 조직 세포 따위가 세포 분열을 하여 그 수를 늘려 감. 또는 그런 현상.

- 이 책은 별의 생성과 소멸을 다루고 있다. ( )
- 부패된 음식물에서는 악취가 나기 시작했다. ( )
- 시설 점검으로 잠시 전기 공급이 중단됨을 안내드립니다. ( )
- 장마철에는 습도가 높아 각종 세균이 쉽게 증식할 수 있다. ( )

3 보기는 요리 방법과 관련된 낱말들이다. 이를 활용하여 아래 일기문을 완성해 보자.

보기
튀기다 무치다 끓이다 데치다

20○○년 ○○월 ○○일

제목: 어머니를 위한 선물

오늘은 일요일이다. 평소 같으면 늦잠을 잤겠지만 오늘은 일찍 일어났다. 오늘이 어머니의 생신이기 때문이다. 나는 오빠와 함께 아침을 준비했다. 첫 번째 요리는 미역국. 나는 물에 불려 놓은 미역을 넣고 미역국을 보글보글 ( ). 그동안 오빠는 시금치를 살짝 물에 ( ) 다음, 다진 마늘과 소금을 넣어 시금치를 ( ). 그러고 나서 나는 어머니께서 좋아하시는 새우를 기름에 바삭하게 ( ), 오빠는 애호박전을 부쳤다. 요리 끝! 부모님께서는 깜짝 놀라시면서, 무척 감동하셨다. 푸짐하고 행복한 아침 식사였다. 어머니, 사랑해요. 생신 축하드려요!

어휘력 키우기 183

1.

가로 뜻풀이

1. 인과	2. 구분	3. 대조
4. 요구르트		

세로 뜻풀이

1. 감칠맛	2. 미생물	3. 주역
4. 비결	5. 정의	6. 현악기
7. 비교	8. 몸줄	9. 김치

비밀번호: 419

2.

- 이 책은 별의 생성과 소멸을 다루고 있다. (ㄴ)
- 부패된 음식물에서는 악취가 나기 시작했다. (ㄷ)
- 시설 점검으로 잠시 전기 공급이 중단됨을 안내드립니다. (ㄱ)
- 장마철에는 습도가 높아 각종 세균이 쉽게 증식할 수 있다. (ㄹ)

3.

나는 물에 불려 놓은 미역을 넣고 미역국을 보글보글 (끓였다). 그동안 오빠는 시금치를 살짝 물에 (데친) 다음, 다진 마늘과 소금을 넣어 시금치를 (무쳤다). 그러고 나서 나는 어머니께서 좋아하시는 새우를 기름에 바삭하게 (튀기고), 오빠는 애호박전을 부쳤다.

확인 문제

01 밑줄 친 낱말의 사용이 바르지 않은 것은?

① 그는 팀 우승의 주역이 되었다.
② 여름철에는 음식물이 부패되기 쉽다.
③ 준수는 감칠맛 나는 게장에 식욕을 되찾았다.
④ 사건이 일어난 후 그는 감쪽같이 증식해 버렸다.
⑤ 나물은 역시 할머니께서 직접 손으로 무쳐야 맛이 난다.

02 〈보기〉의 빈칸에 들어갈 낱말로 알맞은 것은?

보기
이 그림을 보니 화산의 ( ) 과정을 한눈에 파악할 수 있었다.

① 생존 ② 생산 ③ 생성
④ 제작 ⑤ 실행

01~04 다음 글을 읽고, 물음에 답하시오.

(가) 중국 신장의 요구르트, 스페인 랑하론의 하몬, 우리나라 구례 양동 마을의 된장. 이 음식들의 공통점은 무엇일까? 이것들은 모두 발효 식품으로, 세계의 장수 마을을 다룬 어느 방송에서 각 마을의 장수 비결로 꼽은 음식들이다.

(나) 발효 식품은 건강식품으로 널리 알려져 있다. 또한 다양한 발효 식품이 특유의 맛과 향으로 사람들의 입맛을 사로잡고 있다. ㉠앞에서 소개한 요구르트, 하몬, 된장을 비롯하여 달콤하고 고소한 향으로 우리를 유혹하는 빵, 빵과 환상의 궁합을 자랑하는 치즈 등을 그 예로 들 수 있다. 이렇게 몸에도 좋고 맛도 좋은 식품을 만들어 내는 발효란 무엇일까? 그리고 발효 식품은 왜 건강에 좋을까? 먼저 발효의 개념을 알아보고, 우리나라의 전통 발효 식품을 중심으로 발효 식품의 우수성을 자세히 알아보자.

(다) ㉡발효란 곰팡이나 효모와 같은 미생물이 탄수화물, 단백질 등을 분해하는 과정을 말한다. ㉢미생물이 유기물에 작용하여 물질의 성질을 바꾸어 놓는다는 점에서 발효는 부패와 비슷하다. 하지만 ㉣발효는 우리에게 유용한 물질을 만드는 반면에, 부패는 우리에게 해로운 물질을 만들어 낸다는 점에서 차이가 있다. ㉤그래서 발효된 물질은 사람이 안전하게 먹을 수 있지만, 부패한 물질은 식중독을 일으킬 수 있어서 함부로 먹을 수 없다.

(라) 그렇다면, 발효를 거쳐 만들어지는 전통 음식에는 무엇이 있을까? 가장 대표적인 전통 음식으로 김치를 꼽을 수 있다. 김치는 채소를 오랫동안 저장해 놓고 먹기 위해 조상들이 생각해 낸 음식이다. 김치는 우리가 채소의 영양분을 계절에 상관없이 섭취할 수 있도록 해 주고, 발효 과정에서 더해진 좋은 성분으로 우리의 건강을 지키는 데도 도움을 준다.

(마) 우리 김치가 우수한 것은 바로 이 젖산균과 젖산 때문이다. 젖산균과 젖산은 우리 몸 안에서 소화를 촉진하고 노폐물이 잘 배설될 수 있도록 돕는다. 또한 유해균이 번식하거나 발암 물질이 생성되는 것을 억제하기도 한다. 그래서 젖산균과 젖산이 풍부한 김치는 변비 및 대장암, 당뇨병 등을 예방하는 데에 효과적이다.

01 이 글에서 알 수 있는 내용이 아닌 것은?

① 발효 식품은 건강에도 좋고 맛도 좋다.
② 발효는 우리나라에만 있는 식품 제조 방법이다.
③ 부패 과정에서는 몸에 해로운 물질이 만들어진다.
④ 김치의 발효 과정에서는 몸에 좋은 젖산균과 젖산이 더해진다.
⑤ 젖산균과 젖산은 유해균이 번식하거나 발암 물질이 생기는 것을 억제한다.

02 <보기>가 들어가기에 알맞은 위치는?

보기

김치 발효의 주역은 젖산균이다. 채소를 묽은 농도의 소금에 절이면 효소 작용이 일어나면서 당분과 아미노산이 생기고, 이를 먹이로 삼아 여러 미생물이 성장하면서 발효가 시작된다. 이때 김치 발효에 가장 중요한 역할을 하는 젖산균도 함께 성장하고 증식한다. 젖산균은 포도당을 분해하면서 젖산을 만들어 낸다. 젖산은 약한 산성 물질이어서 유해균이 증식하는 것을 억제하고, 김치가 잘 썩지 않게 한다. 그 덕분에 우리는 김치를 오래 두고 먹을 수 있다.

① (가) 뒤　② (나) 뒤　③ (다) 뒤
④ (라) 뒤　⑤ (마) 뒤

03 (나)에서 앞으로 전개할 내용을 소개하고 있는 부분을 찾아 첫 어절과 끝 어절을 쓰시오.

04 다음 중 ㉠~㉤과 동일한 설명 방법이 사용된 문장이 아닌 것은?

① ㉠: 과일에는 사과, 딸기, 감, 수박 등이 있다.
② ㉡: 효는 어버이를 잘 섬기는 일을 말한다.
③ ㉢: 축구와 야구는 공을 사용하는 운동이다.
④ ㉣: 폭포는 자연의 질서에 순응하지만 분수는 자연의 질서에 역행한다.
⑤ ㉤: 가축 사육이 늘면서 숲이 점차 사라졌다.

05~09 다음 글을 읽고, 물음에 답하시오.

가 맛있는 음식을 만들 때 빠질 수 없는 전통 양념인 간장과 된장도 발효 식품이다. 먼저 간장을 만드는 과정을 살펴보자. 콩을 푹 삶아서 찧은 다음, 덩어리로 만든다. 이 콩 덩어리가 바로 메주이다. 메주를 따뜻한 곳에 두어 발효하고 소금물에 담가 우려낸다. 그 국물을 떠내어 달이면 간장이 완성된다.

나 메주가 소금물 속에서 발효될 때, 젖산균의 일종인 바실루스가 콩에 들어 있는 단백질을 분해하여 아미노산을 만들어 낸다. 그리고 아미노산은 소금물에 녹아들어 감칠맛을 더하고 영양소를 공급한다. 이처럼 간장은 음식을 더 맛있게 만들고 건강에도 좋기 때문에 우리 조상들은 장 담그는 일에 정성을 기울였다.

다 이제 된장을 만드는 과정을 살펴보자. 간장을 만들고 나면 메주가 남는다. 이 메주를 건져 내어 잘게 으깨고, 여기에 소금을 넣어서 잘 섞는다. 이를 장독에 넣어 1개월 이상 숙성시키면, 맛있는 된장이 완성된다.

라 된장은 필수 아미노산이 풍부해서, 아미노산이 적은 쌀밥을 주로 먹는 우리에게 꼭 필요한 식품이다. 또한 간 기능을 높이고, 피부병과 성인병을 예방하는 데에도 효과적이다. 이와 더불어 ㉠된장은 '암을 이기는 한국인의 음식' 중 하나로 꼽힐 정도로 항암 효과가 뛰어나다. 이는 메주가 발효되는 과정에서 항암 물질이 만들어지기 때문이다.

마 지금까지 우리의 전통 음식을 중심으로 발효 식품의 우수성을 알아보았다. 발효 식품은 오래 보관할 수 있고, 영양가가 풍부할 뿐만 아니라 그 재료와 미생물의 종류에 따라 독특한 맛과 향을 지녀서 우리 밥상을 풍성하게 해 준다. 이렇게 멋진 발효 식품을 물려준 조상님께 고마워하면서, 오늘 저녁밥으로 보글보글 끓인 된장찌개와 아삭아삭한 김치를 먹는 것은 어떨까? 앞으로 전통 발효 식품을 발전시킬 방법도 생각해 보면서 말이다.

05 글쓴이가 이 글을 쓴 목적으로 가장 적절한 것은?

① 발효가 활용되는 분야를 소개하기 위해
② 발효 식품이 지닌 문제점을 나타내기 위해
③ 전통 발효 식품의 가치를 인식시키기 위해
④ 전통 발효 식품을 수출하자는 제안을 하기 위해
⑤ 전통 음식에 담긴 조상들의 정성을 알리기 위해

06 <보기>의 빈칸에 들어갈 설명 방법으로 알맞은 것은?

보기
설명 방법은 문장이나 문단뿐 아니라 글 전체 수준에서도 사용된다. (가)~(라)는 우리 전통 발효 식품의 우수성을 설명하기 위한 (   ) 문단이다.

① 정의　② 인용　③ 대조
④ 예시　⑤ 분류

07 (나)를 참고하여 간장이 감칠맛을 내는 이유를 한 문장으로 쓰시오.

08 <보기>의 ㉮~㉳ 중, 간장이 완성되는 단계에 해당하는 것은?

보기
㉮. 삶은 콩을 찧는다. → ㉯. 메주를 만든다. → ㉰. 따뜻한 곳에서 발효된 메주를 바람이 잘 통하는 곳에 매달아 둔다. → ㉱. 메주를 소금물에 담가 우려낸 후 국물만 달인다. → ㉲. 메주를 건져 소금을 넣고 으깬다. → ㉳. ㉲를 장독에 넣어 발효시킨다.

09 다음 중 ㉠에 사용된 설명 방법을 활용하여 가장 효과적으로 설명할 수 있는 것은?

① '양심'의 의미
② 국어의 9품사
③ 세대별로 즐겨 듣는 노래
④ 환경 오염의 원인과 실태
⑤ 시나리오와 희곡의 차이점

10~12 다음을 읽고, 물음에 답하시오.

(가) 줄다리기

❶『민속』 여러 사람이 편을 갈라서, 굵은 밧줄을 마주 잡고 당겨서 승부를 겨루는 놀이. ≒ 견구(牽鉤)·마두희·발하(拔河)·삭전03(索戰)·타구04(拖鉤)·혈하희.

❷ 서로 지지 아니하려고 맞섬을 비유적으로 이르는 말.

-『표준 국어 대사전』

(나) 줄다리기에 사용하는 줄은 지역마다 조금씩 다르지만 일반적으로 두 개의 줄을 연결하는 머리, 중심이 되는 몸줄, 사람들이 실제로 줄을 당길 수 있도록 연결한 곁줄로 이루어져 있다. 두 줄을 연결할 때에는 수줄의 머리를 암줄의 머리에 끼우고 중간에 비녀목이라는 굵고 긴 나무 빗장을 끼운다. ㉠이러한 줄은 멀리서 보면 무수한 발을 가진 지네와 비슷하다.

서술형

10 (가)를 다음과 같이 정리할 때, ㉮와 ㉯에 들어갈 내용을 순서대로 쓰시오.

자료를 수집한 매체	책(국어사전)
자료의 내용	㉮
자료에 사용된 설명 방법	㉯

11 (나)에 대한 이해로 알맞은 것은?

① 글을 쓰게 된 동기를 밝히고 있다.
② 설명한 내용을 요약정리하고 있다.
③ 분류의 설명 방식을 활용하고 있다.
④ 줄다리기 줄의 구조를 설명하고 있다.
⑤ 통계 자료를 제시하여 이해를 돕고 있다.

고난도 서술형

12 ㉠에 사용된 설명 방법과 그 효과를 서술하시오.

조건
① 설명 방법의 효과는 한 문장으로 쓸 것

13~14 다음을 읽고, 물음에 답하시오.

	설명할 항목	설명 방법
처음	귀지의 뜻	정의
가운데	1. 귀의 구조	분석
	2. 귀지가 생기는 까닭	㉠
	3. 귀지의 역할	예시
끝	귀지를 파면 안 되는 까닭	㉡

(나) 귀는 외이, 중이, 내이로 나뉘는데, 귀지는 외이에서 만들어진다. 외이는 외부의 침입자를 막는 작은 털들과 수많은 분비샘으로 이루어져 있다.

13 ㉠와 ㉡에 공통적으로 들어갈 수 있는 설명 방법으로 가장 적절한 것은?

① 정의 ② 비교 ③ 인과 ④ 분석 ⑤ 분류

서술형

14 <보기>는 (나)를 읽은 선생님의 검토 의견과 이에 따라 글쓴이가 내용을 고쳐 쓴 글이다. [A]에 들어갈 내용을 문장의 흐름에 맞게 쓰시오.

보기

[선생님의 검토 의견]
이 글에 사용한 ([A]) 바꾸고, 내용이 자연스럽게 연결되도록 문장을 다듬어 주세요.

[고쳐 쓴 글]
사람의 귀는 바깥귀, 가운데귀, 속귀 세 부분으로 나눌 수 있다. 이 중 바깥귀에는 외부의 침입자를 막아 주는 작은 털들과 수많은 분비샘이 있는데, 바로 이 바깥귀에서 귀지가 만들어진다.

15 설명하는 글을 쓰는 과정 중, <보기>와 같은 질문을 하는 단계로 알맞은 것은?

보기
• 글의 주제와 목적은 무엇으로 할까?
• 예상 독자는 누구로 할까?

① 계획하기 ② 내용 생성하기
③ 내용 조직하기 ④ 표현하기
⑤ 평가하고 고쳐쓰기

창의적 사고력을 키우는

창의·융합

교과서 186~189쪽

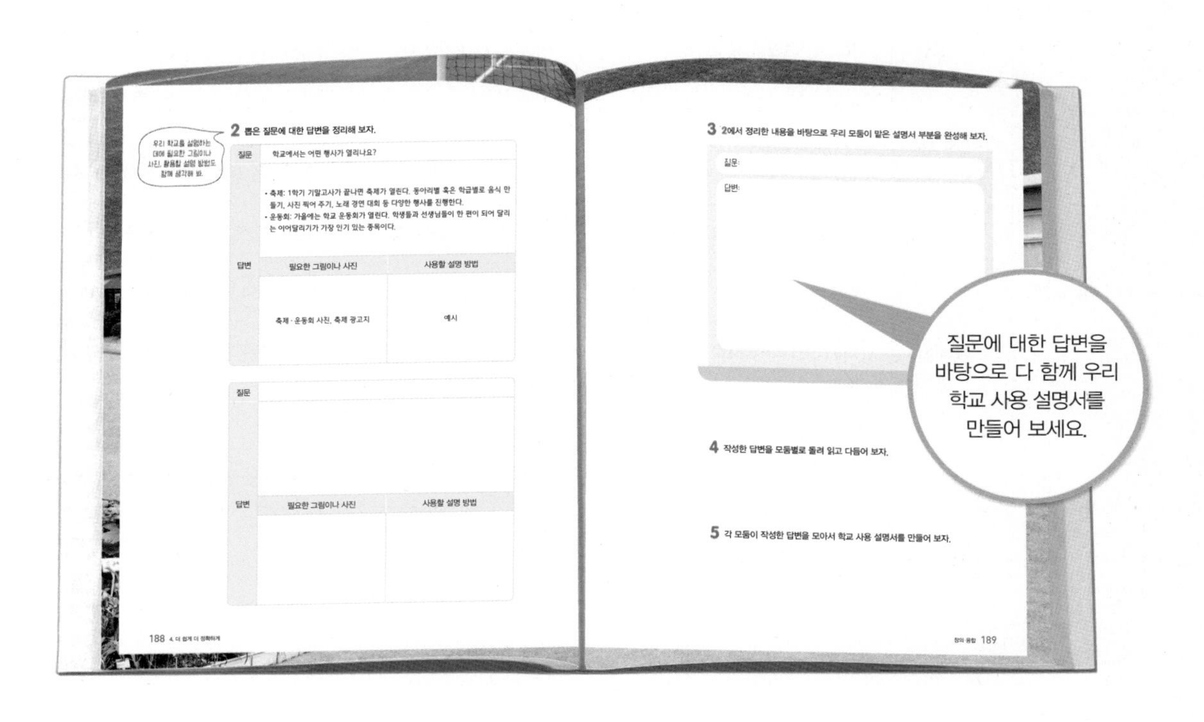

한끝 교과서편 2-1 수록 목록

대단원	소단원	교재 쪽수	제재명	저자	출처
1. 나를 키우는 읽기	소단원 (1)	008	읽으면 읽을수록 좋은 만병통치약	권용선	『읽는다는 것』(너머학교, 2010), 85~89쪽
		008	이덕무와 책	박철상	『서재에 살다』((주)문학동네, 2014), 72~74쪽
		013	보잘것없는 나무들이 아름다운 이유	우종영	『나는 나무처럼 살고 싶다』(걷는나무, 2009), 267~273쪽
2. 주고받는 이야기, 함께 나누는 생각	소단원 (1)	046	62쪽 5번 자료 글	베로니크 타조	권지현 옮김, 『넬슨 만델라』(북콘, 2014), 104~105쪽
		046	63쪽 (2)번 예시 답안		두산 백과(http://www.doopedia.co.kr)
	소단원 (2)	056	74쪽 3번 자료 글	로버트 뉴턴 펙	김옥수 옮김, 『돼지가 한 마리도 죽지 않던 날』((주)사계절출판사, 2005), 26~28쪽
		059	달리는 차은	민예지 외	「달리는 차은」(국가 인권 위원회, 2008)
3. 개성이 드러난 표현	소단원 (1)	073	먼 후일	김소월	김수복 엮음, 『진달래꽃』(도서출판 청동거울, 2002), 14쪽
		076	봄 길	정호승	『사랑하다가 죽어버려라』(창비, 1997)
		079	비와 당신	방준석 작사	『Memory For You』(Warner(Korea) 배급, 2008)
	소단원 (2)	087	이상한 선생님	채만식	이오덕 엮음, 『이상한 선생님』((주)사계절출판사, 2006), 13~27쪽
		098	두꺼비 파리를 물고	작자 미상	류수열 엮음, 『시를 품고 옛 노래를 부르다』(글누림출판사, 2012), 116쪽
	소단원 (3)	109	134쪽 5번 자료 글	이재승	『글쓰기 교육의 원리와 방법』(교육과학사, 2002), 315~317쪽
	창의·융합	121	1번 자료 글	이인희	『서울신문』, 2017. 7. 11.
4. 더 쉽게 더 정확하게	소단원 (1)	125	지혜가 담긴 음식, 발효 식품	진소영	『맛있는 과학 44 – 음식 속의 과학』(김영사, 2012), 80~85쪽
		131	164쪽 1번 자료 글	김영운	『국악 개론』(음악세계, 2015), 88~91쪽
	소단원 (2)	137	170쪽 자료 2	정창교	『경남도민신문』, 2016. 5. 29.
		138	171쪽 자료 3		네이버 지식 백과(http://terms.naver.com)
		139	172쪽 자료 4 예시 답안	최원석	『과학은 놀이다』(궁리출판, 2014), 183쪽
		139	172쪽 자료 5 예시 답안		한국 민족 문화 대백과사전(http://encykorea.aks.ac.kr)
		139	172쪽 자료 6 예시 답안		유네스코 인류 무형 유산(http://www.unesco.org)

한 권으로 끝내기!

필수 개념과 시험 대비를 한 권으로 끝!

국어 공부의 진리입니다.

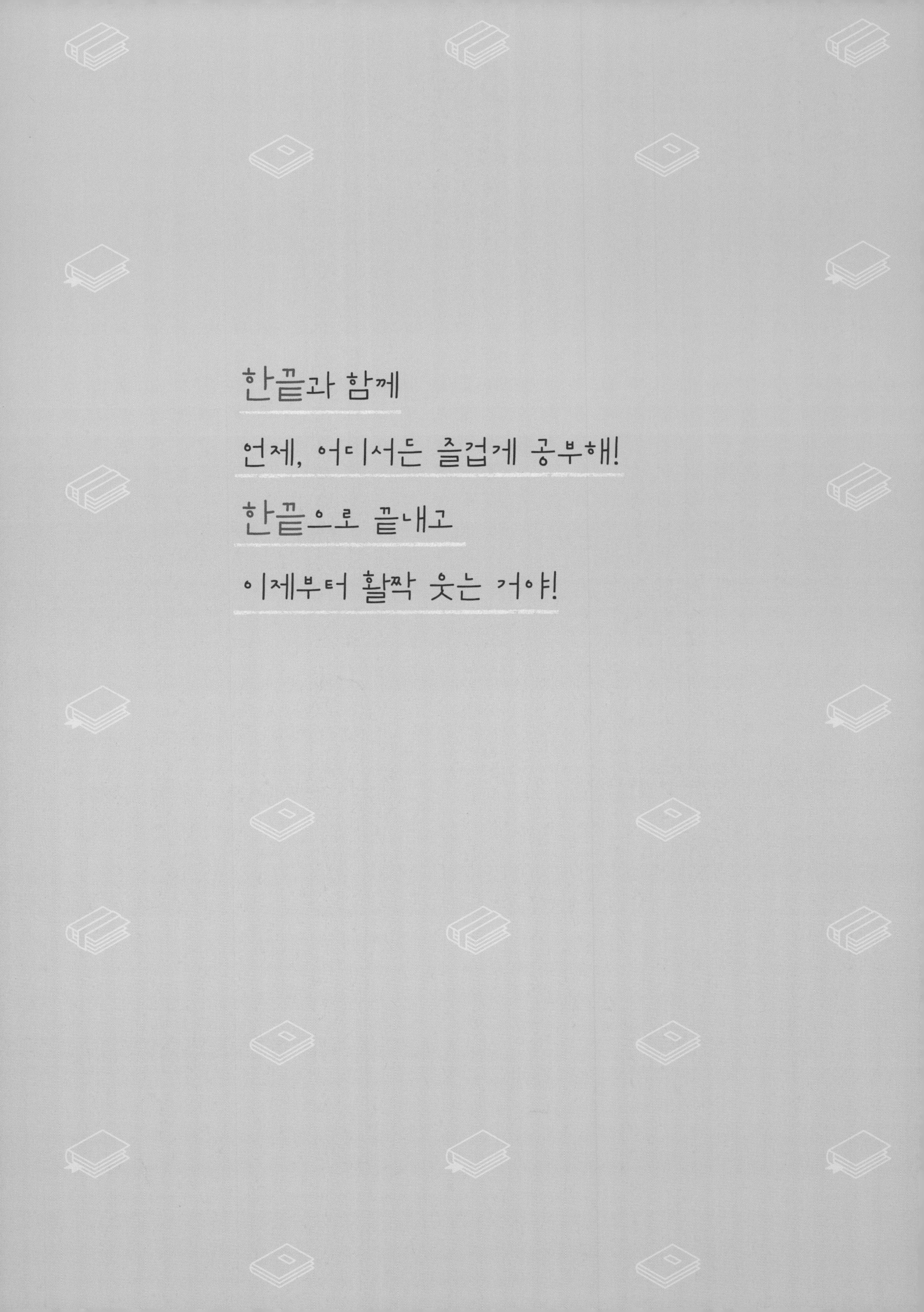
한끝과 함께
언제, 어디서든 즐겁게 공부해!
한끝으로 끝내고
이제부터 활짝 웃는 거야!

15개정 교육과정

한끝 정답과 해설

중등 국어 2·1

교과서편

visang

ABOVE IMAGINATION

우리는 남다른 상상과 혁신으로
교육 문화의 새로운 전형을 만들어
모든 이의 행복한 경험과 성장에 기여한다

정답과 해설

비상교육 교과서편

중등 국어 2-1

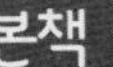

정답과 해설

1 나를 키우는 읽기

(1) 읽기의 가치와 중요성

학습콕 본문 008~010쪽

008쪽 까닭, 대답
010쪽 책 읽기, 추위, 서자, 가치, 만병통치약

간단 체크 내용 문제 본문 008~010쪽

008쪽 **01** ④ **02** ④
009쪽 **03** ③ **04** 간서치 **05** ②
010쪽 **06** ① **07** 만병통치약 **08** ③ **09** 독서삼매

01 똑똑한 사람을 비판하기 위해서 책을 읽는 것이 아니라, 더 똑똑한 사람이 되기 위해서 책을 읽는다고 하였다.

02 이 글에서는 '친구들'이라는 호칭을 사용하여 읽는 이가 편하게 글을 읽을 수 있도록 부드러운 분위기를 형성하고 있다.

03 이 글에서 '이덕무'는 배고플 때 책을 읽으면 배불리 먹을 수 있게 되는 것이 아니라, 글에 담긴 이치를 맛보느라 배고픈 줄도 모르게 된다고 하였다.

04 (바)에서 '이덕무'는 책에 열중하다 보니 '책만 보는 바보'라는 뜻의 '간서치'로 불리기도 했다고 하였다.

05 '이덕무'는 서자여서 벼슬을 할 수 없었고, 너무 가난하여 식구들의 끼니를 걱정해야 했지만 자신이 할 수 있는 일이 없는 답답한 상황에 처해 있었다. 그럴 때 '이덕무'에게 위로가 되고 힘을 준 것이 책이었기 때문에 '이덕무'는 책 읽기에 몰두할 수밖에 없었다.

06 (하)에서 글쓴이는 글을 읽는 것의 좋은 점을 나열하고 있는데, 여기에서 부와 명예를 얻을 수 있다는 언급은 하고 있지 않다.

07 (하)에서 글쓴이는 글을 읽으면 지혜로워지고, 지식을 쌓을 수 있고, 배고픔이나 추위도 잊을 수 있고, 걱정이나 근심을 해결할 수 있으며, 몸의 병도 나을 수 있기 때문에 글을 읽는 것은 '만병통치약'이라고 하였다.

08 (하)와 (거)는 이 글의 끝부분으로 여기에서 글쓴이는 책 읽기의 가치를 정리한 후, 독자에게 책을 읽자는 당부를 전달하고 있다.

09 이 글의 글쓴이는 우리의 몸과 마음이 다 편안하다면 책 읽기에 좋을 때이므로 책을 들고 독서삼매에 빠지라고 권유한다.

간단 체크 어휘 문제 본문 008~010쪽

008쪽 (1) ○ (2) × (3) ○ (4) ×

학습 활동 본문 011~017쪽

이해 근심, 지혜
적용 불모지, 숲, 삶

간단 체크 활동 문제 본문 011~017쪽

011쪽 **01** ④ **02** 글을 읽으면 지혜로워질 뿐만 아니라 지식을 쌓을 수 있고, 근심이나 걱정을 해결할 수 있기 때문이다. **03** ⑤
012쪽 **04** ⑤ **05** ④
013쪽 **06** ② **07** ① **08** ②
014쪽 **09** ② **10** ⑤
015쪽 **11** ④ **12** 보잘것없는 나무들이 묵묵히 자신의 소임을 다함으로써 숲을 지켜 나간다. **13** ⑤
016쪽 **14** ① **15** ⑤ **16** ②
017쪽 **17** ⑤

01 '이덕무'는 책 읽기의 유익함으로 가난에서 벗어나는 것을 언급하고 있지 않다.

02 글을 읽으면 지혜로워질 뿐 아니라 지식을 쌓을 수도 있고 자신의 근심이나 걱정을 해결할 방법을 찾을 수 있는 등 삶의 다양한 문제를 해결할 수 있으므로 글쓴이는 글 읽기를 '만병통치약'에 빗대어 표현하고 있다.

03 <보기>의 학생은 책을 읽고 난 후에 답답하거나 무거웠던 마음이 편안해지는 것을 느꼈다고 하였다. 이를 통해 책 읽기가 걱정이나 근심을 해결해 주었음을 알 수 있다.

04 ⑤의 학생은 『옛 그림 읽기의 즐거움』을 읽고, 그림을 감상하기 좋은 거리가 어느 정도인지에 대한 새로운 정보를 얻고 있다.

05 읽기 계획을 세울 때는 친구의 추천보다 자신의 관심 분야와 읽기 수준을 먼저 고려해야 한다.

06 이 글은 글쓴이가 자신의 경험에서 얻은 생각이나 느낌을 자유로운 형식으로 표현한 경수필로, 독자에게 깨달음을 주고 있다. 논리적 근거를 통해 현실을 비판하거나 사회적, 시사적 문제에 대한 의견을 쓴 글은 중수필이다.

07 이 글에서 글쓴이는 다른 사람의 말을 인용하여 내용을 표현하고 있지 않다.

오답 풀이 ② (라)에서 '시로미'의 생태를 자세하게 소개하고 있다.
③ (마)에서 글쓴이가 '시로미'를 먹은 경험을 구체적으로 묘사하고 있다.
④ (나)에서 글쓴이가 본 활력이 넘치는 남대문 야시장 사람들의 모습을 나열하고 있다.
⑤ (나)에서 활력이 넘치는 남대문 야시장 사람들의 모습을 '질긴 고무장갑'과 '물고기'에 빗대어 표현하고 있다.

08 이 글의 글쓴이는 콩알보다 작은 '시로미' 열매에 많은 물기가 담겨 있어 이를 먹고 전혀 목이 마르지 않았기 때문에 '시로미'의 위력이 대단하다고 한 것이다.

09 ㉠ 관목, ㉢ 개척 식물, ㉣ 싸리나무, ㉤ 고사리는 모두 가치 있는 역할을 하는 보잘것없는 식물이다. ㉡ 교목은 숲의 중심부에서 자라는 키가 큰 나무이므로 보잘것없는 식물과는 그 성격이 다르다.

10 (카), (타)에서 글쓴이는 보잘것없는 식물들이 저마다의 역할을 한다고 하며, 이 세상에 소중하지 않은 삶은 없다는 진리를 깨달았다고 하였다. 따라서 이 글은 자신이 세상에서 쓸모가 없는 존재라고 생각하는 친구에게 추천하는 것이 적절하다.

11 이 글에서 글쓴이는 자연물인 보잘것없는 나무들을 통해 세상 모든 것은 저마다의 가치를 지니고 있음을 깨닫는다. 그리고 이러한 깨달음을 자신의 삶에 적용하여 스스로를 가치 있다고 여기며 살아가겠다는 다짐을 한다.

12 ⓐ는 보잘것없어 보이는 나무들이 각자가 맡은 자신의 소임을 다하여 숲을 지켜 나가는 모습을 강조한 표현이다.

13 이 글에서 글쓴이는 보잘것없는 나무들을 보며 자신의 삶이 너무나도 소중하다는 걸 깨닫고 있다. 따라서 자신의 삶이 소중하다고 생각하는 것이 글쓴이가 추구하는 삶을 실천하는 방법이다.

14 관목은 숲이 생길 때 가장 중심부에서 그 틀을 잡아 주다가 어느 정도 숲이 완성되면 키 큰 나무들에게 자리를 내주고 숲의 주변부로 밀려난다. 그리고 언저리에 자리 잡은 관목들은 숲 주변부로 자기들을 밀어낸 교목들을 보호해 주고 자연재해에 맞서 숲 전체를 지켜 주는 역할을 한다.

15 시로미, 싸리나무 같은 관목과 쑥, 억새, 고사리 같은 풀은 자신의 자리에서 묵묵히 역할을 수행하며 숲을 지킨다. 위로만 자라면서 어떻게든 햇볕을 많이 받으려는 것은 교목들이다.

16 이 글은 보잘것없지만 가치 있는 역할을 하는 식물들을 소개하고, 그것을 통해 글쓴이가 얻은 깨달음을 담은 수필이다. 자연재해의 원인은 이 글과 관련이 없는 내용으로, 이 글에서 다루고 있지 않다.

17 자신이 쓸모없다고 생각하던 〈보기〉의 독자는 이 글을 읽고 나서 자신을 가치 있는 존재로 여기며 뭐든지 열심히 할 거라고 다짐하고 있다. 이로 보아 〈보기〉의 독자가 이 글을 읽고 삶의 의미를 새롭게 발견하였다는 것을 알 수 있다.

간단 체크 어휘 문제

본문 011~017쪽

014쪽 (1) ○ (2) × (3) × (4) ○

압축 파일

본문 018~019쪽

❶ 가치 ❷ 상념 ❸ 서자 ❹ 위로 ❺ 만병통치약 ❻ 관목 ❼ 시로미 ❽ 개척 식물 ❾ 고목나무 ❿ 가치

시험에 나오는 소단원 문제

본문 020~021쪽

01 ① **02** ① **03** ④ **04** 만병통치약 **05** ① **06** ③ **07** ③ **08** ②

01 (가)에서는 '또 어떤 까닭이 있을까?'라고 스스로 질문을 던진 후 이에 대한 답변을 함으로써 책을 읽는 다양한 까닭을 밝히고 있다.

02 (다)에서 서자인 '이덕무'가 답답한 상황에 처했을 때 위로가 되고 힘을 준 것이 책과 그 책을 읽고 함께 이야기를 나눌 수 있는 벗들이었다고 하였으므로 '이덕무'가 친구를 사귈 수 없었다는 ①의 설명은 적절하지 않다.

03 (나)에서 '이덕무'는 책 읽기의 유익함 네 가지를 이야기하고 있다.

04 서술형 (마)에서 글쓴이는 글을 읽는 것을 '만병통치약'에 빗대어 책 읽기의 가치를 드러내고 있으며, 이를 통해 독자에게 책을 읽자는 권유를 하고 있다.

05 이 글의 글쓴이는 보잘것없어 보이는 식물들이 저마다의 존재 가치가 있다는 깨달음을 통해 자신의 삶을 가치 있고 소중하게 여기면서 살아가겠다고 다짐하고 있다.

06 (다)에서 관목은 숲이 생길 때 틀을 잡아 주고, 어느 정도 숲이 완성되면 키가 큰 교목들에게 자리를 내주고 숲의 주변부로 밀려난다고 하였다.

07 ㉠, ㉡, ㉣, ㉤은 보잘것없어 보이지만 아무도 눈여겨보지 않는 자리에서 묵묵히 자신이 맡은 역할을 다하는 존재들이다. ㉢은 관목이 지키는 대상이다.

08 ⓐ에서는 활력 넘치는 남대문 야시장 사람들을 질긴 고무장갑에 직접 빗대는 직유법을 활용하고 있다. ② 역시 '너'를 '산새'에 직접 빗댄 직유법을 활용하여 화자의 안타까움을 표현하고 있다.

오답 풀이 ① 'A는 B이다.'와 같은 형식으로 A와 B를 동등한 의미로 대치하여 암시적으로 나타내는 은유법이 사용되었다.
③ 쉽게 판단할 수 있는 사실을 의문 형식으로 표현하여 의미를 강조하는 설의법이 사용되었다.
④ 사람이 아닌 것을 사람에 빗대어 표현하는 의인법이 사용되었다.
⑤ 모순된 표현을 통해 진리를 표현하는 역설법이 사용되었다.

(2) 핵심 정보를 담은 발표

학습 활동

본문 022~031쪽

이해 심각성, 기부, 문제, 해결 방법, 사막화

학습콕

본문 022~031쪽

026쪽 소개, 해결, 영상, 핵심 정보

간단 체크 활동 문제 본문 022~031쪽

022쪽	01 ②	02 ⑤	03 ⑤
023쪽	04 ②	05 ⑤	06 '시장 경제 체제'의 문제, '부정부패'의 문제, 사막화 현상
024쪽	07 ⑤	08 ③	09 지금까지, 알아보았습니다.
025쪽	10 ④	11 ②	12 ④
026쪽	13 ②	14 ②	15 ③
027쪽	16 ⑤	17 ⑤	
028쪽	18 ⑤	19 ①	20 ②
029쪽	21 ⑤	22 ⑤	
030쪽	23 ⑤	24 ④	25 ③
031쪽	26 ⑤	27 ③	

01 이 발표에서 발표자는 듣는 이에게 '여러분! 혹시 '보릿고개'라는 말을 아시나요?'와 같은 질문을 던져 듣는 이의 관심을 불러일으키고 있다.

02 발표 주제를 강조하고 이를 실천할 것을 당부하는 것은 '처음' 단계가 아니라 '끝' 단계에 제시되어야 할 내용이다.

03 자료 ❶의 지도를 통해 기아 인구가 일부 지역이 아닌 세계 곳곳에 넓게 퍼져 있다는 것을 확인할 수 있다.

04 자료 ❷를 보고 식품이 전 세계의 모든 인구에게 공급하고도 남을 만큼 풍부하다는 사실은 알 수 있지만, 기아 문제의 발생 원인은 알 수 없다. 이 자료를 통해 기아 문제가 발생하는 원인이 식품의 부족이 아님을 알 수 있다.

05 ㉤은 기아 문제의 원인에 대한 추가 정보를 제시한 것이 아니라 앞에서 언급한 세 가지 원인을 종합하여 요약한 내용이다.

06 이 발표의 발표자는 통계 자료를 통해 기아 문제가 식량이 부족해서 일어나는 것이 아니라고 한 후, 그 원인으로 '시장 경제 체제'의 문제, '부정부패'의 문제, '사막화 현상'을 들고 있다.

07 발표자는 (라)에서 기아 문제의 해결 방안으로 반 친구들과 함께 돈 모아 기부하기, 기아 문제의 심각성 주변에 알리기, 기아 관련 정책이나 소식에 관심 기울이기 등을 제시하고 있다.

08 자료 ❹는 '만 원의 기적 캠페인' 영상으로 구호 단체에서 펼치고 있는 기부 활동을 소개하여 듣는 이의 적극적인 동참을 유도하고 있다.

09 (마)에서는 '지금까지 기아 문제의 심각성과 그 원인, 그리고 우리가 할 수 있는 일을 알아보았습니다.'라고 하며 처음과 가운데 부분의 내용을 요약정리하고 있다.

10 발표자는 기아 문제의 심각성을 알리고, 기아 문제를 해결하기 위해 함께 노력할 것을 권유하고자 이 발표를 하였다.

11 '시장 경제 체제'의 문제, '부정부패'의 문제, '사막화 현상'의 문제는 발표자가 기아 문제의 원인으로 제시한 것이므로, 빈칸에는 '원인 분석'이 들어가는 것이 적절하다.

12 이 발표에서는 기아 문제의 심각성과 원인을 살펴본 다음, 그 해결 방법을 제시하면서 발표를 마무리하고 있는데, 이는 문제와 해결 방법에 따른 내용 조직에 해당한다.

13 자료 2는 전 세계 평균 식품 에너지 공급 충분성의 변화를 한눈에 파악할 수 있게 해 줌으로써, 기아 문제가 해결되지 않는 원인을 생각해 보게 한다.

14 자료의 분량이나 내용의 구체성보다는 자료들이 핵심 정보를 드러내는 데 도움을 주는지를 기준으로 발표 자료를 선별해야 한다.

15 발표를 할 때 적절한 몸짓이나 손짓을 활용하면 발표 내용을 더 효과적으로 전달할 수 있다.

16 〈보기〉의 '민재'는 『평화는 나의 여행』이라는 책을 읽으면 우리가 살아갈 방향에 대해 생각해 볼 수 있을 거라고 하였다. 결국 '민재'는 이러한 고민을 통해 더 나은 인간으로 성장할 수 있다고 생각하여 이 책을 같이 읽자고 제안한 것이다.

17 [A]에서 '우리 모둠은 이 책이 환경 분야와 관련하여 믿을 만한 책이라고 생각하여, 이 책을 읽기로 하였다.'고 하였으므로, 주제로 선정한 환경 분야와 관련하여 믿을 만한 책인지를 기준으로 『지구인의 도시 사용법』이라는 책을 선정했음을 알 수 있다.

18 독서 카드를 작성하면 지금까지 자신이 읽은 책에 대한 기록이 남기 때문에 이를 참고하면 다양한 분야의 책을 선택하는 데 도움이 될 수 있다.

19 책을 읽기 전 내용을 예측하기 위해 전체 차례를 확인할 수는 있으나, 책을 읽고 나서 독서 카드를 작성할 때에는 책의 차례를 넣을 필요가 없다.

20 책에서 드러나는 글쓴이의 입장이 자신의 입장과 달라도 발표할 주제에 적합하다면 그것을 발표 주제로 선정할 수 있다.

21 〈보기〉에서는 무분별한 플라스틱 사용 때문에 발생한 환경 오염의 심각성과 해결 방안을 찾아보자고 하였으므로, 이 발표는 문제와 해결 방법에 따라 내용을 구성하는 것이 적절하다.

22 폐기된 플라스틱 대부분이 바다에 버려지면 바다 오염을 일으키게 된다. 따라서 폐기된 플라스틱 대부분이 바다에 버려지는 경우가 많다는 것을 보여 주는 그래프는 플라스틱이 바다 오염을 일으키는 요인임을 보여 주는 자료로 활용할 수 있다.

23 발표문을 작성한다고 해서 손짓, 발짓 활용이나 올바른 시선 처리를 하는 데에 도움이 되는 것은 아니다. 발표 전에 연습을 하는 것이 적절한 손짓, 발짓이나 시선 처리를 하는 데에 도움이 된다.

24 발표문의 가운데 부분에서는 구체적인 발표 내용을 쉽고 분명하게 표현해야 한다. 발표문에서 전체 내용을 요약정리해야 하는 부분은 끝부분이다.

25 발표를 준비하면서 듣는 이의 질문에 대한 답변을 미리 계획하는 것은 필요하지만 이것이 발표문을 작성할 때 고려할 사항은 아니다.

26 발표 내용은 통일성을 갖추어야 하기 때문에 하나의 주제로 작성되어야 한다. 듣는 이의 관심을 끌기 위해서는 질문, 농담 등의 다양한 방법을 활용할 수 있다.

27 발표자는 발표할 내용을 기억한 후 듣는 이를 보며 말해야 한다. 청중의 반응에 따라 표현이나 내용 등을 조절하지 않고 일방적으로 말하면 듣는 이와의 상호 작용을 할 수 없기 때문에 자칫 지루하거나 딱딱한 발표가 될 수 있다.

압축 파일

본문 032쪽

❶ 목적 ❷ 부정부패 ❸ 그래프 ❹ 동참 ❺ 원인 ❻ 핵심 정보 ❼ 선정

시험에 나오는 소단원 문제

본문 033쪽

01 ④ 02 ③ 03 ⑤ 04 영상

01 이 발표에서는 '유엔 세계 식량 계획[WFP]'이라는 권위 있는 기관의 통계 자료를 활용하여 내용의 신뢰도를 높이고 있다.

02 제시된 그래프는 전 세계 평균 식품 에너지 공급 충분성 지수가 계속 증가하여 2014년~2016년에는 약 125 퍼센트에 이르고 있음을 보여 주고 있다. 따라서 제시된 그래프는 식품 공급량이 충분한데도 기아 문제가 발생하는 실태를 제시하고 있는 (다)에 활용해야 하는 자료이다.

03 (라)에서는 일부 기업이나 정부가 이익을 많이 남기기 위해 농산물의 가격과 생산량을 조절하는 것이 기아 문제의 원인이라고 분석하고 있다. 따라서 ㉠에는 수요와 공급에 의해 자원이 배분되는 '시장 경제 체제'가 들어가는 것이 적절하다.

04 서술형 (마)에서는 구호 단체에서 펼치고 있는 기부 활동을 안내하는 영상을 소개함으로써 기아 문제의 해결 방법을 제시하고 듣는 이가 이에 동참할 것을 권유하고 있다.

어휘력 키우기

본문 034쪽

01 ③ 02 ②

01 ③의 '무기력하다'는 '어떠한 일을 감당할 수 있는 기운과 힘이 없다.'라는 의미를 지닌 낱말이다.

02 '불모지'는 '식물이 자라지 못하는 거칠고 메마른 땅'으로, 농사를 짓기가 힘든 곳이기 때문에 ②의 쓰임은 바르지 않다.

시험에 나오는 대단원 문제

본문 035~036쪽

01 '만병통치약'과도 같은 책 읽기를 생활화하자. 02 ⑤ 03 ⑤ 04 ① 05 ⑤ 06 ② 07 ③ 08 기부하기, 기아 문제의 심각성 알리기, 기아 관련 정책이나 소식에 관심 기울이기

01 고난도 서술형 글쓴이는 '이덕무'의 삶과 글을 통해 책 읽기가 지닌 가치를 제시하고, 글 읽기를 만병통치약에 빗대어 표현하고 있다. 이를 통해 독자에게 읽기의 가치와 중요성을 강조하고 책을 읽자는 당부를 하고 있다.

평가 목표	읽기의 가치 및 중요성과 관련지어 글쓴이가 전하고자 하는 바 파악하기
채점 기준	✔ 제목과 관련지어 글쓴이가 전하고자 하는 바를 〈조건〉에 맞게 쓴 경우 [상] ✔ 제목과 관련지어 글쓴이가 전하고자 하는 바를 썼으나, 〈조건〉에 맞지 않은 경우 [중] ✔ 글쓴이가 전하고자 하는 바를 썼으나, 그 서술이 미흡하고 〈조건〉에 맞지 않은 경우 [하]

02 (다)에서는 '이보다 더 좋은 만병통치약이 어디 있겠어?'라고 하며 스스로 질문은 하고 있으나 그에 대한 대답은 하고 있지 않다. 그 질문은 쉽게 판단할 수 있는 사실을 의문의 형식으로 표현하여 의미를 강조한 설의법을 사용한 표현이다.

03 ㉠은 숲이 생길 때 가장 중심부에서 그 틀을 잡아 주다가 숲이 완성되면 큰 나무들에게 자리를 내 주고 주변부로 밀려난다. 그리고 ㉡은 불모지에 가장 먼저 들어와 지반을 안정시키고 윤택한 토양을 만드는 역할을 한다. 이처럼 ㉠과 ㉡은 자신을 내세우지 않으면서 묵묵히 자신의 역할을 수행한다는 공통점이 있다.

04 (바)에는 세상 모든 것은 저마다 가치를 지니고 있다는 글쓴이의 깨달음이 드러나 있다. 따라서 ⓐ에는 보잘것없어 보이는 나무들이 묵묵히 자신의 소임을 다하여 숲을 지켜 나가는 모습을 강조한 '못생긴 나무가 산을 지킨다.'가 들어가야 한다.

오답 풀이 ② 부분만 보고 전체는 보지 못하는 근시안적인 행동을 비유적으로 이르는 말이다.
③ 잘될 사람은 어려서부터 남달리 장래성이 엿보인다는 말이다.
④ 아무리 뜻이 굳은 사람이라도 여러 번 권하거나 꾀고 달래면 결국은 마음이 변한다는 말이다.
⑤ 자식을 많이 둔 어버이에게는 근심, 걱정이 끊일 날이 없음을 비유적으로 이르는 말이다.

05 이 발표의 끝부분인 (마)에서는 '지금까지 기아 문제의 심각성과 그 원인, 그리고 우리가 할 수 있는 일을 알아보았습니다.'라고 하며 앞부분의 내용을 요약정리하고 있다. 그리고 '오늘 발표를 듣고, 여러분도 세계의 이웃을 생각하여 함께 고민해 주세요.'라고 하며 듣는 이의 인식 변화를 요구하고 있다.

06 이 발표에서는 둘 이상의 낱말이 합쳐져 원래의 뜻과는 전혀 다른 뜻으로 굳어져 쓰이는 관용 표현을 활용하고 있지 않다.

07 제시된 자료는 영양실조 인구 비율을 지도에 색으로 표시해 기아를 겪고 있는 사람들의 분포와 비율을 한눈에 파악할 수 있게 하였다.

08 서술형 이 발표에서는 기아 문제의 심각성과 원인을 제시한 후, (라)에서 기부하기, 기아 문제의 심각성 알리기, 기아 관련 정책이나 소식에 관심 기울이기 등을 그 해결 방안으로 제안하고 있다.

2 주고받는 이야기, 함께 나누는 생각

(1) 담화의 개념과 특성

간단 체크 개념 문제 본문 040쪽

1 (1) ○ (2) ○ (3) × 2 상황 맥락 3 ⑤

1 (3) 언어 공동체의 의식이나 가치를 담고 있고, 인종, 국적, 지역, 성별 등과 관련되는 것은 상황 맥락이 아니라 사회·문화적 맥락이다.

2 상황 맥락은 담화가 이루어지는 구체적인 시간과 공간이다. 같은 말이나 글이라도 어떤 상황 맥락에 쓰였는지에 따라 의미가 달라질 수 있다.

3 사회·문화적 맥락은 특정한 공동체에서 사회적, 문화적으로 오랜 기간에 걸쳐 만들어진 맥락으로, 지역, 세대, 성별, 문화, 역사적 상황 등이 있다. 담화가 이루어지는 공간인 장소는 상황 맥락에 해당한다.

학습 활동 본문 041~050쪽

이해 민재, 말하는 이, 시간과 공간, 손님, 무단 횡단, 이해, 이모, 언니, 직접적인, 역사적

학습콕 본문 041~050쪽

047쪽 맥락, 상황 맥락, 문화, 차별적

간단 체크 활동 문제 본문 041~050쪽

041쪽 01 ⑤ 02 ②
042쪽 03 ⑤ 04 ㉠: 팔이 아프지는 않으신가요? / ㉡: 신발이 발에 잘 맞나요?
043쪽 05 ③ 06 ⑤
044쪽 07 ② 08 ⑤
045쪽 09 ③ 10 ⑤
046쪽 11 ② 12 ②
047쪽 13 ③ 14 역사적 상황
048쪽 15 ⑤ 16 ①
049쪽 17 ④ 18 ⑤
050쪽 19 ④

01 양호 선생님이 배를 움켜쥐고 아파하는 남학생에게 걱정하는 표정으로 말하는 것으로 보아 "어떻게 왔어?"가 "어디가 아프니?"의 의미로 쓰였음을 알 수 있다.

02 같은 말이라도 대화를 나누는 시간과 장소, 말하는 이와 듣는 이 등 상황이 달라지면 그 말의 뜻도 달라질 수 있다.

03 담화 상황에서 말의 뜻을 정확하게 이해하기 위해서는 말하는 이, 듣는 이, 구체적인 시간과 공간을 고려해야 한다.

04 ㉠은 신발 가게에 온 의사가 환자인 점원에게 다친 팔의 상태가 어떤지 묻는 말이다. ㉡은 신발 가게의 점원이 손님으로 온 의사에게 신발이 발에 잘 맞는지 묻는 말이다.

05 ㉢은 게임을 그만하고 잠자리에 들라는 의도가 담긴 말이므로, ③과 같이 대답하는 것이 적절하다.

06 〈보기〉의 '양심을 지키세요.'라는 문구를 시험장에서는 '부정행위를 하지 마세요.' 정도의 의미로 해석할 수 있다.

07 지역 방언에는 해당 지역의 오랜 역사와 전통이 배어 있다. (가)의 안내문은 지역 방언을 사용하여 지역의 특색과 분위기를 뚜렷하게 드러내고 있다.

08 '남아공'은 '남아서 공부를 해야 한다.'는 말의 줄인 말이다. (나)에서 아빠는 딸이 사용한 '남아공'의 뜻을 알지 못하여 두 사람의 대화가 원활하게 이루어지지 않았다. 이처럼 세대에 따라서 주로 사용하는 어휘나 표현 등이 다를 수 있으므로 상대를 배려하며 말해야 한다.

09 우리나라 문화에서는 친척이나 연상이 아니더라도 친근감 있는 어투로 상대를 부를 때 '이모'와 '언니'를 사용하기도 한다. 그런데 이 일기를 쓴 외국인은 '이모'와 '언니'의 사전적 의미는 알지만 우리의 말 문화를 이해하지 못했기 때문에 해당 호칭을 어색하게 느꼈다.

10 다른 문화권의 사람과 대화할 때에는 우리의 문화를 이해해야만 의미를 알 수 있는 관용적 표현 대신에 구체적이고 직접적인 표현을 쓰는 것이 좋다.

11 연설문에서 넬슨 만델라는 집단행동을 하여 인종 차별 체제를 끝내야 한다고 하였다. 이로 보아 당시 남아프리카 공화국에는 흑인과 백인을 차별하는 인종 차별이 존재했음을 알 수 있다.

오답 풀이 ① '남아프리카 공화국의 흑인과 백인 대부분은'이라는 말에서 백인과 흑인이 모두 거주했음을 알 수 있다.
③ '보통 선거만이 평화와 인종 화합을 이룰 수 있는 유일한 길입니다.'라고 하는 것으로 보아 보통 선거가 이루어지지 않았음을 알 수 있다.
④, ⑤ '자유를 얻기 위해 우리가 저항하고 행동할 때 민주주의는 우리의 눈앞에 다가올 것입니다.'라는 말에서 민주주의가 실현되지 않고 흑인도 자유를 누리지 못했음을 알 수 있다.

12 특정한 역사를 배경으로 한 담화는 말하는 이와 듣는 이가 그 역사적 상황과 정서를 같이 공유하고 있을 때 원활하게 의사소통을 할 수 있다. 그런데 이 연설문을 읽은 학생들은 그 당시 남아프리카 공화국의 역사적 상황을 알지 못하기 때문에 내용을 이해하는 데 어려움을 느끼고 있다.

13 이 연설문을 이해하려면 연설문이 쓰일 당시의 역사적 상황과 연설자에 대한 정보, 당시 사용한 용어 등을 조사해야 한다. 그런데 의학 잡지에서 백인과 흑인의 유전자적 유사성을 찾아보는 것은 이 연설문이 쓰일 당시의 역사적 상황을 조사하는 것과는 관계가 없다.

14 이 연설문과 같이 특정한 역사를 배경으로 한 담화는 말하는 이(글쓴이)와 듣는 이(읽는 이)가 그 역사적 상황을 공유하고 있을 때 듣는 이가 그 내용을 깊이 있게 이해할 수 있다.

15 "잘한다."는 담화 상황에 따라 의미가 다르게 표현되고 해석된다. ①, ②, ④와 같은 상황에서는 질책의 목적이, ③과 같은 상황에서는 칭찬의 목적이 담겨 있다.

16 "지금 몇 시니?"라는 말은 제시된 두 상황에서 다른 의미로 사용되었다. 상황 1에서는 "이제 그만 자고 빨리 일어나."의 의미로, 상황 2에서는 "게임 그만하고 이제 자야지."의 의미로 쓰였는데, 이는 담화가 이루어진 시간의 차이 때문에 의미가 달라진 것이다.

17 모둠에서 토의하여 설정한 상황은 아침에 버스를 타고 등교하다가 발이 불편한 친구에게 자리를 양보한다는 내용이다. 따라서 등장인물은 학생들이다.

18 지역, 세대, 문화, 역사적 상황은 사회·문화적 맥락의 요인이고, 시간과 공간은 담화가 이루어지는 장면과 직접 관련된 상황 맥락의 요인이다.

19 [A]는 '수민'이 맛있는 저녁을 준비해 주신 부모님께 고맙다고 말씀드리는 상황이므로, ④와 같이 연기해 달라고 지시하는 것이 적절하다.

오답 풀이 ① '수민'과 엄마, 아빠 모두 말하는 이면서 동시에 듣는 이이다.
② '수민'은 시무룩한 표정으로 들어와서 아빠가 자신을 위해 불고기를 만들었다는 이야기를 듣고 아빠에게 감사해한다.
③ 담화 장소는 '수민'의 방이 아니라 부엌이다.
⑤ 현실성을 높이기 위해서는 실제 상황처럼 자연스럽게 연기해야 한다.

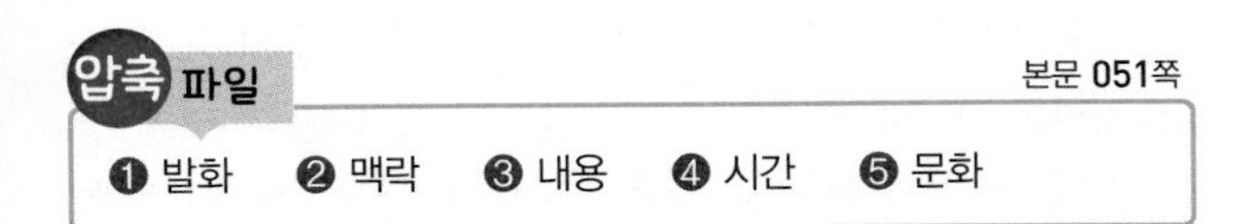

시험에 나오는 소단원 문제

본문 052~053쪽

01 ④ **02** ③ **03** ② **04** (가): 이제 그만 자고 어서 일어나. / (나): 게임은 그만하고 이제 자야지. **05** ⑤ **06** 지역, 세대, 성별, 문화, 역사적 상황 **07** ③ **08** ② **09** ⑤ **10** ②

01 담화는 말하는 이(글쓴이)와 듣는 이(읽는 이)를 포함하여 구체적인 맥락 속에서 이루어지는 발화(문장)나 발화(문장)의 연속체이다. ④는 문장에 대한 설명이다.

오답 풀이 ① 담화는 담화 참여자인 말하는 이(글쓴이)와 듣는 이(읽는 이), 전달하려는 내용, 상황 맥락이나 사회·문화적 맥락과 같은 맥락으로 구성된다.
② 담화는 언제, 어디에서 이루어지느냐에 따라 그 뜻과 표현 등이 달라진다.
③ 담화 참여자인 말하는 이(글쓴이)와 듣는 이(읽는 이)의 의도나 처지, 관계 등에 따라 같은 말(글)이라도 그 뜻이 달라지기도 하며, 표현이 바뀌기도 한다.
⑤ 담화의 구체적인 뜻은 그것이 쓰인 의사소통 상황인 맥락에 따라 결정된다. 따라서 원활한 의사소통을 하려면 말이나 글이 이루어지는 구체적인 상황을 고려해야 한다.

02 고통스러워하는 표정을 지으며 양호실에 온 학생에게 "어떻게 왔어?"라고 묻는 양호 선생님의 말에는 "어디가 아파서 왔어?"라는 뜻이 담겨 있다.

03 제시된 상황은 팔 수술을 받은 환자가 재활 치료를 받기 위해 병원을 찾아 의사와 대화를 나누는 장면이다. 의사가 환자에게 팔이 아프지는 않은지를 묻고 있는 것이므로 환자는 팔 상태에 관해 답변해야 한다.

04 서술형 (가)는 시계가 8시를 가리키고 창밖이 환한 것으로 보아 엄마가 아침에 늦잠 자는 아들을 꾸짖는 장면임을 알 수 있다. (나)는 시계가 11시를 가리키고 창밖이 어두운 것으로 보아 엄마가 늦은 밤까지 게임을 하는 아들을 꾸짖는 장면임을 알 수 있다.

05 (가)~(다)의 "양심을 지키세요."는 표현은 동일하지만 공간(장소)에 따라 그 의미가 다르게 사용되고 있다.

06 서술형 우리가 사용하는 언어는 지역, 세대, 성별, 문화, 역사적 상황 등과 같은 사회·문화적 맥락에 따라 그 뜻이나 표현 등이 달라진다.

07 안내문을 지역 방언으로 쓰면 해당 지역의 특색과 분위기를 드러낼 수 있다. 그러나 해당 지역 방언을 모르는 사람들은 그 뜻을 이해할 수 없기 때문에 표준어로 풀어서 설명해 주면 내용 이해를 도울 수 있다.

08 같은 언어권에 속하더라도 지역, 세대, 성별 등에 따라 사용하는 어휘나 표현 등이 다를 수 있어 같은 말이라도 그 뜻을 서로 다르게 이해할 수 있다.

09 우리나라에서는 친척이나 연상이 아니더라도 상대에게 친근함을 주기 위해 관습적으로 '언니'라는 호칭을 사용하기도 한다. 하지만 이 일기를 쓴 외국인은 이러한 우리의 말 문화를 잘 알지 못하여 '언니'라고 부르는 것을 어색하게 느낀 것이다.

오답 풀이 ① 옷 가게의 주인은 줄인 말을 사용하지 않았다.
②, ④ 외국인은 '언니'가 같은 부모에게서 태어난 사이이거나 일가친척 가운데 항렬이 같은 동성의 손위 형제, 혹은 남인 경우에는 자기보다 나이가 위인 여자를 부르는 말이라는 것을 알고 있다. 즉 우리의 말 문화를 알지 못하고 '언니'의 사전적인 뜻만을 알고 있었기 때문에 자신에게 '언니'라고 부르는 주인의 말을 어색하게 느낀 것이다.
③ '공간'은 옷 가게 주인과 외국인의 의사소통 상황에 영향을 미친 요인이 아니다.

10 이 연설문의 내용을 이해하려면 그 당시 남아프리카 공화국의 역사적 상황에 대한 이해가 필요하다. 그런데 남아프리카 공화국의 위치와 면적을 알아보자고 하는 것은 역사적 상황을 이해하기 위한 활동과는 거리가 멀다.

(2) 의미를 나누는 듣기·말하기

학습 활동 본문 054~061쪽

이해 반응, 정보, 돌려, 울타리, 반대

학습콕 본문 054~061쪽

058쪽 관계, 공유, 목적

간단 체크 활동 문제 본문 054~061쪽

054쪽	01 ③	02 ①
055쪽	03 ③	04 우리나라 석탑에 대한 정보 전달
056쪽	05 ⑤	06 울타리
057쪽	07 ⑤	08 ③
058쪽	09 ②	10 ⑤
059쪽	11 ⑤	12 새 운동화
060쪽	13 ②	14 ④
061쪽	15 ④	

01 (가)에서 여학생은 남학생의 농담이 재미있다고 말하며, 재미있는 이야기를 더 해 달라고 하였다. 그런데 천일염을 어디에 사용하는지를 이야기하는 것은 여학생의 말에 대한 적절한 대답으로 보기 어렵다.

오답 풀이 ① 여학생의 요구에 맞게 재미있는 얘기를 더 해 주었다.
② 다른 얘기는 더 알지 못한다고 적절하게 대답하였다.
④ 여학생의 물음에 맞게 천일염의 사전적 의미를 말해 주었으므로 적절한 대답이다.
⑤ 여학생의 물음에 천일염의 뜻을 인터넷 사전에서 같이 찾아보자고 하며 적극적으로 의사소통하고 있다.

02 (가)와 (나)에서는 같은 말로 시작한 대화가 여학생의 반응에 따라 다른 방향으로 진행되고 있음을 알 수 있다. 이처럼 대화는 정해진 방향으로 흘러가는 것이 아니라 참여자들의 배경지식이나 경험, 참여자들 사이의 관계, 상대의 반응 등에 따라 결정된다.

03 (나)의 엄마는 놀이공원에 가자는 아들의 말을 귀 기울여 듣고 있지 않지만, 아들의 제안을 못 들은 척하지는 않았다. 다만 거절의 근거를 타당하게 제시하지 못했을 뿐이다.

오답 풀이 ① (가)의 강연자는 청중의 지식수준을 고려하지 않고 '전탑', '옥개석'과 같은 어려운 용어를 사용하였다.
② (가)의 남학생이 '강의 주제가 탑과 관련된 거였어? 전혀 몰랐네.'라고 말한 것으로 보아 남학생이 자신이 듣고 있는 강연의 주제를 모른다는 사실을 알 수 있다.
④ (다)의 '영서'는 '서우'에게 지금 입고 있는 옷이 되게 안 어울린다면서 상대가 불쾌해할 만한 농담을 하였다.
⑤ (다)의 '서우'는 '영서'에게 '너 정말 예의가 없구나?'라고 말하며 자신의 불쾌한 감정을 직접적으로 드러내었다.

04 (가)의 강연자는 청중들에게 우리나라의 석탑에 대한 정보를 전달하고 있다.

05 (다)의 여학생은 남학생의 농담이 기분 나쁘더라도 의도를 고려해 그것을 가볍게 받아들이는 태도가 필요하다. 또한 불쾌한 감정을 직접 드러내기보다 돌려서 표현해야 한다.

06 아빠와 아들은 울타리를 세우는 일을 주제로 이야기하고 있다. 아들은 직유법을 사용하여 사람만이 자기 것을 지키려고 울타리를 세운다면서, 울타리를 세우는 일에 대해 부정적인 인식을 드러내고 있다.

07 아빠와 대화를 하는 과정에서 울타리에 대한 아들의 부정적인 인식이 차츰 긍정적으로 바뀌게 된다. 처음에 아들은 울타리를 세우는 것을 사람만이 하는 이기적인 행동이라고 여겼지만, 아빠의 설명을 듣고 울타리가 이웃을 하나로 만들어 주는 것임을 알게 된다.

오답 풀이 ① 아빠는 울타리를 긍정적으로 여기고 있다.
② 아빠는 아들에게 생각을 묻거나 자신이 생각하는 바를 이해시키기 위해 여러 가지 예를 들어 상냥하게 설명해 주고 있다. 이를 통해 아빠가 아들에게 생각을 강요하는 것이 아님을 알 수 있다.
③ 아빠는 아들의 지식수준을 고려하며 울타리에 대한 자신의 생각을 이야기하고 있고, 아들은 자신과 다른 아빠의 의견에 귀를 기울이며 협력적으로 대화에 참여하고 있다.
④ 아들은 처음에는 울타리를 자신의 것을 지키기 위해 세우는 것, 이웃을 갈라놓는 것이라고 생각하였지만, 아빠와의 대화를 통해 울타리를 긍정적으로 여기게 되었다.

08 아빠는 울타리를 세우는 일을 평화로운 전쟁이라고 역설적으로 표현한다. 이를 통해 아빠는 울타리가 서로의 영역을 구분해 줌으로써 타인과 자신의 피해를 최소화하고 결과적으로 이웃을 하나로 만들어 준다고 이야기하고 있다.

09 처음에 울타리를 부정적으로 여겼던 아들은 아빠가 울타리의 긍정적인 의미를 자신의 눈높이에 맞춰 설명해 주자 아빠의 말에 적극적으로 반응한다. 이처럼 대화에 참여하는 우호적이고 협력적인 태도가 두 사람의 의견을 일치시켰다.

10 상대의 의견이 자신의 의견과 다르더라도 상대가 말하는 중간에 끼어들어 질문하는 것은 올바른 듣기·말하기 태도가 아니다. 자신과 의견이 달라도 상대의 말을 경청하면서 그것을 존중하고 수용하려는 태도를 지녀야 한다.

11 친구들로부터 엄마가 필리핀 출신이라고 놀림을 받아 기분이 좋지 않던 '차은'은 ㉠과 같이 엄마의 말에 대꾸도 하지 않는다.

오답 풀이 ①, ② 육상부 친구들이 서울로 전학을 갔을 뿐만 아니라 육상부 코치 선생님의 전학 권유를 받고 '차은'도 전학 가서 육상을 계속하고 싶어 하였다. 그러나 이는 '차은'의 기분이 안 좋아진 직접적인 이유가 아니다.
③ 몇몇 친구들이 자신을 놀려서 기분이 안 좋았기 때문에 엄마가 사 온 새 운동화에 대해서는 관심 자체가 없었다.
④ '앞부분 줄거리'를 보면 '차은'의 전학을 반대하는 사람이 엄마가 아니라 아버지임을 알 수 있다.

12 새 운동화는 엄마가 달리기를 좋아하는 '차은'을 위해 일부러 사 온 물건으로, '차은'에 대한 엄마의 애정을 엿볼 수 있는 소재이다. 그러나 이를 보고서도 '차은'이 엄마에게 화를 내면서 두 사람의 갈등이 시작된다.

13 엄마와 '차은'의 대화가 원활하게 이루어지지 않은 까닭은 '차은'이 엄마의 성의를 무시하고 자기 기분이 좋지 않다는 이유로 엄마에게 무작정 화를 냈기 때문이다(ㄱ). 또한 엄마가 '차은'이 속상해하는 이유도 모른 채 계속 운동화 이야기만 했기 때문이다(ㄹ).

14 '차은'은 학교에서 놀림을 받고 화가 나 있는데, 그것을 엄마가 몰라주고 운동화 이야기만 해서 더 화가 났다. 하지만 엄마는 '차은'의 기분이 좋지 않은 이유를 모르기 때문에 엄마께 무턱대고 화를 내기보다는 자신의 속마음을 먼저 이야기해서 어려움을 함께 해결하려는 태도가 필요하다.

15 엄마는 힘이 없는 '차은'이 걱정되어 고민을 나누고자 ③과 같이 말을 건넸다. 그러한 엄마께 눈길도 주지 않고 ④와 같이 대답하면 엄마의 기분을 상하게 만들 수 있다.

압축 파일

본문 062쪽

❶ 의사소통 ❷ 반응 ❸ 의미 ❹ 울타리 ❺ 눈높이
❻ 협력적 ❼ 운동화 ❽ 갈등

시험에 나오는 소단원 문제

본문 063~064쪽

01 ④ **02** ② **03** ⑤ **04** ② **05** 다른 사람의 것을 지켜 주기 위해 세우는 것, 이웃을 하나로 만들어 주는 것 **06** ③ **07** ④ **08** ㉠ / 이유: '차은'의 특기를 칭찬하면서 '차은'과 대화를 이어 가려고 했으므로

01 듣기·말하기는 일방적으로 뜻을 전달하고 전달받는 의사소통 과정이 아니다. 말하는 이가 듣는 이와 더불어 내용을 창조하고 그 의미를 공유해 가는 과정이다.

02 아들은 주말에 놀이공원에 가자고 엄마를 설득하기 위하여 대화를 시도했지만 타당한 근거를 제시하지 못하였다.

03 '서우'는 '영서'의 농담을 가볍게 넘기지 않고 불쾌한 감정을 직접적으로 드러내고 있을 뿐, '영서'의 말하기 태도가 지닌 문제점을 지적한다거나 그에 대한 대안을 제시하고 있지는 않다.

오답 풀이 ① '영서'가 '네가 서우구나? 반가워.'라고 한 것으로 보아 '서우'와 '영서'가 처음 만난 사이임을 알 수 있다.
② '영서'는 자신의 농담을 듣고 불쾌해하는 '서우'에게 '빨리 친해지려고 농담한 건데 왜 화를 내고 그래?'라고 말하였다. 이로 보아 '영서'의 말하기 목적은 친교 표현임을 알 수 있다.
③ '영서'는 처음 만난 '서우'에게 '네가 지금 입고 있는 옷은 너한테 되게 안 어울린다!'라고 말하며 '서우'의 기분을 상하게 만들었다.
④ '서우'는 '영서'에게 '너 정말 예의가 없구나?'라고 말하며 불쾌한 감정을 직접적으로 드러내었다.

04 아빠는 여우를 예로 들어, '울타리'의 의미를 아들의 눈높이에 맞게 설명하였고(ㄷ), 아들은 자신과 다른 아빠의 의견에 귀를 기울이며 아빠의 말에 적극적으로 반응하였다(ㄴ). 이와 같은 협력적인 태도가 두 사람의 의견을 일치하게 만들었다.

05 서술형 아빠와 대화를 하기 전에 아들은 울타리를 전쟁하듯이 자기 것을 지키기 위해 세운다고 생각하였다. 그러나 아빠의 의견을 들은 후에는 울타리를 세우는 것에 대해 긍정적으로 인식하게 된다.

06 '차은'이 육상부 코치 선생님에게 전학을 권유받았다는 것, 서울로 전학을 가 육상을 계속하고 싶어 한다는 것, 엄마가 '차은'에게 '달리기를 잘한다며?'라고 말한 것 등을 통해 ㄴ을 알 수 있다. 또한 ㄷ처럼 '차은'은 엄마의 성의를 무시하고, 자기 기분이 좋지 않다는 이유로 엄마에게 무작정 화를 내며 감정적으로 대응하고 있다.

오답 풀이 ㄱ. '차은'의 기분이 좋지 않은 이유는 엄마가 필리핀 출신인 것을 알게 된 친구들이 자신을 '필리핀'이라고 부르며 놀렸기 때문이다.
ㄹ. '차은'은 자신의 속상한 기분을 몰라주고, 계속 운동화 이야기만 하는 엄마에게 화가 났는데, 엄마가 '영찬'을 자신의 남자 친구인 것으로 생각하자 더 화가 났다.

07 엄마는 '차은'과 대화하려고 노력은 하고 있지만, '차은'에게 속상한 일이 있었다는 것을 눈치채지 못하고 계속 운동화 이야기만 하여 '차은'의 기분을 더 좋지 않게 만들었다. 따라서 엄마에게는 '차은'의 마음을 헤아려 가며 조심스럽게 대화를 나누라는 조언을 할 수 있다.

08 서술형 '차은'은 엄마가 사 온 운동화에 관심을 보이지 않고, 엄마의 질문에 대답하지도 않는다. 그런데도 엄마는 '차은'에게 ㉠과 같이 말을 건네며 대화를 이어 가려고 노력하는데, 이 부분에서 '차은'에 대한 엄마의 애정을 느낄 수 있다.

어휘력 키우기

본문 065쪽

01 ② **02** ①

01 '고르거나 가지런하지 않고 차별이 있음.'을 뜻하는 낱말은 '차등'이다. '차이'는 '서로 같지 아니하고 다름. 혹은 또는 그런 정도나 상태'를 의미한다.

02 '토론하다'는 '어떤 문제에 대하여 여러 사람이 각각 의견을 말하며 논의하다.'를 뜻하는 낱말인데, ①의 밑줄 친 부분에는 문맥상 반대한다는 뜻의 낱말이 들어가야 한다. 따라서 '어떤 의견, 주장, 논설 따위에 반대하여 말하다.'를 뜻하는 '반박하다'를 쓰는 것이 적절하다.

시험에 나오는 대단원 문제

본문 066~068쪽

01 ⑤ **02** ⑤ **03** ③ **04** ④ **05** 세대(나이) **06** ④ **07** ⑤ **08** ③ **09** ① **10** 남학생에게: 처음 만난 친구에게는 신중하게 농담을 해야 해. / 여학생에게: 친구의 의도를 고려하여 농담을 가볍게 받아들이고, 감정을 돌려 표현해야 해. **11** ① **12** ⑤ **13** ① **14** ②

01 듣는 이의 지역, 상황, 문화 등에 따라 사용하는 어휘나 표현 등이 다를 수 있으므로, 담화 상황에서 말하는 이는 듣는 이를 고려하여 그에 맞는 언어 표현을 사용해야 한다.

02 담화 참여자의 성별이 다르기는 하지만 두 사람의 의사소통에 어려움은 나타나 있지 않다.

03 (가)~(다)에서 '양심을 지키세요.'는 그것이 쓰인 장소(공간)에 따라 전달하려는 의미가 달라진다. 이처럼 담화는 상황 맥락(담화가 이루어지는 구체적인 시간과 공간)에 따라 뜻이나 표현 등이 달라지기도 한다.

04 제시된 상황은 엄마가, 밤늦게까지 자지 않고 게임을 하는 아들을 꾸짖는 상황이다. 따라서 "지금 몇 시니?"라는 말에는 게임을 그만하고 자라는 의미가 담겨 있으므로, 이러한 의도를 고려하여 ④와 같이 대답하는 것이 적절하다.

오답 풀이 ①, ③ 시간이 아침이고, 늦잠을 자고 있을 때 할 수 있는 대답이다.
② 엄마의 의도는 빨리 자라는 것이지, 아들에게 시간을 물어보는 것이 아니다. 이는 엄마가 시간을 몰라 몇 시인지 물어보는 상황일 때 할 수 있는 대답이다.
⑤ 엄마에게 화를 내는 듯이 말하는 대답이므로 적절하지 않으며, 엄마는 시간을 물어보려고 했던 것이 아니기 때문에 엄마의 의도를 제대로 고려하지 않은 대답이다.

05 서술형 딸이 기성세대가 잘 모르는 '남아공'이라는 줄인 말을 사용하였기 때문에 아빠는 그 말을 이해하지 못하고 자신이 알고 있는 남아프리카 공화국을 떠올렸다. 이와 같이 세대에 따라 사용하는 언어가 달라지기도 한다.

06 우리나라 문화에서는 친척이 아니더라도 친근감 있는 어투로 상대를 부를 때 '이모'라는 말을 사용하기도 한다. 그런데 외국인은 이러한 우리의 문화를 알지 못해 식당 안 손님들 모두가 친척인 것으로 오해를 하였다.

07 특정한 역사를 배경으로 한 담화는 글쓴이와 읽는 이가 역사적 상황과 정서를 같이 공유할 때 원활한 의사소통을 할 수 있다. 이 연설문을 읽을 때에는 남아프리카 공화국의 역사적 상황을 알아야 '아파르트헤이트'와 같은 낱말의 뜻도 깊이 있게 이해할 수 있다.

08 '넬슨 만델라'는 연설문에서 '우리는 결단력 있게 집단행동을 하여 인종 차별 체제를 끝내야 합니다.'라고 하였다. 이로 보아 '우리'는 인종 차별 때문에 고통받는 남아프리카 공화국의 사람들임을 알 수 있다.

09 여학생이 남학생의 물음에 적극적으로 반응하고 있고, 같은 말로 시작한 대화가 여학생의 반응에 따라 다른 방향으로 진행되고 있다. 이로 보아 대화가 남학생을 중심으로 이루어지는 것이 아니라 남학생과 여학생이 함께 참여하면서 새로운 의미를 만들어 나가고 있음을 알 수 있다.

오답 풀이 ② 여학생이 재미있는 농담을 더 듣고 싶어 하는지, '천일염'의 정확한 뜻을 알고 싶어 하는지에 따라 대화가 다른 방향으로 전개되고 있다.
③ 남학생과 여학생이 대화를 나누며 함께 내용을 창조하고 의미를 공유하고 있다.
④ 대화 참여자인 남학생과 여학생의 경험, 배경지식이 다르기 때문에 같은 내용으로 시작한 대화가 각기 다른 방향으로 진행된 것이다.
⑤ 여학생은 남학생의 농담에 적극적으로 반응하고 있고, 남학생은 농담 이후 이어진 여학생의 질문에 적극적으로 답변하고 있다.

10 고난도 서술형 처음 만난 사이인데도 상대가 불쾌해할 수 있는 농담을 한 남학생에게는 처음 만난 친구에게는 신중하게 농담을 건네고, 상대가 기분 나쁠 법한 농담을 건네지 말라는 조언을 할 수 있다. 그리고 그러한 남학생의 농담을 가볍게 넘기지 않고, 불쾌함을 직접적으로 드러낸 여학생에게는 상대의 농담을 가볍게 받아들이고, 감정을 돌려 표현하라는 조언을 할 수 있다.

평가 목표	듣기·말하기를 할 때의 유의점 이해하기
채점 기준	✔ 남학생과 여학생에게 필요한 듣기·말하기 태도를 주어진 형식에 맞게 바르게 쓴 경우 [상] ✔ 남학생과 여학생에게 필요한 듣기·말하기 태도 가운데 하나만 주어진 형식에 맞게 쓴 경우 [중] ✔ 남학생과 여학생에게 필요한 듣기·말하기 태도에 대한 서술이 미흡하고, 주어진 형식에도 맞지 않은 경우 [하]

11 아들과 아빠가 주고받는 대화의 중심 소재는 울타리이다. 아빠는 아들이 울타리의 긍정적인 역할을 이해할 수 있도록 구체적인 예를 들어 설명하고 있다.

12 처음에는 울타리에 대한 아빠와 아들의 생각이 완전히 달랐다. 이에 아빠는 울타리의 의미를 아들의 눈높이에 맞추어 설명해 주었고, 아들은 아빠의 말에 관심을 보이며 적극적으로 반응하였다. 이와 같이 대화에 참여하는 적극적이고 협력적인 태도가 두 사람의 의견을 일치시켰다.

오답 풀이 ① 아빠는 울타리의 긍정적 의미를 아들에게 이야기하고 있지만, 이 과정에서 객관적인 수치를 제시하지는 않았다.
② 아빠는 울새와 여우를 예로 들어 울타리의 의미를 아들의 눈높이에 맞게 설명해 주었다. 따라서 아빠가 권위적인 자세로 자기의 생각을 말하였다고 보기는 어렵다.
③ 아들은 어린아이기는 하나, 대화 주제에서 벗어난 이야기를 계속적으로 하지는 않았다.
④ 처음에 울타리 세우는 일을 부정적으로 생각했던 아들은 아빠와 대화를 주고받으며 점차 아빠의 생각에 동의하게 된다. 아들은 아빠의 의견이 자신과 다름에도 그것에 귀를 기울이고, 동의하는 부분에는 맞장구를 치며 협력적으로 반응하였다.

13 ㉠에서 울타리에 대해 부정적인 시각을 드러내었던 아들은 아빠와 이야기를 나눈 후 생각이 바뀌었다. ㉡은 울타리를 세우는 것에 대한 아들의 생각이 바뀌었음을 알 수 있는 부분으로, 아들은 이전과 다른 긍정적 인식을 드러내고 있다.

14 ⓐ, ⓒ, ⓓ, ⓔ는 살아 있는 생명체가 울타리를 세우는 것을 의미한다. 그런데 ⓑ는 암컷이 수컷이 세워 놓은 울타리 안으로 들어간다는 것으로, 울타리를 세우는 것과는 관련이 없다.

3 개성이 드러난 표현

(1) 창의적인 발상 _ 먼 후일

간단 체크 개념 문제 본문 072쪽

1 (1) ○ (2) ○ (3) × 2 ② 3 역설

1 (3) 시에 나타나는 운율은 외형률과 내재율이 있다. 외형률은 일정한 규칙이 반복되어 시의 표면에 운율이 드러나는 것이고, 내재율은 일정한 규칙 없이 시 속에서 운율이 은근하게 느껴지는 것이다. 따라서 모든 시에서 일정한 규칙의 운율이 반복되는 것은 아니다.

2 말하는 이나 글쓴이가 자신의 속마음을 원래의 뜻과 반대로 표현하는 것은 '반어'에 해당한다. 반어 표현을 활용하면 사용하는 맥락에 따라 대상을 비꼬거나 비판하는 뜻을 담을 수 있다.

3 '역설'은 언뜻 보기에 이치에 어긋나서 서로 맞지 않는 모순되는 말인 것 같지만, 사실은 그 속에 진리를 담고 있는 표현이다.

학습콕 본문 073쪽

음보, 시어, 반대

간단 체크 내용 문제 본문 073쪽

073쪽 01 ⑤ 02 잊었노라 03 ④

01 이 시는 반어 표현을 활용하여 '당신을 잊을 수 없다.'는 내용을 반대로 표현하고 있다.

오답 풀이 ①, ④ 이 시는 떠난 임을 잊을 수 없는 안타까운 마음을 서정적, 민요적, 애상적으로 표현하고 있다.
② 이 시는 '~면 ~ 잊었노라'와 같은 가정형 문장을 반복하여 운율을 형성하고 있다.
③ 이 시는 미래에 '당신'이 말하는 이에게 돌아온 상황을 가정하여 그때 할 말을 반복하여 제시하고 있다.

02 이 시는 같은 문장 구조와 시어를 반복하여 운율을 형성하고 있는데, 반복적으로 사용하는 시어는 '잊었노라'이다.

03 ㉠은 말하는 이가 '당신'을 줄곧 잊지 못하고 그리워하였다는 본심을 드러낸 표현이다.

학습 활동 본문 074~075쪽

이해 박자감, 잊었노라, 문장 구조, 미래

간단 체크 활동 문제 본문 074~075쪽

074쪽 01 ④ 02 ~면 ~ 잊었노라
075쪽 03 ① 04 ②

01 시를 낭송할 때 일정한 부분을 끊어서 읽으면 운율감이 느껴지고, 호흡이 규칙적으로 이루어지기 때문에 박자감이 잘 느껴진다.

02 1연에는 '~ 찾으시면 ~ '잊었노라'', 2연과 3연에는 '~ 나무라면 ~ 잊었노라''가 반복적으로 드러나 있다. 따라서 이 시에서는 '~면 ~ 잊었노라'라는 문장 구조가 반복된다는 것을 알 수 있다.

03 이 시의 말하는 이는 매 연마다 '잊었노라'라고 말하고 있고, 1연에서는 '먼 훗날 당신이 찾으시면'이라고 가정하고 있다. 이를 통해 현재 말하는 이는 '당신'과 이별한 상황임을 알 수 있다.

04 말하는 이의 속마음을 직접적으로 표현하면, 반대로 표현하였을 때보다 말하는 이의 심리가 확실하게 드러난다.

(1) 창의적인 발상 _ 봄 길

학습콕 본문 076쪽

희망, 길, 모순

간단 체크 내용 문제 본문 076쪽

076쪽 01 ③ 02 역설 03 ⑤

01 이 시에서는 절망적인 상황을 '강물', '새', '꽃잎'과 같은 자연물을 통해 표현하고 있다.

오답 풀이 ① 이 시에서는 '~ 곳에서도 ~이 있다'의 비슷한 문장 구조를 반복하여 의미를 강조하고 있다.
② 종결 어미 '-다'를 사용하여 단정적이고 의지적인 태도를 드러내고 있다.
④ 이 시의 제목은 '봄 길'인데, '봄'은 만물이 소생하는 계절로 희망의 느낌을 표현한다.
⑤ 절망적인 상황 속에서도 시련을 극복하고 희망과 사랑을 찾고자 하는 삶의 태도를 노래하고 있다.

02 이 시는 역설 표현을 활용하여 절망적인 현실 속에서도 시련을 극복하면 희망과 사랑을 찾을 수 있다는 믿음을 강조하고 있다.

03 말하는 이는 절망적인 상황 속에서도 희망과 사랑이 존재한다는 믿음을 노래하고 있다. 이를 통해 말하는 이의 의지적이고 희망적인 태도를 엿볼 수 있다.

오답 풀이 ① '낙관적'은 '인생이나 사물을 밝고 희망적인 것으로 보는. 또는 그런 것'을 의미하고, '소극적'은 '스스로 앞으로 나아가거나 상황을 개선하려는 기백이 부족하고 비활동적인. 또는 그런 것'을 의미한다.
② '비관적'은 '인생을 어둡게만 보아 슬퍼하거나 절망스럽게 여기는. 또는 그런 것'을 의미하고, '절망적'은 '바라볼 것이 없게 되어 모든 희망을 끊어 버리는. 또는 그런 것'을 의미한다.
③ '비판적'은 '현상이나 사물의 옳고 그름을 판단하여 밝히거나 잘못된 점을 지적하는. 또는 그런 것'을 의미하고, '현실적'은 '실제로 얻을

수 있는 이익 따위를 우선시하는. 또는 그런 태도'를 의미한다.
④ '적극적'은 '대상에 대한 태도가 긍정적이고 능동적인. 또는 그런 것'을 의미하고, '세속적'은 '세상의 일반적인 풍속을 따르는. 또는 그런 것.'을 의미한다.

학습 활동

본문 077~080쪽

이해 사랑, 사람, 절망, 희망, 진리
적용 당신

간단 체크 활동 문제

본문 077~080쪽

077쪽 **01** ② **02** ①, ②
078쪽 **03** ③ **04** 희망, 사랑
079쪽 **05** ⑤ **06** 이젠 당신이 그립지 않죠, 보고 싶은 마음도 없죠. / 이젠 괜찮은데, 사랑 따윈 저버렸는데
080쪽 **07** ②

01 이 시에서 '봄 길을 걸어가는 사람'은 어떤 상황에서도 희망을 잃지 않고 묵묵히 걸어가는 사람, 힘들고 어려운 일이 닥치더라도 절망하지 않고 이를 극복하기 위해 노력하는 사람을 의미한다.

02 ①, ②는 길이 끝나는 곳에서도 길이 있고, 길이 되는 사람이 있다고 하였다. 이처럼 겉으로 모순되고 이치에 맞지 않는 것 같지만 그 속에 진리를 담고 있는 표현을 '역설'이라고 한다.

03 제시된 시구는 역설 표현을 사용한 것으로, 절망적인 상황에서도 희망이 있고 사랑이 사라졌다고 생각한 상황에서도 사랑을 지키려고 노력하는 사람이 있다는 뜻이다. 하지만 사랑의 아픔을 언젠가는 이겨 낼 수 있다는 내용은 제시된 시구의 의미와는 거리가 멀다.

오답 풀이 ①, ⑤ 역설 표현을 사용하면 읽는 이에게 충격을 주면서 그 안에 담긴 의미를 진지하게 생각해 보게 한다.
②, ④ 절망적인 상황에서도 희망이 있다는 것은 겉으로 보기에는 모순된 상황이라고 할 수 있다.

04 이 시의 말하는 이는 절망적인 상황에서도 희망과 사랑이 존재한다는 믿음을 드러내고 있으며, 희망과 사랑을 품은 채로 꿋꿋하게 살아가는 삶의 태도를 중요하게 생각하고 있다.

05 이 노랫말은 반어 표현을 활용하여 자신을 떠나간 '당신'에 대한 그리움과 슬픔을 강조하고 있다. 하지만 모순되는 표현을 사용하지는 않았다.

오답 풀이 ① 이 작품은 대중가요인 「비와 당신」의 노랫말이다.
② '빛바랜 추억 그 얼마나 사무친 건지. / 미운 당신을 아직도 그리워하네.'에 자신을 떠나간 '당신'에 대한 말하는 이의 원망이 나타난다.
③ '눈물'이라는 단어를 반복하면서 이별의 슬픔과 '당신'에 대한 그리움을 애절하게 표현하고 있다.
④ '다신 안 올 텐데, 잊지 못한 내가 싫은데'에서는 '당신'을 잊지 못하고 그리워하는 자신에 대한 안타까움이 나타난다.

06 실제로 나타내고자 하는 것과 반대로 표현하여 강한 인상을 주는 방법은 '반어'에 해당한다. 이 노랫말에서 반어 표현이 나타나는 부분은 '이젠 당신이 그립지 않죠, 보고 싶은 마음도 없죠.'와 '이젠 괜찮은데, 사랑 따윈 저버렸는데'로, 이 부분을 통해 말하는 이는 '당신'을 여전히 잊지 못하고 그리워한다는 점을 강조하고 있다.

07 약속 시간에 늦게 온 친구에게 "참 빨리도 왔다."라고 말하는 것은 늦은 친구를 나무라는 것으로 "왜 이렇게 늦게 온 거야."의 뜻이라고 볼 수 있다.

압축 파일

본문 081~082쪽

❶ 질책 ❷ 애절 ❸ 이별 ❹ 3음보 ❺ 시어 ❻ 절망 ❼ 봄 ❽ 긍정적 ❾ 사랑 ❿ 그리움

시험에 나오는 소단원 문제

본문 083~085쪽

01 ④ **02** ③ **03** 눈물 **04** ② **05** ③ **06** ②
07 ④ **08** 봄 길 **09** ⑤ **10** ④ **11** ① **12** ③
13 ① **14** ② **15** ⓐ: 반어, ⓑ: 역설

01 (가)는 떠난 '당신'을 잊지 못하는 마음을, (나)는 떠난 '당신'을 그리워하는 마음을 표현하고 있다. 따라서 (가)와 (나)의 말하는 이는 사랑하는 사람과 이별한 상황이다.

오답 풀이 ①, ③ (가)는 현대 시이고, (나)는 대중가요의 노랫말이다. 따라서 (나)에는 음보나 운율과 관련된 내용이 없다. (가)는 정해진 형식이나 운율에 구애받지 않고 자유로운 형식으로 이루어진 자유시지만, 3음보의 규칙적인 율격이 나타난다.
② (나)는 대중가요의 노랫말이지만, (가)는 대중가요의 노랫말로 만들어진 것이 아니다.
⑤ (가)와 (나)에는 원래의 뜻과 반대로 표현하는 '반어' 표현이 사용되었다. 제시된 설명은 '역설'에 해당한다.

02 시에서 같은 시어나 문장 구조가 일정하게 반복되면 리듬감을 느낄 수 있고, 시를 낭송할 때 호흡이 규칙적으로 이루어져 박자감이 잘 나타난다. 그러나 (가)는 시행이 점층적으로 늘어나지는 않는다.

03 (나)의 말하는 이는 자신을 떠나간 '당신'을 그리워하면서 이를 반어적으로 표현하고 있다. 또한 '당신'을 그리워하면서 흘리는 '눈물'을 통해 그리움을 상징적으로 나타내고 있다.

04 ㉠은 '당신을 잊을 수 없다.'는 말하는 이의 본심을 반대로 표현한 것으로, 말하는 이의 애틋하고 간절한 심정을 강조하는 역할을 한다. 하지만 '당신'에 대한 따뜻한 시선과 애정이 담겨 있다고 보기는 어렵다.

오답 풀이 ①, ⑤ ㉠은 '당신'을 잊지 못하는 말하는 이의 심정을 반대로 표현하여, '당신'에 대한 애틋하고 간절한 그리움을 강조하는 역할을 한다.
③, ④ ㉠의 표면적인 의미는 '당신을 잊었다.'이지만, 실제적인 의미는 '당신을 잊을 수 없다.'이다.

05 (가)와 (나)의 말하는 이는 이별한 '당신'을 아직도 사랑하며 그리워하고 있다.

06 7~9행은 말하는 이를 위로하던 사람들이 떠난 절망적인 상황을 노래하는 것이 아니라 사랑이 끝난 절망적인 상황을 '강물', '새', '꽃잎' 등과 같은 자연물을 통해 표현하고 있다.

07 이 시의 말하는 이는 절망적인 상황에서도 희망과 사랑이 존재한다는 믿음을 드러내고 있다. 이를 통해 말하는 이는 어려운 상황 속에서도 희망과 사랑을 품은 채로 꿋꿋하게 살아가는 삶의 태도를 중요하게 여긴다는 것을 알 수 있다.

08 '봄 길'에서 '봄'은 만물이 소생하는 계절로 희망의 느낌을 표현하고, '길'은 미래와 가능성의 의미를 내포하여 긍정적이고 희망적인 가치를 표현하고 있다.

09 ㉠은 역설 표현이 나타난 부분으로, '-다'라는 종결 어미를 사용하여 말하는 이의 단정적이고 의지적인 태도를 나타낸다.

오답 풀이 ① '길이 끝나는 곳'에서 '길이 있다'라고 하였으므로, 내용상으로는 뜻이 모순된다.
②, ③ 역설은 이치에는 맞지 않지만 그 속에는 진리를 담고 있는 표현으로, 읽는 이가 그 안에 담긴 의미를 스스로 찾게 한다.
④ ㉠이 담고 있는 진리는 절망적인 상황 속에서도 희망이 존재한다는 것이다.

10 '사랑이 끝난 곳'은 사랑이 끝난 절망적인 공간을 의미하며, 이곳에서 '사랑으로 남아 있는 사람'이 있다는 것은 '희망이 없는, 고통만 남은 곳에서도 다른 이에게 사랑을 베푸는 사람'이 있다는 의미이다.

11 (가)에는 계절적 배경이 드러나지 않으며, (나)는 만물이 소생하는 계절인 '봄'을 배경으로 한다.

오답 풀이 ② (가)에는 '~면 ~ 잊었노라'라는 문장 구조가 반복되고, (나)에는 '~곳에서도 ~ 사람이 있다'라는 문장 구조가 반복되어 나타난다.
③ (가)와 (나)는 개인의 감정이나 정서를 주관적으로 표현하는 서정시이다.
④ (가)는 두 행씩 연이 구분되어 있고, (나)는 행은 구분되지만 연은 구분되지 않는 시이다.
⑤ (나)는 '있다', '보라'와 같이 현재형 종결 어미를 사용하여 단정적인 느낌을 준다. (가)는 과거형 문장이 사용되었다.

12 (가)를 읽을 때에는 호흡이 규칙적이어서 박자감이 잘 느껴지고, 시적 분위기도 보다 더 잘 느껴진다. 하지만 〈보기〉는 줄글이기 때문에 박자감이나 시적 분위기는 약하게 느껴진다.

13 (가)의 말하는 이는 줄곧 '당신'을 잊지 못하고 그리워하는 자신의 본심과 반대로 '잊었노라'라고 표현하고 있다.

14 '길'은 미래와 가능성을 의미하는데, '길이 끝나는 곳'이므로 미래와 사랑의 가능성이 사라진 절망적인 공간을 의미한다.

15 ⓐ에는 원래의 뜻과는 반대로 표현한 '반어', ⓑ에는 겉으로는 뜻이 모순되고 이치에 맞지 않는 것 같지만 그 속에 진리를 담고 있는 표현인 '역설'이 사용되었다.

(2) 비판적인 표현

간단 체크 개념 문제 본문 086쪽

1 ② **2** (1) × (2) ○ (3) ○ (4) × **3** 서술자

1 소설 구성의 3요소는 '인물, 사건, 배경'이다. 이 중에서 소설 속에 등장하는 인물이 겪는 일이나 벌이는 행동은 '사건'에 해당한다.

2 (1) '풍자'는 사실을 과장하거나 왜곡하고, 부정적인 현실을 비꼼으로써 웃음을 유발한다. (4) 소설에서 이야기를 전달하는 사람이 어린아이일 경우 풍자의 효과가 높아지지만, 풍자 소설의 서술자가 항상 어린아이인 것은 아니다.

3 소설에서 '서술자'는 작가의 대리인으로 작가를 대신하여 허구적인 이야기를 전달하는 역할을 한다.

학습콕 본문 087~094쪽

087쪽	외모, 강 선생님
089쪽	박 선생님, 조선말
091쪽	조선, 맥, 태극기
092쪽	해방
093쪽	미국, 일본
094쪽	찬양, 일본, 미국, 풍자

간단 체크 내용 문제 본문 087~094쪽

087쪽	**01** ②	**02** ①	
088쪽	**03** ③	**04** ⑤	
089쪽	**05** ③	**06** 친일적인 태도	**07** ①
090쪽	**08** ③	**09** ②	**10** ①
091쪽	**11** ④	**12** 건국, 태극기	
092쪽	**13** ④	**14** ④	
093쪽	**15** ④	**16** 기회주의	**17** ③
094쪽	**18** ⑤	**19** ⑤	

01 (가)에서 '나'는 '박 선생님'의 별명으로 '뼘생', '뼘박', '대갈장군' 등을 제시하고 있다. 이를 통해 '나'는 '박 선생님'을 부정적으로 평가하고 있음을 알 수 있다.

오답 풀이 ① '가식적'은 말이나 행동 따위를 거짓으로 꾸미는 것을 의미한다.
③ '편파적'은 공정하지 못하고 어느 한쪽으로 치우쳐 있는 것을 의미한다.
④ '합리적'은 이론이나 이치에 합당한 것을 의미한다.
⑤ '이해타산적'은 이해관계를 이모저모 모두 따져 보는 것을 의미한다.

02 '순하여 사나움이 든 데가 없고,~ 장난을 잘하고'라는 부분을 통해서 '강 선생님'은 마음이 넓고 여유로우며 유순한 성격임을 짐작할 수 있다.

오답 풀이 ② '활발하다'는 '생기 있고 힘차며 시원스럽다.'라는 의미이고, '수다스럽다'는 '쓸데없이 말수가 많은 데가 있다.'라는 의미이다.
③ '조급하다'는 '참을성이 없이 몹시 급하다.'라는 의미이다.
④ '옹졸하다'는 '성품이 너그럽지 못하고 생각이 좁다.'라는 의미이다.
⑤ '소심하다'는 '대담하지 못하고 조심성이 지나치게 많다.'라는 의미이고, '자기중심적'은 '남의 일보다 자기의 일을 먼저 생각하고 더 중요하게 여기는. 또는 그런 것.'을 의미한다.

03 (라)에서는 학교에서 일본 말만 쓰고 조선말을 쓰지 못했으며, 공공 기관에 있는 사람들은 일본 말을 사용하였고, 보통 사람들은 조선말을 사용했다고 하였다. 이를 통해 (라)의 시대적 배경이 일제 강점기임을 알 수 있다.

04 (마)에서 '박 선생님'은 조선말을 사용하는 학생들을 혼내고 중한 벌을 주었다고 하였으며, '나'도 친구와 싸우다가 조선말을 사용하여 '박 선생님'에게 들켜서 혼이 났다고 하였다. 이를 통해 '나'는 조선말을 사용하다가 '박 선생님'에게 여러 번 혼이 났음을 알 수 있다.

05 '강 선생님'은 의도적으로 일본 말 대신에 조선말을 사용하는데, 이는 자기 나름대로 일제에 저항하면서 민족정신을 지키려는 행동으로 볼 수 있다.

06 '박 선생님'은 일본을 '우리 대일본 제국'이라고 부르며, 미국과 영국과의 전쟁에서 반드시 이길 것이라고 강조한다. 이것으로 보아 '박 선생님'이 친일적인 태도를 지녔음을 알 수 있다.

07 일본이 항복하자 '박 선생님'은 다른 일본 선생님들과 직원실에서 모여 앉아 초상난 집처럼 근심에 싸여 기가 죽고 맥이 빠져 있었다.

08 '언니'는 같은 부모에게서 태어난 사이이거나 일가친척 가운데 항렬이 같은 동성의 손위 형제를 이르거나 부르는 말이다. 여기서는 '형'을 뜻하며, '대석 언니'는 '나'의 사촌 형이다.

09 교장 선생님과 두 일본 선생님, '박 선생님'은 일본이 패망해서 기가 죽었기 때문에 '대석 언니'의 말에 아무런 대꾸도 하지 못한 것이다.

10 '강 선생님'은 일본이 패망하고 조선이 독립한 것이 기쁘고 감격스러워 평소와 다르게 들이 날뛰고 덤비고 있는 것이다.

11 '강 선생님'은 일본이 패망한 후에도 미련을 버리지 못하는 '박 선생님'의 친일적인 태도를 비판하기 위해 화를 내면서 큰 소리로 꾸짖은 것이다.

12 (타)에서 '강 선생님'은 부드럽고 조용한 목소리로 '박 선생님'에게 건국에 도움이 될 일을 하자고 설득했다. '강 선생님'의 말을 듣고 난 후 '박 선생님'은 일본이 패망했다는 것을 인정하고 '강 선생님'을 따라 태극기를 그리기 시작했다.

13 '박 선생님'은 조선의 역사가 사천 년이나 되었고, 어떤 나라 못지않게 훌륭한 문화가 발달한 나라라고 이야기했다.

14 '박 선생님'은 광복 이후 미국의 영향력이 점차 커지자, 미국에 협력하여 개인적인 이익을 얻기 위해 미국 말을 열심히 공부하였다.

15 (거)에서 '강 선생님'이 교장이 된 다음부터, '박 선생님'은 '강 선생님'과 도로 사이가 나빠졌다고 하였다.

오답 풀이 ① 해방 뒤에 새로 온 '김 교장 선생님'이 갈려 가고 '강 선생님'이 교장이 되었다고 하였다.
② 교장이 된 뼘박 '박 선생님'은 그 작은 키가 으쓱했다고 하였다.
③ '강 선생님'은 교장이 된 지 일 년이 못 되어서 파면을 당했다고 했다.
⑤ '뼘박 박 선생님이 강 선생님을 그렇게 꼬아 댄 것이지. 강 선생님은 하나도 빨갱이가 아니라고도 했다.'는 것에서 '강 선생님'이 '박 선생님'의 모함을 받아 파면을 당했다는 소문이 돌았음을 알 수 있다.

16 '박 선생님'은 광복 전인 일제 강점기에는 일본을 찬양하다가, 광복 후에는 미국을 찬양하고 있다. 이처럼 일관된 입장을 지니지 못하고 그때그때의 정세에 따라 이로운 쪽으로 행동하는 경향을 '기회주의'라고 한다.

17 (너)에서 '박 선생님'은 미국이 전쟁까지 하면서 조선을 독립시켜 주고, 생필품까지 지원하는, 이 세상에서 가장 훌륭한 나라이기 때문에, 미국이 시키는 대로 순종해야 한다고 생각하고 있다. 하지만 '조선에 엄한 벌을 줄 수 있는 나라'라는 생각은 하지 않았다.

18 원래의 뜻과 반대로 표현하는 것은 '반어'에 해당한다. ㉡은 ㉠에 대한 '박 선생님'의 대답으로, 어린아이의 시선을 통해 '박 선생님'의 말을 희화화하는 역할을 한다.

오답 풀이 ①, ② ㉠은 서술자인 '나'가 세상 물정을 모르는 순진무구한 어린아이이기 때문에 가능한 질문이다.
③, ④ ㉡은 ㉠에 대한 '박 선생님'의 대답으로, 이를 통해 비판하려는 대상인 '박 선생님'의 부정적인 면을 부각하면서 읽는 이의 웃음을 유발하는 효과를 얻을 수 있다.

19 '나'는 광복 전에는 일본을 찬양하다가 광복 후에는 일본을 비난하고 미국을 찬양하는 '박 선생님'의 모습을 보고, 줏대 없이 이리저리 흔들리는 '박 선생님'을 이상하게 여기고 있다.

간단 체크 어휘 문제

본문 087~094쪽

087쪽	(1) 정기 (2) 하학 (3) 낙방 (4) 혈서
088쪽	(1) 경치는 (2) 만판 (3) 제기고
091쪽	(1) × (2) ○ (3) ×
092쪽	(1) 불측한 (2) 체득 (3) 공출

학습 활동

본문 096~099쪽

이해 조선말, 교장 선생님, 기회주의적, 웃음, 비판적
적용 도망, 백성

간단 체크 활동 문제

본문 096~099쪽

096쪽	01 ⑤	02 ①
097쪽	03 ②	04 ②, ⑤
098쪽	05 ⑤	06 ④
099쪽	07 ①	08 풍자

01 해방이 되자 '강 선생님'은 교장이 되었으나 '박 선생님'의 모함을 받아 이내 파면을 당하고, '박 선생님'이 교장이 되었다.

02 '박 선생님'은 해방 전과 후의 상황에 따라 일본과 미국에 대한 태도를 뒤바꾼다. 이처럼 일관된 입장을 지니지 못하고 그때그때의 정세에 따라 이로운 쪽으로 행동하는 '박 선생님'의 태도를 '기회주의적'이라고 한다.

오답 풀이 ② '낙천주의'는 세상과 인생을 희망적으로 밝게 보는 생각이나 태도를 의미한다. '낙관주의'라고도 한다.
③ '이상주의'는 인생의 의의를 오로지 이상, 특히 도덕적·사회적 이상의 실현에 두는 태도를 의미한다.
④ '침략주의'는 정당한 이유 없이 남의 나라에 쳐들어감을 주요 정책으로 삼는 주의를 의미한다.
⑤ '형식주의'는 사물의 내용적 측면을 경시하고 형식적 측면을 중시하는 태도를 의미한다.

03 ㉠과, '뼘'은 '엄지손가락과 다른 손가락을 완전히 펴서 벌렸을 때에 두 끝 사이의 거리'를 의미한다는 것을 관련지으면 '뼘생', '뼘박'은 '박 선생님'의 키가 작아서 생긴 별명임을 알 수 있다.

04 원래의 뜻과는 반대로 표현하여 의미를 강조하는 것은 '반어'의 효과이고, 읽는 이에게 신선한 충격을 주어 삶의 진리를 깨닫게 하는 것은 겉으로는 뜻이 모순되고 이치에 맞지 않는 것 같지만 그 속에 진리를 담고 있는 표현인 '역설'의 효과이다.

오답 풀이 ①, ③, ④ 이 소설에서는 '박 선생님'을 우스꽝스럽게 표현하여 풍자하고 있다. 이처럼 풍자 표현을 사용하면 읽는 이에게 웃음을 유발하고(①), '박 선생님'의 기회주의적인 모습을 부각하여(③), 읽는 이가 '박 선생님'을 비판적으로 바라볼 수 있게 한다(④).

05 이 사설시조는 '두꺼비', '파리', '백송골'과 같은 동물에 빗대어 탐관오리의 이중성을 비판한 작품이다.

오답 풀이 ①, ② 이 작품은 조선 후기의 사설시조로, 중장의 길이가 평시조보다 길다.
③, ④ '두꺼비', '파리', '백송골'과 같은 동물에 빗대어 탐관오리의 이중성을 비판하는 우의적인 성격이 있으며, '두꺼비'의 모습을 통해 탐관오리의 모습을 풍자적이고 해학적으로 그려 내었다.

06 '두꺼비'는 파리를 물고 두엄 위에 앉아 있다가 '백송골'을 보고는 깜짝 놀라 도망치다가 두엄 아래로 자빠진다.

07 '파리'는 '두꺼비'로 상징되는 지방의 탐관오리에게 수탈당하는 힘없는 백성을 의미한다.

08 이 시조는 자신보다 힘이 없는 백성은 수탈하고 괴롭히면서, 자신보다 더 큰 권력을 가진 중앙의 고위 관료에게는 굽실거리는 탐관오리를 '두꺼비'로 표현하면서, 그들의 횡포와 허장성세를 우의적으로 풍자하고 있다.

압축 파일

본문 100~101쪽

❶ 조선말 ❷ 미국 ❸ 독립 만세 ❹ 친일적 ❺ 조선
❻ 이상한 ❼ 웃음 ❽ 백성 ❾ 두꺼비 ❿ 풍자

시험에 나오는 소단원 문제

본문 102~104쪽

01 ④ **02** ③ **03** ① **04** ④ **05** 일제 강점기 **06** ⑤
07 ② **08** ① **09** 일본이 패망했기 때문이다. **10** ①
11 ⑤ **12** ④ **13** 돌멩이 **14** ② **15** ④

01 (가)~(다)는 소설의 '발단'에 해당한다. '발단'은 소설에서 인물과 배경을 소개하고, 사건의 실마리가 나타나는 단계이다.

오답 풀이 ① 긴장감과 갈등이 최고조에 이르며, 주제가 제시되는 단계는 '절정'이다.
② 인물 간의 갈등이 고조되고 긴장감이 나타나는 단계는 '위기'이다.
③ 사건이 시작되고 인물들 사이의 갈등이 나타나는 단계는 '전개'이다.
⑤ 갈등이 해소되고 사건이 해결되며, 인물의 운명이 결정되는 단계는 '결말'이다.

02 (나)에서 '강 선생님'은 키와 몸집이 크며 '박 선생님'과 아주 정반대로 생겼다고 하였다.

03 '견원지간(犬猿之間)'은 개와 원숭이의 사이라는 뜻으로, 사이가 매우 나쁜 두 관계를 비유적으로 이르는 말이다. (다)에서 '박 선생님'과 '강 선생님'은 만나면 싸움이었다고 하였으므로, 두 사람의 관계에 해당하는 한자 성어는 '견원지간'이라고 할 수 있다.

오답 풀이 ② '괄목상대(刮目相對)'는 눈을 비비고 상대편을 본다는 뜻으로, 남의 학식이나 재주가 놀랄 만큼 부쩍 늚을 이르는 말을 의미한다.
③ '근묵자흑(近墨者黑)'은 먹을 가까이하는 사람은 검어진다는 뜻으로, 나쁜 사람과 가까이 지내면 나쁜 버릇에 물들기 쉬움을 비유적으로 이르는 말을 의미한다.
④ '수어지교(水魚之交)'는 물이 없으면 살 수 없는 물고기와 물의 관계라는 뜻으로, 아주 친밀하여 떨어질 수 없는 사이를 비유적으로 이르는 말을 의미한다.
⑤ '죽마고우(竹馬故友)'는 대말을 타고 놀던 벗이라는 뜻으로, 어릴 때부터 같이 놀며 자란 벗을 의미한다.

04 (라)에서 당시에는 일본 말을 '국어'라고 불렀으며, 학교에서 조선말을 한 마디도 쓰지 못하게 했다고 하였다.

05 (라)에는 민족정신을 말살하기 위해 조선말을 사용하지 못하게 일제가 우리 민족을 탄압한 내용이 나타난다. 이를 통해 ⓐ의 시대적 배경이 일제 강점기임을 알 수 있다.

06 '박 선생님'은 일제 강점기에는 일본에 협력하고, 미국의 영향력이 커진 해방 후에는 미국에 협력하는 모습을 보인다. 이처럼 '박 선생님'은 자신의 이익을 위해 힘이 강한 세력에 협력하는 기회주의적인 인물이다.

07 (나)에서 '강 선생님'은 일본 말이 서투르지 않은데도, 일부러 조선말을 사용하였다고 했다. 따라서 '강 선생님'이 조선말을 사용한 것은 일제에 저항하면서 민족정신을 지키려고 한 행동으로 볼 수 있다.

오답 풀이 ①, ⑤ '강 선생님'이 교장이 된 지 일 년이 못 되어서 파면을 당한 후 '박 선생님'이 교장이 되었다.

③, ④ '박 선생님'은 조선말을 사용하는 학생들에게 벌을 주었고, 일본이 전쟁에서 이길 것이라고 생각하였다.

08 (마)에서 '박 선생님'이 '강 선생님'을 빨갱이라고 꼬아 대었으며, '강 선생님' 대신에 교장이 되고 나서 으쓱했다고 하였다. 이를 통해 '박 선생님'이 '강 선생님'을 모함해서 '강 선생님'이 파면당했다고 추측할 수 있다.

09 일본이 전쟁에서 지고 패망했기 때문에 '박 선생님'을 포함한 네 명의 선생님이 기가 죽어 초상난 집처럼 코가 빠져 있었던 것이다.

10 일본이 패망하고 조선이 독립한 후에는 미국의 영향력이 커졌다. '박 선생님'은 이러한 변화를 파악하고 학생들에게 미국 말을 공부하라고 했으며, 자신도 미국 말을 공부하여 통역을 하면서 개인적인 이익을 얻었다.

11 (가)는 '박 선생님'의 기회주의적인 행태를, (나)는 '두꺼비'로 상징되는 조선 후기 지방의 탐관오리의 속성을 부정적으로 묘사하면서 풍자하고 있다.

오답 풀이 ①, ② (가)는 해방 전후를 배경으로, 기회주의적 인물인 '박 선생님'의 모습과 행동을 우스꽝스럽게 표현하여 풍자하고 있다.
③, ④ (나)는 평시조와 달리 초장·중장이 제한 없이 길며, 종장도 길어진 사설시조로, '두꺼비', '파리', '백송골' 등의 동물에 빗대어 당시의 사회상을 풍자하고 있다.

12 (가)의 서술자는 학교에 다니는 학생인 '나'로 작품 안에서 인물과 사건을 관찰하고 이야기를 전달한다. 이처럼 소설 속 인물인 '나'가 주인공을 관찰하여 이야기를 전달하는 것을 '1인칭 관찰자 시점'이라고 한다.

13 (가)에 등장하는 '박 선생님'은 기회주의적인 인물로, 해방 전에는 일본의 '덴노헤이까'를 찬양하였고, 해방 후에는 미국의 '돌멩이'라는 인물을 찬양하였다.

14 ㉠은 어린아이인 '나'의 입장에서 '박 선생님'을 평가한 내용이면서(ㄱ), 기회주의적인 태도를 비판적으로 바라보는 작가의 시각이 나타난 부분이다(ㄷ).

오답 풀이 ㄴ. '나'는 광복 전에는 일본을 찬양했다가 광복 후에는 미국을 찬양하는 '박 선생님'의 모습에 보고 '이상한 선생님'이라고 생각한다. 이렇게 상황에 따라 시류에 편승하며 살아가는 '박 선생님'의 모습은 기회주의적인 태도라고 볼 수 있다.
ㄹ. 여기서 '이상하다'는 평가는 '박 선생님'의 외모에 대한 것이 아니라 '박 선생님'의 태도에 관한 것이다.

15 ㉡은 '백송골'을 본 '두꺼비'가 깜짝 놀라 도망치다가 두엄 아래로 자빠지는 모습을 표현한 것으로, 두꺼비의 우스꽝스러운 모습이 나타난다.

오답 풀이 ① '고집스럽다'는 '보기에 고집을 부리는 태도가 있다.'라는 의미이다.
② '용맹스럽다'는 '용감하고 사나운 데가 있다.'라는 의미이다.
③ '자연스럽다'는 '억지로 꾸미지 아니하여 이상함이 없다.'라는 의미이다.
⑤ '거추장스럽다'는 '물건 따위가 크거나 무겁거나 하여 다루기가 거북하고 주체스럽다.' 또는 '일 따위가 성가시고 귀찮다.'라는 의미이다.

(3) 개성을 살리는 글다듬기

학습 활동

본문 105~113쪽

이해 추억, 그 후로, 과거, 미래, 부정, 보이지 않았고, 그래서, 생각, 자초지종, 틈새
적용 가격, 과자, 흥미, 중심, 띄어쓰기

학습콕

본문 105~113쪽

109쪽 주제, 목적, 낱말, 글, 추가

간단 체크 활동 문제

본문 105~113쪽

105쪽	01 ③	02 ③
106쪽	03 ⑤	04 (마)
107쪽	05 ③	06 ②
108쪽	07 ①	08 ③
109쪽	09 ⑤	10 ⑤
110쪽	11 ②	12 ③
111쪽	13 ⑤	14 ④
112쪽	15 ⑤	16 글 수준
113쪽	17 ①	

01 이 글은 병아리 '민들레'와의 추억과 그리움에 대한 수필로, 글쓴이의 경험을 회상한 글이다. 대상에 대한 설명을 목적으로 한 글은 설명문에 해당한다.

오답 풀이 ①, ② 이 글은 반려동물을 소재로 일정한 형식이나 틀에 얽매이지 않고 자유롭게 쓴 수필이다.
④, ⑤ (가)는 주인을 잃어버린 강아지를 보고 '민들레'를 떠올린 것으로 현재에 해당하고, (나)~(라)는 글쓴이가 초등학교 2학년 때의 일을 회상한 과거에 해당한다.

02 (다)에서는 병아리 '민들레'를 방 안에서 기르고 싶어 하는 '나'의 모습이 나타난다.

03 다른 학생들은 이 글의 제목인 '민들레'에 대한 의견을 적절하게 제시하고 있지만, '미준'은 이 글에서 서술하지 않은 내용을 들어 이야기하고 있다.

04 이 글은 주인을 잃은 강아지를 보호하다가 주인을 찾아 보내면서, 예전에 키웠던 '민들레'라는 병아리에 대한 추억과 그리움을 표현하고 있다. (마)는 이러한 주제와 상관이 없는 병아리의 특성에 대해 설명하고 있다.

05 'ㄷ'은 과거의 일을 이야기하는 것이기 때문에 '나는 비가 오면 엄마 몰래 민들레를 방 안에 데리고 왔다.'라고 고쳐 써야 한다. 'ㅂ'은 비가 오는 날이면 '민들레'를 방 안에 데리고 와서 함께 있었다는 앞의 내용과 관계가 없으므로 삭제하는 것이 적절하다.

06 '나'와 동생에게 장난감을 사 준 사람이 '아버지'이므로, 높임법에 맞게 '사 주었다'를 '사 주셨다'로 바꾸는 것이 적절하다.

07 '전혀'는 주로 부정하는 뜻을 나타내는 말과 함께 쓰여 '도무지', '아주', '완전히'의 뜻을 나타낸다. 따라서 ①은 '이 라면은 전혀 새로운 맛이 나지 않습니다.'나 '이 라면은 매우 새로운 맛이 납니다.'로 고쳐 써야 한다.

오답 풀이 ② '차마'는 뒤에 오는 동사를 부정하는 문맥에 쓰여 '부끄럽거나 안타까워서 감히'라는 의미를 나타낸다.
③ '별로'는 부정을 뜻하는 말과 함께 쓰여 '이렇다 하게 따로. 또는 그다지 다르게'라는 의미를 나타낸다.
④ '결코'는 '아니다', '없다', '못하다' 등의 부정어와 함께 쓰여 '어떤 경우에도 절대로'라는 의미를 나타낸다.
⑤ '반드시'는 '틀림없이 꼭'이라는 의미를 나타낸다.

08 '기억'은 '이전의 인상이나 경험을 의식 속에 간직하거나 도로 생각해 냄.'이라는 뜻이다. 하지만 제시된 부분에는 문맥상 '어떤 일을 하려고 마음을 먹음. 또는 그런 마음'을 의미하는 '생각'이라는 단어를 사용하는 것이 더 적절하다.

09 제시된 내용은 '나'가 강아지를 발견하고 집으로 강아지를 데리고 오기까지의 과정을 가족들에게 설명하는 상황이다. 이러한 상황에는 '처음부터 끝까지의 과정'을 의미하는 '자초지종(自初至終)'이라는 한자 성어가 어울린다.

오답 풀이 ① '갑론을박(甲論乙駁)'은 여러 사람이 서로 자신의 주장을 내세우며 상대편의 주장을 반박한다는 의미이다.
② '불문곡직(不問曲直)'은 옳고 그름을 따지지 아니한다는 의미이다.
③ '왈가왈부(曰可曰否)'는 어떤 일에 대하여 옳거니 옳지 아니하거니 하고 말한다는 의미이다.
④ '자력갱생(自力更生)'은 남에게 의지하지 아니하고 자신의 힘만으로 어려운 처지에서 벗어나 새로운 삶을 살아간다는 의미이다.

10 고쳐쓰기의 일반 원리에서 앞뒤 순서를 바꾸거나, 몇 부분을 하나로 줄이거나 늘이면서 내용을 조정하는 것을 '재구성'이라고 한다.

11 자신의 경험을 글로 쓸 때에는 가장 먼저 자신의 경험을 떠올리고 정리한 다음, 글의 주제와 글을 쓰는 목적을 정해야 한다. 자료를 활용하여 글의 내용을 뒷받침하는 것은 글쓰기 부분에 해당하는 활동이다.

12 '미래의 먹거리 전망'은 앞으로의 일을 예측하여 써야 하는 글이기 때문에 자신의 경험을 바탕으로 쓰기에 적합한 글감이라고 볼 수 없다.

13 고쳐쓰기는 글을 다 쓴 뒤에만 이루어지는 것이 아니라, 글의 내용을 계획하고 조직하는 단계에서부터 계속해서 이루어진다.

14 개요를 살펴보면, 과자를 샀는데 포장지 속의 과자 양이 너무 적어 과자 회사의 누리집에 항의 글을 올리겠다는 결심을 했다는 내용이다. 이 개요에서 나타나는 핵심은 과자의 양이 적었다는 것이므로, 이와 관련된 제목을 쓰는 것이 적절하다.

15 고쳐쓰기를 할 때에 다른 사람들의 의견을 물어보는 것도 고쳐쓰기 방법 중의 하나이다.

16 고쳐쓰기를 할 때 글의 제목을 수정하거나, 글의 주제와 관련된 내용을 보충하거나 삭제하는 것은 '글 수준'에서 점검하는 내용에 해당한다.

17 '적은지'에서 '은지'는 막연한 의문을 나타내는 종결 어미로 앞말과 붙여 써야 한다. 이것은 맞춤법에 맞지 않은 내용을 바르게 고친 것에 해당한다.

압축 파일 본문 114쪽

❶ 제목 ❷ 부사어 ❸ 맞춤법 ❹ 읽는 이 ❺ 주제
❻ 연결 ❼ 호응 ❽ 순서

시험에 나오는 소단원 문제 본문 115쪽

01 ① **02** 당시 나는 동생과 한방을 써서 조금 불편했다. **03** ③
04 ⑤ **05** ①

01 글의 시작 부분에는 병아리를 처음 만난 내용(가)을 제시하고, 다음에는 병아리에게 '민들레'라는 이름을 지어 준 내용(다), '민들레'를 방에서 기르고 싶어 하는 내용(나), '민들레'가 우리 곁을 떠나는 내용(라)으로 이어지는 것이 전체적인 글의 흐름에 알맞다.

02 '당시 나는 동생과 한방을 써서 조금 불편했다.'의 앞부분은 비가 오는 날이면 '민들레'를 방 안에 데리고 왔다는 내용이다. 이러한 내용과, '나'가 동생과 한방을 쓴다는 내용은 자연스럽게 이어지지 않으므로, 마지막 문장을 삭제하는 것이 적절하다.

03 '모질다'는 '기세가 몹시 매섭고 사납다.'라는 뜻으로, '민들레'가 잘 자라기를 바라는 글쓴이의 마음을 담아내지 못한다. 따라서 '굳세게'나 '튼튼하게'라고 바꾸어 쓰는 것이 적절하다.

04 '전혀'는 주로 부정하는 뜻을 나타내는 말과 함께 쓰여 '도무지', '아주', '완전히'의 뜻을 나타낸다. 따라서 ㉠은 '민들레는 일어날 낌새를 전혀 보이지 않았고, 결국 우리 곁을 떠났다.'로 바꾸어 써야 한다.

05 글의 잘못된 부분을 바로잡아서 다시 쓰는 일을 '고쳐쓰기'라고 한다.

오답 풀이 ② '평가하기'는 글의 초고를 바탕으로 구성, 표현, 내용 등을 종합적으로 점검하는 것이다.
③ '글감 정하기'는 글을 쓰기 전에 계획하기 단계에서 하는 일이다.
④ '개요 작성하기'는 글로 쓸 내용을 표로 정리하는 일이다.
⑤ '글의 주제와 목적'은 자유롭게 떠올린 글감을 바탕으로 정한다.

어휘력 키우기 본문 116쪽

01 ②

01 '다발'은 '꽃, 푸성귀, 돈 따위의 묶음을 세는 단위'라는 뜻이다. 문맥상 ②에서는 '손으로 한 줌 움켜쥘 만한 분량을 세는 단위'라는 뜻인 '움큼'이 적절하다.

시험에 나오는 대단원 문제

본문 117~120쪽

01 ① **02** ③ **03** • 겉으로 드러나는 의미: 당신을 잊었다. / • 말하는 이의 속마음: 당신을 잊을 수 없다. / • 표현의 효과: '당신'을 잊을 수 없는 말하는 이의 애틋하고 간절한 심정을 강조할 수 있다. **04** ③ **05** ③ **06** ③ **07** ④ **08** '박 선생님'이 일본이 패망한 현실을 받아들였기 때문이다. **09** ⑤ **10** ⑤ **11** (라), 글의 주제와 상관이 없는 내용이기 때문에 **12** ⑤ **13** ① **14** 낱말 수준 **15** ③ **16** ③ **17** 모순, 진리 **18** ④

01 (가)에서는 3음보를 바탕으로 비슷한 문장 구조 및 시어를 반복하여 운율을 형성하고 있고, (나)에서는 비슷한 시구를 반복하여 운율을 형성하고 있다.

02 (가)의 말하는 이는 사랑하고 그리워하는 '당신'과 이별한 상황이다.

03 고난도 서술형 ㉠은 말하는 이의 속마음과는 반대로 표현한 반어이다. 이러한 표현을 사용하면 '당신'을 잊을 수 없다는 뜻을 반대로 표현하면서 '당신'에 대한 애틋하고 간절한 심정을 강조하는 효과가 있다.

평가 목표	반어의 의미와 효과 이해하기
채점 기준	✔ ㉠의 두 가지 의미를 모두 쓰고, 반어 표현의 효과를 모두 바르게 쓴 경우 [상] ✔ ㉠의 두 가지 의미를 모두 바르게 썼으나, 반어 표현의 효과를 바르게 쓰지 못한 경우 [중] ✔ ㉠의 두 가지 의미, 반어 표현의 효과 중 하나만 바르게 쓴 경우 [하]

04 ㉡에는 겉으로는 뜻이 모순되고 이치에 맞지 않는 것 같지만, 그 속에 진리를 담고 있는 표현인 '역설'이 사용되었다. ③은 사람이 아닌 것을 사람에 비겨 사람이 행동하는 것처럼 표현하는 '의인법'이 사용되었다.

오답 풀이 ① '어린이'를 '어른의 아버지'로 표현했기 때문에 역설이 사용되었음을 알 수 있다.
② '청춘'을 '찬란한 슬픔의 봄'이라고 하였는데, 찬란하고 슬프다는 것은 모순되고 이치에 맞지 않기 때문에 역설이 사용되었음을 알 수 있다.
④ 임은 갔는데 '나'는 임을 보내지 않았다고 하였으므로 역설이 사용되었음을 알 수 있다.
⑤ '아우성'을 소리 없다고 표현하였기 때문에 역설이 사용되었음을 알 수 있다.

05 (나)의 10행인 '보라'는 명령형으로 시상을 전환하며, 말하는 이의 의지를 강조하는 효과가 있다.

06 (다)에는 해방 직후에 '강 선생님'이 일제에 협력했던 '박 선생님'을 좋은 말로 타이르고, 이를 들은 '박 선생님'은 일본이 패망한 현실을 받아들이고 있다. 따라서 인물 간의 갈등이 심화한다고 볼 수 없다.

07 '강 선생님'은 의도적으로 일본 말 대신 조선말을 사용하면서 민족정신을 지키기 위해 나름대로 노력하였다. 하지만 선생님이라는 위치에서 일제의 정책을 학생들에게 가르쳐야만 했으며, 그가 이에 대해 죄책감을 느끼고 있었다는 것을 짐작할 수 있다.

08 '박 선생님'은 일본이 전쟁에서 지고 패망한 현실을 받아들이지 못하고 있다가, '강 선생님'의 이야기를 듣고 그 사실을 받아들였다. 이러한 '박 선생님'의 심리 변화가 태극기를 그리는 행동으로 나타난 것이다.

09 ⓔ는 어린아이의 시선으로 '박 선생님'의 말을 희화화하는 것으로, '박 선생님'의 박학다식한 면모와는 관련이 없다.

10 이 글에서는 '박 선생님'이라는 인물을 통해, 해방 전후라는 사회적 혼란기에 자신의 이익을 위해 기회주의적으로 처신하는 지식인을 비판하고 있다.

11 (라)를 제외한 다른 문단은 모두 병아리 '민들레'와의 추억을 이야기하고 있는데, (라)는 병아리의 특성을 설명하고 있어 글 전체 주제에 어긋난다.

12 '결국은'은 '일이 마무리되는 마당이나 일의 결과가 그렇게 돌아감을 이르는 말'인 '결국'에 조사 '은'이 붙은 것으로, 내용의 흐름으로 볼 때 어색한 부분이 아니다. '반드시'는 '틀림없이 꼭'이라는 뜻으로, '결국은'을 '반드시'로 바꾸면 오히려 더 어색한 표현이 된다.

13 ㉠은 과거의 이야기를 하고 있는데, '데리고 올 것이다.'와 같이 미래의 일로 표현했기 때문에 어색한 문장이 되었다. 따라서 '데리고 올 것이다.'를 '데리고 왔다.'로 바꾸는 것이 적절하다.

14 ㉡과 ㉢은 고쳐쓰기 중에서 문맥에 적절한 낱말이나 맞춤법을 고쳐 쓰는 것에 해당하므로, 낱말 수준의 고쳐쓰기에 해당한다.

15 (가)는 '잊었노라'라는 시어를 반복하여 규칙적인 리듬감이 느껴지며(ㄴ), (나)는 말하는 이의 의지적이고 단정적인 어조를 통해(ㄷ) '시련을 극복하고 스스로 사랑을 찾기 위해 노력하는 삶의 태도'라는 주제를 표현하고 있다.

오답 풀이 ㄱ. (가)에서는 대상과의 대화가 나타나지 않고, 말하는 이가 개인의 감정이나 정서를 주관적으로 표현하고 있다.
ㄹ. (나)에서는 반어 표현은 나타나 있지 않으며, 겉으로는 뜻이 모순되고 이치에 맞지 않는 것 같지만, 그 속에 진리를 담고 있는 표현인 역설을 사용하여 말하는 이의 심정을 강조하고 있다.

16 '박 선생님'은 일제 강점기에 혈서를 써서 일본 군대에 지원했다가 탈락했으므로, 일본의 지배에서 독립하기 위해 노력하는 인물이 아니라 친일적인 인물로 볼 수 있다.

17 ㉠은 절망적인 상황에서도 희망이 있다는 것을 의미하며, 겉으로는 뜻이 모순되고 이치에 맞지 않는 것 같지만, 그 속에 진리를 담고 있는 역설 표현이다.

18 '기억'은 이전의 경험을 도로 생각해 내는 것을 뜻하므로, 문맥상 적절하지 않다. ⓓ는 '어떤 일을 하려고 마음을 먹음. 또는 그런 마음.'을 뜻하는 낱말인 '생각'으로 고쳐 써야 한다.

4 더 쉽게 더 정확하게

(1) 다양한 설명 방법

간단 체크 개념 문제 본문 124쪽

1 (1) × (2) × (3) ○ **2** 비교 **3** ②

1 (1) 설명하는 글은 어떤 대상에 대해 독자를 이해시키는 것을 목적으로 한다. (2) 설명하는 글은 효과적인 설명 방법을 사용하여 독자가 대상을 쉽게 이해할 수 있도록 써야 한다.

2 둘 이상의 대상을 견주어서 공통점이나 비슷한 점을 중심으로 설명하는 방법은 비교이고, 차이점을 중심으로 설명하는 방법은 대조이다.

3 ②의 예는 오빠와 동생의 식성의 차이점을 말하고 있으므로 대조의 설명 방법이 쓰인 문장이다. 인과는 원인과 결과를 중심으로 설명하는 방법이다.

학습콕 본문 125~127쪽

125쪽 발효 식품, 질문, 치즈
127쪽 우수성, 발효, 부패, 차이, 억제, 항암, 발전, 보관, 가치

간단 체크 내용 문제 본문 125~127쪽

125쪽 **01** 예시 **02** ①, ③ **03** ①
126쪽 **04** ④ **05** ② **06** 아미노산
127쪽 **07** 메주가 발효되는 과정에서 항암 물질이 만들어지기 때문이다. **08** ③

01 ㉠은 다양한 발효 식품의 예를 들어 설명하고 있다.

02 (다)에서는 '발효'의 개념을 정의의 방법으로 설명하고, '발효'의 특징을 '부패'와 비교·대조하여 설명하고 있다. 인용은 남의 말이나 글을 자신의 말이나 글 속에 끌어 써서 설명하는 방법인데, (다)에서는 누군가의 말을 끌어 쓰지 않고 있다. 또한 분석은 하나의 대상을 몇 개의 부분이나 구성 요소로 나누어 설명하는 방법인데, (다)에서는 발효를 부분으로 나누어 설명하고 있지 않다.

03 이 글에는 사람이 발효된 물질을 안전하게 먹을 수 있다는 내용만 제시되어 있을 뿐, 식중독을 예방해 준다는 내용은 나타나 있지 않다.

04 채소로 김치를 만들어 발효시켜 먹는 것이지, 발효된 채소를 필요한 때에 김치로 만들어 먹는 것은 아니다.

오답 풀이 ① (바)에서 김치가 변비, 대장암, 당뇨병 등과 같은 여러 질병을 예방하는 데 효과적이라고 하였다.
② (바)에서 김치의 젖산균과 젖산이 우리 몸 안에서 소화를 촉진하고, 노폐물이 잘 배설될 수 있도록 돕는다고 하였다.
③ (라)에서 김치는 채소의 영양분을 계절에 상관없이 섭취할 수 있도록 해 준다고 하였다.
⑤ (바)에서 김치의 젖산균과 젖산이 유해균 번식과 발암 물질의 생성을 억제하기도 한다고 하였다.

05 ㉠은 젖산의 성질(원인) 때문에 생기는 효과(결과)를 설명하고 있다.

06 젖산균의 일종인 바실루스가 콩에 들어 있는 단백질을 분해하여 만든 아미노산은 간장에 감칠맛을 더하고 영양소를 공급한다.

07 된장의 재료인 메주가 발효되는 과정에서 항암 물질이 만들어지기 때문에 된장은 항암 효과가 뛰어나다.

08 (카)에서 글쓴이는 발효 식품의 가치를 강조하고, 읽는 이에게 우리의 전통 발효 식품을 발전시킬 방법을 생각해 보기를 제안하고 있다.

간단 체크 어휘 문제 본문 125~127쪽

125쪽 (1) 장수 (2) 부패 (3) 비결
127쪽 (1) 풍성하다 (2) 보관하다 (3) 예방하다

학습 활동 본문 128~132쪽

이해 감칠맛, 우수성, 개념, 예시, 음식
적용 분류, 인과

간단 체크 활동 문제 본문 128~132쪽

128쪽 **01** ② **02** ③
129쪽 **03** ② **04** ② **05** ❺
130쪽 **06** ③ **07** ①, ③
131쪽 **08** (다) **09** ③ **10** ①
132쪽 **11** ③

01 (가), (나)는 글의 처음으로, 앞으로 설명할 대상을 밝히고 있다.

오답 풀이 ① 글의 중심 내용을 구체적으로 설명하는 부분은 가운데이다.
③, ⑤ 핵심 내용을 요약정리하고, 앞으로 해결해야 할 과제를 당부하는 부분은 끝이다.
④ 읽는 이의 궁금증을 해소해 주는 부분은 내용을 구체적으로 설명하는 가운데이다.

02 이 글은 발효의 개념과 우리의 전통 발효 식품의 효용 가치를 설명하여, 우리 전통 발효 식품의 우수성을 알리고 있다.

03 ❶에서는 요구르트, 하몬, 된장, 빵, 치즈 등의 예를 들어 다양한 발효 식품을 설명하고 있다.

04 '발효'와 '부패'는 둘 다 미생물이 유기물에 작용하여 물질의 성질을 바꾸지만, '발효'는 인간에게 유용한 물질을 만들고, '부패'는 인간에게 해로운 물질을 만들어 낸다.

05 〈보기〉에서는 원인과 결과를 중심으로 설명하는 방법인 인과를 활용하여 탄 고기를 먹으면 암이 발생할 확률이 높아진다는 것을 설명하고 있다. ❺ 역시 인과를 활용하여 젖산이 김치를 잘 썩지 않게 한다는 것을 설명하고 있다.

06 〈보기〉에서는 쇼, 코미디, 드라마, 스포츠 등과 같은 구체적인 예를 들어 오락 기능을 담당하는 텔레비전 프로그램의 장르를 설명하고 있다. ③의 학생들이 사용하는 줄인 말 역시 구체적인 예를 들면 쉽게 설명할 수 있다.

오답 풀이 ① 시계의 구조는 분석, ② 럭비와 미식축구의 차이점은 대조, ④ 말하기와 쓰기 영역의 공통점은 비교, ⑤ 지구 온난화의 원인과 해결 방법은 인과의 설명 방법으로 설명하기에 적절하다.

07 대상에 맞는 설명 방법을 적절하게 활용하면, 글쓴이는 내용을 정확하고 쉽게 전달할 수 있고 읽는 이는 내용을 쉽게 이해하고 기억할 수 있다.

08 〈보기〉는 심장을 그 하위 요소로 나누어 설명하고 있으므로 분석의 설명 방법을 사용한 것이다. (다) 역시 가야금을 '몸통', '안족', '줄'로 나누어 설명하고 있다.

09 가야금은 줄을 튕기거나 긁어서 소리를 내는 악기이므로 현악기에 속한다.

10 (나)에서는 여러 국악기를 '연주 방법'이라는 기준에 따라 종류별로 묶어 설명하고 있다.

11 〈보기〉에 제시된 설명 방법은 예시이다. 거울과 유리의 차이 설명에는 둘 이상의 대상을 견주어 서로 간의 차이점을 밝혀 설명하는 대조의 설명 방법을 사용하는 것이 적절하다.

압축 파일

본문 133쪽

❶ 인정 ❷ 개념 ❸ 정의 ❹ 부패 ❺ 인과 ❻ 계절 ❼ 예방 ❽ 발전

시험에 나오는 소단원 문제

본문 134~135쪽

01 ⑤ **02** ④ **03** ④ **04** ① **05** 발효 과정에서 몸에 좋은 성분이 만들어지기 때문이다. **06** ④ **07** ③ **08** 발효 식품의 우수성을 알고 전통 발효 식품을 발전시켜 나가자. **09** ② **10** ⑤

01 주장과 근거를 통해 읽는 이를 설득하는 것을 목적으로 하는 글은 주장하는 글이다.

02 (가)는 설명하는 글의 처음 부분이다. (가)에서는 질문을 통해 독자의 관심과 흥미를 유발하고, 앞으로 설명하게 될 대상을 소개하고 있다.

03 (라)에서 김치 발효의 주역은 젖산균이고 젖산은 약한 산성 물질이어서 유해균이 증식하는 것을 억제하고, 김치가 잘 썩지 않게 한다고 하였다. 그리고 그 덕분에 발효 식품인 김치를 오래 두고 먹을 수 있다고 하였다.

오답 풀이 ① (나)에서 발효와 부패 모두 미생물이 유기물에 작용하여 물질의 성질을 바꾸어 놓는다고 하였다.
② (가)에서 발효 식품은 특유의 맛과 향으로 사람들의 입맛을 사로잡고 있다고 하였다.
③ (다)에서 발효를 거쳐 만들어지는 대표적인 전통 음식에는 김치가 있다고 하였다.
⑤ (나)에서 발효란 미생물이 탄수화물, 단백질 등을 분해하는 과정이라고 정의하고 있다.

04 〈보기〉에는 순우리말로 만든 땅 이름의 구체적인 예를 들고 있다. ㉠ 또한 세계적으로 애용되는 발효 음식의 구체적인 예를 들고 있다.

오답 풀이 ② ㉡에는 정의의 설명 방법이, ③ ㉢에는 비교의 설명 방법이, ④ ㉣에는 대조의 설명 방법이, ⑤ ㉤에는 인과의 설명 방법이 사용되었다.

05 서술형 (다)에서 김치는 발효 과정에서 더해진 좋은 성분으로 우리의 건강을 지키는 데 도움을 준다고 하였다.

06 (다)의 '간장은 음식을 더 맛있게 만들고 건강에도 좋기 때문에 우리 조상들은 장 담그는 일에 정성을 기울였다.'라는 내용으로 볼 때, 간장이 건강에 해롭다는 ④의 내용은 적절하지 않다는 것을 알 수 있다.

오답 풀이 ① (라)에서 된장은 '암을 이기는 한국인의 음식' 중 하나로 꼽힐 정도로 항암 효과가 뛰어나다고 하였다.
② (나)에서 간장은 발효된 메주를 소금물에 담가 우려내고 그 국물을 달여 만든다는 것을 알 수 있다.
③ (가)에서 젖산균과 젖산이 유해균 번식이나 발암 물질 생성을 억제하기 때문에 젖산균과 젖산이 풍부한 김치는 질병을 예방하는 데에 효과적이라고 하였다.
⑤ (마)에서 발효 식품은 독특한 맛과 향을 지녀서 우리 밥상을 풍성하게 해 준다고 하였다.

07 이 글은 김치, 간장, 된장을 예로 들어 전통 발효 음식의 우수성을 설명하고 있다.

08 서술형 (마)에서 글쓴이는 우리나라 전통 발효 식품의 가치를 언급하며, 발효 식품을 발전시킬 방법을 생각해 볼 것을 제안하고 있다.

09 〈보기〉는 '가야금'이라는 하나의 대상을 '몸통, 줄, 안족'으로 나누어 설명하고 있다. 이러한 설명 방법은 분석이다.

10 인과는 원인과 결과를 중심으로 설명하는 방법이므로 세계 각국의 전통 의상을 설명하기에는 적절하지 않다.

(2) 설명하는 글 쓰기

학습 활동

본문 136~144쪽

이해 정보, 가치, 차이점, 분석
적용 역할, 귀지

학습콕

본문 136~144쪽

136쪽 목적
139쪽 구조, 정의
140쪽 개요
141쪽 조직, 수준, 표현

간단 체크 활동 문제

본문 136~144쪽

136쪽	01 ③	02 ③	03 ②
137쪽	04 ⑤	05 ②	
138쪽	06 ⑤	07 ②	
139쪽	08 ②	09 ①	10 ⑤
140쪽	11 내용 조직하기	12 ④	13 ⑤
141쪽	14 ③	15 ④	
142쪽	16 ②	17 ④	18 ①
143쪽	19 개요	20 ①	
144쪽	21 ③		

01 설명하는 글을 쓰는 첫 단계에서는 글의 주제, 글을 쓰는 목적, 예상 독자 등을 떠올려 보고 이를 구체적으로 설정해 두어야 한다.

02 '줄다리기에 관한 여러 정보를 찾아보고, 친구들에게 알려 줘야지.'라고 말하는 것으로 볼 때, '민재'는 줄다리기에 관한 여러 정보를 전달하기 위한 목적으로 글을 쓰려는 것을 알 수 있다.

03 '민재'는 줄다리기에 관한 여러 정보를 친구들에게 알려 주려고 하고 있으므로, '민재'가 어떠한 대상을 잘 이해할 수 있도록 객관적으로 서술하는 설명문을 쓸 것이라고 예상할 수 있다.

04 자료를 활용하여 글을 쓸 때에는 글의 주제와 목적, 예상 독자의 수준, 글의 짜임 등을 고려하여 자료의 내용을 재구성하여 써야 한다.

오답 풀이 ① '자료 1'은 줄다리기의 뜻, '자료 2'는 줄다리기의 가치를 다루고 있으므로, 모두 글의 주제인 줄다리기와 관련이 있다.
② '자료 1'은 표준 국어 대사전, '자료 2'는 신문에서 찾은 것이므로, 모두 인쇄 매체에서 수집한 자료들이다.
③ '자료 1'에서는 줄다리기의 개념을 정의하고 있다.
④ '자료 2'에서는 줄다리기가 교육적으로 가치가 있기 때문에 이를 잘 보존하고 계승해야 한다고 하고 있다.

05 '민재'가 수집한 '자료 2(신문 기사)'에서는 인과를 활용하여 줄다리기가 교육적으로 가치가 있음을 설명하고 있다.

06 누리집에서 수집한 '자료 3'은 줄다리기에 사용되는 줄의 구조를 머리, 몸줄, 곁줄 부분으로 나누어 설명하고 있다.

07 ㉠에서는 줄다리기에 사용되는 줄의 구조를 머리, 몸줄, 곁줄 부분으로 나누어 설명하는 분석의 설명 방법을 사용했다.

오답 풀이 ① 둘 이상의 대상을 견주어 서로 간의 차이점을 밝혀 설명하는 대조의 설명 방법이 사용되었다.
③ 대상의 본질, 개념, 뜻을 밝히며 설명하는 정의의 설명 방법이 사용되었다.
④ 둘 이상의 대상을 견주어 서로 간의 공통점을 밝혀 설명하는 비교의 설명 방법이 사용되었다.
⑤ 구체적인 예를 들어 설명하는 예시의 설명 방법이 사용되었다.

08 '자료 4'는 줄다리기가 언제, 어디서부터 시작되었는지 그 유래(기원)에 관한 내용을 다루고 있다.

09 ㉡에서는 경상남도 영산 지방과 전라남도 강진 지방의 편 구성 방식의 차이점(ㄱ)과 공통점(ㄴ)을 설명하고 있다.

10 '자료 6'에서는 줄다리기를 전승하기 위해 전승 협회, 박물관, 초등학교, 지방 자치 단체에서 하고 있는 노력을 설명하고 있다.

11 글의 주제와 관련된 자료를 수집하고 선택하는 '내용 생성하기'를 한 후에는 생성한 내용을 바탕으로 개요를 작성하는 '내용 조직하기'를 해야 한다.

12 <보기>는 줄다리기의 사회적 측면에서의 가치를 설명하고 있으므로 '가운데-3-가. 줄다리기가 지닌 가치'를 작성할 때 활용한 자료라고 할 수 있다.

13 여러 가지 예나 사실을 낱낱이 죽 늘어놓아 설명하는 방법은 열거이고(㉠), 믿을 만한 사람의 말이나 글을 자신의 글에 끌어 써 설명하는 방법은 인용이다(㉡).

14 설명하는 글은 대상을 설명하는 것이 목적이기 때문에 화려한 표현이 아닌 구체적이고 명료한 표현을 활용해야 한다.

15 ㉢에서는 줄다리기 줄의 모양을 '지네'에 빗대어 구체적으로 설명하고 있다.

16 수집한 자료를 바탕으로 내용을 생성하는 글쓰기 과정은 '내용 생성하기'이다.

17 자료는 다양한 매체에서 수집하는 것이 좋기 때문에 수집한 매체의 종류는 자료 선별의 기준이라고 볼 수 없다.

18 <보기>는 귀가 외이, 중이, 내이로 나뉜다고 하며 귀의 구조를 설명하고 있다.

19 글의 '개요'란 글의 내용을 어떻게 구성할 것인지를 일목요연하게 표로 나타낸 것이다.

20 이 개요로 보아, 귀지를 파면(원인) 세균이 쉽게 침범하고 만성 외이도염이 생길 수도 있기 때문에(결과) 귀를 파면 안 된다는 내용을 '인과'를 활용하여 설명하려 한다. ① 역시 인과를 활용하여 북극의 빙하가 녹는 현상을 설명하고 있다.

21 설명하는 글은 읽는 이에게 정보와 지식을 전달하는 것을 목적으로 한다. 근거를 제시하고 이를 통해 글쓴이의 주장을 뒷받침하는 글은 설득하는 글이다.

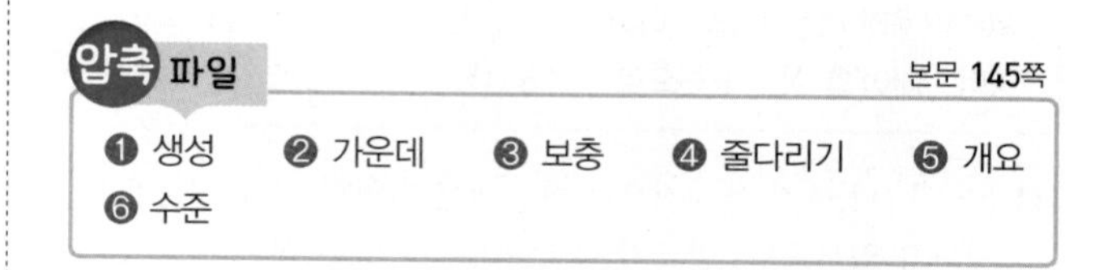

압축 파일

본문 145쪽

❶ 생성 ❷ 가운데 ❸ 보충 ❹ 줄다리기 ❺ 개요 ❻ 수준

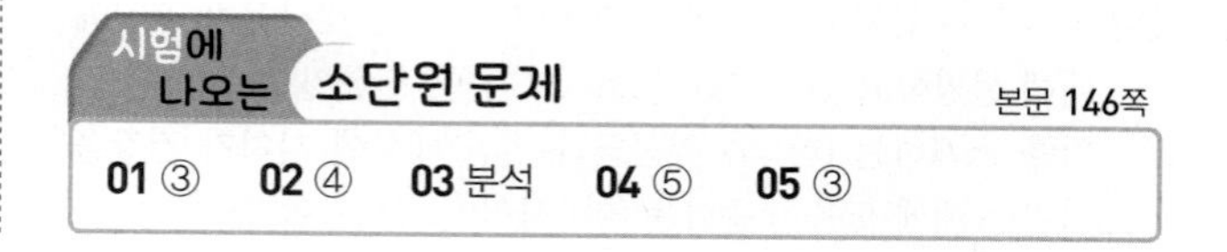

시험에 나오는 소단원 문제

본문 146쪽

01 ③ 02 ④ 03 분석 04 ⑤ 05 ③

01 (가)의 자료는 줄다리기가 매우 가치 있는 놀이이므로 이를 잘 보존하고 계승해야 한다는 내용을 '인과'를 통해 설명하고 있다. 줄다리기의 유래는 드러나 있지 않다.

오답 풀이 ① '2016년 5월 29일', '경남 도민 신문'으로 자료의 출처가 드러나 있다.
② 신문 기사는 인쇄 매체에 해당한다.
④ 인과의 설명 방법을 활용하여 줄다리기의 가치를 설명하고 있다.
⑤ 줄다리기의 가치를 신체적·정신적·사회적 측면에서 살펴보고 있다.

02 ㉠은 '가운데 - 2. 줄다리기를 하는 방법'의 하위 항목이다. 따라서 ㉠에는 줄다리기를 하는 방법 중의 일부인 '줄다리기의 편 구성 방식'이 들어가는 것이 적절하다.

03 서술형 ㉡에서는 하나의 대상을 몇 개의 부분이나 구성 요소로 나누어 설명하는 분석을 활용하여 줄다리기에서 사용하는 줄의 구조를 설명하고 있다.

04 <보기>는 전승 협회, 박물관, 초등학교 등에서 줄다리기를 전승하기 위해 어떤 노력을 기울이고 있는지를 설명하고 있다. 따라서 <보기>는 ⓔ '가운데 - 3 - 나. 줄다리기를 전승하려는 노력'을 쓸 때 활용할 수 있는 자료이다.

05 설명하는 글을 쓰는 데 필요한 자료를 더 찾아보는 단계는 '내용 생성하기'이다. '내용 조직하기'는 수집한 자료를 바탕으로 글의 개요를 작성하는 단계이다.

어휘력 키우기

본문 147쪽

01 ④ **02** ③

01 '증식'은 생물이나 조직 세포 따위가 세포 분열을 하여 그 수를 늘려 간다는 뜻이므로 ④에는 '사람이나 물건이 갑자기 사라져 행방을 알지 못하게 됨.'을 속되게 이르는 '증발'이 어울린다.

02 <보기> 문장의 내용으로 볼 때, 빈칸에는 '사물이 생겨남. 또는 사물이 생겨 이루어지게 함.'을 뜻하는 '생성'이 들어가야 한다.

시험에 나오는 대단원 문제

본문 148~150쪽

01 ② **02** ④ **03** 먼저, 알아보자. **04** ⑤ **05** ③ **06** ④ **07** 메주가 발효될 때 만들어진 아미노산이 소금물에 녹아들면서 감칠맛을 더하기 때문이다. **08** ㉣ **09** ④ **10** ㉮: 줄다리기의 뜻, ㉯: 정의 **11** ④ **12** 비유, 줄의 구조를 머릿속에 떠올려 내용을 쉽게 이해할 수 있다. **13** ③ **14** '외이', '중이', '내이'를 쉬운 표현으로 **15** ①

01 (가)와 (나)에서 세계적으로 애용되는 다양한 발효 식품을 소개하고 있으므로, 발효가 우리나라에만 있는 식품 제조 방법이라고 한 ②의 내용은 적절하지 않다.

02 <보기>는 김치 발효에서 주된 역할을 하는 젖산균과 젖산에 대해 설명하고 있다. 그러므로 <보기>는 전통 발효 식품인 김치를 소개하는 (라)와, 젖산균과 젖산 때문에 김치가 건강을 지키는 데에 도움을 준다는 (마) 사이에 들어가야 한다.

03 서술형 (나)에서 글쓴이는 '먼저 발효의 개념을 알아보고, 우리나라의 전통 발효 식품을 중심으로 발효 식품의 우수성을 자세히 알아보자.'라고 하며 가운데 부분에서 전개할 내용을 미리 소개하고 있다.

04 ㉤은 부패와의 차이점을 밝힌 대조를 통해 발효의 특징을 설명하고 있다. 하지만 ⑤의 문장은 원인과 결과를 중심으로 설명하는 인과를 활용하고 있다.

05 (마)에서 글쓴이는 전통 발효 식품의 가치를 강조하며 이를 발전시킬 방법도 생각해 보자는 제안을 하고 있다.

06 (가)~(라)에서는 우리나라의 전통 발효 식품의 우수성을 간장과 된장을 예로 들어 설명하고 있다.

07 서술형 (나)에서 메주가 소금물 속에서 발효될 때, 젖산균의 일종인 바실루스가 단백질을 분해하여 만든 아미노산이 간장에 감칠맛을 더해 준다고 하고 있다.

08 서술형 (가)에서 발효한 메주를 소금물에 담가 우려내고, 그 국물을 떠내어 달이면 간장이 완성된다고 하고 있다.

09 ㉠에는 원인과 결과를 중심으로 설명하는 인과의 설명 방법이 사용되었다. ④ 또한 원인과 결과로 설명하는 인과의 설명 방법을 활용하는 것이 적절하다.

오답 풀이 ① 개념을 밝히는 것이므로 정의의 설명 방법이 적절하다.
② 하위 항목을 설명해야 하므로 분류 등의 설명 방법이 적절하다.
③ 나이를 기준으로 분류해서 설명하거나 노래를 예를 들어 설명할 수 있으므로 분류, 예시 등의 설명 방법이 적절하다.
⑤ 갈래별 차이점을 설명해야 하므로 대조의 설명 방법이 적절하다.

10 서술형 (가)에 제시된 자료는 국어사전에서 찾은 것으로, 줄다리기의 뜻(㉮)을 정의(㉯)하고 있다.

11 (나)는 줄다리기의 줄은 머리, 몸줄, 곁줄로 이루어져 있다고 하며 줄다리기 줄의 구조를 설명하고 있다.

12 고난도 서술형 ㉠에서는 줄다리기에 사용되는 줄의 모양을 지네에 비유하여 읽는 이가 줄의 구조를 쉽게 머릿속에 떠올려 볼 수 있도록 하고 있다.

평가 목표	설명 방법과 그 효과 파악하기
채점 기준	✔ 설명 방법과 그 효과를 모두 바르게 쓴 경우 [상] ✔ 설명 방법과 그 효과를 모두 썼으나 효과의 내용이 미흡한 경우 [중] ✔ 설명 방법을 쓰지 않았거나 효과의 내용이 충분하지 않은 경우 [하]

13 귀지가 생기는 까닭과 귀지를 파면 안 되는 까닭을 설명하는 부분이므로 인과의 설명 방법을 사용하는 것이 적절하다.

14 고쳐 쓴 글에서는 '외이', '중이', '내이'와 같은 어려운 말을 각각 '바깥귀', '가운데귀', '속귀'와 같은 쉬운 말로 풀어서 서술하고 있다. 따라서 선생님의 검토 의견에는 '외이', '중이', '내이'를 쉬운 표현으로 바꾸어 달라는 내용이 포함되어야 한다.

15 설명하는 글을 쓰는 과정에서 글의 주제, 글을 쓰는 목적, 예상 독자 등을 정하는 단계는 '계획하기'이다.

정답과 해설

1 나를 키우는 읽기

(1) 읽기의 가치와 중요성

간단 복습 문제 본문 03쪽

쪽지 시험 **01** 친근한 **02** 서자 **03** 읽으면서 **04** ○ **05** ○ **06** × **07** ㉢ **08** ㉠ **09** ㉣ **10** ㉡

어휘 시험 **01** 독서삼매 **02** 서자 **03** 간서치 **04** 교양 **05** 상념 **06** 초석 **07** 혈안 **08** ㉠ **09** ㉡ **10** ㉣ **11** ㉢

02 '이덕무'는 뛰어난 학식을 지녔지만 서자라는 신분적 한계 때문에 벼슬을 할 수가 없었다.

04 '교양'은 '학문, 지식, 사회생활을 바탕으로 이루어지는 품위. 또는 문화에 대한 폭넓은 지식'을 의미하므로 교양 수준은 말을 통해 드러날 수 있다.

예상 적중 소단원 평가 본문 04~05쪽

01 ① **02** ① **03** ② **04** ③ **05** ③ **06** ④ **07** ⑤ **08** 시로미, 관목, 쑥, 억새, 고사리, 싸리나무

01 이 글은 높임말이 아닌 반말로 서술하여 독자에게 친근한 느낌을 주고 있다.

02 이 글에서는 '이덕무'가 식구들의 끼니를 걱정해야 할 정도로 너무나 가난했다고 하며 그의 가정 형편에 대해 언급하고 있다. 그러나 '이덕무'가 어떻게 생계를 유지하였는지에 대한 내용은 이 글에서 찾을 수 없다.

03 (나)에서 '이덕무'는 근심과 번뇌가 있을 때 책을 읽으면 온갖 상념이 일시에 사라진다고 하였고, ②의 '진호' 역시 시집을 읽고 마음이 차분해졌다고 하였다. 이로 보아 두 사람 모두 책을 읽으며 힘든 마음을 다스린다는 사실을 알 수 있다.

04 (마)에서는 글을 읽으면 지혜로워질 뿐만 아니라 지식을 쌓을 수도 있고, 배고픔이나 추위도 잊을 수 있고, 걱정이나 근심을 해결하며, 몸의 병도 나을 수 있기 때문에 글을 읽는 것을 만병통치약에 빗대어 표현하고 있다. 하지만 ③은 ㉠을 뒷받침하는 근거로 제시되어 있지 않다.

05 이 글에서는 어떤 대상이나 용어의 개념을 규정짓거나 뜻을 밝혀 서술하는 방식인 정의는 사용되지 않았다.

오답 풀이 ① (바)의 '내가 스스로 가치 있다고 여기면 그것으로 족하지 않은가.'에서는 쉽게 판단할 수 있는 사실을 의문의 형식으로 표현하여 상대방이 스스로 판단하게 하는 설의법이 사용되었다.
② 이 글에서는 보잘것없지만 가치 있는 역할을 하는 식물들을 '개척자', '이들', '첫 방문자', '그들' 등으로 표현하며 의인화하고 있다.
④ (마)의 '그럼에도 그들은 나무 세계에서 맡은 바 임무를 다 해낸다. 그저 묵묵하게.'에서는 말의 차례를 바꾸어 의미를 강조하는 도치법이 활용되었다.
⑤ (바)에서 글쓴이는 '그런 나무를 보며 나도 내 삶이 너무나도 소중하다는 걸 새삼 깨닫고는 한다.'라고 하며 보잘것없는 나무들에게 얻은 깨달음을 자신의 삶에 적용하고 있다.

06 이 글의 글쓴이는 보잘것없는 나무들이 묵묵히 자신의 역할을 해내는 모습을 통해 이 세상에 소중하지 않은 삶은 없다는 깨달음을 얻게 된다. 이를 통해 (바)에서 자신의 삶을 가치 있게 여기며 살아야겠다는 다짐을 하고 있다.

07 <보기>의 '세민'은 이 글을 통해 나무들의 역할과 시로미라는 식물에 대한 새로운 지식과 정보를 얻고 있다.

08 서술형 '그들'은 나무 세계에서 그저 묵묵하게 맡은 바 임무를 다 해내는 보잘것없지만 가치 있는 역할을 하는 식물들이다.

고득점 서술형 문제 본문 06~07쪽

1단계 **01** 마니아 **02** 책 읽기 **03** 만병통치약 **04** 숲이 생길 때 가장 중심부에서 그 틀을 잡아 주고, 자연재해에 맞서며 숲 전체를 지켜 나간다. **05** 보잘것없는 나무들
2단계 **06** 답답했겠어. / 우울했겠어. / 힘들었겠어. 등 **07** 몰랐던 것들을 알게 되면서 지식을 쌓을 수 있다. **08** 내가, 않은가.
3단계 **09** 마음이 고요해지면서 다시 생활할 수 있는 용기가 생겨나고, 근심거리를 해결할 수 있는 좋은 생각이 떠오를 수 있기 때문이다. **10** 두 작품 모두 자연물에서 얻은 깨달음을 표현하고 있다.

1단계

01 (가)에서 '이덕무'가 오직 책 읽기에 열중하고 있는 것을 알 수 있다. 따라서 ㉠에는 '어떤 한 가지 일에 몹시 열중하는 사람'을 뜻하는 '마니아'가 들어가야 한다.

02 어떤 사람들은 달리기나 노래를 하면서 힘든 마음을 달래지만, '이덕무'는 책 읽기를 하면서 마음을 달랬다.

03 (라)에서는 '글을 읽는 것은 정말 만병통치약인 것 같아.'라고 하며 글 읽기를 '만병통치약'에 빗대어 표현한 후, 그 까닭으로 글 읽기의 다양한 가치를 나열하여 제시하고 있다.

04 (마)에서는 관목이 숲이 생길 때 가장 중심부에서 그 틀을 잡아 주다가 숲이 완성되면 주변부로 밀려난다고 하였다. 그리고 숲 주변부에서 자연재해에 맞서며 숲 전체를 지켜 나간다고 하였다.

05 (바)에서 글쓴이는 하늘 높이 위로만 자라면서 어떻게든 햇볕을 많이 받으려고 하는 나무보다 '보잘것없는 나무들'이 훨씬 더 값지고 아름답게 느껴진다고 하였다.

2단계

06 (가)에는 서자여서 벼슬을 할 수 없었고, 너무나 가난했지만 양반인 까닭에 할 수 있는 일이 별로 없었던 '이덕무'의 상황이 제시되어 있다. 따라서 이러한 상황에서 '이덕무'가 매우 답답한 심정을 느꼈을 것을 추측할 수 있다.

07 〈보기〉에서는 글을 읽고 자신이 몰랐던 나무들의 역할을 알게 되었음을 말하고 있다. 따라서 〈보기〉의 소감은 (라)에 제시된 여러 가지 읽기의 가치 중 지식을 쌓는 것과 관련이 있음을 알 수 있다.

08 (사)에서 글쓴이는 보잘것없는 나무들을 통해 얻은 깨달음을 바탕으로 스스로를 가치 있다고 여기며 살아가겠다는 다짐을 하고 있다. 특히, '내가 스스로 가치 있다고 여기면 그것으로 족하지 않은가.'에서는 쉽게 판단할 수 있는 사실을 의문의 형식으로 표현하여 그 의미를 강조하는 설의법을 활용하고 있다.

3단계

09 (나)에서 글쓴이는 우리도 '이덕무'처럼 평소에 좋아하는 책을 정해 두고 슬프거나 화가 나거나 외로울 때 조금씩 읽어 보자고 권유하고 있다. 그리고 (다)에서 이렇게 책을 읽으면 마음이 고요해지면서 다시 생활할 수 있는 용기가 생겨나고, 근심거리를 해결할 수 있는 좋은 생각이 떠오를지 모른다고 하였다.

평가 목표	글 읽기가 가치 있는 이유 파악하기
채점 기준	✔ 글쓴이가 ㉢과 같이 권유한 까닭을 〈조건〉에 맞게 쓴 경우 [20점] ✔ 글쓴이가 ㉢과 같이 권유한 까닭을 썼으나 〈조건〉에 맞지 않은 경우 [15점] ✔ 띄어쓰기나 맞춤법이 잘못되었을 경우 [1점씩 감점]

10 (마)~(사)의 글쓴이는 보잘것없는 나무들을 통해 이 세상에 소중하지 않은 삶은 없다는 것을 깨닫고 자신의 삶을 가치 있게 여기며 살아야겠다는 다짐을 하게 된다. 〈보기〉의 말하는 이도 널따란 동해바다를 바라보며 자신이 다른 사람에게 엄격하고 옹졸했음을 깨닫고 반성을 하게 된다. 따라서 〈보기〉와 (마)~(사) 모두 자연물에서 얻은 깨달음을 표현하고 있음을 알 수 있다.

평가 목표	작품 간의 공통점 파악하기
채점 기준	✔ (마)~(사)와 〈보기〉의 공통점을 〈조건〉에 맞게 쓴 경우 [25점] ✔ (마)~(사)와 〈보기〉의 공통점을 썼으나 〈조건〉에 맞지 않은 경우 [20점] ✔ 띄어쓰기나 맞춤법이 잘못되었을 경우 [1점씩 감점]

(2) 핵심 정보를 담은 발표

간단 복습 문제

본문 09쪽

쪽지 시험 01 핵심 정보 02 세계 기아 03 문제와 해결 방법 04 ○ 05 × 06 × 07 ㉢ 08 ㉠ 09 ㉣ 10 ㉡

어휘 시험 01 부정부패 02 기아 03 억양 04 구호 05 실태 06 영양실조 07 외형 08 ㉡ 09 ㉠ 10 ㉢

03 '세민이네 모둠'에서는 기아 문제의 심각성과 원인을 살펴본 다음 그 해결 방식을 제시하는 방식으로 발표를 구성하였다.

06 발표를 할 때에는 듣는 이가 지루해하지 않도록 내용의 중요도에 따라 목소리 크기를 조절하는 것이 좋다.

09 '세민이네 모둠'에서는 '유엔 세계 식량 계획[WFP]'과 '유엔 식량 농업 기구[FAO]'라는 권위 있는 기관의 자료를 제시하여 발표 내용의 신뢰성을 높이고 있다.

05 '실태'는 '있는 그대로의 상태. 또는 실제의 모양'이라는 의미로, 청소년들의 언어 사용에 대한 있는 그대로의 상태를 조사하는 것이기 때문에 빈칸에는 '실태'가 들어가는 것이 적절하다.

예상 적중 소단원 평가

본문 10쪽

01 ⑤ 02 ⑤ 03 ③ 04 ④

01 (다)에서는 일부 기업이나 정부에서 농산물의 가격을 올리거나 농산물의 생산량을 줄이면 식량 가격이 상승하여 가난한 나라들은 식량을 구하는 것이 점점 어려워진다고 하고 있다.

02 이 발표는 기아 문제의 심각성과 원인을 살펴본 다음 그 해결 방법을 제시하고 있다.

03 〈보기〉에서는 식량이 충분한데도 수많은 사람들이 기아에 시달리는 것을 이해할 수 없다고 하며 책에서 분석하고 있는 다양한 문제의 원인을 소개하겠다고 하였다. 따라서 〈보기〉는 기아 문제의 원인을 소개하고 있는 (다) 앞에 들어가야 한다.

04 '자료 4'는 우리가 참여할 수 있는 구호 단체의 활동을 소개해 줌으로써, 기아 문제 해결에 적극적으로 동참하도록 유도하는 영상이다. 따라서 이 자료가 기아 문제 해결이 어렵다는 것을 드러낸다고 볼 수 없다.

고득점 서술형 문제

본문 11~12쪽

1단계 01 이, 깨달았습니다. 02 유엔 세계, 안타까운 일입니다. 03 (라) 04 전쟁 05 요약정리

2단계 06 핵심 정보: 전 세계 평균 식품 에너지 공급 충분성 지수 / 자료의 효과: 전 세계 평균 식품 에너지 공급 충분성 지수의 변화를 보여 줌으로써, 식량이 충분한데도 기아 문제가 해결되지 않는 원인을 생각해 보게 한다. 07 책의 내용을 오랫동안 기억할 수 있다. / 책을 읽으며 받았던 감동을 오래 간직할 수 있다. / 자신의 독서 성향을 파악할 수 있다. 등 08 권위 있는 사람의 말을 인용하여 발표자의 생각을 호소력 있게 전할 수 있다.

3단계 09 기부 활동에 참여하기, 기아 문제의 심각성 알리기, 기아 관련 정책이나 소식에 관심을 기울이기

1단계

01 발표자는 『왜 세계의 절반은 굶주리는가?』라는 책을 읽으면서 그동안 우리가 세계의 기아 문제에 무관심했다는 것을 깨달았다고 하고 있는데, 이는 발표 동기에 해당한다.

02 (나)에서 발표자는 '유엔 식량 계획[WFP]'이라는 권위 있는 기관의 통계 자료를 인용하여 내용의 신뢰성을 높이고 있다. 그리고 세계 인구의 약 9분의 1이 극심한 영양실조를 겪고 있고, 5세 이하의 영·유아 중 절반이 영양실조로 사망한다는 사실을 밝히며 기아 문제의 심각성을 드러내고 있다.

03 (라)에서는 기아 문제의 원인으로 '시장 경제 체제'의 문제와 '부정부패'의 문제를 제시하고 있다.

04 (마)에서는 (라)에서 분석한 기아 문제의 원인 외에 전쟁을 겪는 나라도 많아 날이 갈수록 기아 문제가 심각해지고 있다고 하고 있다.

05 발표의 끝부분인 (사)에서는 앞에서 다룬 내용을 요약정리하고, 기아 문제에 대한 청중의 인식 변화를 요구하고 있다.

2단계

06 제시된 그래프는 전 세계 평균 식품 에너지 공급 충분성 지수가 계속 증가하는 모습을 한눈에 파악할 수 있게 해 준다. 이를 통해 듣는 이로 하여금 식량의 공급이 충분한데도 기아 문제가 해결되지 않는 원인을 생각해 보게 한다.

07 독서 카드를 작성하면 자신이 읽은 책의 내용을 오랫동안 기억할 수 있고, 책을 읽으며 받았던 감동을 오래 간직할 수 있다. 그리고 자신의 독서 습관이 기록되기 때문에 자신의 독서 성향을 확인하는 자료로 활용할 수 있다.

08 발표자는 듣는 이의 인식 변화를 요구하기 위해 많은 사람들이 존경하는 법정 스님의 말을 인용하여 자신의 생각을 호소력 있게 전하고 있다.

3단계

09 〈보기〉의 [A]는 무분별한 플라스틱 사용 때문에 발생한 바다 오염 문제에 대한 해결 방안을 제시하고 있다. 이 발표에서도 기아 문제의 심각성과 원인을 제시한 후, (바)에서 우리가 실천할 수 있는 기아 문제 해결 방안을 제시하고 있다.

평가 목표	내용 조직 방법의 공통점과 그 내용 파악하기
채점 기준	✔ 내용 조직 방법을 고려하여 [A]에 해당하는 내용을 〈조건〉에 맞게 쓴 경우 [25점] ✔ 내용 조직 방법을 고려하여 [A]에 해당하는 내용을 썼으나 〈조건〉에 맞지 않은 경우 [20점] ✔ 띄어쓰기나 맞춤법이 잘못되었을 경우 [1점씩 감점]

예상 적중 대단원 평가 본문 13~14쪽

01 ② **02** ④ **03** ⑤ **04** 걱정이나 근심을 해결하게 된다. **05** ⑤ **06** ③ **07** ② **08** ㉠은 세계 기아 인구의 분포와 비율을 한눈에 파악할 수 있게 해 주고, ㉡은 기부금 만 원의 효과를 소개해 줌으로써, 기아 문제 해결에 적극적으로 동참하도록 유도한다.

01 (가)~(다)는 책 읽기의 과정과 방법을 설명한 것이 아니라 책 읽기의 가치와 중요성에 대해 서술한 후 책을 읽자는 당부를 하고 있다.

02 〈보기〉의 독자는 글쓴이가 불편한 소비를 하는 까닭과 그것 때문에 왜 즐거움을 느끼는지가 궁금하여 『즐거운 불편』이라는 책을 읽을 것이라고 하였다. 이로 보아 〈보기〉의 독자는 글쓴이의 생각, 즉 다른 사람의 생각을 알기 위해 책을 읽는다고 볼 수 있다.

03 '마치 갈증 ~ 기분이라고 할까.'에서는 쉽게 판단할 수 있는 사실을 의문의 형식으로 표현하여 상대편이 스스로 판단하게 하는 설의법을 활용하여 남대문 야시장 사람들로부터 느끼는 시원함을 강조하고 있다(ㄷ). 그리고 '좌판을 벌여 놓고 ~ 입씨름하는 사람…….'에서는 여러 가지 예나 사실을 늘어놓는 열거법을 활용하여 활력이 넘치는 남대문 야시장 사람들의 모습을 나타내고 있다(ㄹ). '고무장갑 같은'과 '물고기처럼'에서는 비슷한 성질을 지닌 두 대상을 연결어로 결합하여 직접 비유하는 직유법을 활용하여 남대문 야시장 사람들의 활력 넘치는 모습을 효과적으로 드러내고 있다(ㅁ).

04 **서술형** 〈보기〉의 독자는 자신이 쓸모없는 사람이라는 생각에 근심을 하다가 (마)를 읽고 삶의 의미를 새롭게 발견하게 된다. 이는 (다)에 제시된, 책을 읽으면 걱정이나 근심을 해결하게 된다는 읽기의 가치와 관련이 있다.

05 이 발표는 '기아 문제의 심각성과 해결 방법'이라는 주제에 따라 내용을 일관되게 전개하고 있다.

오답 풀이 ① 이 발표에서는 기아 문제의 원인으로 '시장 경제 체제'의 문제, '부정부패'의 문제, '사막화 현상'을 제시하고 있다.
② (마)에서 제시한 기아 문제의 해결 방법은 모두 학생 수준에서 참여할 수 있는 손쉬운 방법들이다.
③ (가)에서는 '유엔 세계 식량 계획[WFP]에서 발표한 자료에 따르면'이라고 하면서 발표문에 인용한 통계 자료의 출처를 밝히고 있다.
④ (가)의 '지도', (마)의 '영상'과 같은 다양한 자료를 활용하고 있다.

06 이 발표는 기아 문제의 심각성과 원인을 밝힌 후 그 해결 방법을 제시하는 문제와 해결 방법에 따라 내용을 구성하였다. '미세먼지 이대로 안 된다' 역시 같은 방식으로 내용을 구성할 수 있다.

07 〈보기〉는 (나)~(라)에서 제시한 기아 문제의 세 가지 원인을 종합하여 정리하고 있다. 그리고 전쟁을 겪는 나라도 많다고 하며 기아 문제가 심각해지고 있는 현실을 전달하고 있다.

08 **고난도 서술형** ㉠은 세계 기아 인구의 분포와 비율을 표시한 지도로, 듣는 이가 세계 기아 인구의 분포와 비율을 한눈에 파악할 수 있게 해 준다. 그리고 ㉡은 기부금 만 원의 효과를 소개한 영상으로, 듣는 이가 기아 문제 해결에 적극적으로 동참할 수 있게 해 준다.

평가 목표	자료 활용의 효과 파악하기
채점 기준	✔ ㉠과 ㉡의 자료 활용 효과를 〈조건〉에 맞게 서술한 경우 [상] ✔ ㉠과 ㉡의 자료 활용 효과 중 한 가지만 〈조건〉에 맞게 서술한 경우 [중] ✔ ㉠과 ㉡의 자료 활용 효과에 대한 서술이 미흡하고, 〈조건〉에도 맞지 않은 경우 [하]

2 주고받는 이야기, 함께 나누는 생각

(1) 담화의 개념과 특성

간단 복습 문제

본문 16쪽

쪽지 시험 01 담화 02 사회·문화적 맥락 03 지역 방언 04 차별적 05 시간, 공간 06 성별 07 ○ 08 ○ 09 × 10 ○

어휘 시험 01 문구 02 의사소통 03 맥락 04 발화 05 방언 06 연설문 07 고려해야 08 ㉢ 09 ㉠ 10 ㉡

09 다른 문화권 사람들과 의사소통을 할 때에는 상대가 이해할 수 있는 언어 표현을 사용하도록 노력해야 한다. 특히 다른 문화권의 사람과 대화할 때에는 우리의 문화가 담긴 관용적 표현보다는 구체적이고 직접적인 표현을 사용해야 한다.

---

06 '안내문'은 어떤 내용을 소개하여 알려 주는 글을 의미하므로, 제시된 문장에는 연설할 내용을 적은 글을 의미하는 '연설문'이 들어가는 것이 적절하다.

07 '배려하다(배려해야)'는 '도와주거나 보살펴 주려고 마음을 쓰다.'는 의미이므로, 제시된 문장에는 '생각하고 헤아려 보다.'는 의미를 지닌 '고려하다(고려해야)'가 들어가야 한다.

예상 적중 소단원 평가

본문 17~18쪽

01 ④ 02 ② 03 ⑤ 04 ④ 05 ② 06 ⑤ 07 ⑤ 08 ④ 09 ④ 10 그 당시 남아프리카 공화국의 역사적 상황을 잘 알지 못하기 때문이다.

01 같은 말이라도 의사소통이 이루어지는 시간과 공간(장소)에 따라 뜻이 달라질 수 있는데, 이와 같이 담화가 이루어지는 구체적인 시간과 공간을 가리켜 상황 맥락이라고 한다(ㄴ). 또한 말하는 이(글쓴이)와 듣는 이(읽는 이)를 포함하여 구체적인 맥락 속에서 이루어지는 발화(문장)나 발화(문장)의 연속체를 담화라고 한다(ㄹ).

오답 풀이 ㄱ. 담화의 구성 요소는 말하는 이(글쓴이)와 듣는 이(읽는 이)와 같은 담화 참여자, 전달하려는 내용, 맥락으로 구성된다. 담화 참여자인 말하는 이와 듣는 이는 담화를 이루는 데 중요한 요소로 이것이 바뀌면 내용과 표현 모두 바뀔 수 있다.
ㄷ. 말뿐만 아니라 글도 상황이 달라지면 그 뜻이나 표현이 달라지기도 한다.

02 (가)는 '세민'이 '민재'에게 무엇을 타고 왔는지 물어보는 상황이므로 '민재'는 타고 온 교통수단에 대해 말해야 한다. 그리고 (나)는 '윤하'가 자신이 미처 초대하지 못한 친구가 전시회장에 온 것을 보고 어떻게 알고 왔는지를 물어보는 상황이므로, '진수'는 어떻게 알고 전시회장에 왔는지에 대해 답해야 한다.

03 (2)의 담화 참여자의 관계는 의사와 환자이기 때문에 "불편하지는 않으세요?"를 "팔이 아프지는 않으신가요?"와 같이 해석할 수 있다. (3)에서는 두 사람의 관계가 신발 가게의 점원과 손님이기 때문에 같은 질문을 "신발이 발에 잘 맞나요?"라는 뜻으로 해석할 수 있다. 이처럼 (2)와 (3)은 말하는 이와 듣는 이의 관계에 따라 말의 의미가 달라진 것이다.

04 (가)의 "지금 몇 시니?"는 아침에 늦잠을 자는 아들에게 "이제 그만 자고 어서 일어나."라는 의미로 한 말이고, (나)의 "지금 몇 시니?"는 늦은 밤까지 게임을 하는 아들에게 "게임은 그만하고 이제 자야지."라는 의미로 한 말이다. 따라서 (가)와 (나)의 엄마의 말은 대화가 이루어지는 시간에 따라 그 의미가 달라진 것이다.

05 "양심을 지키세요."라는 문구는 그것이 붙어 있는 장소에 따라 의미가 다르게 해석될 수 있다. 도서관에 붙어 있을 때는 "책을 깨끗이 읽으세요.", "책을 찢지 마세요.", "조용히 하세요." 등의 의미로 해석될 수 있다.

오답 풀이 ① 지하철역에 붙어 있을 때 해석할 수 있는 의미이다.
③ 시험장에 붙어 있을 때 해석할 수 있는 의미이다.
④ 공원에 붙어 있을 때 해석할 수 있는 의미이다.
⑤ 노약자석에 붙어 있을 때 해석할 수 있는 의미이다.

06 <보기>를 통해 같은 언어를 사용하더라도 지역적인 차이에 따라 말이 달라짐을 알 수 있다. 만약 안내문을 지역 방언으로만 썼다면, 해당 지역 방언을 모르는 사람은 그 내용을 이해하지 못할 것이다.

07 아빠와 딸의 대화가 원활하게 이루어지지 못한 이유는 딸이 아빠가 모르는 '남아서 공부한다.'는 뜻의 '남아공'이라는 단어를 사용했기 때문이다.

08 외국인 손님은 우리나라 문화에서 친척이 아니더라도 친근감 있는 어투로 상대를 부를 때 '이모'라는 말을 사용한다는 것을 알지 못했기 때문에 한국인 손님들이 모두 친척 사이라고 오해를 하였다.

09 연설자는 남아프리카 공화국의 인종 차별 문제를 주제로 삼아 평화와 인종 화합을 위해서는 보통 선거가 유일한 길임을 주장하고 있다.

오답 풀이 ① 아파르트헤이트에 미래가 없다는 내용은 당시 남아프리카 공화국 사람들의 공통된 인식을 언급함으로써 그만큼 남아프리카 공화국의 현실이 암울하다는 것을 말하기 위해 제시한 것이다. 이는 연설자가 연설문을 쓴 목적은 아니다.
② 인종 차별이 없는 국가를 꿈꾸는 것으로 보아, 연설자는 피부색으로 사람을 평가해서는 안 된다고 생각할 것이다.
③ 인종 차별이 남아 있으므로 아직 민주주의 국가라고 할 수 없기에 연설자는 인종 차별을 없애 그러한 국가를 만들자고 말하고 있다.
⑤ 현재의 상황은 인종 차별 체제가 유지되는 상태를 이야기하므로 연설자는 이러한 상황을 바꿔야 한다고 주장하고 있다.

10 서술형 이 연설문과 같이 특정한 역사적 상황을 배경으로 한 담화는 연설문이 쓰인 당시의 역사적 상황을 알고 있어야 그 내용을 바르게 이해할 수 있다.

고득점 서술형 문제

본문 19쪽

1단계 **01** 상황 맥락 **02** (1) 부정행위를 하지 마세요. (2) 무단 횡단을 하지 마세요.
2단계 **03** 우리의 말 문화를 이해하지 못했기 때문이다. **04** 세대 차이로 아빠가 딸이 사용한 낱말의 뜻을 알지 못했기 때문이다. **05** 관용적 표현보다는 구체적이고 직접적인 표현을 사용해야 한다. / 상대가 알지 못하는 우리 문화를 친절하게 설명해 주어야 한다. / 문화에 따라 사용하는 언어 표현이 다르거나, 표현이 같더라도 서로 다른 뜻으로 받아들일 수 있다는 것을 고려해야 한다.
3단계 **06** 〈보기〉의 담화가 이루어지는 시간은 '아침', 공간은 '버스'이다. 담화 참여자는 '민재'와 '지우'이며, 담화의 목적은 '양보'이다.

1단계

01 말이나 글이 이루어지는 구체적인 시간과 공간을 상황 맥락이라고 한다. 이러한 상황 맥락은 담화의 뜻뿐만 아니라 표현에도 영향을 미친다.

02 공간(장소)에 따라 사람들이 지켜야 할 양심의 구체적인 내용이 다르므로, 제시된 문구 역시 사용된 공간에 따라 다르게 해석될 수 있다.

2단계

03 우리 문화에서는 뜨거운 탕 요리를 먹으면서 "시원하다."라고 표현을 한다. 이와 같이 문화권에 따라 그 나라만의 관습적인 언어 표현을 사용하기도 하는데, 〈보기〉의 일본 학생은 우리의 말 문화를 알지 못하기 때문에 한국 학생의 말을 제대로 이해하지 못한 것이다.

04 〈보기〉에서 딸은 남아서 공부한다는 뜻으로 '남아공'이라는 말을 사용하였는데, 그 말의 뜻을 모르는 아빠는 '남아공'을 '남아프리카 공화국'으로 오해하였다. 이처럼 부모님 세대에서는 청소년 세대가 많이 쓰는 줄인 말을 알지 못해 두 사람의 의사소통에 문제가 생긴 것이다.

05 문화에 따라 사용하는 언어 표현이 달라질 수 있다. 외국인은 우리의 말 문화를 잘 알지 못하고, '언니'의 사전적 뜻만을 알고 있었기 때문에 옷 가게 주인이 자신에게 왜 '언니'라고 부르는지를 이해하지 못한 것이다.

3단계

06 담화는 말하는 이, 듣는 이와 같은 담화 참여자, 상황 맥락, 담화 목적 등과 같은 요소로 이루어진다. 〈보기〉를 통해 해당 담화 상황을 이루고 있는 구성 요소를 분석해 보면 된다.

평가 목표	담화의 구성 요소 분석하기
채점 기준	✔ 상황 맥락과 담화 참여자, 담화의 목적을 모두 바르게 쓴 경우 [30점] ✔ 상황 맥락과 담화 참여자, 담화의 목적 가운데 두 가지만 바르게 쓴 경우 [20점] ✔ 상황 맥락과 담화 참여자, 담화의 목적 가운데 한 가지만 바르게 쓴 경우 [10점] ✔ 띄어쓰기나 맞춤법이 잘못되었을 경우 [1점씩 감점]

(2) 의미를 나누는 듣기·말하기

간단 복습 문제

본문 21쪽

쪽지 시험 **01** 의미 **02** 목적 **03** 다른 **04** 적극적 **05** ○ **06** × **07** × **08** ○ **09** ○
어휘 시험 **01** 석탑 **02** 전형 **03** 전탑 **04** 전개되기 **05** 협력 **06** 타당한 **07** ⓒ **08** ⓛ **09** ㉠

06 듣기·말하기 활동은 일방적으로 뜻을 전달하고 전달받는 의사소통 과정이 아니다. 따라서 자신의 생각을 상대에게 일방적으로 전달하는 것은 올바른 듣기·말하기 태도라고 볼 수 없으며, 상대의 반응을 살피며 협력적으로 대화하는 것이 중요하다.

07 대화의 화제를 전환하고 싶다고 해서 대화 주제에서 벗어난 이야기를 자주 하는 것은 예의에 어긋난다. 화제를 전환하고 싶을 때에는 먼저 대화 상대의 양해를 구해야 한다.

05 '협상'은 '어떤 목적에 부합되는 결정을 하기 위하여 여럿이 서로 의논함.'을 뜻하고, '협력'은 '힘을 합하여 서로 도움.'을 뜻한다. 제시된 문장은 두 나라가 군사적 측면에서 서로 돕기 위해 방안을 찾기로 했다는 내용을 담고 있으므로 '협상'이 아니라 '협력'이 들어가는 것이 적절하다.

예상 적중 소단원 평가

본문 22~23쪽

01 ⑤ **02** ② **03** ② **04** ⑤ **05** 다른 사람의 것을 지켜 주기 위해 **06** ② **07** ④ **08** ③ **09** 가는 말이 고와야 오는 말이 곱다

01 상대의 말을 비판적으로 들어야 하는 상황도 있지만, 항상 상대의 말을 비판적으로 듣는 것은 옳지 않다. 또한 상대의 말에 잘못된 점이 있더라도 듣는 즉시 지적하는 것보다는 상대의 말을 끝까지 경청한 후, 상대의 기분이 상하지 않도록 배려하며 문제점에 대한 자신의 의견을 밝히는 것이 바람직하다.

02 여학생과 남학생은 적극적이고 협력적인 자세로 함께 대화 내용을 창조하고 그 의미를 공유하고 있다. 그러나 제시된 대화에서 두 사람이 서로를 설득하는 부분은 찾을 수 없다.

03 강연자는 학생인 듣는 이의 지식수준을 고려하지 않고 '전형', '전탑', '옥개석'과 같은 어려운 용어를 사용하였다(ⓐ, ⓓ). 그리고 학생들은 강연을 듣기 전에 강연 주제나 내용을 미리 알아보지 않아 내용을 이해하는 데 어려움을 겪고 있다(ⓔ).

오답 풀이 ⓑ 제시된 상황에서 여학생은 강연자가 말한 용어의 뜻이 무엇인지를 생각하고 있고, 남학생은 강연을 들으며 강의 주제가 '탑'과 관련이 있음을 깨닫는다. 이로 보아 학생들이 강연을 집중해서 듣고 있음을 알 수 있다.
ⓒ 강연자는 '탑'을 주제로 하여 강연을 하고 있다. 이 강연에서 강연자는 '탑'에 관한 객관적인 사실을 전달하고 있을 뿐, 자신의 의견이나 주장을 내세우고 있지는 않다.

04 아빠는 울타리를 부정적으로 생각하는 아들에게 울새와 여우를 예로 들어 울타리의 의미를 아들의 눈높이에 맞게 설명해 주었다. ·

05 서술형 이 글에서 아빠는 울타리를 세우는 것이 평화로운 전쟁이라고 이야기하고 있다. 따라서 뒷부분에는 서로의 영역을 확고히 함으로써 타인과 자신의 피해를 최소화해 주는 울타리의 역할에 대한 설명이 이어지는 것이 자연스럽다.

06 '영찬'이 '차은'의 엄마가 필리핀 사람이라는 소문을 내는 바람에 '차은'은 친구들로부터 놀림을 받게 된다. 따라서 이 사건은 '차은'의 기분을 안 좋게 만들어 '차은'과 엄마의 갈등을 일으키는 근본적인 원인이 된다. 그러나 '차은'과 '영찬'의 관계 자체가 갈등의 원인은 아니다.

07 '차은'은 엄마의 성의를 무시하고 자신의 기분이 좋지 않다는 이유로 엄마에게 화를 내고 있다. 엄마는 '차은'과 대화하기 위해 노력하지만 '차은'의 속상한 마음을 위로하지 않은 채 운동화 이야기만 해서 '차은'의 기분을 더 상하게 만들었다.

08 '차은'은 서울로 가서 육상을 하고 싶지만 그것을 반대하는 아버지와, 자신의 엄마가 필리핀 사람이라고 놀리는 친구들 때문에 화가 나 있다. 그러므로 이때에는 짜증 섞인 목소리로 엄마의 말에 대꾸하는 것이 적절하다.

09 서술형 빈칸에는 자기가 남에게 말이나 행동을 좋게 하여야 남도 자기에게 좋게 한다는 뜻의 속담인 '가는 말이 고와야 오는 말이 곱다'가 들어가는 것이 적절하다.

고득점 서술형 문제

본문 24~25쪽

1단계 **01** 공유 **02** 협력적 **03** 우리나라 석탑에 대한 정보 전달

2단계 **04** 아들은 자신이 원하는 바를 타당한 근거 없이 내세웠다. 엄마는 아들의 말에 귀 기울이지 않고, 아들의 의견에 반대하는 근거 또한 타당하게 제시하지 못하였다. **05** 처음 만난 친구와는 친밀도가 낮다는 것을 고려하여 신중하게 농담을 건네야 한다. / 처음 만난 친구와는 친밀도가 낮다는 것을 고려하여 상대가 기분 나쁠 법한 농담은 건네지 말아야 한다. **06** 대화 전에는 울타리가 이웃을 갈라놓는다고 생각했지만, 대화 후에는 울타리가 이웃을 하나로 만들어 준다고 생각했다.

3단계 **07** 차은아, 친구들이 사정도 모르면서 놀려서 기분이 좋지 않겠구나. 하지만 엄마는 네가 속상해하는 이유를 모르시니, 엄마께 무턱대고 화를 내기보다는 네 속마음을 얘기하면서 함께 고민하면 문제를 쉽게 해결할 수 있을 거야.

1단계

01 대화는 정해진 방향대로 흘러가는 단선적인 것이 아니라 참여자들의 배경지식, 경험 등에 따라 결정된다. 따라서 듣기·말하기는 말하는 이와 듣는 이가 함께 참여하여 새로운 의미를 만들어 나가고 그 의미를 공유하는 과정이라고 할 수 있다.

02 듣기·말하기는 말하는 이와 듣는 이가 상대와 더불어 내용을 창조하고 그 의미를 공유하는 과정이기 때문에 대화가 원활하게 이루어질 수 있도록 협력적인 태도로 참여하는 것이 중요하다.

03 〈보기〉의 강연자는 학생들에게 우리나라의 석탑에 대한 정보를 전달하기 위해 초창기의 석탑에 대해 설명하고 있다.

2단계

04 〈보기〉는 아들이 주말에 놀이공원에 가자고 엄마를 설득하는 상황이다. 그런데 아들은 엄마를 설득하기 위한 타당한 근거를 제시하지도 않고 원하는 바를 이야기하였다. 엄마는 그러한 아들의 말에 귀를 기울이지 않고, '어린아이도 아니고…….'라는 타당하지 않은 근거를 제시하며 아들의 제안을 거절하였다.

05 '영서'는 '서우'와 처음 만난 사이임에도 상대가 불쾌하게 느낄 수 있는 농담을 한다. 이에 '서우'는 '영서'의 농담을 가볍게 넘기지 않고 불쾌함을 직접적으로 드러내고 있다.

06 "그렇다면 그건 전쟁이 아니네요."라는 아들의 말에서 울타리를 세우는 것에 대한 인식이 바뀌었음을 확인할 수 있다. 아들은 아빠와 대화를 하기 전에 울타리를 부정적으로 여겼지만, 아빠와 대화를 나눈 후에는 울타리를 긍정적으로 생각하게 된다.

3단계

07 엄마는 '차은'의 기분을 풀어 주기 위해 노력한다. 그러나 엄마가 필리핀 사람이라는 이유로 친구들에게 놀림을 받아 기분이 좋지 않던 '차은'은 엄마에게 무작정 화를 내면서 대화 분위기를 무겁게 만든다. 따라서 그러한 '차은'에게는 '차은'이 처한 상황과 기분을 헤아려 준 후에 듣기·말하기 태도와 관련한 조언을 해야 한다.

평가 목표	듣기·말하기 태도에 나타난 문제점을 파악하고, 협력적인 듣기·말하기 태도 조언하기
채점 기준	✔ '차은'의 처지와 기분에 공감하는 말과 '차은'의 듣기·말하기 태도에 나타난 문제점을 모두 서술한 경우 [30점] ✔ '차은'의 처지와 기분에 공감하는 말과 '차은'의 듣기·말하기 태도에 나타난 문제점 가운데 하나만 서술한 경우 [15점] ✔ 띄어쓰기나 맞춤법이 잘못되었을 경우 [1점씩 감점]

예상 적중 대단원 평가

본문 26~27쪽

01 ④ **02** ① **03** ⑤ **04** ⑤ **05** ③ **06** 문화권에 따라 그 나라만의 관습적인 언어 표현을 사용하기도 하는데, 외국인은 이러한 우리의 말 문화를 알지 못했기 때문이다. **07** ② **08** (나)의 엄마와 아들은 모두 타당한 근거를 제시하지 않았다. 아들은 놀이공원에 가야 하는 타당한 근거를 들어 엄마를 설득해야 하고, 엄마 역시 아들의 말에 반대하는 근거를 타당하게 제시해야 두 사람의 의사소통이 원활하게 진행될 수 있다. **09** ⑤ **10** "그렇다면 그건 전쟁이 아니네요."

01 담화는 말하는 이(글쓴이)와 듣는 이(읽는 이)를 포함하여 구체적인 맥락 속에서 이루어지는 발화나 발화의 연속체를 말한다. 담화는 담화 참여자, 전달하려는 내용, 맥락(상황 맥락, 사회·문화적 맥락)으로 구성된다.

02 말하는 이와 듣는 이의 관계에 따라 말의 뜻이 달라진다. (2)는 의사와 환자의 관계에서, (3), (4)는 손님과 신발 가게 점원의 관계에서 이야기하고 있는 상황이다.

03 말하는 이와 듣는 이의 관계가 달라짐에 따라 "불편하지는 않으세요?"의 의미가 달라졌다. ㉠에서는 '팔이 아프지는 않으신가요?'라는 뜻으로, ㉡에서는 '신발의 크기가 발에 잘 맞으시나요?'라는 뜻으로 쓰였다.

04 (가)와 (나)의 대화 참여자는 모두 엄마와 아들로, 말하는 이와 듣는 이의 관계가 동일하다. (가)와 (나)는 담화가 이루어지는 시간에 따라 "지금 몇 시니?"의 의미가 달라지고 있다.

05 다른 문화권의 사람과 대화할 때에는, 우리의 문화가 담긴 관용적 표현보다는 구체적이고 직접적인 표현을 사용하거나, 상대가 이해하지 못하는 우리 문화를 친절하게 설명해 주어야 한다.

06 서술형 원래 '언니'는 같은 부모에게서 태어난 사이이거나 일가친척 가운데 항렬이 같은 동성의 손위 형제, 혹은 남인 경우에는 자기보다 나이가 위인 여자를 부르는 말이지만, 우리나라 문화에서는 친근감 있는 어투로 상대를 부를 때 '언니'를 사용하기도 한다. 하지만 외국인은 우리의 이러한 말 문화를 알지 못했기 때문에 자신에게 '언니'라고 호칭하는 것을 어색하게 느낀 것이다.

07 (가)의 학생들은 '전형', '전탑'과 같은 용어의 뜻과 강의 주제를 모르지만, 그러한 내용을 강연 중에 질문하고 있지는 않다. (가)의 학생들이 지닌 문제점은 강연을 듣기 전에 강연 주제나 내용을 미리 알아보지 않았다는 것이다.

08 고난도 서술형 아들은 자신이 원하는 바를 타당한 근거 없이 내세우고 있고, 엄마는 아들의 제안에 반대하는 근거를 타당하게 제시하지 않았다.

평가 목표	원활한 의사소통을 위해 듣기·말하기 과정에서 유의할 점 파악하기
채점 기준	✔ 엄마와 아들에게 필요한 듣기·말하기 태도를 〈조건〉에 맞게 쓴 경우 [상] ✔ 엄마와 아들에게 필요한 듣기·말하기 태도를 썼으나, 서술이 미흡한 경우 [중] ✔ 엄마와 아들에게 필요한 듣기·말하기 태도를 〈조건〉에 맞지 않게 쓴 경우 [하]

09 태너 아저씨가 울타리를 세우는 이유는 자신의 영역을 확고하게 함으로써 타인에게 피해를 끼치는 것을 막기 위해서였다. 아들은 아빠의 설명을 듣고 태너 아저씨가 울타리를 세우는 진정한 이유를 알게 되어 ㉤과 같이 말한 것이다.

10 서술형 이 글에서 아빠와 아들은 울타리를 세우는 일에 관해 대화를 나누고 있다. 아들은 아빠와 대화하기 전에는 울타리를 부정적으로 생각했으나, 아빠의 설명을 듣고 난 후에는 울타리를 긍정적으로 인식하게 되었다.

3 개성이 드러난 표현

(1) 창의적인 발상

간단 복습 문제

본문 29쪽

쪽지 시험 01 가락 02 반대로 03 모순 04 ㉢ 05 ㉡ 06 ㉤ 07 ㉠, ㉣ 08 × 09 ○ 10 × 11 ㉡ 12 ㉢ 13 ㉠

어휘 시험 01 걸어갈 02 그리던 03 나무라는 04 훗날 05 한없이 06 스스로 07 ㉡ 08 ㉢ 09 ㉠

01 시를 읽을 때 느껴지는 말의 가락을 '운율'이라고 한다.

02 원래의 뜻과는 반대로 표현하는 것을 '반어'라고 한다.

03 겉으로는 뜻이 모순되고 이치에 맞지 않는 것 같지만, 그 속에 진리를 담고 있는 표현을 '역설'이라고 한다.

06 「봄 길」은 역설 표현을 사용하여 절망적인 상황에서도 희망과 사랑이 있다는 믿음을 강조하고 있다.

07 「봄 길」은 의지적이고 단정적인 어조를 사용하여 '시련을 극복하고 스스로 사랑을 찾기 위해 노력하는 삶의 태도'라는 주제를 드러내고 있다.

08 「먼 후일」의 말하는 이는 '당신'을 잊을 수 없는 마음을 '잊었노라'라는 시어를 통해 반대로 표현하고 있다.

10 「먼 후일」은 반어 표현을, 「봄 길」은 역설 표현을 사용하여 말하는 이의 정서를 심화하며 주제를 명확하게 드러내고 있다.

---

01 '걸어가다'는 '목적지를 향하여 발로 걸어서 나아가다.'라는 의미이고, '날아가다'는 '공중으로 날면서 가다.'라는 의미이다.

02 '그리다'는 '사랑하는 마음으로 간절히 생각하다.'라는 의미이고, '잊다'는 '한번 알았던 것을 기억하지 못하거나 기억해 내지 못하다.'라는 의미이다.

03 '나무라다'는 '잘못을 꾸짖어 알아듣도록 말하다.'라는 의미이고, '찾다'는 '현재 주변에 없는 것을 얻거나 사람을 만나려고 여기저기를 뒤지거나 살피다.'라는 의미이다.

예상 적중 소단원 평가

본문 30~31쪽

01 ④ 02 그리움 03 ③ 04 ③ 05 ④ 06 ② 07 1~6행, 7~9행, 10~14행 08 ② 09 ④ 10 ③ 11 ②

01 (나)에는 애상적인 어조가 나타나 있으며 반어 표현을 활용하여 말하는 이의 심정을 강조하고 있다. 또한 '당신'과 이별한 슬픔과 그리움만이 나타나 있을 뿐, 미래에 대한 긍정적 의지는 나타나 있지 않다.

02 서술형 (가)와 (나)에서 '당신'은 말하는 이와 이별한 대상으로, 말하는 이가 아직도 사랑하고 그리워하는 존재이다.

03 (가)의 '잊었노라'는 반어로, 실제로는 '잊을 수 없다.'는 뜻을 나타낸다. 말하는 이는 이러한 표현을 반복함으로써 당신을 잊을 수 없는 자신의 애틋하고 간절한 심정을 강조하고 있다.

04 (나)의 말하는 이는 이별한 '당신'에 대한 감정을 반어적으로 표현하여, '당신'을 그리워하는 심정을 더욱 강조하여 표현하였다.

05 ⓐ는 원래의 뜻과는 반대로 표현하는 '반어'가 사용되었다. ④는 죽어도 눈물을 흘리지 않겠다고 말하면서 실제로는 한없이 울겠다는 마음을 표현하고 있다.

오답 풀이 ① 서로 이어 주는 말 없이 '무엇은 무엇이다'의 형식으로, 원관념과 보조 관념을 암시적으로 연결시키는 방법인 '은유법'이 쓰였다.
② 사람이 아닌 것을 사람에 비겨 사람이 행동하는 것처럼 표현하는 방법인 '의인법'이 쓰였다.
③ 같거나 비슷한 어구를 되풀이하여 의미를 강조하는 표현 방법인 '반복법'이 쓰였다.
⑤ 비슷한 성질이나 모양을 가진 두 사물을 '같이', '처럼', '듯이'와 같은 연결어로 결합하여 직접 비유하는 표현 방법인 '직유법'이 쓰였다.

06 이 시는 비슷한 문장 구조를 반복하여 '시련을 극복하고 스스로 사랑을 찾기 위해 노력하는 삶의 태도'라는 주제를 강조하고 있다(ㄷ). 또한 이러한 주제를 나타내기 위해 시의 분위기를 의지적이고 희망적으로 조성하고 있다(ㄱ).

오답 풀이 ㄴ. '수미 상관'은 첫 연을 끝 연에 다시 반복하여 구조적 안정감을 주는 표현 방법인데, 이 시에서는 수미 상관의 형식이 드러나지 않는다.
ㄹ. 시의 표면에 운율이 드러나는 것은 외형률에 해당한다. 하지만 이 시에서는 외형률이 나타나지 않는다.

07 서술형 이 시는 시상의 흐름에 따라 크게 세 부분으로 나눌 수 있다. 1~6행은 '절망적인 상황에서도 희망을 잃지 않는 사람이 있음.', 7~9행은 '사랑이 끝난 절망적인 상황이 찾아옴.', 10~14행은 '사랑이 끝난 곳에서도 사랑을 베푸는 사람이 있음.'에 대한 내용을 다루고 있다.

08 [A]에서는 강물이 멈추고, 새들은 돌아오지 않으며, 세상의 모든 꽃잎이 흩어지는 부정적인 상황을 차례로 제시하여, 사랑이 끝난 절망적인 상황이 찾아온 것을 표현하고 있다.

09 ㉠은 어떤 상황에서도 희망과 사랑을 품은 채로 꿋꿋하게 살아가는 삶의 태도를 지닌 사람을 의미한다. ④의 경우는 자신의 목표를 위해 열심히 공부를 하지만, ㉠과 같은 삶의 태도와 관련이 있다고 보기는 어렵다.

10 ⓐ와 ⓓ는 사랑이 끝난 절망적인 공간을 의미하고, ⓑ, ⓒ, ⓔ는 절망적인 상황에서도 희망을 잃지 않고 다른 이에게 사랑을 베푸는 사람을 의미한다.

11 이 시의 시인은 길이 끝나고 사랑이 끝나는 상황에서도 아직 사랑으로 남아 있는 사람이 있다는 것을 강조하며, 절망적인 상황에서도 희망과 사랑이 존재한다는 것을 말하고 있다.

고득점 서술형 문제

본문 32~33쪽

1단계 **01** 잊었노라 **02** 당신이∨속으로∨나무라면 / '무척∨그리다가∨잊었노라' **03** 먼 훗날 당신이 찾으시면 **04** 보라 **05** 봄 길

2단계 **06** '잊지 못하리라'라고 바꾸어 표현하면 말하는 이의 진심이 원래 시의 내용보다 덜 절실하게 느껴진다. 또한 말하는 이가 '당신'을 그리워하는 절절한 마음도 잘 느껴지지 않는다. **07** (가)에서는 같은 음보의 반복, 같은 문장 구조의 반복, 같은 시어의 반복을 통해 애상적인 분위기와 정서를 심화한다. **08** ⓐ: 절망적인 상황에서도 희망을 잃지 않는 사람 / ⓑ: 희망이 없는 고통만 남은 곳에서도 다른 이에게 사랑을 베푸는 사람

3단계 **09** (가)의 Ⓐ와 <보기>의 밑줄 친 부분에서는 원래의 뜻과는 반대로 표현하는 반어를 활용하였다. (가)와 <보기>의 말하는 이는 현재 '당신'과 이별한 상황으로, (가)의 Ⓐ에서는 '당신을 잊었다.', <보기>의 밑줄 친 부분에서는 '당신이 그립지 않고, 보고 싶은 마음도 없다.'라고 자신의 속마음과 반대로 표현하여 '당신'에 대한 애틋하고 간절한 그리움을 강조하고 있다. **10** (나)에서는 겉으로는 뜻이 모순되고 이치에 맞지 않는 것 같지만, 그 속에 진리를 담고 있는 표현인 역설을 활용하였다. 이를 통해 '절망적인 상황일지라도 희망과 사랑이 있다.'라는 삶의 진리를 나타내고 있다.

1단계

01 (가)에서는 '잊었노라'라는 시어를 반복적으로 제시하여, '당신을 잊을 수 없다.'라는 의미를 강조하고 있다.

02 (가)는 3음보의 민요적 율격을 통해 운율을 형성하고 있다.

03 (가)의 말하는 이는 '당신'과 이별하고 '당신'을 그리워하고 있는데, '먼 훗날 당신이 찾으시면'이라는 시구를 통해 '당신'이 다시 자신을 찾아올 상황을 가정하고 있다.

04 7~9행까지는 사랑이 끝난 절망적인 상황을 보여 주다가, 10행에서 명령형 어미를 통해 시의 흐름을 전환시킨 후 11~14행에서 사랑이 끝난 곳에서도 사랑을 베푸는 사람이 있음을 보여 주고 있다.

05 '봄'은 만물이 소생하는 희망의 계절을, '길'은 긍정적이고 희망적인 가치를 표현한다. 이러한 '봄'과 '길'이 합쳐진 '봄 길'은 희망적인 미래와 긍정적인 가치를 의미한다.

2단계

06 말하는 이의 속마음을 반대로 서술한 '잊었노라'는 읽는 이에게 강한 인상을 주면서 '당신'을 잊지 못하는 말하는 이의 진심을 절실하게 나타낸 표현이다. 또한 이별한 '당신'을 그리워하는 말하는 이의 마음도 절절하게 나타내고 있다. 그런데 ㉠을 평범하고 일상적인 표현으로 바꾼다면 말하는 이의 진심과 절절한 마음이 잘 느껴지지 않게 된다.

07 (가)는 3음보의 율격의 반복과 '~면 ~ 잊었노라'와 같은 미래 상황을 가정하는 문장 구조의 반복, 또한 '잊었노라'라는 시어의 반복을 통해 애상적인 분위기와 정서를 심화한다.

08 ⓐ와 ⓑ의 '길이 끝나는 곳'과 '사랑이 끝난 곳'은 '사랑이 끝난 절망적인 공간'을 의미한다. 이러한 곳에서도 '길이 되는 사람'과 '사랑으로 남아 있는 사람'은, 각각 '절망적인 상황에서도 희망을 잃지 않는 사람', '희망이 없는 고통만 남은 곳에서도 다른 이에게 사랑을 베푸는 사람'을 의미한다.

3단계

09 반어는 원래의 뜻과는 반대로 표현하는 것으로, 이를 활용하면 강한 인상을 주거나 그 안에 담긴 진심을 강조할 수 있다. (가)와 <보기>의 말하는 이는 '당신'과 이별한 상황으로, 말하는 이가 자신의 속마음을 반어로 표현하여 '당신'에 대한 사랑과 그리움을 더욱 애틋하고 간절하게 드러내고 있다.

평가 목표	반어의 개념과 그 효과 이해하기
채점 기준	✔ 표현 방법의 이름과 그 정의를 쓰고, 이를 통해 얻을 수 있는 효과를 모두 바르게 쓴 경우 [20점] ✔ 표현 방법의 이름과 그 정의는 썼으나, 이를 통해 얻을 수 있는 효과를 쓰지 못한 경우 [10점] ✔ 서술한 항목의 내용이 미흡한 경우 [5점씩 감점] ✔ 띄어쓰기나 맞춤법이 잘못되었을 경우 [1점씩 감점]

10 역설은 겉으로는 뜻이 모순되고 이치에 맞지 않는 것 같지만 그 속에 진리를 담고 있는 표현이다. 역설을 사용하면 읽는 이가 그 안에 담긴 의미를 스스로 찾게 함으로써 내면의 의미를 강조할 수 있고, 읽는 이에게 삶의 진리를 깨닫게 할 수 있다. (나)에서는 세 번의 역설을 통해 '절망적인 상황일지라도 희망과 사랑이 있다.'라는 삶의 진리를 표현하고 있다.

평가 목표	역설의 개념과 그 효과 이해하기
채점 기준	✔ 표현 방법의 이름과 그 정의를 쓰고, 이를 통해 깨달을 수 있는 삶의 진리를 모두 바르게 쓴 경우 [20점] ✔ 표현 방법의 이름과 그 정의는 썼으나, 이를 통해 깨달을 수 있는 삶의 진리를 쓰지 못한 경우 [10점] ✔ 서술한 항목의 내용이 미흡한 경우 [5점씩 감점] ✔ 띄어쓰기나 맞춤법이 잘못되었을 경우 [1점씩 감점]

(2) 비판적인 표현

간단 복습 문제

본문 35쪽

쪽지 시험 01 풍자 02 모순, 불합리한 03 서술자 04 1인칭 05 사설시조 06 ○ 07 × 08 ○ 09 × 10 × 11 ㉢ 12 ㉡, ㉠ 13 ㉣

어휘 시험 01 조행 02 소견 03 위엄 04 영락없이 05 일없다 06 파면

01 사실을 곧이곧대로 드러내지 않고 과장하거나 왜곡하고, 비꼬아서 표현하여 웃음을 유발함으로써, 현실의 부정적 현상이나 모순을 폭로하는 것을 '풍자'라고 한다. '반어'는 원래의 뜻과는 반대로 표현하는 것을 말한다.

03 글쓴이가 소설 속에 내세운 대리인으로 글쓴이를 대신하여 허구적인 이야기를 전달하는 존재를 '서술자'라고 한다.

05 사설시조는 평시조보다 초장·중장이 제한 없이 길며, 종장도 길어진 시조이고, 연시조는 두 개 이상의 평시조가 하나의 제목으로 엮여 있는 시조이다.

13 「두꺼비 파리를 물고 ~」에서 '파리'는 '힘없는 백성'을 상징하고, '두꺼비'는 '지방의 탐관오리'를, '백송골'은 '중앙의 고위 관료'를 상징한다.

---

04 '영락없이'는 '조금도 틀리지 아니하고 꼭 들어맞게'라는 의미이고, '자상히'는 '찬찬하고 자세히'라는 의미이다.

05 '일없다'는 '소용이나 필요가 없다.'라는 의미이고, '애달프다'는 '마음이 안타깝거나 쓰라리다.'라는 의미이다.

06 '항복'은 '적이나 상대편의 힘에 눌리어 굴복함.'이라는 의미이고, '파면'은 '잘못을 저지른 사람에게 직무나 직업을 그만두게 함.'이라는 의미이다.

예상 적중 소단원 평가

본문 36~37쪽

01 ③ 02 ④ 03 서술자는 어린아이로, 순진무구하다. 04 ② 05 ② 06 ④ 07 박 선생님, 두꺼비 08 ② 09 ④ 10 ⑤

01 (가)에서는 '박 선생님'의 외양을 우스꽝스럽게 표현하여, 읽는 이의 웃음을 유발하고 있다.

02 '박 선생님'은 일본이 패망하기 전에는 친일적인 성향을 보이다가 일본이 패망하자 미국을 추종하고 찬양한다. 이를 통해 그가 정세에 따라 이로운 쪽으로 행동하는 기회주의적인 성향임을 알 수 있다.

03 서술형 (마)에는 '나'가 '박 선생님'에게 미국에도 '덴노헤이까'가 있느냐고 묻고, 그렇게 물은 까닭이 나타나 있다. 이를 통해 서술자인 '나'가 세상의 물정을 모르는 어린아이이며, 순진무구하다는 것을 알 수 있다.

04 '박 선생님'이 ㉠처럼 행동한 이유는 '나'와 상준이 조선말을 썼기 때문이다.

05 ㉡은 일본이 패망한 사실을 알게 된 '대석 언니'가 일본을 추종하는 '박 선생님'을 놀리기 위해 의도적으로 한 말이다.

06 이 글은 해방 전후의 혼란한 상황 속에서 기회주의적으로 행동하는 인물을 '나'라는 서술자의 시각에서 비판하고 있다. 이처럼 소설에서 주인공의 주변 인물인 '나'가 주인공을 관찰하여 이야기를 전달하는 것을 '1인칭 관찰자 시점'이라고 한다.

오답 풀이 ① (가)~(다)는 소설로, 소설은 현실에 있음 직한 일을 작가가 상상하여 꾸며 낸 이야기이다.
② (가)~(다)는 해방 전후, 어느 초등학교에서 벌어지는 일들을 제시하고 있다.

③ (가)~(다)는 부정적인 인물에 대해 비판적인 태도를 취하면서, 기회주의적으로 행동하는 '박 선생님'을 풍자하고 있다.
⑤ (가)~(다)에는 인물의 마음속에서 일어나는 갈등인 '내적 갈등'은 나타나지 않는다.

07 서술형 (가)~(다)에서는 '박 선생님'이라는 인물을 통해 해방 전후의 혼란한 시기에 자신에게 이로운 쪽으로만 행동하는 기회주의적인 인물을, (라)에서는 '두꺼비'를 통해 약한 사람을 괴롭히면서 강한 사람에게는 굽실거리는 인물을 비판하고 있다.

08 (라)에서는 '두꺼비'를 통해 약한 상대인 일반 백성에게는 가혹하고, 강한 상대인 중앙의 고위 관료에게는 굽실거리는 탐관오리의 횡포와 이중성을 풍자하고 있다.

09 ㉠은 두엄 아래로 자빠진 '두꺼비'가 자신의 실수에 대해 허세를 부리며 변명하는 부분이다. 따라서 '실속은 없으면서 큰 소리치거나 허세를 부림.'을 의미하는 '허장성세(虛張聲勢)'가 이 상황과 어울린다.

오답 풀이 ① '견물생심(見物生心)'은 어떠한 실물을 보게 되면 그것을 가지고 싶은 욕심이 생긴다는 의미이다.
② '어두육미(魚頭肉尾)'는 물고기는 머리 쪽이 맛이 있고 짐승 고기는 꼬리 쪽이 맛이 있다는 의미이다.
③ '장삼이사(張三李四)'는 장씨(張氏)의 셋째 아들과 이씨(李氏)의 넷째 아들이라는 뜻으로, 이름이나 신분이 특별하지 않은 평범한 사람들을 이르는 말을 의미한다.
⑤ '허허실실(虛虛實實)'은 허를 찌르고 실을 꾀하는 계책을 의미한다.

10 ⓔ는 '두꺼비'한테 수탈과 괴롭힘을 당하는 존재로, '힘없는 백성'을 상징한다.

고득점 서술형 문제

본문 38~39쪽

1단계 **01** 인물 **02** 외양 **03** 일본, 일이다 **04** 강 선생님 **05** (나): 일본, (라): 미국

2단계 **06** '강 선생님'은 일제의 조선어 말살 정책에 저항하여 되도록 조선말을 사용하려고 노력하였다. **07** '박 선생님'은 일본이 패망하고 조선이 광복한 후에 미국의 영향력이 커지자 개인적인 이익을 얻기 위해 미국 말을 공부했다. **08** '나'는 일제 강점기에는 일본을 찬양하고, 조선이 광복한 후에는 미국을 찬양하는 '박 선생님'의 기회주의적인 태도를 이해하지 못했기 때문에 '박 선생님'을 '이상한 선생님'이라고 평가했다.

3단계 **09** 상황을 정확하게 판단하지 못하고 판단이 미숙하여 웃음을 유발하면서 읽는 이와의 공감대를 형성할 수 있다. 또한 부정적인 인물에 대해 효과적으로 비판할 수 있어 현실의 부정적 현상이나 모순을 폭로하는 풍자의 효과를 높일 수 있다. **10** 이 글에는 '박 선생님'의 기회주의적인 태도가, 〈보기〉에는 '두꺼비'의 허장성세가 나타난다. 대상의 이러한 부정적인 면을 비판하기 위해 '박 선생님'의 외양과 행동, '두꺼비'의 행동을 우스꽝스럽게 표현하면서 풍자하고 있다.

1단계

01 소설 구성의 3요소는 '인물, 사건, 배경'인데, (가)에서는 '인물'에 대한 소개가 중점적으로 나타나 있다.

02 (가)에서는 '박 선생님'의 외양을 우스꽝스럽게 표현하여 웃음을 유발하고 있다. 이것은 풍자하려는 대상의 특징을 본래보다 과장해서 표현하거나 의도적으로 우스꽝스럽게 묘사하는 방식에 해당한다.

03 (가)에서 '박 선생님'은 혈서로 지원병을 지원했다가 키 때문에 낙방이 되었다고 하였다. '지원병'은 '스스로 입대를 원한 병사'를 의미하며, 일제 강점기에 일본군에 지원했다는 것에서 '박 선생님'의 친일적인 성향을 알 수 있다.

04 '박 선생님'은 일제의 정책에 동조하여 자신은 물론 학생들에게도 일본 말을 하도록 강요했지만, '강 선생님'은 일본 말이 서툴다는 핑계를 대며 조선말을 하곤 했다.

05 (나)에서 '박 선생님'이 조선말을 쓰는 학생들에게 심하게 벌을 주는 것으로 보아 그가 일본을 추종한다는 것을 알 수 있다. 한편 (라)에서는 미국에 협력하여 통역을 하는 모습을 통해 그가 미국을 추종하고 있음을 알 수 있다.

2단계

06 (다)에서 '강 선생님'은 '박 선생님'과 달리 조선말 사용에 대해 아무 시비도 하지 않고, 가급적 조선말을 사용했다고 했다. 〈보기〉의 시대적 상황을 고려할 때, '강 선생님'은 일제의 '조선어 말살 정책'에 저항하기 위해 조선말을 사용하려고 노력했다는 것을 알 수 있다.

07 '박 선생님'은 일제 강점기에는 친일적인 모습을 보이다가, 일본이 패망하고 미국의 영향력이 커지자 개인적인 이익을 얻기 위해서 미국 말을 공부한다. 일 년 정도 미국 말을 공부한 '박 선생님'은 자신의 의도대로 미군에 협력하여 통역을 하면서 미국 양복을 얻어 입고, 미국 통조림이랑 과자를 얻어먹는 등의 이익을 얻게 된다.

08 '박 선생님'은 일제 강점기에는 일본의 정책에 동조하며 일본을 찬양하다가, 조선이 광복한 이후에는 미국 말을 배우고 미국을 찬양하는 기회주의적인 모습을 보인다. 이러한 '박 선생님'의 행동은 아직 판단이 미숙한 어린아이인 '나'가 이해할 수 없는 행동이기에 '박 선생님'을 '이상한 선생님'이라고 평가한 것이다.

3단계

09 소설 속의 서술자가 1인칭인 '나'이면서 '어린아이'일 경우에는, 소설 속 상황을 정확하게 파악하지 못하고 판단이 미숙한 경우가 많다. 따라서 서술자가 사건을 엉뚱하게 파악하거나 인물의 행동에 대해 이해하지 못하여 웃음을 유발함과 동시에, 비판하려는 대상의 부정적인 면모를 부각할 수 있다. 이러한 기능을 통해 현실의 부정적 현상이나 모순을 폭로하는 풍자의 효과를 높일 수 있다.

평가 목표	서술자의 특징과 효과 이해하기
채점 기준	✔ 서술자가 어린아이일 경우 얻을 수 있는 효과를 '풍자'와 관련지어 서술한 경우 [20점] ✔ 서술자가 어린아이일 경우 얻을 수 있는 효과를 서술했으나, '풍자'와 관련짓지 못한 경우 [10점] ✔ 〈조건〉에 맞지 않게 쓴 경우 [5점씩 감점] ✔ 띄어쓰기나 맞춤법이 잘못되었을 경우 [1점씩 감점]

10 이 글에서는 시류에 따라 힘이 있는 쪽에 붙어서 자신의 이익을 취하는 기회주의적인 '박 선생님'을, 〈보기〉는 약한 사람을 괴롭히지만 강한 사람에게는 꼼짝 못하면서 허세를 부리는 '두꺼비'의 모습을 우스꽝스럽게 표현하고 풍자하고 있다.

평가 목표	대상의 속성과 풍자 방식 이해하기
채점 기준	✔ 대상의 속성과 그것을 비판하기 위해 공통적으로 사용한 표현 방법을 모두 바르게 쓴 경우 [25점] ✔ 대상의 속성과 그것을 비판하기 위해 공통적으로 사용한 표현 방법 중에서 한 가지만 쓴 경우 [15점] ✔ 〈조건〉에 맞지 않게 쓴 경우 [5점씩 감점] ✔ 띄어쓰기나 맞춤법이 잘못되었을 경우 [1점씩 감점]

(3) 개성을 살리는 글다듬기

간단 복습 문제

본문 41쪽

쪽지 시험 **01** 고쳐쓰기 **02** 낱말, 글 **03** 추가, 재구성
04 ○ **05** × **06** ○ **07** ㉡ **08** ㉤, ㉣ **09** ㉠
10 ㉢ **11** ㉡ **12** ㉠ **13** ㉣ **14** ㉢

어휘 시험 **01** 생각 **02** 졸랐다 **03** 튼튼해야 **04** 먹먹
05 틈새 **06** 다행히 **07** 부화

03 고쳐쓰기의 일반 원리에는 새로운 내용을 덧붙이는 '추가', 불필요한 내용을 빼는 '삭제', 그 위치에서 다른 내용으로 바꾸는 '대치', 앞뒤 순서를 바꾸거나 몇 부분을 하나로 줄이거나 늘이면서 내용을 조정하는 '재구성'이 있다.

05 고쳐쓰기의 '삭제'는 불필요한 내용을 빼는 것을 의미하고, 새로운 내용을 덧붙이는 것은 '추가'라고 한다.

---

01 '기억'은 '이전의 인상이나 경험을 의식 속에 간직하거나 도로 생각해 냄.'을 의미하고, '생각'은 '어떤 일을 하려고 마음을 먹음. 또는 그런 마음'을 의미한다.

02 '조르다'는 '다른 사람에게 차지고 끈덕지게 무엇을 자꾸 요구하다.'라는 의미이고, '타이르다'는 '잘 깨닫도록 일의 이치를 밝혀 말해 주다.'라는 의미이다.

03 '모질다'는 '기세가 몹시 매섭고 사납다.'라는 의미이고, '튼튼하다'는 '사람의 몸이나 뼈, 이 따위가 단단하고 굳세거나, 병에 잘 걸리지 아니하는 힘을 가지고 있다.'라는 의미이다.

04 '막막하다'는 '쓸쓸하고 고요하다.'나 '의지할 데 없이 외롭고 답답하다.'라는 의미이고, '먹먹하다'는 '체한 것같이 가슴이 답답하다.'라는 의미이다.

예상 적중 소단원 평가

본문 42쪽

01 ③ **02** ⑤ **03** ⑤ **04** ⑤

01 이 글은 글쓴이가 초등학교 2학년 때 겪었던 병아리 '민들레'와의 추억을 일정한 형식에 얽매이지 않고 자유롭게 표현한 수필이다.

오답 풀이 ① 이 글은 '민들레'라는 중심 소재에 대한 정보를 전달하는 글이 아니라 병아리 '민들레'와의 추억과 '민들레'에 대한 그리움을 표현한 수필이다.
② (가)와 (나)의 내용으로 볼 때, 병아리 '민들레'와의 사건은 글쓴이가 초등학교 2학년 때 있었던 일이다. 따라서 글쓴이가 현재 겪고 있는 사건이 아니다.
④ 주장이나 의견을 타당한 근거를 들어 논리적으로 전달하는 글은 논설문에 대한 설명이다.
⑤ 수필은 글쓴이가 직접 겪은 일이나 느낀 점에 대해 자유롭게 쓰는 글이다. 글쓴이가 상상력을 발휘하여 현실에 있음 직한 이야기를 꾸며 쓰는 글은 소설이다.

02 높임 표현이 적절하지 않은 문장은 (라)에 사용되지 않았다. (라)에는 불필요하게 긴 문장인 '우리가 ~ 수밖에 없었다.'가 쓰였으므로 이 문장을 적절히 나누고 다듬어야 한다.

오답 풀이 ① (다)에는 '민들레'를 방 안에서 기르고 싶어 하던 '나'의 모습이 나타나고, (라)에는 병아리를 집으로 데려온 날 병아리에게 '민들레'라는 이름을 지어 준 이유가 나타난다. 따라서 내용의 흐름상 (다)와 (라)의 순서를 바꾸는 것이 적절하다.
② (다)의 '나는 비가 오면 엄마 몰래 민들레를 방 안에 데리고 올 것이다.'는 시제가 맞지 않는 문장이다. 과거의 일을 이야기하고 있는데, '데리고 올 것이다'와 같이 미래의 일로 표현하였기 때문이다. 따라서 '나는 비가 오면 엄마 몰래 민들레를 방 안에 데리고 왔다.'로 고쳐 써야 한다.
③ (다)의 '당시 나는 동생과 한방을 써서 조금 불편했다.'는 앞의 내용과 이어지지 않으므로 삭제하는 것이 적절하다.
④ (라)의 '우리가 ~ 수밖에 없었다.'는 불필요하게 긴 문장이어서 문장 전체의 뜻을 이해하기 어렵다.

03 '벌어져 난 틈의 사이'를 의미하는 단어는 '틈세'가 아니라 '틈새'이다.

오답 풀이 ① '기억'은 '이전의 인상이나 경험을 의식 속에 간직하거나 도로 생각해 냄.'을 뜻한다. 문장의 맥락상 '어떤 일을 하려고 마음을 먹음. 또는 그런 마음'을 뜻하는 '생각'이 적절하다. '추억'은 '지나간 일을 돌이켜 생각함. 또는 그런 생각이나 일'을 의미한다.
② '모른체하고'는 '모른 체하고'라고 띄어 쓰는 것이 적절하다.
③ '타이르다'는 '잘 깨닫도록 일의 이치를 밝혀 말해 주다.'라는 의미로, 어린아이인 글쓴이가 엄마에게 떼를 쓰는 상황에는 '다른 사람에게 차지고 끈덕지게 무엇을 자꾸 요구하다.'라는 의미의 낱말인 '조르다'가 적절하다. '가르치다'는 '지식이나 기능, 이치 따위를 깨닫게 하거나 익히게 하다.'라는 의미이다.
④ '다행이'는 맞춤법에 맞게 '다행히'로 바꾸는 것이 적절하다.

04 '재구성'은 앞뒤 순서를 바꾸거나, 몇 부분을 하나로 줄이면서 내용을 조정하거나, 몇 부분을 늘이면서 내용을 조정하는 것을 의미한다.

고득점 서술형 문제

본문 43쪽

1단계 **01** 고쳐쓰기 **02** 추가, 삭제, 대치, 재구성

2단계 **03** • 고쳐 쓸 내용: 한 할머니께서 병아리를 나누어 주는 걸 보았다. / • 고친 표현: 한 할머니께서 병아리를 나누어 주시는 걸 보았다. **04** 덥여 → 덮여, 타이르기 → 조르기

3단계 **05** • 어색한 까닭: '전혀'는 주로 부정을 뜻하는 낱말과 함께 쓰이는 부사어인데, '보였고'라고 하여 부사어와 서술어의 호응이 맞지 않기 때문이다. / • 고친 표현: 민들레는 일어날 낌새를 전혀 보이지 않았고, 결국 우리 곁을 떠났다. **06** • 읽기 불편한 까닭: 문장이 너무 길어서 문장 전체의 뜻을 이해하며 읽기에 어렵다. / • 고친 표현: 우리가 "민들레!" 하고 부르면 민들레는 자기 이름을 알아듣고 우리 곁으로 다가왔다. 그러고는 우리 곁을 맴돌면서 삐악삐악 노래를 불렀다. 그런 민들레의 모습은 정말 귀엽고 사랑스러웠다.

1단계

01 자신이 쓴 글의 잘못된 부분을 바로잡아 다시 쓰는 일을 '고쳐쓰기'라고 한다. 글의 주제나 글을 쓴 목적에 맞게 고쳐쓰기를 하면 읽는 이가 더 쉽게 내용을 이해할 수 있다.

02 고쳐쓰기의 일반 원리는 새로운 내용을 덧붙이는 '추가', 불필요한 내용을 빼는 '삭제', 그 위치에서 다른 내용으로 바꾸는 '대치', 앞뒤 순서를 바꾸거나 몇 부분을 하나로 줄이거나 늘이면서 내용을 조정하는 '재구성' 등이 있다.

2단계

03 '한 할머니께서 병아리를 나누어 주는 걸 보았다.'는 높임 표현을 잘못 사용한 문장이다. 이 문장에서 '주는'을 '주시는'으로 고쳐 써야 바른 문장이 된다.

04 '덥여'는 '덮여'를 잘못 쓴 것이다. '타이르다'는 '잘 깨닫도록 일의 이치를 밝혀 말해 주다.'라는 뜻으로 어린아이인 '나'가 '엄마'에게 쓸 수 있는 낱말이 아니다. '조르다'는 '다른 사람에게 차지고 끈덕지게 무엇을 자꾸 요구하다.'라는 뜻으로, '나'가 엄마에게 떼를 쓰는 상황에 적합한 낱말이다.

3단계

05 〈보기〉의 밑줄 친 문장에 있는 '전혀'는 주로 부정하는 뜻을 나타내는 낱말과 쓰여 '도무지', '아주', '완전히'의 뜻을 나타낸다. 따라서 밑줄 친 문장에서 '전혀'와 함께 쓰인 '보였고'를 '보이지 않았고'로 바꾸어 써야 한다.

평가 목표	문장 수준에서 고쳐 쓰는 방법 이해하기
채점 기준	✔ 〈보기〉의 밑줄 친 부분이 어색한 까닭을 쓰고, 이를 바르게 고쳐 쓴 경우 [20점] ✔ 〈보기〉의 밑줄 친 부분이 어색한 까닭과 이를 바르게 고쳐 쓴 것 중에서 한 가지만 쓴 경우 [10점] ✔ 〈조건〉에 맞지 않게 쓴 경우 [5점씩 감점] ✔ 띄어쓰기나 맞춤법이 잘못되었을 경우 [1점씩 감점]

06 〈보기〉의 밑줄 친 문장은 길이가 너무 길어 내용을 파악하기 어렵다. 이런 경우에는 문장의 내용을 몇 가지로 나누어 정리하는 것이 좋다.

평가 목표	문장 수준에서 고쳐 쓰는 방법 이해하기
채점 기준	✔ 〈보기〉의 밑줄 친 문장이 읽기 불편한 까닭을 쓰고, 이를 읽기 쉽게 바르게 고쳐 쓴 경우 [30점] ✔ 〈보기〉의 밑줄 친 문장이 읽기 불편한 까닭과 이를 읽기 쉽게 고쳐 쓴 것 중에서 한 가지만 쓴 경우 [15점] ✔ 〈조건〉에 맞지 않게 쓴 경우 [5점씩 감점] ✔ 띄어쓰기나 맞춤법이 잘못되었을 경우 [1점씩 감점]

예상 적중 대단원 평가

본문 44~47쪽

01 ⑤ **02** ② **03** ④ **04** ② **05** ③ **06** ⑤ **07** ① **08** ⑤ **09** ⑤ **10** ④ **11** '그 후로~'를 기점으로 문단을 나눈다. / '그 후로~'를 기점으로 앞부분은 과거에 있었던 '민들레'와의 추억을 회상하는 장면이고, 뒷부분은 현재의 시간으로 돌아와 강아지를 발견한 뒤의 이야기를 들려주는 장면이기 때문이다. **12** ② **13** ④ **14** 의지적이고 단정적인 어조를 사용하였다. **15** ① **16** ③

01 (가), (나)와 같은 시를 감상할 때에는, 시에 쓰인 표현 방법과 효과를 고려하면서 시에서 다루는 대상에 대한 말하는 이의 태도를 확인하는 것이 필요하다.

02 (가)의 말하는 이는 현재 사랑하는 '당신'과 이별한 상황이며, '당신'을 그리워하며 잊지 못하는 마음을 '잊었노라'라며 반대로 표현하고 있다.

03 (나)는 일상생활에서 흔히 쓰는 평범한 단어를 활용하여 시의 내용을 표현하고 있다.

오답 풀이 ①, ② 3~6행과 11~14행은 비슷한 문장 구조로, 이를 통해 '시련을 극복하고 스스로 사랑을 찾기 위해 노력하는 삶의 태도'라는 주제를 강조하고 있다. 또한 이러한 주제를 나타내기 위해 의지적이고 단정적인 어조를 사용하고 있다.
③ 이 시는 절망적인 상황일지라도 희망과 사랑이 있다는 믿음을 강조하고 있으므로, 어려운 상황에 처한 사람이 이 시를 감상한다면 더 깊은 감동을 느낄 수 있을 것이다.
⑤ 10행의 '보라'는 시상을 전환하며, 명령형을 사용하여 절망적인 상황에서도 희망이 존재한다는 말하는 이의 태도를 나타내고 있다.

04 ㉠은 원래의 뜻과는 반대로 표현하는 반어로, 말하는 이의 속마음은 '당신을 잊을 수 없다.'는 것이다.

05 ⓑ는 겉으로는 뜻이 모순되고 이치에 맞지 않는 것 같지만, 그 속에 진리를 담고 있는 표현인 '역설'이 사용된 부분이다.

오답 풀이 ①, ② ⓐ는 표현된 내용과는 다른 '오늘도 어제도 아니 잊고 / 먼 훗날 그때에도 잊지 못하리라'라는 뜻을 나타낸다. 이처럼 반어는 실제와 다르게 표현하는 것으로, 그대로 말하는 것보다 강한 인상을 줄 수 있다.
④ ⓑ는 역설을 활용한 표현으로, 역설 표현을 활용하면 읽는 이가 그 안에 담긴 의미를 스스로 찾게 함으로써 내면의 의미를 강조할 수 있을 뿐만 아니라 참신한 느낌을 줄 수 있다. 또한 읽는 이에게 신선한 충격을 줌으로써 삶의 진리를 깨닫게 할 수 있다.

⑤ 시에서 ⓐ와 ⓑ 같은 반어나 역설을 활용하면, 읽는 이에게 깊은 인상을 주고 시의 내용에 집중하게 함으로써, 작가의 의도를 강조하면서 주제를 효과적으로 드러낼 수 있다.

06 작가는 우스꽝스러운 외모를 지닌 '박 선생님'과 순한 외모에 유순한 성격을 지닌 '강 선생님'을 대조적으로 제시하여, '박 선생님'에 대한 부정적인 인상을 부각하고 있다.

07 '박 선생님'은 해방 전에는 일본군의 지원병에 지원하며 일본에 충성하고, 해방 후에는 영향력이 커진 미국을 추종하며 찬양한다. 이처럼 그때그때의 상황에 따라 자신이 이로운 쪽을 따라 행동하는 사람을 '기회주의자'라고 한다.

08 '나'는 해방 전에는 일본에 충성하며 일본을 찬양했다가 해방 후에는 미국을 추종하며 찬양하는 '박 선생님'을 이해하지 못하고 '이상한 선생님'이라고 평가하고 있다.

09 이 글에서 글쓴이가 말하고자 하는 바는, '박 선생님'과 같은 인물 유형을 통해 해방 전후 혼란한 사회 상황 속에서 기회주의적으로 행동하는 인물을 비판하려는 것이다.

10 (라)에는 '민들레'를 방에서 기르고 싶어 하던 '나'의 모습이 나타나 있는데, 이는 병아리 '민들레'와의 추억과 '민들레'에 대한 그리움이라는 이 글의 주제와 관련이 있는 문단이다.

11 고난도 서술형 (마)의 내용은 '그 후로~'를 기점으로 두 부분으로 나눌 수 있다. 앞부분은 과거의 시점에서 '민들레'와의 추억을 회상하고 있으며, 뒷부분은 현재의 시점에서 강아지의 주인을 찾고 '민들레'와의 추억을 오랫동안 간직할 것임을 다짐하고 있다.

평가 목표	문단 수준에서 고쳐 쓰는 방법 이해하기
채점 기준	✔ (마)를 두 부분으로 나누고, 그 까닭을 시간과 관련된 내용으로 쓴 경우 [상] ✔ (마)를 두 부분으로 나누었으나, 그 까닭을 시간과 관련된 내용으로 쓰지 못한 경우 [중] ✔ (마)를 두 부분으로 나누었으나, 그 까닭을 쓰지 못한 경우 [하]

12 제시된 내용은 고쳐쓰기의 점검 수준 중에서 낱말 수준에 해당한다. ㉡은 앞의 내용이 뒤의 내용의 원인이나 근거, 조건 따위가 될 때 쓰는 접속 부사인 '그래서'로 바꿔 써야 한다. ㉡은 낱말에 해당하지만 문장 전체를 어색하게 만드는 요소로, 이것을 고치면 문장 수준의 고쳐쓰기에 해당한다.

13 (라)는 소설의 결말 부분으로, 결말에서는 갈등이 해소되고 사건이 해결되며 인물의 운명이 결정된다.

14 서술형 (나)는 '길이 있다', '길이 되는 사람이 있다'와 같이 종결 어미 '-다'를 사용하여 의지적이고 단정적인 어조를 드러내고 있다.

15 ㉠은 '대석 언니'가 일본을 맹신하던 '박 선생님'을 놀리기 위해 한 말이고, ㉡은 일본의 패망을 쉽게 받아들이지 못하는 '박 선생님'의 심리가 나타난 말이다.

16 ㉢는 소설 속 서술자인 '나'의 시선으로 '박 선생님'의 말을 희화화하여 나타낸 것으로, '박 선생님'의 지식의 깊이와는 관계가 없다.

4 더 쉽게 더 정확하게

(1) 다양한 설명 방법

간단 복습 문제

본문 49쪽

쪽지 시험 **01** 객관적인 **02** 처음 **03** 효모, 분해 **04** × **05** ○ **06** ○ **07** ㉢ **08** ㉠ **09** ㉣ **10** ㉡ **11** ㉤

어휘 시험 **01** 증식 **02** 촉진 **03** 억제 **04** 풍성한 **05** 비결 **06** 감칠맛 **07** 숙성 **08** ㉡ **09** ㉢ **10** ㉠

02 설명하는 글의 처음 부분에서는 설명 대상을 소개하고, 글을 쓰게 된 동기, 글의 목적 등을 밝힌다. 그리고 가운데 부분에서는 적절한 설명 방법을 활용하여 대상을 구체적으로 설명한다.

04 어떤 대상을 일정한 기준에 따라 나누어 설명하는 방법은 '분류'이고, 하나의 대상을 몇 개의 부분이나 구성 요소로 나누어 설명하는 방법은 '분석'이다.

06 김치의 젖산균과 젖산은 우리 몸의 소화와 배설을 돕고, 유해균이 번식하거나 발암 물질이 생성되는 것을 억제한다.

---

04 '풍성하다'는 '넉넉하고 많다.'라는 의미이므로, 수확의 계절 가을은 '풍성한'으로 수식하는 것이 적절하다.

05 '비결'은 '세상에 알려져 있지 않은 자기만의 뛰어난 방법'을 의미하므로, 할머니 음식 맛에는 '비결'이 적절하다.

07 '성숙'은 '생물의 발육이 완전히 이루어짐.'을 의미하고, '숙성'은 '효소나 미생물의 작용에 의하여 발효된 것이 잘 익음.'을 의미하므로 포도주는 '숙성된다.'라는 말과 어울린다.

예상 적중 소단원 평가

본문 50~51쪽

01 ④ **02** ④ **03** ㉠과 ㉡은 모두 둘 이상의 대상을 견주어 설명하는데 ㉠은 공통점을, ㉡은 차이점을 밝힌다. **04** ① **05** ③ **06** ② **07** 맛있는, 식품이다. **08** ①

01 (라)에서는 젖산균이 만들어 낸 젖산의 특성 덕분에 김치가 잘 썩지 않는다는 것을 '인과'의 방법으로 설명하고 있다. 여기에서 젖산균과 젖산을 대조하고 있지는 않다.

02 채소의 영양분을 계절에 상관없이 섭취할 수 있도록 해 주는 것은 발효 식품 중 김치에만 해당하는 특성이다. 채소를 재료로 하지 않는 발효 식품들은 이러한 특성이 있다고 볼 수 없다.

03 서술형 ㉠에는 둘 이상의 대상을 견주어 서로 간의 공통점을 밝혀 설명하는 비교가, ㉡에는 둘 이상의 대상을 견주어 서로 간의 차이점을 밝혀 설명하는 대조가 사용되었다.

04 ①의 문장은 종자 개량으로 소의 크기가 커졌다는 내용이므로 '늘어서 많아짐. 또는 늘려서 많게 함.'을 뜻하는 '증식'을 활용하기에 적절하지 않다.

05 (마)에서 발효 식품은 오래 보관할 수 있다고 하였다.

06 (마)에서는 발효 식품의 우수성을 강조한 후, 앞으로 전통 발효 식품을 발전시켜 나가자는 제안을 하고 있다.

07 서술형 〈보기〉에서는 시간의 흐름에 따라 언어가 변하는 예를 들어 언어의 역사성을 설명하고 있다. (가)에서도 발효를 거쳐 만들어지는 전통 음식으로 간장과 된장을 예로 들고 있다.

08 ㉠은 발효 식품의 여러 좋은 점을 설명하고 있다. 따라서 이를 나타내기에는 좋은 일 위에 또 좋은 일이 더하여짐을 비유적으로 이르는 말인 '금상첨화'가 가장 적절하다.

오답 풀이 ② 옛것을 익히고 그것을 미루어서 새것을 앎.
③ 두 사람이 이해관계로 서로 싸우는 사이에 엉뚱한 사람이 애쓰지 않고 가로챈 이익을 이르는 말
④ 본이 되지 않은 남의 말이나 행동도 자신의 지식과 인격을 수양하는 데에 도움이 될 수 있음을 비유적으로 이르는 말
⑤ 많으면 많을수록 더욱 좋음.

고득점 서술형 문제

본문 52~53쪽

1단계 **01** 된장 **02** 정의 **03** 젓산 **04** 우수성 **05** 공통점, 차이점
2단계 **06** 발효 식품이다. / 건강에 좋다. / 맛이 좋다. **07** 발효 식품의 우수성을 알고, 앞으로 전통 발효 식품을 발전시킬 방법을 생각해 보자. **08** 처음 부분: 설명 대상과 앞으로 전개할 내용을 소개한다. / 끝부분: 설명한 내용을 요약정리하고, 앞으로의 과제를 당부한다.
3단계 **09** Ⓐ: 예시, 구체적인 예를 들어 설명하는 방법 / 〈보기〉: 분류, 어떤 대상을 일정한 기준에 따라 종류별로 묶어 설명하는 방법 **10** 인과, 미세 먼지(원인) 때문에 생기는 신체 변화(결과)를 원인과 결과로 나누어 설명할 수 있으므로

1단계

01 (바)에서 된장은 간 기능을 높이고, 피부병과 성인병을 예방하는 데에도 효과적이며, 항암 효과도 뛰어나다고 하였다.

02 ㉠에는 발효의 본질, 개념, 뜻을 밝히며 설명하는 정의가 사용되었다.

03 약한 산성 물질인 젓산은 유해균 증식을 억제하여 김치가 잘 썩지 않게 한다. 그래서 우리는 김치를 오래 두고 먹을 수 있다.

04 (사)에서는 '지금까지~발효 식품의 우수성을 알아보았다.'라고 하며 가운데 부분의 내용을 요약정리하고 있다. 따라서 설명할 내용을 안내하는 ⓐ에는 '우수성'이 들어가는 것이 적절하다.

05 ㉮는 '발효'와 '부패'의 공통점을 비교로, ㉯는 '발효'와 '부패'의 차이점을 대조로 설명한 문장이다.

2단계

06 〈보기〉의 식품들은 글쓴이가 예로 든 발효 식품이다. (가)에서는 발효 식품이 건강식품으로 널리 알려져 있고, 특유의 맛과 향으로 사람들의 입맛을 사로잡고 있다고 하고 있다.

07 (사)에서는 발효 식품의 우수성을 강조하고, 앞으로 전통 발효 식품을 발전시킬 방법을 생각해 보자고 제안하고 있다.

08 (가)는 글의 처음 부분으로, 설명 대상과 글을 쓴 동기 등을 밝히고 있다. (사)는 글의 끝부분으로, 가운데 부분에서 설명한 내용을 요약정리하고, 앞으로의 과제 등을 당부하고 있다.

3단계

09 Ⓐ는 구체적인 예를 드는 예시로, 다양한 발효 식품을 예로 들어 발효 식품이 애용된다는 것을 설명하고 있다. 〈보기〉는 소리를 내는 방법에 따라 국악기를 묶는 분류로, 국악기의 종류를 설명하고 있다.

평가 목표	설명 방법과 그 개념 파악하기
채점 기준	✔ 두 곳에 사용된 설명 방법과 그 개념을 모두 맞게 쓴 경우 [20점] ✔ 두 곳에 사용된 설명 방법 중 하나만 맞게 쓴 경우 [10점] ✔ 설명 방법의 개념이 틀린 경우 [5점 감점] ✔ 띄어쓰기나 맞춤법이 잘못되었을 경우 [1점씩 감점]

10 〈보기〉는 미세 먼지를 원인으로, 이것이 신체에 미치는 영향을 결과로 나누어 설명할 수 있는데, 이는 원인과 결과를 중심으로 설명하는 방법인 인과에 해당한다.

평가 목표	대상을 설명하는 데 효과적인 설명 방법 이해하기
채점 기준	✔ 〈보기〉를 설명하기에 적절한 설명 방법과 그 까닭을 모두 맞게 쓴 경우 [20점] ✔ 〈보기〉를 설명하기에 적절한 설명 방법을 썼지만 그 까닭의 내용이 미흡한 경우 [10점] ✔ 띄어쓰기나 맞춤법이 잘못되었을 경우 [1점씩 감점]

(2) 설명하는 글 쓰기

간단 복습 문제

본문 55쪽

쪽지 시험 **01** 개요 **02** 정확성 **03** 예상 독자 **04** ○ **05** ○ **06** × **07** ㉠ **08** ㉢ **09** ㉢ **10** ㉡
어휘 시험 **01** 확립 **02** 결속 **03** 보존 **04** 계승 **05** 선별하여 **06** 간주되고 **07** 정체성 **08** ㉡ **09** ㉠ **10** ㉣ **11** ㉢

01 '개요'는 글의 내용을 어떻게 구성할 것인지를 일목요연하게 표로 나타낸 것으로, 보통 내용 조직하기 단계에서 작성한다.

06 예상 독자의 수준과 흥미를 고려하여 글의 주제를 설정하는 단계는 표현하기가 아니라 계획하기 단계이다.

05 '선출하다'는 '여럿 가운데서 골라내다.'를 의미하는데 보통 사람을 선택할 때 사용하는 단어이다. 따라서 제시된 문장에는 '가려서 따로 나누다.'는 뜻의 '선별하다(선별하여)'가 들어가는 것이 적절하다.

07 제시된 문장은 우토로 마을 사람들이 한국인로서의 본질을 지켰다는 내용이므로, 괄호에는 '변하지 아니하는 존재의 본질을 깨닫는 성질'을 의미하는 '정체성'이 들어가는 것이 적절하다.

예상 적중 소단원 평가

본문 56쪽

01 ③　02 ①　03 내용 생성하기　04 ③　05 ④

01 (가)에서는 줄다리기가 교육적으로 가치가 있기에 이를 잘 보존하고 계승하기 위해 노력해야 한다고 하였다. 따라서 이를 활용하여 줄다리기를 지켜야 하는 까닭을 설명할 수 있다.

02 '나. 줄다리기 줄의 구조'는 '줄다리기의 뜻과 유래'와는 관련이 없으므로, 이를 ㉠의 하위 항목으로 추가하는 것은 적절하지 않다. ㉠의 하위 항목에는 '나. 줄다리기의 유래'를 추가하는 것이 적절하다.

03 서술형 글의 주제와 목적에 맞는 자료를 다양한 매체에서 수집하는 단계는 내용 생성하기 단계이다.

04 내용을 조직할 때에는 수집한 자료를 모두 활용하는 것이 아니라 주제와 관련이 있는 자료 중, 객관성과 신뢰성을 갖춘 것을 선별하여 활용해야 한다.

05 <보기>에서는 '외이', '중이', '내이'와 같이 읽는 이가 알기 어려워할 만한 용어를 그대로 사용하고 있으므로 <보기>에 ④와 같은 글쓰기 계획이 반영되었다고 보기 어렵다.

오답 풀이 ① 귀지의 뜻을 정의하며 글을 시작하고 있다.
② 귓속으로 들어오려는 이물질을 막아 주는 귀지의 역할을 설명하여 그 필요성을 깨닫게 하고 있다.
③ 귀의 구조를 외이, 중이, 내이로 분석하고 있다.
⑤ 눅눅한 귀지와 마른 귀지라는 귀지의 종류를 제시하여 한국인은 대부분 마른 귀지임을 밝히고 있다.

고득점 서술형 문제

본문 57~58쪽

1단계 **01** 줄다리기, 친구들　**02** 가운데-1-가. 줄다리기의 뜻　**03** 지네　**04** 내용 조직하기　**05** 정의
2단계 **06** 줄다리기를 하는 방법(줄다리기의 편 구성 방식)을 설명할 때 활용할 수 있다.　**07** Ⓐ: 설명하는 글, Ⓑ: 객관적이고 정확한, Ⓒ: 설명 방법　**08** 개요를 작성하면 글의 내용을 좀 더 구체적이고 체계적으로 조직하고 배열할 수 있으며, 내용을 더 효과적으로 표현할 수 있다.
3단계 **09** 줄다리기를 통해 공동체를 결속할 수 있고 개인이 집단 구성원으로서의 정체성을 확립할 수 있으므로 줄다리기를 보존하고 계승하자.　**10** ㉮: 어려운 단어를 쉬운 표현으로 바꾸고, 내용이 자연스럽게 연결되도록 문장을 다듬어야 한다. / ㉯: 귀지의 역할을 보충해야 한다.

1단계

01 (가)에서 '민재'는 줄다리기에 흥미를 느낀 후, 줄다리기에 대한 정보를 찾아 친구들에게 알려 줘야겠다고 계획하고 있다.

02 (나)는 국어사전의 내용으로 줄다리기의 뜻을 밝혀 설명하고 있으므로, (라)의 '가운데-1-가. 줄다리기의 뜻'을 설명할 때 활용할 수 있다.

03 (다)에서는 곁줄이라고 불리는 작은 줄들이 몸줄 좌우에 붙어 있는 모양을 무수한 발들을 가진 지네에 빗대어 효과적으로 표현하고 있다.

04 내용 조직하기 단계에서는 수집한 자료를 바탕으로 설명하는 글의 구조인 '처음-가운데-끝'에 맞게 개요를 작성한다.

05 ㉠에서는 대상의 본질, 개념, 뜻을 밝히며 설명하는 정의를 활용하여 귀지의 뜻을 설명하고 있다.

2단계

06 <보기>는 줄다리기의 일반적인 편 구성 방식을 비교와 대조의 방식으로 설명하고 있다. 따라서 <보기>는 (라)의 '가운데-2. 줄다리기를 하는 방법(줄다리기의 편 구성 방식)'을 설명할 때 활용할 수 있다.

07 (마)는 설명하는 글(Ⓐ)로, 대상에 대한 정보를 객관적이고 논리적으로 서술한 글이다. 따라서 이러한 글을 쓰기 전 내용을 생성하는 단계에서는 객관적이고 정확한(Ⓑ) 정보를 중심으로 자료를 수집해야 한다. 마지막으로 설명하는 글을 쓸 때에는 적절한 설명 방법(Ⓒ)을 활용하여 내용을 효과적으로 표현해야 한다.

08 (라)는 글의 내용을 어떻게 구성할 것인지를 일목요연하게 표로 나타낸 개요이다. 따라서 (라)와 같은 개요를 작성하면 내용을 좀 더 구체적이고 체계적으로 조직하고 배열할 수 있다. 그리고 내용을 더 효과적으로 표현할 수 있다.

3단계

09 <보기>에서는 줄다리기가 놀이에 참여하는 공동체를 결속하게 하고, 개인에게는 집단 구성원으로서의 정체성을 확립할 수 있도록 해 주는 사회적 가치가 있다고 하고 있다. 따라서 글쓴이는 이를 근거로 줄다리기를 보존하고 계승하자는 당부를 할 수 있다.

평가 목표	개요에 따라 글쓰기
채점 기준	✔ 줄다리기를 보존하고 계승하자는 당부를 <조건>에 맞게 쓴 경우 [20점] ✔ 당부를 맞게 썼지만, 근거의 내용이 미흡한 경우 [10점] ✔ 띄어쓰기나 맞춤법이 잘못되었을 경우 [1점씩 감점]

10 <보기>의 ㉮는 '외이', '중이', '내이' 같은 어려운 단어를 쉬운 표현으로 바꾸고 내용이 자연스럽게 연결되도록 문장을 다듬었다. 그리고 <보기>의 ㉯는 귀지가 외투 역할을 하기도 한다는 귀지의 역할을 보충하였다.

평가 목표	고쳐쓰기 방안 파악하기
채점 기준	✔ ㉮와 ㉯의 고쳐쓰기 방안을 모두 <조건>에 맞게 쓴 경우 [20점] ✔ ㉮와 ㉯의 고쳐쓰기 방안 중 한 가지만 맞게 쓴 경우 [10점] ✔ 띄어쓰기나 맞춤법이 잘못되었을 경우 [1점씩 감점]

정답과 해설

본문 59~60쪽

예상 적중 대단원 평가

01 ⑤ **02** ③ **03** 우리에게 유용한 물질을 만들기 때문에 발효된 물질은 사람이 안전하게 먹을 수 있다. **04** ⑤ **05** ② **06** ③ **07** ② **08** 글의 처음 부분에 읽는 이의 흥미를 유발할 만한 내용을 추가한다.

01 이 글에서는 전문가의 견해를 인용하여 발효 식품을 설명하고 있지 않다.

오답 풀이 ① (가)에서는 질문을 통해 앞으로 설명할 내용을 소개하고, 독자의 궁금증을 불러일으키고 있다.
② (라)에서는 전통 발효 식품의 효용 가치에 대해 강조하고 이를 발전시킬 방법도 생각해 보자는 제안을 하고 있다.
③ 이 글에서는 우리의 전통 음식, 특히 김치를 사례로 들어 전통 발효 식품의 우수성을 설명하고 있다.
④ 이 글의 끝부분인 (라)에서는 '지금까지 우리의 전통 음식을 중심으로 발효 식품의 우수성을 알아보았다.'라고 하며 앞부분의 내용을 요약정리하고 있다.

02 이 글은 우리의 전통 발효 식품을 예로 들어 발효 식품의 우수성을 설명하고 있을 뿐, 우리의 전통 발효 식품과 서양의 발효 식품을 비교하고 있지는 않다.

03 서술형 (나)에서는 '발효'와 '부패'를 비교·대조하고 있다. '발효'와 '부패'는 모두 미생물이 유기물에 작용하여 물질의 성질을 바꾸어 놓는다는 점에서 같지만, '부패'와 달리 '발효'는 우리에게 유용한 물질을 만들기 때문에 발효된 물질은 사람이 안전하게 먹을 수 있다고 하였다.

04 <보기>에서는 남의 눈에 눈물을 내면 제 눈에는 피눈물이 난다고 하였는데, 이는 원인과 결과를 중심으로 설명하는 인과가 활용된 것이다. ⓔ 역시 인과의 설명 방법을 활용하여 김치가 잘 썩지 않는 이유를 설명하고 있다.

05 줄다리기는 특정 시기에 발생하여 발전해 왔기 때문에 그 유래를 시대별로 나누어 설명할 수 없다. 줄다리기의 유래는 인과의 설명 방법을 활용하여 설명하는 것이 효과적이다.

06 (가)의 비녀목이 놀이 도중에 부러지게 되면 수줄 편이 진 것으로 간주한다는 내용은 줄다리기의 규칙에 해당한다. 따라서 (가)의 자료는 '가운데-2-나.'에서 '줄다리기의 규칙'을 설명할 때 활용할 수 있다.

07 예상 독자의 지식과 수준에 따라 전문어를 쉬운 표현으로 바꾸어 써야 하는 경우가 있으므로 ②는 설명하는 글을 평가하는 기준이 될 수 없다.

08 고난도 서술형 <보기 2>는 사람들이 일상에서 흔히 겪는 일을 통해 설명할 대상을 소개하고, 질문을 던져 그와 관련된 지식에 대한 궁금증을 불러일으키고 있다.

평가 목표	평가하고 고쳐쓰기
채점 기준	✔ 글의 구성 단계와 고쳐쓰기 방안을 모두 바르게 쓴 경우 [상] ✔ 글의 구성 단계와 고쳐쓰기 방안을 모두 썼으나, 그 내용이 미흡한 경우 [중] ✔ 글의 구성 단계만 쓰고 고쳐쓰기 방안을 바르게 쓰지 못한 경우 [하]

본문 62~66쪽

실전에 강한 중간 고사 대비 모의고사 1회

01 ④ **02** ③ **03** ② **04** 지혜, 지식 **05** ④ **06** ⑤ **07** ⑤ **08** ⑤ **09** ② **10** ③ **11** 무분별한 플라스틱 사용으로 발생한 바다 오염의 심각성을 살펴보고, 그 해결 방법을 찾아보자. **12** ③ **13** ④ **14** ④ **15** ③ **16** 무엇을 타고 왔니? **17** ③ **18** 상황 맥락 **19** ④ **20** 다른 문화권의 사람과 대화할 때에는, 우리의 문화가 담긴 관용적 표현보다는 구체적이고 직접적인 표현을 사용해야 한다. **21** ⑤ **22** ④ **23** ② **24** ④ **25** ④ **26** 의미 공유 과정

01 글쓴이는 달리기, 노래 부르기와 같이 일상에서 마음을 다스리는 방법을 제시하면서 책 읽기 역시 마음을 다스리는 방법 중의 하나라는 것을 밝히고 있다. 즉 마음을 다스리기 위해 책을 읽으라는 것이지, 책을 제대로 읽기 위해 마음을 다스리라는 것은 아니다.

02 (다)는 읽었던 책의 내용이 여러 가지 분야에서 도움이 되거나 살아가는 데 용기와 힘을 주고, 삶의 지침이 될 수 있다는 내용을 담고 있다. 하지만 ③은 이와는 관계가 없다.

03 (나)에서는 '이덕무'의 예시를 통해 책 읽기 역시 달리기, 노래하기처럼 마음을 다스리는 방법 가운데 하나라는 것을 제시하였다.

04 서술형 '만병통치약'이라는 표현은 글을 읽는 것 자체로 모든 병을 낫게 한다는 것이 아니라, 책을 읽음으로써 얻을 수 있는 삶의 지혜와 지식, 간접 경험의 효용성을 빗대어 표현한 것이다.

05 (다)에서 제시한 '평균 식품 에너지 공급 충분성' 자료는 식량이 충분한데도 기아 문제가 발생하는 원인을 생각해 볼 수 있도록 하는 자료이다. 따라서 이 자료와 '기아 문제가 발생하는 원인'은 직접적인 관련이 없다.

06 (라)에서 (라)의 앞에서 기아 문제의 심각성과 원인, 해결 방법을 알아보았다고 하였다. 따라서 (다) 이후에는 문제의 원인을 제시하고, 그에 따른 해결 방법을 다루는 방식으로 내용을 구성할 것임을 짐작할 수 있다.

07 ㉠은 듣는 이의 관심과 흥미를 불러일으키면서 '기아 문제의 심각성과 해결 방안'이라는 발표문의 주제와 자연스럽게 연관을 짓기 위해 언급한 것이다.

08 (라)에서는 기아 문제가 우리와 동떨어져 있는 일이 아니라는 점을 강조하면서, 듣는 이에게 기아 문제 해결에 동참할 것을 호소하고 있다. 이를 위해 ㉡과 같은 권위 있는 사람의 말을 인용해서 듣는 이의 인식 변화를 촉구하고, 발표자의 생각을 호소력 있게 전하고 있다.

09 독립 기념관의 배치 및 관람 순서는 독립 기념관의 공간 배치와 공간 이동에 따라 내용을 조직하여 발표하는 것이 효과적이다.

10 (가)에는 '글쓴이는 환경 단체에서 활동을 하면서 환경이나 생태와 관련한 책을 많이 쓴 사람'이라는 글쓴이에 대한 정보가 나타난다.

11 서술형 '우리 모둠'은 플라스틱 사용으로 오염된 바다의 상황을 다룬 『지구인의 도시 사용법』이라는 책의 내용을 정리하려고 한다. 따라서 이를 바탕으로 환경 오염과 관련된 주제를 정한다면, 플라스틱과 바다 오염, 그 해결 방법에 대한 내용이 적절하다.

12 발표문의 가운데 부분에는 플라스틱의 정의와 플라스틱 때문에 발생한 바다 오염 실태, 플라스틱이 생태 환경에 미치는 영향 분석, 플라스틱 사용을 줄이기 위한 구체적인 해결 방안 등을 다루어야 한다.

13 〈보기〉 자료를 통해 폐기된 플라스틱 대부분이 바다에 버려지는 경우가 많다는 것을 제시함으로써, 플라스틱이 바다 오염을 일으키는 요인임을 보여 줄 수 있다.

14 같은 말이나 글도 의사소통이 언제, 어디에서 이루어지느냐에 따라 뜻이 달라질 수 있다. 이와 같이 담화가 이루어지는 구체적인 시간과 공간을 가리켜 상황 맥락이라고 한다.

오답 풀이 ① 담화는 말하는 이, 듣는 이와 같은 담화 참여자, 전달하려는 내용, 맥락으로 구성된다.
② 담화는 말하는 이와 듣는 이가 함께 의미를 공유하는 협력적인 의사소통이다.
③ 같은 말이나 글도 의사소통이 이루어지는 시간과 공간에 따라 뜻이나 표현이 달라질 수 있다. 따라서 담화 참여자와 맥락을 함께 고려해야 한다.
⑤ 담화는 지역, 시대, 성별, 문화, 역사적 상황 등에 따라 뜻이나 표현이 다양하게 나타난다.

15 (가)는 아침 체험 활동에서 발생한 담화이므로, 담화가 이루어진 시간은 저녁이 아니라 아침이다.

16 서술형 '세민'의 질문에 '민재'가 자신이 이용한 교통수단이 무엇인지를 말했기 때문에, ㉠은 "무엇을 타고 왔니?"라는 의미로 해석할 수 있다.

17 ㉡은 어머니께서 늦은 밤까지 집으로 돌아가지 않는 친구에게 "시간이 늦어 어머니께서 걱정하실 테니 빨리 집으로 돌아가라."라는 의미로 한 말이다.

18 서술형 담화가 이루어지는 구체적인 시간과 공간을 가리켜 상황 맥락이라고 하는데, 이러한 상황 맥락은 담화의 뜻뿐만 아니라 표현에도 영향을 미친다.

19 〈보기〉는 '양심을 지키세요.'라는 표현이 지하철역, 건널목, 해수욕장에서 사용될 때, 각 상황에서 나타내는 의미이다.

20 고난도 서술형 문화권에 따라 사용하는 언어 표현이 다르거나, 표현이 같더라도 서로 다른 뜻으로 받아들일 수 있다는 것을 고려하여, 상대가 이해할 수 있는 언어 표현을 사용하는 것이 중요하다.

평가 목표	사회·문화적 맥락에 따른 담화 상황 파악하기
채점 기준	✔ 다른 문화권의 사람과 원활하게 의사소통을 하기 위해 고려할 사항을 〈조건〉에 맞게 서술한 경우 [상] ✔ 다른 문화권의 사람과 원활하게 의사소통을 하기 위해 고려할 사항을 〈조건〉에 맞게 서술했으나 내용이 미흡한 경우 [중] ✔ 다른 문화권의 사람과 원활하게 의사소통을 하기 위해 고려할 사항을 서술했으나, 〈조건〉에 맞지 않고 내용이 미흡한 경우 [하]

21 담화에 영향을 주는 사회·문화·역사적 상황 및 공동체의 의식이나 가치 등을 담화의 사회·문화적 맥락이라고 한다. (가)에는 지역에 따른 담화의 사회·문화적 맥락이 나타나지만, (나)에는 담화의 그러한 맥락이 잘 나타나지 않는다.

22 안내문이나 문학 작품에서 지역 방언을 의도적으로 사용하면 해당 지역의 특색과 분위기를 드러낼 수 있다.

23 (나)의 아들은 엄마를 설득하기 위한 타당한 근거가 필요하고, 엄마는 아들의 말을 긍정적으로 듣는 태도와 타당한 근거를 들어 아들을 설득하는 자세가 필요하다.

24 강연자는 학생인 듣는 이의 지식수준을 고려하지 않고 어려운 용어를 사용하고 있다. 따라서 강연자는 듣는 이의 지식수준을 고려하여 용어를 쉽게 풀어 설명해 주어야 한다.

25 듣기·말하기 활동은 상대와 더불어 내용을 창조하고 그 의미를 공유해 가는 과정이므로, 말하는 이와 듣는 이는 상대방의 입장을 고려하고, 상대방을 배려하는 태도로 대화에 임해야 한다.

26 서술형 이 글에서는 듣기·말하기가 일방적으로 뜻을 전달하고 뜻을 전달받는 의사소통 과정이 아니라, 상대와 더불어 내용을 창조하고 그 의미를 공유해 가는 과정이라고 하였다.

실전에 강한 기말고사 대비 모의고사 1회

본문 67~72쪽

01 ④ **02** ④ **03** 〈보기〉와 같이 말하는 이의 속마음을 직접적으로 드러내면 '당신'을 그리워하는 말하는 이의 절절한 마음이 덜 느껴진다. **04** ① **05** ③ **06** ⑤ **07** ④ **08** ① **09** 부정적, 긍정적 **10** ④ **11** ④ **12** ⑤ **13** •'박 선생님'과 비슷한 유형: 두꺼비 / •풍자하는 내용: 자신보다 힘이 약한 대상은 괴롭히고 자신보다 힘이 센 대상에게서는 도망치는 이중적이고 부조리한 행동 **14** ① **15** ③ **16** •문장이 어색한 까닭: 문장이 너무 길어서 문장 전체의 뜻을 이해하며 읽기에 어렵다. / •고친 표현: 우리가 "민들레!" 하고 부르면 민들레는 자기 이름을 알아듣고 우리 곁으로 다가왔다. 그러고는 우리 곁을 맴돌면서 삐악삐악 노래를 불렀다. 그런 민들레의 모습은 정말 귀엽고 사랑스러웠다. **17** ④ **18** ② **19** ⑤ **20** ①, ② **21** •설명 방법: 정의 / •이 글에서 동일한 설명 방법이 쓰인 문장: 발효란 곰팡이나 효모와 같은 미생물이 탄수화물, 단백질 등을 분해하는 과정을 말한다. **22** ③ **23** ③ **24** 암줄, 수줄, 차이점 **25** ⑤

01 (가)의 말하는 이는 떠난 임을 잊지 못하는 자신의 속마음과는 반대로 '잊었노라'라고 표현하고 있다. 하지만 이는 말하는

이의 마음을 반어로 표현한 것으로, 실제로는 떠난 임을 잊지 못하고 있다.

02 (가)는 민요에서 자주 나타나는 3음보 율격의 시이다. 시행을 세 마디로 바르게 끊어 표시한 것은 ④이다.

오답 풀이 ① '먼 훗날∨당신이∨찾으시면'과 같이 끊어 읽어야 한다.
② '그때에∨내 말이∨'잊었노라''와 같이 끊어 읽어야 한다.
③ '당신이∨속으로∨나무라면'과 같이 끊어 읽어야 한다.
⑤ '먼 훗날∨그때에∨'잊었노라''와 같이 끊어 읽어야 한다.

03 서술형 〈보기〉처럼 표현하면 말하는 이의 심리가 확실하게 드러나지만, 말하는 이가 자신의 속마음을 반대로 표현했을 때와 달리 '당신'을 그리워하는 절절한 마음이 잘 느껴지지 않는다.

04 ㉡에는 겉으로는 뜻이 모순되고 이치에 맞지 않는 것 같지만, 그 속에 진리를 담고 있는 '역설'이 사용되었다. 실제의 의미보다 더하게 표현하는 것은 '과장법'이다.

05 '이젠 괜찮은데, 사랑 따윈 저버렸는데'는 반어 표현으로, 말하는 이의 속마음을 반대로 표현한 것이다. 이것은 '아직도 당신이 그립고, 당신을 향한 사랑을 버리지 않았다.'는 의미를 더욱 강조하는 표현이다.

06 이 글은 해방 전후, 어느 초등학교를 배경으로 한 소설이다.

07 '강 선생님'은 수업 시간이 아닌 평상시에는 일본 말 대신 조선말을 사용한다. 이는 일제에 동조하지 않고, 자기 나름대로 일제에 저항하면서 민족정신을 지키려는 의도가 담긴 행동으로 볼 수 있다.

08 (가)에서는 '박 선생님'의 외양을 묘사하면서 우스꽝스럽게 표현하고 있다. 이것은 외양 묘사를 통해 '박 선생님'의 됨됨이를 풍자하기 위한 글쓴이의 의도가 나타난 것이다.

09 서술형 (가)에서는 '박 선생님'을 우스꽝스럽게 묘사하면서 '박 선생님'에 대한 '나'의 부정적인 인식을 나타내었다. (나)에서는 '박 선생님'과 정반대로 생긴 이가 '강 선생님'이라고 하면서 '강 선생님'의 외양과 성격을 긍정적으로 표현하였다.

10 '박 선생님'은 광복 이후 미국의 영향력이 점점 커지자 미국에 협력하기 위해 미국 말을 공부하고, 결국 미군의 통역 역할을 하며 개인적 이익을 얻게 된다.

11 '박 선생님'은 일제 강점기에는 ㉠처럼 친일적인 태도를 보이고, 해방 후에는 ㉡과 ㉢처럼 일본을 깎아 내리고, 미국을 추종하며 찬양하고 있다. 이처럼 '박 선생님'은 일관된 입장을 지니지 못하고 그때그때의 정세에 따라 이로운 쪽으로 행동하는 기회주의적인 면모를 드러내고 있다.

12 ⓐ는 어린아이의 시선으로 '박 선생님'의 말을 희화화함으로써 '박 선생님'을 풍자한 부분이다. ⑤는 풍자가 아니라 역설에 대한 설명이다.

13 서술형 '박 선생님'은 기회주의적으로 행동하는 인물 유형이다. 제시된 시조의 '두꺼비' 역시 힘이 약한 대상과 힘이 강한 대상을 대하는 태도가 다른 이중적이고 부조리한 모습을 보이고 있다.

14 이 글은 병아리 '민들레'와의 추억과 '민들레'에 대한 그리움을 담고 있다. 따라서 글의 제목으로는 '민들레에 대한 그리움'이라는 전체 내용을 포괄할 수 있는 ①이 적절하다.

15 (가)는 '민들레'를 떠올리는 '나', (나)는 '나'와 '민들레'의 첫 만남, (다)는 '민들레'를 방에서 기르고 싶어 하던 '나', (라)는 '민들레'와의 이별, (마)는 병아리에게 '민들레'라는 이름을 지어 준 이유에 대한 내용이다. 이것을 글의 흐름에 맞게 배열하면 '민들레'를 떠올린 계기에서 '민들레'와의 첫 만남, 이후에 벌어진 일들, '민들레'와의 이별 순으로 정리할 수 있다.

16 고난도 서술형 (마)의 마지막 문장이 너무 길어서 문장 전체의 뜻을 이해하며 읽기가 어렵다. 긴 문장은 내용에 따라 두세 문장으로 분리한 후, 적절한 접속어로 연결하면 매끄럽게 만들 수 있다.

평가 목표	문장 수준에서 글을 고쳐쓰기
채점 기준	✔ 어색한 문장을 찾아 〈조건〉에 맞게 바르게 고쳐 쓴 경우 [상] ✔ 어색한 문장을 찾아 고쳐 썼으나 〈조건〉에 맞지 않는 경우 [중] ✔ 어색한 문장을 찾았으나, 바르게 고쳐 쓰지 못한 경우 [하]

17 '대수롭다'는 주로 부정문에서 '중요하게 여길 만하다.'라는 의미로 쓰이는데, 글의 내용으로 보아 문맥상 적절하게 쓰인 단어이다. '시시하다'는 '신통한 데가 없고 하찮다.'라는 의미이다.

18 이 글은 우리나라 전통 발효 식품의 우수성을 다양한 설명 방법을 활용하여 객관적으로 설명하는 글이다.

19 (마)에서는 된장의 우수성을 설명하면서, 메주가 발효되면서 항암 물질이 만들어진다고 했다. 하지만 이 항암 물질이 부패하기 쉽다는 내용은 제시되지 않았다.

20 (나)에서는 발효의 개념을 밝히며 설명하는 '정의', 발효와 부패의 공통점을 밝혀 설명하는 '비교', 발효와 부패의 차이점을 밝혀 설명하는 '대조'의 설명 방법을 사용했다.

21 서술형 〈보기〉의 밑줄 친 부분은 관악기, 현악기, 타악기의 개념을 밝혀 설명하는 '정의'의 방법이 쓰였다. 이 글에서는 (나)에서 발효의 개념을 밝혀 설명하고 있다.

22 (라)에서 줄다리기를 전승하려는 노력에 대해 설명하고 있지만, 줄다리기의 전승 방식에 대한 설명은 제시하지 않았다.

23 제시된 자료는 줄다리기가 여러 측면에서 매우 가치 있는 놀이이므로 이를 잘 보존하고 계승해야 한다는 내용을 인과의 설명 방법을 활용하여 제시하고 있다.

24 서술형 줄다리기 편 구성 방법은 경상남도 영산 지방과 전라남도 강진 지방이 서로 반대이다. 이러한 내용을 설명하기 위해 대상 간의 차이점을 밝혀 설명하는 '대조'의 설명 방법을 사용하였다.

25 설명하는 글을 쓸 때에는 객관적이고 정확한 정보를 중심으로 자료를 수집하여, 대상에 대한 정확한 정보와 사실을 제공해야 한다.

한·끝·시·리·즈 필수 개념과 시험 대비를 한 권으로 끝! 국어 공부의 진리입니다.

대표전화 1544-0554
주소 서울특별시 구로구 디지털로33길 48 대륭포스트타워 7차 20층

15개정 교육과정

시험 대비 자료
만점 마무리 + 간단 복습 문제 + 소단원 평가 + 서술형 문제 + 대단원 평가 + 중간・기말고사 대비 모의고사

중등 국어 2·1

교과서편

책 속의 가접 별책 (특허 제 0557442호)
'시험 대비 문제집'은 본책에서 쉽게 분리할 수 있도록 제작되었으므로
유통 과정에서 분리될 수 있으나 파본이 아닌 정상제품입니다.

ABOVE IMAGINATION

우리는 남다른 상상과 혁신으로
교육 문화의 새로운 전형을 만들어
모든 이의 행복한 경험과 성장에 기여한다

시험 대비 문제집

비상교육 교과서편

중등 국어 2-1

만점 마무리 (1) 읽기의 가치와 중요성

◆ 제재 선정 의도

「읽으면 읽을수록 좋은 만병통치약」은 역사적 인물인 '이덕무'에게 읽기가 어떤 의미를 지녔는지 살펴봄으로써 읽기의 가치와 중요성을 설명한 글이다. 친근한 어조로 내용을 쉽게 전달하여 읽기에 흥미가 없거나, 글을 잘 읽지 못하는 학생도 책 읽기의 유익함을 부담 없이 생각해 볼 수 있다는 점에서 이 글을 제재로 선정하였다.

◆ 제재 이해

갈래	설명하는 글
성격	예시적, 해설적, 교훈적
제재	'이덕무'의 책 읽기
주제	책 읽기의 가치와 중요성
특징	• 친근한 어조를 사용하여 부드러운 분위기를 형성함. • 문답법을 사용하여 독자의 관심과 호응을 유도함.

◆ 제재 요약

처음 공부를 잘하기 위해서, 더 똑똑한 사람이 되기 위해서, 재미를 위해서 등 책을 읽는 까닭은 셀 수도 없이 많다.

가운데 '이덕무'는 책을 읽으면 배고픈 줄 모르게 되고, 추위를 잊게 되고, 온갖 상념이 일시에 사라지고, 기침이 멋게 된다고 하며, 책 읽기의 유익함 네 가지를 말하였다. 또한, 자신의 힘든 처지 때문에 마음이 답답했던 '이덕무'는 책 읽기를 통해 마음을 다스렸다.

끝 여러 좋은 점이 많아 만병통치약과도 같은 책 읽기를 실천하자.

◇ '이덕무'가 말한 책 읽기의 유익함

첫 번째 유익함	배가 고플 때 책을 읽으면 글에 담긴 이치를 맛보느라 배고픔을 잊게 됨.
두 번째 유익함	추울 때 책을 읽으면 그 기운이 그 소리를 따라 몸속에 스며들면서 추위를 잊게 됨.
세 번째 유익함	근심과 번뇌가 있을 때 책을 읽으면 온갖 상념이 일시에 사라짐.
네 번째 유익함	기침을 할 때 책을 읽으면 기운이 통창해져 기침 소리가 멎게 됨.

◇ '이덕무'가 책 읽기에 몰두한 까닭

• 학식이 뛰어났지만 서자 출신이어서 벼슬을 할 수 없었음.
• 가난하여 끼니를 걱정해야 했지만 양반인 까닭에 할 수 있는 일이 없었음.

➡ 마음이 답답하고 힘들 때면 책 읽기에 몰두하며 마음을 달램.

◇ 글쓴이가 말하는 읽기의 가치

글을 읽으면 좋은 점
• 글에 담긴 뜻을 이해하면서 지혜로워질 수 있음.
• 몰랐던 것을 알게 되면서 지식을 쌓을 수 있음.
• 배고픔이나 추위를 잊을 수 있음.
• 걱정이나 근심을 해결할 수 있음.
• 몸의 병도 낫게 할 수 있음.

➡ 글을 읽는 것 = 만병통치약

◇ 이 글에 사용된 서술 방법의 특징

• 조선 시대 책벌레인 '이덕무'의 책 읽기 사례를 제시하여 설득력을 높이고 있다.
• 친근한 어조를 사용하여 부드러운 분위기를 형성하고 있다.
• 문답법을 사용하여 독자의 관심과 호응을 유도하고 있다.

◇「보잘것없는 나무들이 아름다운 이유」에 나타난 글쓴이의 깨달음

시로미	물기 가득하고 실한 열매를 맺음.
관목	숲이 생길 때 틀을 잡아 주고, 자연재해에 맞서 숲 전체를 지켜 나감.
개척 식물	불모지의 지반을 안정시키고 윤택한 토양을 만들어 냄.
싸리나무	산불로 폐허가 된 땅에서 불난 자리를 녹화함.
고사리	잿더미 속에 가장 먼저 자리를 잡고 싹을 틔움.

— 보잘것없지만 가치 있는 역할을 하는 식물들로, 누군가 자신들의 역할을 알아주지 않더라도 나무 세계에서 소임을 다 해냄.

⬇

글쓴이의 깨달음
이 세상에서 소중하지 않은 삶은 없으며, 세상 모든 것은 저마다 가치를 지니고 있음.

간단 복습 문제

(1) 읽기의 가치와 중요성

• 정답과 해설 23쪽

쪽지 시험

[01~03] 「읽으면 읽을수록 좋은 만병통치약」을 읽고, 다음 설명에 들어갈 알맞은 낱말을 ( )에서 골라 ○표 하시오.

01 글쓴이는 독자에게 '친구들'이라고 부르는 등 (단호한 / 친근한) 어조를 사용하여 부드러운 분위기를 형성하고 있다.

02 '이덕무'는 뛰어난 학식을 지녔지만 (서자 / 천민) 출신이어서 벼슬을 할 수가 없었다.

03 '이덕무'는 조용히 책을 (읽으면서 / 쓰면서) 슬프고 절망스러운 마음을 위로받았다.

[04~06] 「읽으면 읽을수록 좋은 만병통치약」에 대한 설명이 맞으면 ○표, 틀리면 ×표 하시오.

04 글쓴이는 우리가 책을 읽어야 하는 까닭이 셀 수도 없이 많다고 하였다. ( )

05 '이덕무'는 기침을 할 때 책을 읽으면 기운이 통창해져 기침 소리가 돌연 멎게 된다고 하였다. ( )

06 '이덕무'는 실제로 '책만 보는 바보'라는 뜻의 '마니아'라고 불리기도 했다. ( )

[07~10] 「보잘것없는 나무들이 아름다운 이유」를 읽고, 다음 설명의 빈칸에 들어갈 알맞은 낱말의 기호를 〈보기〉에서 골라 쓰시오.

보기
㉠ 관목 ㉡ 고사리 ㉢ 시로미 ㉣ 개척 식물

07 글쓴이는 남대문 야시장에서 삶의 활력을 얻고 시장을 나서는 순간, ( )을/를 떠올린다.

08 ( )은/는 숲이 생길 때 가장 중심부에서 그 틀을 잡아 준다.

09 ( )은/는 불모지에 가장 먼저 들어와 지반을 안정시키고 윤택한 토양을 만들어 낸다.

10 거친 들에서 흔히 볼 수 있는 ( )은/는 잿더미 속에 가장 먼저 자리를 잡고 싹을 틔운다.

어휘 시험

[01~03] 다음 설명에 해당하는 낱말을 〈보기〉에서 골라 쓰시오.

보기
간서치, 독서삼매, 서자

01 다른 생각은 전혀 아니 하고 오직 책 읽기에만 골몰하는 경지 ( )

02 양반과 양민 여성 사이에서 낳은 아들 ( )

03 지나치게 책을 읽는 데만 열중하거나 책만 읽어서 세상 물정에 어두운 사람을 비유적으로 이르는 말 ( )

[04~07] 다음 문장의 빈칸에 들어갈 알맞은 낱말을 〈보기〉에서 골라 쓰시오.

보기
초석, 교양, 상념, 혈안

04 말은 그 사람의 됨됨이와 ( ) 수준을 드러낸다.

05 그는 의자에 앉아 한동안 ( )에 젖어 있었다.

06 광복군의 희생은 조국 광복의 ( )이/가 되었다.

07 그는 돈을 버는 데에 ( )이/가 되어 친구를 배신했다.

[08~11] 다음 낱말과 그 뜻풀이를 바르게 연결하시오.

08 통창하다 • • ㉠ 시원스럽게 넓고 환하다.

09 영위하다 • • ㉡ 일을 꾸려 나가다.

10 통용되다 • • ㉢ 소리가 맑고 또랑또랑하다.

11 낭랑하다 • • ㉣ 일반적으로 두루 쓰이다.

예상 적중 소단원 평가 (1) 읽기의 가치와 중요성

01~04 다음 글을 읽고, 물음에 답하시오.

가 친구들, 고요한 마음으로 책을 읽다 보면 어느새 졸음이 밀려오거나 금세 지루해져서 몸이 비비 꼬이지? 특히 숙제로 독후감을 써야 할 때, 텔레비전을 보거나 게임을 하고 싶은데 엄마가 억지로 책을 읽으라고 말씀하실 때 더 힘들고 더 읽기가 싫지?

나 약간 배가 고플 때 책을 읽으면 그 소리가 훨씬 낭랑해져 글에 담긴 이치를 맛보느라 배고픈 줄도 모르게 되니 이것이 첫 번째 유익함이요, 조금 추울 때 책을 읽으면 그 기운이 그 소리를 따라 몸속에 스며들면서 온몸이 활짝 펴져 추위를 잊게 되니 이것이 두 번째 유익함이요, 근심과 번뇌가 있을 때 책을 읽으면 내 눈은 글자에 빠져들고 내 마음은 이치에 잠기게 되어 천만 가지 온갖 상념이 일시에 사라지니 이것이 세 번째 유익함이요, 기침을 할 때 책을 읽으면 기운이 통창해져 막히는 바가 없게 되어 기침 소리가 돌연 멎게 되니 이것이 네 번째 유익함이다.

다 어때, 놀랍지 않아? 배고프고 춥고 골치 아픈 일도 있고 게다가 감기까지 걸렸는데 책을 읽으면 다 낫는다니 말이야. 오직 책 책 책! 책에 이렇게 열중하다니 우리가 요즘 흔히 말하는 '마니아'와 비슷하네. 이덕무는 실제로 '책만 보는 바보'라는 뜻의 '간서치'라고 불리기도 했대.

라 사실, 이 사람의 상황을 알면 그 심정이 이해가 될 거야. 이덕무는 서자여서 아무리 학식이 뛰어나도 벼슬을 할 수가 없었어. 너무나 가난하여 식구들의 끼니를 걱정해야 했지만 자신이 할 수 있는 일은 별로 없었지. 아무리 서자라도 양반은 양반이니까 아무 일이나 할 수는 없었거든. 그러니 얼마나 답답했겠어. 그럴 때 위로가 되고 힘을 준 것이 바로 책과 그 책을 읽고 함께 이야기를 나눌 수 있는 벗들이었지.

마 ㉠<u>이렇게 보니까 글을 읽는 것은 정말 만병통치약인 것 같아.</u> 글 속에 담긴 뜻을 이해하면서 지혜로워지고, 몰랐던 것들을 알게 되면서 지식을 쌓는 건 말할 것도 없고, 배고픔이나 추위도 잊을 수 있고, 걱정이나 근심을 해결하며 몸의 병도 낫게 한다니, 이보다 더 좋은 만병통치약이 어디 있겠어?

01 이 글에 대한 설명으로 알맞지 <u>않은</u> 것은?

① 높임말로 서술하여 편안한 느낌을 주고 있다.
② 위인의 사례를 제시하여 글을 전개하고 있다.
③ 질문을 던져 독자의 반응을 이끌어 내고 있다.
④ 동일한 단어를 반복하여 의미를 강조하고 있다.
⑤ 친근한 호칭을 사용하여 부드러운 분위기를 형성하고 있다.

02 이 글을 통해 알 수 <u>없는</u> 것은?

① '이덕무'가 생계를 유지했던 방법
② '이덕무'가 '간서치'라고 불린 까닭
③ '이덕무'가 말하는 책 읽기의 유익함
④ '이덕무'가 벼슬을 할 수 없었던 까닭
⑤ '이덕무'가 책 읽기에 몰두할 수밖에 없는 까닭

03 (나)의 내용을 고려할 때, '이덕무'와 유사한 까닭으로 책을 읽은 사람은?

① 세광: 읽을수록 어떤 사건이 펼쳐질지 흥미진진해서 소설책을 읽었어.
② 진호: 친구와 다투어서 많이 힘들었는데 시집을 읽고 마음이 차분해졌어.
③ 민서: 집에서 본 잡지 내용을 화제로 처음 만난 친구와 쉽게 이야기할 수 있었어.
④ 태윤: 어렵게 역경을 이겨 내고 성공한 사람의 수기를 읽고 삶의 지혜를 배울 수 있었어.
⑤ 민우: 인공 지능에 대해 발표해야 했는데 과학 잡지를 읽고 관련 내용을 많이 알게 되었어.

04 ㉠을 뒷받침하는 근거로 알맞지 <u>않은</u> 것은?

① 배고픔이나 추위를 잊을 수 있다.
② 걱정이나 근심을 해결할 수 있다.
③ 새로운 것에 대한 호기심을 키울 수 있다.
④ 몰랐던 것을 알게 되면서 지식을 쌓을 수 있다.
⑤ 글에 담긴 뜻을 이해하면서 지혜로워질 수 있다.

05~08 다음 글을 읽고, 물음에 답하시오.

가 물통의 물도 다 떨어지고 입안이 바짝 마르던 차에 나는 시로미의 검붉은 열매를 한 움큼 따서 입안에 털어 넣었다. 시큼털털한 첫맛에 얼굴이 찡그려졌지만 이내 단 기운이 가득히 퍼지면서 입안 구석구석을 적셨다. 콩알보다 작은 열매에 어떻게 그런 물기가 담겨 있는지, 그 작은 열매 한 줌 먹은 것이 꼭 약수 몇 사발을 들이켠 기분이었다.

나 언저리에 자리 잡은 관목들은 숲 주변부로 자기들을 밀어낸 교목들을 보호해 준다. 이 볼품없는 관목들이 자연재해에 맞서며 숲 전체를 지켜 나가는 것이다. 이 덕분에 숲은 보다 다양한 종이 어우러져 건강한 모습을 이뤄 간다.

다 불모지가 된 땅을 다시 푸르게 만드는 것 역시 보잘것없는 작은 나무와 풀들이다. 아무런 생명도 없던 메마른 땅에 평상시에 외면만 당하던 풀들이 들어와 개척자 역할을 한다. 이들은 불모지에 가장 먼저 들어와 지반을 안정시키고 다른 나무들이 살아갈 윤택한 토양을 만들어 낸다. 흔히 잡풀 취급을 하는 쑥이나 억새, 고사리가 바로 이런 '개척 식물'들이다.

라 산불로 폐허가 된 땅의 첫 방문자 역시 마찬가지이다. 길이도 짧고 몸통도 얇아 기껏해야 울타리나 빗자루 정도로밖에 사용되지 못하는 싸리나무는 불난 자리를 녹화하는 주역이다.

마 초석을 다진 후 다른 나무들이 하나둘 자리 잡으면, 관목들이 그랬듯 이들도 조용히 자기 자리를 내준다. 이 덕분에 예전의 그 불모지는 언제 그랬냐는 듯 짙은 녹색 숲으로 복구된다. / 그러나 안타깝게도 숲의 사회에서 그들에게 돌아오는 것은 많지 않다. 누군가 그 역할을 알아주는 것도 아니다. 그럼에도 ㉠그들은 나무 세계에서 맡은 바 임무를 다 해낸다. 그저 묵묵하게.

바 그런 나무를 보며 나도 내 삶이 너무나도 소중하다는 걸 새삼 깨닫고는 한다. 비록 남들 보기엔 하찮고 평범한 삶일지라도 말이다. 앞으로도 나는 그 누구의 삶도 시샘하지 않으며, 남들이 내 삶을 어떻게 생각하든 관여치 않으려다. 내가 스스로 가치 있다고 여기면 그것으로 족하지 않은가.

05 이 글에 대한 설명으로 알맞지 않은 것은?

① 설의법을 사용하여 의미를 강조하고 있다.
② 대상을 의인화하여 친근함을 드러내고 있다.
③ 대상을 정의하여 개념을 명확하게 하고 있다.
④ 도치법을 사용하여 문장에 변화를 주고 있다.
⑤ 자연물에서 얻은 깨달음을 글쓴이의 삶에 적용하고 있다.

06 이 글의 글쓴이에 대한 이해로 알맞은 것은?

① 자연은 사람을 위해 존재한다고 믿고 있다.
② 경쟁은 사회가 발전하기 위한 힘이라고 여기고 있다.
③ 다른 사람에게 인정받는 삶을 살겠다고 생각하고 있다.
④ 자신의 삶을 가치 있게 여기며 살겠다는 다짐을 하고 있다.
⑤ 중심부에서 자라는 교목이 보잘것없는 관목보다 가치 있다고 생각하고 있다.

07 〈보기〉의 학생이 이 글을 읽고 깨달은 읽기의 가치로 가장 알맞은 것은?

보기
세민: 이 책은 내가 잘 몰랐던 나무들의 역할을 설명하고 있어. 특히 시로미는 처음 들어 본 식물인데, 나중에 그 열매를 찾아서 직접 맛보고 싶어.

① 감동을 느끼게 해 준다.
② 걱정이나 근심을 해결해 준다.
③ 공동체의 결속력을 높여 준다.
④ 세계를 바라보는 안목을 넓혀 준다.
⑤ 새로운 지식과 정보를 얻게 해 준다.

서술형

08 이 글에서 ㉠에 포함되는 대상들을 찾아 〈조건〉에 맞게 쓰시오.

조건
① 구체적인 이름을 쓸 것 ② 6개를 찾아 쓸 것

고득점 서술형 문제

(1) 읽기의 가치와 중요성

01~10 다음 글을 읽고, 물음에 답하시오.

가 어때, 놀랍지 않아? 배고프고 춥고 골치 아픈 일도 있고 게다가 감기까지 걸렸는데 책을 읽으면 다 낫는다니 말이야. 오직 책 책 책! 책에 이렇게 열중하다니 우리가 요즘 흔히 말하는 '[㉠]'와 비슷하네. 이덕무는 실제로 '책만 보는 바보'라는 뜻의 '간서치'라고 불리기도 했대. / 사실, 이 사람의 상황을 알면 그 심정이 이해가 될 거야. 이덕무는 서자여서 아무리 학식이 뛰어나도 벼슬을 할 수가 없었어. 너무나 가난하여 식구들의 끼니를 걱정해야 했지만 자신이 할 수 있는 일은 별로 없었지. 아무리 서자라도 양반은 양반이니까 아무 일이나 할 수는 없었거든. 그러니 얼마나 [㉡]. 그럴 때 위로가 되고 힘을 준 것이 바로 책과 그 책을 읽고 함께 이야기를 나눌 수 있는 벗들이었지.

나 이덕무는 달리기나 노래를 하는 대신에 책을 읽었던 거야. 우리도 평소에 좋아하는 책을 한두 권쯤 정해 두는 건 어떨까? 아주 재미있거나 감동적인 책으로 말이야. 그래서 ㉢아주 많이 슬프거나 화가 나거나 외로울 때 조금씩 읽어 보는 거야.

다 재미있는 책을 읽을 때는 시간 가는 줄도 모르고, 걱정이나 근심도 잊고 그 책에 푹 빠지잖아. 그러다 보면 정말 마음이 고요해지면서 다시 씩씩하게 생활할 수 있는 용기가 생겨날지도 모르니까. 그리고 또 혹시 알아? 글을 읽던 중 갑자기 그 근심거리를 해결할 수 있는 좋은 생각이 떠오를지!

라 이렇게 보니까 글을 읽는 것은 정말 만병통치약인 것 같아. 글 속에 담긴 뜻을 이해하면서 지혜로워지고, 몰랐던 것들을 알게 되면서 지식을 쌓는 건 말할 것도 없고, 배고픔이나 추위도 잊을 수 있고, 걱정이나 근심을 해결하며 몸의 병도 낫게 한다니, 이보다 더 좋은 만병통치약이 어디 있겠어?

마 공원이나 건물 가에서 흔히 볼 수 있는 키 작은 관목들만 봐도 그렇다. 숲이 생길 때 가장 중심부에서 그 틀을 잡아 주는 관목들은 어느 정도 숲이 완성되면 키 큰 나무들에게 자리를 내주고 언저리, 즉 숲의 주변부로 밀려난다. 키가 큰 교목들 틈에선 살아날 수가 없기 때문이다.

그러나 언저리에 자리 잡은 관목들은 숲 주변부로 자기들을 밀어낸 교목들을 보호해 준다. 이 볼품없는 관목들이 자연재해에 맞서며 숲 전체를 지켜 나가는 것이다. 이 덕분에 숲은 보다 다양한 종이 어우러져 건강한 모습을 이뤄 간다.

바 그래서일까. 나는 하늘 높이 위로만 자라면서 어떻게든 햇볕을 많이 받으려고 혈안이 된 ㉣거대한 교목들보다 보잘것없는 나무들이 훨씬 더 값지고 아름답게 느껴진다.

사 그런 나무를 보며 나도 내 삶이 너무나도 소중하다는 걸 새삼 깨닫고는 한다. 비록 남들 보기엔 하찮고 평범한 삶일지라도 말이다. 앞으로도 나는 그 누구의 삶도 시샘하지 않으며, 남들이 내 삶을 어떻게 생각하든 관여치 않으련다. 내가 스스로 가치 있다고 여기면 그것으로 족하지 않은가. 내 삶에 점수를 매길 수 있는 사람은 나 자신뿐이라는 것을 늘 기억하며 살아갈 것이다.

1단계 단답식 서술형 문제

01 ㉠에 들어갈 말을 한 단어로 쓰시오. [5점]

02 (나)를 참고하여 다음 빈칸에 들어갈 말을 쓰시오. [5점]

다른 사람들	'이덕무'
달리기, 노래 부르기	□□□

03 (가)~(라)에서 〈보기〉의 설명에 해당하는 말을 찾아 한 단어로 쓰시오. [5점]

보기

글을 읽으면 좋은 점이 많아 여러 측면에서 삶에 도움이 된다는 것을 비유적으로 표현한 말이다.

04 (마)에서 알 수 있는 '관목'의 특징 두 가지를 한 문장으로 정리하여 쓰시오. [5점]

05 (바)에서 ㉣과 대비되는 대상을 찾아 2어절로 쓰시오. [5점]

● 정답과 해설 23쪽

2단계 기본형 서술형 문제

06 ㉡에 들어갈 수 있는 '이덕무'의 심정을 〈조건〉에 맞게 쓰시오. [10점]

> 조건 ① 심정을 나타내는 하나의 형용사로 쓸 것
> ② '~겠어.' 형태의 문장으로 쓸 것

07 〈보기〉의 소감에서 드러나는 읽기의 가치를 (라)에서 찾아 한 문장으로 쓰시오. [10점]

> 보기
> 나는 나무에 관심이 많아서 이 책을 읽었어. 이 책은 내가 잘 몰랐던 나무들의 역할을 설명하고 있어. 특히 시로미는 처음 들어 본 식물인데, 나중에 한라산에 가서 직접 열매를 맛보고 싶어.

08 (마)~(사)에서 〈보기〉에서 설명하는 문장을 찾아 첫 어절과 끝 어절을 쓰시오. [10점]

> 보기
> ① 자신의 삶을 가치 있게 여기며 살아야겠다는 글쓴이의 다짐이 담긴 문장
> ② 설의법으로 글쓴이의 다짐을 강조한 문장

3단계 고난도 서술형 문제

09 (가)~(라)의 글쓴이가 ㉢과 같은 권유를 한 까닭을 〈조건〉에 맞게 쓰시오. [20점]

> 조건 ① (가)~(라)를 바탕으로 핵심이 되는 까닭 두 개가 포함되도록 쓸 것
> ② '~고, ~기 때문이다.' 형태의 문장으로 쓸 것

10 (마)~(사)와 〈보기〉의 공통점을 〈조건〉에 맞게 쓰시오. [25점]

> 보기
> 친구가 원수보다 더 미워지는 날이 많다
> 티끌만 한 잘못이 *맷방석만 하게
> 동산만 하게 커 보이는 때가 많다
> 그래서 세상이 어지러울수록
> 남에게는 엄격해지고 내게는 너그러워지나 보다
> 돌처럼 잘아지고 굳어지나 보다
>
> 멀리 동해 바다를 내려다보며 생각한다
> 널따란 바다처럼 너그러워질 수는 없을까
> 깊고 짙푸른 바다처럼
> 감싸고 끌어안고 받아들일 수는 없을까
> 스스로는 억센 파도로 다스리면서
> 제 몸은 맵고 모진 매로 채찍질하면서
>
> – 신경림, 「동해 바다 – 후포에서」
>
> *맷방석: 매통이나 맷돌을 쓸 때 밑에 까는, 짚으로 만든 방석

> 조건 ① (마)~(사)의 글쓴이와 〈보기〉의 말하는 이가 깨달음을 얻게 되는 과정을 중심으로 쓸 것
> ② '두 작품 모두 ~고 있다.' 형태의 한 문장으로 쓸 것

만점 마무리 (2) 핵심 정보를 담은 발표

◆ 활동 의도

발표문을 통해 핵심 정보가 잘 드러나도록 내용을 구성하여 발표하는 방법을 이해하도록 하였다. 그리고 모둠별로 한 권의 책을 함께 읽은 후, 책에서 발표할 주제를 선정하고 적절한 자료를 수집하여 핵심 정보가 잘 드러나도록 발표문을 작성해 보도록 하였다.

◆ 활동 목표

- 발표의 목적이나 대상의 특성에 따른 내용 조직 방법 이해하기
- 핵심 정보를 효과적으로 드러내기 위한 자료 활용 방법 이해하기
- 책을 바탕으로 발표 주제를 선정하고, 핵심 정보가 잘 드러나도록 내용을 구성하여 발표하기

◆ 활동 요약

발표의 목적이나 대상의 특성에 따른 내용 조직 방법 이해하기
'세민이네 모둠'에서 한 발표의 목적과 내용을 정리해 보고, 여기에 사용된 내용 조직 방법과 그 효과를 이해함.

핵심 정보를 효과적으로 드러내기 위한 자료 활용 방법 이해하기
'세민이네 모둠'이 발표에 활용한 자료에서 드러나는 핵심 정보와 그 효과를 이해함.

책을 바탕으로 발표 주제를 선정하고, 핵심 정보가 잘 드러나도록 내용을 구성하여 발표하기
모둠별로 함께 읽은 책의 내용을 바탕으로 발표 주제를 선정한 후, 핵심 정보가 잘 드러나도록 내용을 조직하고, 자료를 활용하여 발표함.

◇ '기아 문제의 심각성과 해결 방법'의 짜임

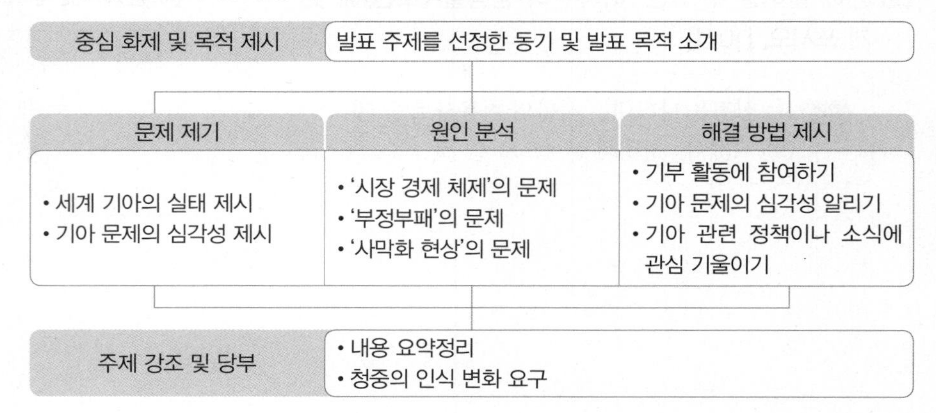

◇ '기아 문제의 심각성과 해결 방법'에 활용한 자료의 핵심 정보와 효과

자료	핵심 정보	효과
자료 ❶: 지도	기아를 겪고 있는 사람들의 분포와 비율	세계 기아 인구의 분포와 비율을 한눈에 파악할 수 있게 해 줌.
자료 ❷: 그래프	전 세계 평균 식품 에너지 공급 충분성 지수	전 세계 평균 식품 에너지 공급 충분성 지수의 변화를 한눈에 파악할 수 있게 해 줌으로써, 식량이 충분한데도 기아 문제가 해결되지 않는 원인을 생각해 보게 함.
자료 ❸: 사진	사막화에 따른 문제	사막화가 진행된 호수의 모습을 보여 줌으로써, '사막화 현상'을 쉽게 이해하게 함.
자료 ❹: 영상	구호 단체에서 펼치고 있는 기부 활동	우리가 참여할 수 있는 구호 단체의 활동을 소개해 줌으로써, 기아 문제 해결에 적극적으로 동참하도록 유도함.

◇ 발표 목적이나 대상의 특성에 따른 내용 조직 방법

발표 목적이나 대상의 특성	내용 조직 방법
어떤 대상을 소개할 때	대상의 구조나 쓰임, 외형 등에 따라 내용을 구성함.
어떤 사건이나 현상을 소개할 때	시간의 순서나 공간의 이동, 사건의 원인과 결과, 문제와 해결 방법에 따라 내용을 구성함.
조사 결과나 실험의 과정을 보고할 때	단계나 절차에 따라 내용을 구성함.

◇ 발표에서 자료를 활용하는 방법

발표에 활용할 자료: 표, 그래프, 사진, 영상 등

→ 발표 내용을 이해하는 데 도움이 되는 핵심 정보를 자료에서 이끌어 내어 활용해야 함.

◇ 핵심 정보가 잘 드러나도록 발표하는 과정

책 선정하기 → 책 읽고, 발표 주제 정하기 → 발표 내용 구성하기 → 발표문 작성하기 → 내용 점검하고 보완하기

간단 복습 문제 (2) 핵심 정보를 담은 발표

• 정답과 해설 24쪽

쪽지 시험

[01~03] 다음 문장에 들어갈 알맞은 낱말을 (　　)에서 골라 ○표 하시오.

01 발표를 할 때에는 (핵심 정보 / 세부 내용)이/가 잘 드러나야 한다.

02 '세민이네 모둠'에서는 (세계 기아 / 환경 오염) 문제의 심각성을 지적하고 있다.

03 '세민이네 모둠'에서 사용한 내용 조직 방법은 (사건의 원인과 결과 / 문제와 해결 방법)이다.

[04~06] 다음 설명이 맞으면 ○표, 틀리면 ×표 하시오.

04 그래프 자료를 활용하면 설명 대상의 수치가 변화하는 모습을 효과적으로 표현할 수 있다. (　　)

05 발표문을 작성한 후에는 발표 내용의 통일성을 위해 수정하거나 보완해서는 안 된다. (　　)

06 발표를 할 때에는 듣는 이에게 안정감을 주기 위해 목소리 크기를 일정하게 유지해야 한다. (　　)

[07~10] 다음 문장의 빈칸에 들어갈 알맞은 낱말의 기호를 〈보기〉에서 골라 쓰시오.

보기
㉠ 독서 카드　㉡ 인용　㉢ 출처　㉣ 통계

07 발표에서 자료를 활용할 때에는 신뢰성을 높이기 위해 자료의 (　　)을/를 제시해야 한다.

08 (　　)을/를 활용해 책 읽기 경험을 기록하면 책의 내용을 오래 기억할 수 있고, 자신의 생각을 체계적으로 정리할 수 있다.

09 '세민이네 모둠'은 발표할 때 권위 있는 기관의 (　　) 자료를 제시하여 신뢰성을 높이고 있다.

10 '세민이네 모둠'은 발표할 때 법정 스님의 말을 (　　)하여 듣는 이의 인식 변화를 요구하고 있다.

어휘 시험

[01~04] 다음 설명에 해당하는 낱말을 〈보기〉에서 골라 쓰시오.

보기
기아, 억양, 부정부패, 구호

01 바르지 못하고 타락함. (　　)

02 굶주림. 먹을 것이 없어 배를 곯는 것 (　　)

03 음(音)의 상대적인 높이를 변하게 함. 또는 그런 변화 (　　)

04 재해나 재난 따위로 어려움에 처한 사람을 도와 보호함. (　　)

[05~07] 다음 문장의 빈칸에 들어갈 알맞은 낱말을 〈보기〉에서 골라 쓰시오.

보기
영양실조, 실태, 외형

05 청소년들의 언어 사용 (　　)을/를 조사하려고 한다.

06 가뭄이 들어 양식이 부족했던 까닭에 (　　)에 걸린 백성이 많았다.

07 이 차는 (　　)은/는 마음에 드는데, 성능이 좋지 않아 살지 말지 고민이다.

[08~10] 다음 낱말과 그 뜻풀이를 바르게 연결하시오.

08 강세 •	• ㉠ 사회 조직이나 양식, 또는 그 상태
09 체제 •	• ㉡ 연속된 음성에서 어떤 부분을 강하게 발음하는 일
10 보릿고개 •	• ㉢ 지난 가을에 수확한 양식이 바닥나 굶주려야만 했던 시기

예상 적중 소단원 평가 (2) 핵심 정보를 담은 발표

● 정답과 해설 24쪽

01~04 다음을 읽고, 물음에 답하시오.

가 이 지도는 전 세계에서 영양실조를 겪고 있는 사람들의 분포와 비율을 나타낸 '세계 기아 실태 지도'입니다. 보시는 바와 같이 기아 인구는 세계 곳곳에 넓게 퍼져 있으며, 심각한 곳은 전체 인구의 35 퍼센트 이상이 기아로 고통받고 있습니다.

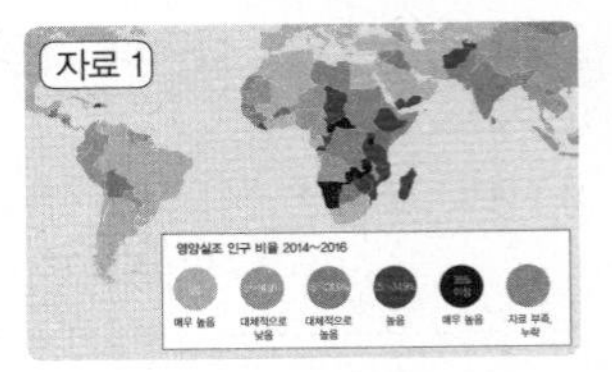

나 유엔 식량 농업 기구[FAO]에서 발표한 '평균 식품 에너지 공급 충분성' 자료를 보면, 전 세계 평균 식품 에너지 공급 충분성 지수는 계속 증가하여 2014년~2016년에는 약 125 퍼센트에 이르고 있습니다.

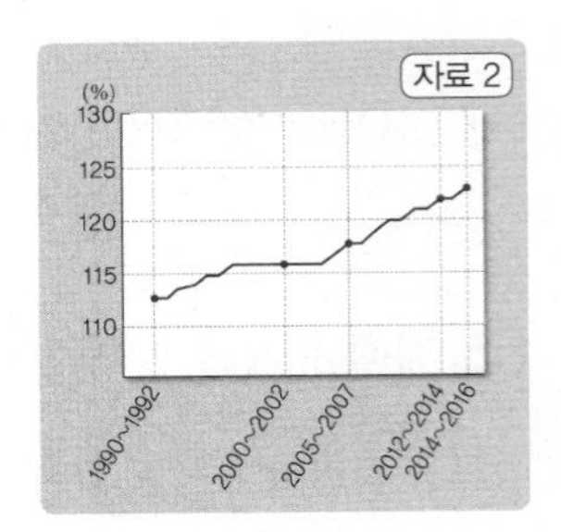

다 첫 번째는 '시장 경제 체제'의 문제입니다. 일부 기업이나 정부에서는 이익을 많이 남기려고 농산물의 가격을 올리거나 농산물의 생산량을 줄이기도 합니다. 그러면 식량 가격이 상승하고, 가난한 나라들은 식량을 구하는 것이 점점 어려워집니다.

라 사막화 현상이란 가뭄이 지속되거나 무분별한 개발로 숲이 사라지면서 농사를 지을 수 있는 땅이 사막으로 변하는 것입니다. 이러한 현상이 지속되면 식량과 식수가 부족해질 수밖에 없는데, 앞서 기아 문제가 심각하다고 했던 지역에서도 이러한 환경 문제를 겪고 있습니다.

마 이 영상에서 말하는 것처럼, 만 원이면 무려 5인 가족에게 한 달 동안 먹을 식량을 제공할 수 있습니다. 우리 반 친구들이 다함께 돈을 모은다면, 한 달에 만 원 정도는 기부할 수 있을 것입니다. 또 저희 모둠처럼 기아 문제의 심각성을 주변에 알리거나, 기아 관련 정책이나 소식에 관심을 기울이는 일도 기아 문제를 해결하는 데 큰 도움이 됩니다.

01 이 발표를 통해 알 수 있는 내용으로 알맞지 않은 것은?

① 기아 인구는 세계 곳곳에 넓게 퍼져 있다.
② 사막화가 계속되면 식량이 부족해질 것이다.
③ 전 세계 평균 식품 에너지 공급 충분성 지수는 꾸준히 증가하고 있다.
④ 기아 문제의 심각성을 주변에 알리는 것은 기아 문제 해결에 도움이 된다.
⑤ 일부 기업이나 정부가 농산물의 생산량을 줄이면 가난한 나라들은 쉽게 식량을 구할 수 있다.

02 이 발표에서 사용한 내용 조직 방법으로 알맞은 것은?

① 실험 절차에 따라 안내하고 있다.
② 대상의 구조에 따라 설명하고 있다.
③ 사건의 원인과 결과를 제시하고 있다.
④ 공간의 이동에 따라 내용을 정리하고 있다.
⑤ 문제의 원인을 분석한 후 그에 대한 해결 방법을 제시하고 있다.

03 〈보기〉가 들어가기에 가장 알맞은 곳은?

보기
> 이처럼 충분한 식량이 있는데도 수많은 사람이 기아에 시달리고 있다니 이해하기 어렵습니다. 과연 그 원인은 무엇일까요? 이 책의 글쓴이는 다양한 관점에서 문제의 원인을 분석하고 있는데요, 저희는 그중 몇 가지만 소개하겠습니다.

① (가) 앞 ② (나) 앞 ③ (다) 앞
④ (라) 앞 ⑤ (마) 앞

04 이 발표에서 활용한 자료에 대한 설명으로 알맞지 않은 것은?

① '자료 1'은 기아 인구의 분포와 비율을 나타낸다.
② '자료 2'는 식품이 전 세계 모든 사람들에게 충분히 공급하고도 남는다는 것을 보여 준다.
③ '자료 3'은 사막화 현상을 쉽게 이해할 수 있게 해 준다.
④ '자료 4'는 기아 문제 해결이 어렵다는 것을 드러낸다.
⑤ '자료 1~3'은 시각 자료, '자료 4'는 시청각 자료에 해당한다.

고득점 서술형 문제

(2) 핵심 정보를 담은 발표

01~09 다음을 읽고, 물음에 답하시오.

가 안녕하세요? 저는 ○○ 모둠에서 발표를 맡은 양세민입니다. 저희 모둠에서는 지난번 독서 모둠 활동 때, 유엔 인권 위원회 식량 특별 조사관이었던 장 지글러가 쓴 『왜 세계의 절반은 굶주리는가?』라는 책을 읽었습니다. 이 책을 읽으면서 그동안 우리가 세계의 기아 문제에 얼마나 무관심했는지를 깨달았습니다. 그래서 오늘은 이 문제를 여러분과 함께 살펴보려고 합니다.

나 먼저 이 지도를 보시죠. 이 지도는 전 세계 영양실조를 겪고 있는 사람들의 분포와 비율을 나타낸 '세계 기아 실태 지도'입니다. 보시는 바와 같이 기아 인구는 세계 곳곳에 넓게 퍼져 있으며, 심각한 곳은 전체 인구의 35 퍼센트 이상이 기아로 고통받고 있습니다. 유엔 세계 식량 계획[WFP]에서 발표한 통계 자료에 따르면 세계 인구의 약 9분의 1이 극심한 영양실조를 겪고 있고, 5세 이하의 영·유아 중 절반이 영양실조로 사망하고 있다고 하니, 정말 안타까운 일입니다.

다 그렇다면 이러한 문제는 식량이 부족해서 일어나는 것일까요? 유엔 식량 농업 기구[FAO]에서 발표한 '평균 식품 에너지 공급 충분성' 자료를 보면, 전 세계 평균 식품 에너지 공급 충분성 지수는 계속 증가하여 2014년~2016년에는 약 125 퍼센트에 이르고 있습니다.

라 첫 번째는 '시장 경제 체제'의 문제입니다. 일부 기업이나 정부에서는 이익을 많이 남기려고 농산물의 가격을 올리거나 농산물의 생산량을 줄이기도 합니다. 그러면 식량 가격이 상승하고, 가난한 사람들은 식량을 구하는 것이 점점 어려워집니다. 결국 그 피해는 다시 굶주리던 사람들에게 돌아가는 것이죠.

두 번째는 '부정부패'의 문제입니다. 기아 문제를 해결하려고 여러 단체에서 다양한 구호 물품을 지원하고 있지만, 일부 지배 계층이 이를 가로채거나 기아에 시달리는 국민을 통제하기 위한 수단으로 악용하고 있다고 해요.

마 결국 현재 식량이 부족한 나라는 자기 나라의 땅에서 식량을 일구기도 마땅치 않을뿐더러, 다른 나라의 식량조차 얻기 어려운 실정입니다. 심지어 이 중에는 전쟁을 겪는 나라도 많아, 날이 갈수록 문제가 심각해지고 있습니다.

바 이 영상에서 말하는 것처럼, 만 원이면 무려 5인 가족에게 한 달 동안 먹을 식량을 제공할 수 있습니다. 우리 반 친구들이 다함께 돈을 모은다면, 한 달에 만 원 정도는 기부할 수 있을 것입니다. 또 저희 모둠처럼 기아 문제의 심각성을 주변에 알리거나, 기아 관련 정책이나 소식에 관심을 기울이는 일도 기아 문제를 해결하는 데 큰 도움이 됩니다.

사 지금까지 기아 문제의 심각성과 그 원인, 그리고 우리가 할 수 있는 일을 알아보았습니다. 여러분, ㉠법정 스님은 "나만 다 차지하고 살 수 있는 세상이 아니다. 서로 얽혀 있고 서로 의지해 있다."라고 하였습니다. 그렇습니다. 법정 스님의 말처럼 세계의 기아 문제는 결코 우리와 동떨어진 일이 아닙니다. 우리 모두의 문제입니다. 오늘 발표를 듣고, 여러분도 세계의 이웃을 생각하여 함께 고민해 주세요.

1단계 단답식 서술형 문제

01 (가)에서 발표 동기가 드러나는 문장을 찾아 첫 어절과 마지막 어절을 쓰시오. [5점]

02 이 발표에서 〈보기〉의 설명에 해당하는 문장을 찾아 처음과 끝의 2어절을 각각 쓰시오. [5점]

보기
- 내용의 신뢰성을 높이기 위해 권위 있는 기관의 통계 자료를 인용하였음을 밝히고 있다.
- 기아 문제의 심각성을 드러내고 있다.

03 기아 문제의 원인을 분석하고 있는 문단의 기호를 쓰시오. [5점]

04 (마)의 내용을 참고할 때, 다음 빈칸에 들어갈 말을 쓰시오. [5점]

기아 문제의 다양한 원인
+
□□
↓
더 심각해지는 기아 문제

05 다음은 발표의 끝부분인 (사)를 정리한 것이다. 빈칸에 들어갈 말을 쓰시오. [5점]

끝	• 내용 □□□□ • 청중의 인식 변화 요구

2단계 기본형 서술형 문제

06 다음은 (다)를 발표할 때 활용한 자료이다. 이 자료에 담긴 핵심 정보와 그 효과를 각각 한 문장으로 쓰시오. [15점]

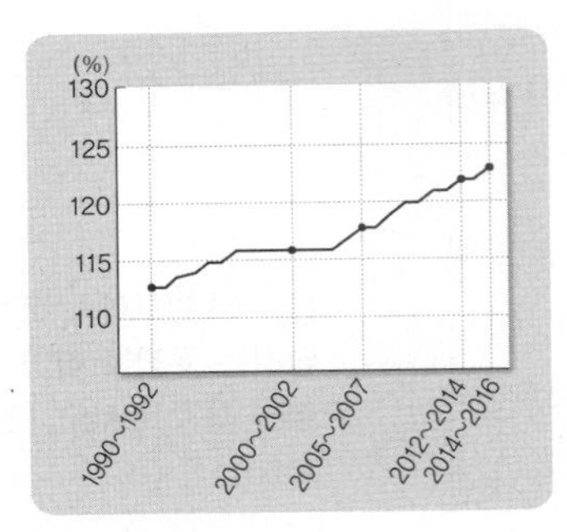

07 다음은 발표 주제를 정하기 위해 책을 읽고 작성한 독서 카드이다. 독서 카드를 작성했을 때의 장점을 2가지 이상 쓰시오. [20점]

책 제목 / 글쓴이	『지구인의 도시 사용법』 / 박경화
내용 한 줄 요약	바다에 버려진 플라스틱 쓰레기 때문에 바다가 오염되었고, 바다에서 살아가는 생물들이 멸종할 위기에 처했다.
가장 인상 깊었던 부분	미국의 사진작가 크리스 조던은 2009년 북태평양 미드웨이섬에서 촬영한 충격적인 사진을 누리집에 공개했다. 사진 속에는 멸종 위기 종인 앨버트로스가 죽어 있었고, 그 몸속에는 작은 플라스틱 조각들이 가득 차 있었다.
깨달은 점	북태평양은 매우 깨끗한 지역이고 생물들이 살아가기에 좋은 곳이라고 생각했다. 하지만 새의 몸속에 플라스틱 조각들이 가득 차 있었다는 이야기를 읽고는 환경 문제가 우리가 생각하는 것보다 매우 심각한 상황임을 깨달았다.

08 ㉠에서 사용한 표현 방법과 그 효과를 쓰시오. [15점]

조건 ① 40자 내외의 한 문장으로 쓸 것
② '~하여 ~ 전할 수 있다.' 형태로 쓸 것

3단계 고난도 서술형 문제

09 〈보기〉는 어느 학생이 작성한 발표문이다. 내용 조직 방법을 고려할 때, 이 발표문에서 [A]에 해당하는 내용을 찾아 〈조건〉에 맞게 쓰시오. [25점]

보기

이렇듯 바다를 떠도는 플라스틱 쓰레기는 관광 산업이나 산업에 막대한 피해를 줄 뿐만 아니라, 바다 생태계에도 막대한 영향을 미칩니다. 특히 잘게 부서진 미세한 플라스틱은 물고기나 새들이 쉽게 먹을 수 있어 그들의 생명을 해치고, 그것을 먹는 다른 해양 생물이나 사람에게까지도 악영향을 끼친다고 합니다.

[A] 그렇다고 플라스틱을 전혀 사용하지 않을 수는 없을 것입니다. 하지만 지구 환경과 생태계를 보호하려면 플라스틱을 덜 쓰고, 재활용하는 습관을 길러야 합니다. 일상생활에서 쉽게 실천할 방법으로는 무엇이 있을까요? 맞습니다. 일회용 비닐봉지 대신에 친환경 가방을, 플라스틱 컵 대신에 머그잔을 사용하는 것도 좋은 방법입니다. 플라스틱으로 된 일회용 수저는 될 수 있으면 사용하지 않고, 과대 포장 제품은 되도록 사지 않거나 포장재를 구매한 곳에 두고 오는 것도 좋습니다. 그리고 무엇보다 플라스틱을 재활용할 수 있도록 분리수거를 철저히 하는 것이 중요합니다.

조건 ① 해당 내용을 3개 쓸 것
② '-기' 형태의 명사형으로 쓸 것

• 정답과 해설 25쪽

01~04 다음 글을 읽고, 물음에 답하시오.

가 그래도 우리는 책을 읽어. 왜? 부모님이나 선생님이 시키니까 마지못해 읽기도 하고, ㉠공부를 잘하기 위해서 읽기도 하며, 또 ㉡더 똑똑한 사람이 되기 위해서 읽기도 해. 물론 재미있으니까 읽는 친구들도 있을 거야.

또 어떤 까닭이 있을까? 책 속에는 우리가 궁금해하는 것들에 대한 대답이 들어 있으니까 읽기도 하지. ㉢기분 전환을 위해서도 책을 읽고, ㉣다른 사람의 생각을 알기 위해서도 책을 읽고, ㉤교양을 쌓기 위해서도 책을 읽지.

나 이덕무는 서자여서 아무리 학식이 뛰어나도 벼슬을 할 수가 없었어. 너무나 가난하여 식구들의 끼니를 걱정해야 했지만 자신이 할 수 있는 일은 별로 없었지. 아무리 서자라도 양반은 양반이니까 아무 일이나 할 수는 없었거든. 그러니 얼마나 답답했겠어. 그럴 때 위로가 되고 힘을 준 것이 바로 책과 그 책을 읽고 함께 이야기를 나눌 수 있는 벗들이었지.

다 이렇게 보니까 글을 읽는 것은 정말 만병통치약인 것 같아. 글 속에 담긴 뜻을 이해하면서 지혜로워지고, 몰랐던 것들을 알게 되면서 지식을 쌓는 건 말할 것도 없고, 배고픔이나 추위도 잊을 수 있고, 걱정이나 근심을 해결하며 몸의 병도 낫게 한다니, 이보다 더 좋은 만병통치약이 어디 있겠어?

라 좌판을 벌여 놓고 구성진 목소리로 손님을 부르는 사람, 보따리를 등에 지고 구경꾼들 사이를 요리조리 피해 지나가는 사람, 나물 천 원어치 사면서 십 분 넘게 입씨름하는 사람……. 아무리 잡아당겨도 찢어지지 않는 질긴 고무장갑 같은 그들의 모습을 보고 있노라면 나도 모르게 막 신이 난다. 그리고 물고기처럼 파닥파닥 살아 숨 쉬는 그들에게서 살아갈 힘을 얻는다. 마치 갈증 나는 한여름에 시원한 음료를 들이켠 기분이라고 할까.

마 "못생긴 나무가 산을 지킨다."라는 말은 비단 나무 사회에만 통용되는 말은 아닐 것이다. 세상 모든 것은 저마다 가치를 지니고 있다. 하루살이 같은 삶, 내일이 보이지 않는 삶이라 하더라도 분명 살아가는 이유가 있고, 가치가 있는 것이다. 그러므로 그 가치를 알고 묵묵히 제 역할을 해낼 때, 결국 그것이 자기를 지키고 세상을 지키는 길이 된다.

01 (가)~(다)에 대한 설명으로 알맞지 않은 것은?

① '이덕무'의 책 읽기를 소재로 하고 있다.
② 책 읽기의 과정과 방법을 설명하고 있다.
③ 책 읽기를 생활화할 것을 권유하고 있다.
④ 문답법을 활용하여 독자의 관심을 끌어내고 있다.
⑤ 친근한 어조를 사용하여 부드러운 분위기를 형성하고 있다.

02 ㉠~㉤ 중, 〈보기〉의 독자가 책을 읽는 까닭과 가장 유사한 것은?

보기

일반적으로 소비는 소비자가 만족하기 위해 하는 것인데, 글쓴이는 왜 불편한 소비를 하고 또 그것 때문에 즐거움을 느끼는지가 궁금하여 『즐거운 불편』이라는 책을 읽어 보기로 했어.

① ㉠ ② ㉡ ③ ㉢ ④ ㉣ ⑤ ㉤

03 (라)에서 사용된 표현 방법만을 〈보기〉에서 골라 바르게 묶은 것은?

보기

ㄱ. 도치법 ㄴ. 문답법 ㄷ. 설의법
ㄹ. 열거법 ㅁ. 직유법

① ㄱ, ㄴ, ㄷ ② ㄱ, ㄴ, ㅁ ③ ㄱ, ㄷ, ㄹ
④ ㄴ, ㄹ, ㅁ ⑤ ㄷ, ㄹ, ㅁ

서술형

04 〈보기〉는 (마)를 읽은 독자가 그 소감을 밝힌 것이다. 〈보기〉에 드러나는 읽기의 가치를 (다)에서 찾아 한 문장으로 쓰시오.

보기

난 나를 세상에서 쓸모가 없는 사람이라 생각해서 삶이 많이 힘들었는데, 이 글을 읽고 나도 가치 있는 존재라는 것을 알게 되었어. 앞으로는 나를 소중히 여기고 열심히 살아야겠어.

05~08 다음을 읽고, 물음에 답하시오.

가 먼저 이 ㉠지도를 보시죠. 이 지도는 전 세계에서 영양실조를 겪고 있는 사람들의 분포와 비율을 나타낸 '세계 기아 실태 지도'입니다. 보시는 바와 같이 기아 인구는 세계 곳곳에 넓게 퍼져 있으며, 심각한 곳은 전체 인구의 35 퍼센트 이상이 기아로 고통받고 있습니다. 유엔 세계 식량 계획[WFP]에서 발표한 통계 자료에 따르면 세계 인구의 약 9분의 1이 극심한 영양실조를 겪고 있고, 5세 이하의 영·유아 중 절반이 영양실조로 사망하고 있다고 하니, 정말 안타까운 일입니다.

나 첫 번째는 '시장 경제 체제'의 문제입니다. 일부 기업이나 정부에서는 이익을 많이 남기려고 농산물의 가격을 올리거나 농산물의 생산량을 줄이기도 합니다. 그러면 식량 가격이 상승하고, 가난한 나라들은 식량을 구하는 것이 점점 어려워집니다. 결국 그 피해는 다시 굶주리던 사람들에게 돌아가는 것이죠.

다 두 번째는 '부정부패'의 문제입니다. 기아 문제를 해결하려고 여러 단체에서 다양한 구호 물품을 지원하고 있지만, 일부 지배 계층이 이를 가로채거나 기아에 시달리는 국민을 통제하기 위한 수단으로 악용하고 있다고 해요. 정치적으로 질서가 잡혀 있지 않으니 구호 조치가 제대로 이루어지지 않는 것입니다.

라 또한 현재 지구 곳곳에서 일어나고 있는 '사막화 현상'도 원인으로 볼 수 있습니다. 사막화 현상이란 가뭄이 지속되거나 무분별한 개발로 숲이 사라지면서 농사를 지을 수 있는 땅이 사막으로 변하는 것입니다. 이러한 현상이 지속되면 식량과 식수가 부족해질 수밖에 없는데, 앞서 기아 문제가 심각하다고 했던 지역에서도 이러한 환경 문제를 겪고 있습니다.

마 이 ㉡영상에서 말하는 것처럼, 만 원이면 무려 5인 가족에게 한 달 동안 먹을 식량을 제공할 수 있습니다. 우리 반 친구들이 다함께 돈을 모은다면, 한 달에 만 원 정도는 기부할 수 있을 것입니다. 또 저희 모둠처럼 기아 문제의 심각성을 주변에 알리거나, 기아 관련 정책이나 소식에 관심을 기울이는 일도 기아 문제를 해결하는 데 큰 도움이 됩니다.

05 이 발표를 평가한 내용으로 알맞지 않은 것은?

① 기아 문제의 원인을 다양한 측면에서 분석했어.
② 학생 수준에서 참여 가능한 해결 방법을 제시했어.
③ 자료를 인용할 때 출처를 밝혀 신뢰성을 높였어.
④ 다양한 종류의 자료를 활용하여 이해를 돕고 있어.
⑤ 듣는 이의 이해 정도에 따라 발표 주제를 조정했어.

06 다음 발표 주제 중, 이 발표와 동일한 내용 조직 방법을 사용하기에 알맞은 것은?

① 통영을 다녀와서
② 빅데이터는 무엇인가
③ 미세먼지 이대로 안 된다
④ 김치전을 맛있게 만드는 방법
⑤ 우리 반 친구들이 좋아하는 아이돌 그룹 순위

07 〈보기〉는 (라)의 뒤에 들어갈 내용이다. 내용 전개 과정에서 〈보기〉의 역할로 알맞은 것은?

| 보기 |
결국 현재 식량이 부족한 나라는 자기 나라의 땅에서 식량을 일구기도 마땅치 않을뿐더러, 다른 나라의 식량조차 얻기 어려운 실정입니다. 심지어 이 중에는 전쟁을 겪는 나라도 많아, 날이 갈수록 문제가 심각해지고 있습니다.

① 앞에서 제시한 내용의 이유를 밝혀 준다.
② 앞에서 제시한 내용을 종합하여 정리한다.
③ 앞에서 제시한 내용을 구체적으로 설명한다.
④ 앞에서 제시한 내용에 따른 결과를 보여 준다.
⑤ 앞에서 제시한 내용과 상반된 견해를 제시한다.

고난도 서술형

08 ㉠과 ㉡의 자료를 활용했을 때의 효과를 쓰시오.

조건
① 각각의 자료들이 핵심 정보를 드러내는 데 어떤 도움을 주었는지를 중심으로 서술할 것
② '㉠은 ~해 주고, ㉡은 ~한다.' 형태로 쓸 것

만점 마무리 (1) 담화의 개념과 특성

◆ 활동 의도

다양한 담화 상황을 통해 담화의 개념과 특성, 구성 요소를 이해할 수 있도록 하였다. 또한 이를 바탕으로 상황극을 발표해 보며 담화 상황에 맞는 의사소통 능력을 기를 수 있도록 하였다.

◆ 활동 목표

- 담화의 개념과 특성 파악하기
- 담화의 구성 요소를 고려하여 상황극 만들기

◆ 활동 요약

담화의 개념과 특성 파악하기
담화의 개념과 특성을 알고, 담화를 이루는 각 구성 요소가 담화에 미치는 영향을 살펴봄.

↓

담화의 구성 요소를 고려하여 상황극 만들기
모둠별로 담화의 구성 요소를 설정하고 담화 상황을 꾸며 봄. 이를 토대로 상황극을 만들고 친구들 앞에서 발표해 봄.

◇ 담화의 개념과 특성

개념	말하는 이(글쓴이)와 듣는 이(읽는 이)를 포함하여 구체적인 맥락 속에서 이루어지는 발화(문장)나 발화(문장)의 연속체
특성	• 말하는 이(글쓴이)와 듣는 이(읽는 이)의 의도나 처지, 관계 그리고 상황 맥락과 사회·문화적 맥락 등에 따라 담화 내용이나 표현이 달라짐. • 담화의 구성 요소가 복합적으로 작용하여 다양한 양상으로 나타남.

◇ 담화의 구성 요소

담화 참여자	• 말하는 이(글쓴이)와 듣는 이(읽는 이) • 담화를 생성하고 수용하는 사람으로, 담화가 성립되기 위한 필수 요소
전달하려는 내용	말하는 이(글쓴이)와 듣는 이(읽는 이)가 주고받는 정보
맥락	상황 맥락(담화가 이루어지는 시간과 공간)과 사회·문화적 맥락(담화에 영향을 주는 사회·문화·역사적 상황)

◇ 맥락의 유형

<table>
<tr><td>상황 맥락</td><td colspan="2">• 담화가 이루어지는 구체적인 시간 및 공간
• 담화가 이루어지는 장면과 직접 관련된 맥락
예 “지금 몇 시니?”
– 늦잠 자는 아들에게: “이제 그만 자고 어서 일어나.”
– 늦은 밤까지 게임을 하는 아들에게: “게임은 그만하고 이제 자야지.”</td></tr>
<tr><td rowspan="6">사회·문화적 맥락</td><td colspan="2">• 담화에 영향을 주는 사회·문화·역사적 상황 및 언어 공동체의 의식이나 가치 등
• 담화에 간접적으로 영향을 미치는 사회·문화적 요인과 관련된 맥락
• 지역, 세대, 성별, 문화, 역사적 상황 등에 따라 다양하게 나타남.</td></tr>
<tr><td>지역</td><td>같은 언어를 사용하더라도 지역에 따라 말이 달라지기도 함(지역 방언).
예 할머니 – 할무이(경남), 할망(경북, 제주), 할마시(강원, 경남)</td></tr>
<tr><td>세대</td><td>세대에 따라 사용하는 언어가 달라지기도 하는데, 특히 젊은 세대는 줄인 말이나 온라인상의 용어를 즐겨 사용함.
예 ‘남아공’의 뜻을 젊은 세대(남아서 공부), 나이 든 세대(아프리카 남쪽 끝에 있는 공화국)가 다르게 생각함.</td></tr>
<tr><td>성별</td><td>말하는 사람의 성별에 따라 사용하는 어휘가 다른 경우가 있음.
예 여성은 ‘해요체’를, 남성은 ‘하십시오체’를 상대적으로 더 사용함.</td></tr>
<tr><td>문화</td><td>문화권에 따라 그 나라만의 관습적인 언어 표현을 사용하기도 함.
예 우리나라 사람들은 뜨거운 탕 요리를 먹을 때 그것이 속을 후련하게 한다는 의미로 “시원하다.”라고 말을 함.</td></tr>
<tr><td>역사적 상황</td><td>특정한 역사를 배경으로 한 담화는, 말하는 이(글쓴이)와 듣는 이(읽는 이)가 그 역사적 상황과 정서를 같이 공유하고 있을 때 담화 참여자 간에 원활한 의사소통이 이루어질 수 있음.
예 『넬슨 만델라』 연설문의 내용을 이해하려면 연설문이 쓰인 당시의 남아프리카 공화국의 역사적 상황을 이해해야 함.</td></tr>
</table>

◇ 원활한 의사소통을 위해 갖추어야 할 태도

- 담화의 구체적인 뜻은 맥락 속에서 결정되므로 원활하게 의사소통하려면 맥락을 고려해야 한다.
- 사회·문화적 맥락을 고려하여 서로의 차이를 인정하고, 인종이나 국적, 지역, 성별 등과 관련된 차별적 표현을 사용하지 않도록 노력해야 한다.

간단 복습 문제

(1) 담화의 개념과 특성

• 정답과 해설 26쪽

쪽지 시험

[01~03] 다음 문장에 들어갈 알맞은 낱말을 ( )에서 골라 ○표 하시오.

01 말하는 이(글쓴이)와 듣는 이(읽는 이)를 포함하여 구체적인 맥락 속에서 이루어지는 발화(문장)나 발화(문장)의 연속체를 (담화 / 대화)라고 한다.

02 담화에 영향을 주는 사회·문화·역사적 상황 및 언어 공동체의 의식이나 가치 등을 (상황 맥락 / 사회·문화적 맥락)이라고 한다.

03 같은 언어를 사용해도 지역적인 차이에 의해 말이 달라지기도 하는데, 이를 (지역 방언 / 사회 방언)이라고 한다.

[04~06] 다음 ( ) 안에 들어갈 알맞은 낱말을 쓰시오.

04 원활하게 의사소통을 하기 위해서는 인종이나 국적, 지역이나 성별과 관련된 (　　　) 표현을 사용하지 않도록 유의해야 한다.

05 같은 말이나 글도 의사소통이 언제, 어디에서 이루어지느냐에 따라 뜻이 달라질 수 있다. 이처럼 담화가 이루어지는 구체적인 (　　　)와/과 (　　　)은/는 담화의 뜻뿐만 아니라 표현에도 영향을 미친다.

06 여성은 '해요체'를, 남성은 '하십시오체'를 상대적으로 더 사용하는 것은 (　　　)에 따라 사용하는 어휘가 다르기 때문이다.

[07~10] 다음 설명이 맞으면 ○표, 틀리면 ×표 하시오.

07 담화는 담화 참여자, 전달하려는 내용, 맥락으로 구성된다. (　　)

08 말하는 이(글쓴이)와 듣는 이(읽는 이)의 의도나 처지, 관계 등에 따라 같은 말(글)이라도 그 뜻이나 표현이 달라지기도 한다. (　　)

09 다른 문화권 사람들과 의사소통을 할 때에는 우리 문화를 이해할 수 있도록 관용적인 표현을 자주 사용하는 것이 좋다. (　　)

10 세대에 따라 같은 대상을 다른 말로 표현하기도 하고, 같은 말을 다른 의미로 사용하기도 한다. (　　)

어휘 시험

[01~04] 다음 설명에 해당하는 낱말을 〈보기〉에서 골라 쓰시오.

보기
맥락, 의사소통, 발화, 문구

01 글을 이루고 있는 구와 절 (　　　)

02 가지고 있는 생각이나 뜻이 서로 통함. (　　　)

03 사물 따위가 서로 이어져 있는 관계나 연관 (　　　)

04 소리를 내어 말을 하는 현실적인 언어 행위. 또는 그에 의하여 산출된 일정한 음의 연쇄체 (　　　)

[05~07] 다음 문장에 들어갈 알맞은 낱말을 ( )에서 골라 ○표 하시오.

05 이 소설에는 지역 (방언 / 표준어)이/가 많이 쓰여 내용을 이해하기가 어려웠다.

06 이번에 학생 회장 선거에 출마하려고 하는데 원고지 몇 장 정도로 (안내문 / 연설문)을 쓰면 되는지 알려 주세요.

07 다른 사람과 의사소통을 할 때에는 세대, 문화, 역사적 상황 등에 따라 말의 뜻을 서로 다르게 받아들일 수 있다는 사실을 (배려해야 / 고려해야) 합니다.

[08~10] 다음 낱말과 그 뜻풀이를 바르게 연결하시오.

08 수용 • 　　• ㉠ 생각이나 느낌 따위를 언어나 몸짓 따위의 형상으로 드러내어 나타냄.

09 표현 • 　　• ㉡ 이름을 지어 부름. 또는 그 이름.

10 호칭 • 　　• ㉢ 어떠한 것을 받아들임.

예상 적중 소단원 평가 (1) 담화의 개념과 특성

• 정답과 해설 26쪽

01 담화에 대한 설명으로 알맞은 것끼리 묶은 것은?

ㄱ. 담화는 말하는 이와 듣는 이가 바뀌어도 표현은 달라지지 않는다.
ㄴ. 담화가 이루어지는 구체적인 시간과 공간을 가리켜 상황 맥락이라고 한다.
ㄷ. 말과 달리 글은 문자로 시각화된 것이므로 상황이 달라져도 그 뜻은 변하지 않는다.
ㄹ. 담화는 구체적인 맥락 속에서 이루어지는 발화(문장)나 발화(문장)의 연속체를 말한다.

① ㄱ, ㄴ ② ㄱ, ㄷ ③ ㄴ, ㄷ
④ ㄴ, ㄹ ⑤ ㄷ, ㄹ

02 (가)와 (나)의 담화 상황에서 '민재'와 '진수'가 할 수 있는 대답을 바르게 나열한 것은?

(가) 아침에 체험 활동 장소에서, 한 친구가 다른 친구에게 무엇을 타고 왔는지 물어보는 상황

세민: 어떻게 왔어?
민재: [   ]

(나) 토요일 오후 전시회장에서, 전시회에 참가한 한 친구가 자신이 미처 초대하지 못한 다른 친구에게 어떻게 알고 왔냐고 물어보는 상황

윤하: 어떻게 왔어?
진수: [   ]

	민재	진수
①	버스 타고 왔어.	기차 타고 왔어.
②	버스 타고 왔어.	선호가 알려 줬어.
③	배가 아파서 왔어.	기차 타고 왔어.
④	배가 아파서 왔어.	전해 줄 물건이 있어서 왔어.
⑤	전해 줄 물건이 있어서 왔어.	선호가 알려 줬어.

03 다음 상황에서 ②와 ③의 "불편하지는 않으세요?"의 의미 차이를 만든 요소로 알맞은 것은?

① 듣는 이의 직업 ② 말하는 이의 나이
③ 듣는 이의 관심사 ④ 말하는 이의 심리 상태
⑤ 말하는 이와 듣는 이의 관계

04 (가)와 (나)의 상황에서 "지금 몇 시니?"의 의미가 달라진 요인으로 알맞은 것은?

① 듣는 이의 성별
② 말하는 이의 표정
③ 대화가 이루어지는 공간
④ 대화가 이루어지는 시간
⑤ 말하는 이와 듣는 이의 관계

05 〈보기〉의 문구가 도서관에 붙어 있다고 할 때, 그 의미로 가장 적절한 것은?

보기
"양심을 지키세요."

① 차례를 지키세요.
② 책을 깨끗이 읽으세요.
③ 부정행위를 하지 마세요.
④ 잔디밭에 들어가지 마세요.
⑤ 노약자에게 자리를 양보하세요.

• 정답과 해설 26쪽

06 〈보기〉와 같이 지역 방언으로 된 안내문에 표준어를 함께 쓴 이유로 알맞은 것은?

보기

① 지나친 줄인 말은 원활한 의사소통을 방해할 수도 있기 때문에
② 언어 사용자 개인에 따라 같은 말을 다른 의미로 사용할 수도 있기 때문에
③ 우리말은 관용적인 표현이 너무 많아서 외국인이 이해하기 어렵기 때문에
④ 다른 집단에 본래의 뜻을 숨기기 위해 내부에서만 통하는 말을 만들어 사용하기 때문에
⑤ 같은 언어를 사용하더라도 지역적인 차이에 따라 말이 달라져 그 뜻을 이해하지 못할 수도 있기 때문에

07 다음 상황에서 원활한 의사소통을 위해 고려해야 할 점으로 알맞은 것은?

① 아빠와 딸의 친밀한 관계
② 담화 참여자의 역사적 지식
③ 대화가 이루어지는 시간과 공간
④ 아빠와 딸이 공유할 수 있는 주제
⑤ 세대 구분 없이 이해할 수 있는 단어의 사용

08 다음 상황에서 외국인 손님이 이해하지 못한 담화의 맥락 요소로 알맞은 것은?

〈장소: 식당 안〉
한국인 손님 1: 이모, 여기 설렁탕 두 그릇 주세요.
한국인 손님 2: 이모, 저희는 된장찌개요.
외국인 손님: 모두들 친척인가 보군요.

① 지역　② 세대　③ 성별
④ 문화　⑤ 역사적 상황

09~10 다음 글을 읽고, 물음에 답하시오.

남아프리카 공화국의 흑인과 백인 대부분은 아파르트헤이트에 미래가 없다는 것을 잘 알고 있습니다. 평화와 안전을 위해, 우리는 결단력 있게 집단행동을 하여 인종 차별 체제를 끝내야 합니다. 자유를 얻기 위해 우리가 저항하고 행동할 때 민주주의는 우리의 눈앞에 다가올 것입니다. 〈중략〉 통합되고 민주적이며 인종 차별이 없는 남아프리카 공화국에서 이루어지는, 모든 유권자가 참여하는 보통 선거만이 평화와 인종 화합을 이룰 수 있는 유일한 길입니다. – 베로니크 타조, 『넬슨 만델라』

09 이 연설문을 쓴 목적으로 알맞은 것은?
① 아파르트헤이트에 미래가 없음을 알리려고
② 피부색이 사람을 평가하는 기준임을 알리려고
③ 남아프리카 공화국이 민주주의 국가임을 밝히려고
④ 평화와 인종 화합을 위한 보통 선거를 주장하려고
⑤ 현재의 상황이 어려워도 받아들여야 함을 설득하려고

서술형

10 다음은 이 연설문을 읽은 학생들의 대화이다. 이 연설문을 이해하는 데 어려움을 느낀 이유를 한 문장으로 쓰시오.

여학생: '아파르트헤이트'가 뭐길래 이 연설자는 '아파르트헤이트'에 미래가 없다고 말하는 걸까?
남학생: 맞아. 그리고 이 연설자가 보통 선거를 주장하는 까닭도 잘 모르겠어.

고득점 서술형 문제

1단계 단답식 서술형 문제

01 다음 빈칸에 들어갈 알맞은 말을 쓰시오. [5점]

> 같은 말이나 글도 의사소통이 언제, 어디에서 이루어지느냐에 따라 뜻이 달라질 수 있다. 이와 같이 담화가 이루어지는 구체적인 시간과 공간을 가리켜 □□ □□(이)라고 한다.

02 "양심을 지키세요."라는 문구가 아래 제시된 공간에 붙어 있을 때, 각각 어떤 의미로 해석되는지 쓰시오. [10점]

(1) 시험을 치르는 교실
(2) 신호등이 있는 건널목 앞

2단계 기본형 서술형 문제

03 <보기>에서 일본 학생이 의사소통에 어려움을 겪은 이유를 사회·문화적 맥락과 관련지어 쓰시오. [15점]

보기

> 일본에서 온 학생이 한국 학생과 함께 식당에서 김치찌개를 먹고 있는 상황
> 한국 학생: 아, 시원하다.
> 일본 학생: (수저로 국물을 떠먹으며) 앗, 뜨거워! 이게 시원하다고?
> 한국 학생: (당황한 표정으로) 개운하다는 뜻인데…….

04 <보기>에서 딸과 아빠의 대화가 원활하게 이루어지지 못한 이유를 쓰시오. [20점]

보기

> 딸: 아빠! 저 남아공 해야 해서 오늘 좀 늦을 것 같아요.
> 아빠: 남아공? 갑자기 남아공은 왜? 그 나라를 조사하는 과제라도 있니?

조건 ① 담화의 사회·문화적 맥락 측면에서 쓸 것
② '~때문이다.' 형식의 한 문장으로 쓸 것

05 <보기>를 쓴 외국인과 원활하게 의사소통하기 위해 지녀야 할 태도를 두 가지 이상 쓰시오. [20점]

보기

> 20○○년 ○○월 ○○일
> 한국말은 어려워
> 옷 가게의 주인이 나에게 "언니, 예쁜 옷 많아요. 들어와서 구경하세요!"라고 말했다. 가게 주인은 나보다 나이가 훨씬 많아 보였다. 그런데 왜 나를 '언니'라고 부르는 거지? 한국 사람들은 왜 아무에게나 '언니'라고 부르는 걸까? 나는 잘 모르겠다.

3단계 고난도 서술형 문제

06 <보기>의 담화를 분석하시오. [30점]

보기

> 등굣길에 버스 창가 자리에 앉아 있는 민재, 졸고 있다. 버스가 정류장에 멈추자 목발을 짚은 지우가 올라탄다. 지우, 민재 앞에 가 선다. 잠시 뒤, 사람들을 모두 태운 버스가 출발하자, 미처 손잡이를 잡지 못한 지우는 민재 쪽으로 쓰러진다.
> 민재: (깜짝 놀라며) 뭐야! / 지우: (난처해하며) 미안해.
> 민재: (완전히 잠을 깨고 정신을 차렸다.) 아, 지우였구나. 괜찮아? / 지우: 응. 목발이 아직 익숙하지 않아서……. 손잡이를 못 잡았어.
> 민재: 자느라 널 미처 못 봤나 봐. (자리에서 일어나며) 여기에 앉아서 가.
> 지우: 괜찮아. 서서 갈 수 있어.
> 민재: 다리 다쳤잖아. 네가 앉아서 가야 내 마음도 편해. / 지우: (마지못해 자리에 앉으며) 고마워. 대신 내가 가방 들게. 이리 줘.
> 민재: (가방을 건네며) 고마워.
> 민재와 지우, 활짝 웃는다.

조건 ① 담화의 상황 맥락 두 가지를 쓸 것
② 담화 참여자와 담화의 목적을 쓸 것

만점 마무리 (2) 의미를 나누는 듣기·말하기

◆ 활동 의도

대화를 읽고 의미 공유 과정으로서의 듣기·말하기 특성을 이해하도록 하였다. 또한, 만화와 문학 작품 속 인물들의 듣기·말하기를 통해 듣기·말하기 과정에서 유의할 점과 듣기·말하기 활동에 협력적으로 참여하는 태도의 중요성을 알고 실제에 적용할 수 있도록 하였다.

◆ 활동 목표

- 의미 공유 과정으로서 듣기·말하기의 특성 이해하기
- 듣기·말하기에 참여할 때의 유의점과 협력적인 태도의 중요성 이해하기
- 영화 속 인물들의 듣기·말하기를 살펴보고 협력적인 듣기·말하기로 고쳐쓰기

◆ 활동 요약

의미 공유 과정으로서 듣기·말하기의 특성 이해하기
상대의 반응에 따라 달라지는 대화를 통해 듣기·말하기의 특성을 이해함.

⬇

듣기·말하기에 참여할 때의 유의점과 협력적인 태도의 중요성 이해하기
여러 가지 듣기·말하기 상황이 제시된 만화를 통해 듣기·말하기 과정에서 유의할 점을 알아보고, 소설 속 등장인물의 대화를 통해 협력적으로 듣고 말하는 태도의 중요성을 이해함.

⬇

영화 속 인물들의 듣기·말하기를 살펴보고 협력적인 듣기·말하기로 고쳐쓰기
「달리는 차은」의 한 장면을 보고 인물들의 의사소통이 원활하지 않은 까닭을 찾음. 인물들의 대사를 협력적인 듣기·말하기의 내용으로 고쳐 씀.

◇ 의미 공유 과정으로서의 듣기·말하기

듣기·말하기	듣기·말하기 활동은 같은 내용으로 시작하더라도 참여자들의 상황, 지식수준, 참여자들 간의 관계 등에 따라 전혀 다르게 전개될 수 있음.

→ 듣기·말하기 활동은 일방적으로 뜻을 전달하고 전달받는 의사소통 과정이 아니고, 말하는 이와 듣는 이가 함께 참여하여 내용을 창조하고 그 의미를 공유하는 과정이기 때문이다.

◇ 듣기·말하기 활동을 할 때 갖춰야 할 올바른 태도

듣기·말하기 활동에 협력적으로 참여하는 방법
• 상대의 의견이나 가치관을 존중하고 상대의 말을 수용하려는 태도로 들어야 함. • 상대의 처지와 입장을 이해하고 상대의 말에 적극적으로 반응하면서 들어야 함. • 상대의 처지나 지식수준 등을 고려하여 말할 내용을 선정하고, 친밀감이 형성되도록 우호적으로 말해야 함.

⬇

의미 공유를 잘 하기 위해서는 의사소통의 목적과 참여자의 지식수준, 참여자 간의 친밀도 등을 고려하여야 함.

◇ 『돼지가 한 마리도 죽지 않던 날』에 나타난 협력적인 말하기 과정

	아빠와 대화를 하기 전		아빠와 대화를 나눈 후
'울타리'에 대한 아들의 생각	전쟁하듯이 자기 걸 지키려고 세우는 것, 이웃을 갈라놓는 것 → 부정적으로 생각함.	➡	다른 사람의 것을 지켜 주기 위해 세우는 것, 이웃을 하나로 만들어 주는 것 → 긍정적으로 생각함.

→ 아빠는 울새와 여우를 예로 들어 '울타리'의 의미를 아들의 눈높이에 맞게 설명해 주었고, 아들은 자신과 다른 아빠의 의견에도 귀를 기울이고, 동의하는 부분에는 맞장구를 쳤다. 이와 같은 두 사람의 적극적이고 협력적인 태도가 울타리에 대한 의견을 일치하게 만들었다.

◇ 「달리는 차은」에 나타난 인물들의 듣기·말하기 태도에 대한 조언

'차은'	엄마의 성의를 무시하고, 자기 기분이 좋지 않다는 이유로 엄마에게 무작정 화를 냄.	➡	• 의미 공유가 원활하게 이루어지지 않아 두 사람의 의사소통이 잘 되지 않음. • 두 사람의 갈등이 심화됨.
엄마	'차은'과 대화하려는 시도는 하지만, '차은'이 속상해하는 이유를 눈치채지 못하고 운동화 이야기만 함.		

⬇

'차은'에 대한 조언	엄마에 대한 조언
무턱대고 화만 내기보다는 엄마에게 속마음을 얘기하면서 함께 고민하면 문제를 해결할 수 있을 것임.	'차은'과 대화하려 노력한 점은 잘 알지만, 운동화 이야기만 하지 말고 '차은'의 기분을 헤아려 가며 대화를 나누어야 함.

간단 복습 문제

(2) 의미를 나누는 듣기·말하기

• 정답과 해설 27쪽

쪽지 시험

[01~02] 다음 문장에 들어갈 알맞은 낱말을 (　　)에서 골라 ○표 하시오.

01 듣기·말하기는 말하는 이와 듣는 이가 생각이나 느낌을 교환하여 새로운 (의미 / 관계)를 만들고 공유하는 과정이다.

02 듣기·말하기에서 참여자들 간에 의미가 잘 공유되기 위해서는 의사소통의 (목적 / 개념), 참여자들의 지식수준, 참여자들 간의 친밀도 등을 고려해야 한다.

[03~04] 다음 빈칸에 들어갈 알맞은 말을 쓰시오.

03 듣기·말하기는 처음에 같은 이야기로 시작하더라도 참여자들의 배경지식이나 경험, 참여자들 사이의 관계 등에 따라 (　　　　) 방향으로 전개될 수 있다.

04 의미 있고 즐겁게 의사소통을 하기 위해서는 듣기·말하기 활동에 (　　　　)이고 협력적으로 참여하는 자세가 필요하다.

[05~09] 올바른 듣기·말하기 태도에 대한 다음 설명이 맞으면 ○표, 틀리면 ×표 하시오.

05 듣기·말하기는 상대와 더불어 새로운 내용을 창조하는 과정이다. (　　)

06 자신의 생각을 상대에게 일방적으로 말해야 한다. (　　)

07 화제를 전환하고 싶을 때에는 대화 주제에서 벗어난 이야기를 자주 하는 것이 좋다. (　　)

08 말하는 이는 듣는 이의 처지나 지식수준 등을 고려하며 말해야 한다. (　　)

09 듣는 이는 말하는 이의 말에 관심을 보이며 긍정적인 태도로 들어야 한다. (　　)

어휘 시험

[01~03] 다음 설명에 해당하는 낱말을 〈보기〉에서 골라 쓰시오.

보기
전형, 석탑, 전탑

01 석재를 이용하여 쌓은 탑 (　　　)

02 같은 부류의 특징을 가장 잘 나타내고 있는 본보기 (　　　)

03 흙을 구워 정사각형 또는 직사각형의 납작한 벽돌 모양으로 만든 전으로 쌓아 올린 탑 (　　　)

[04~06] 다음 문장에 들어갈 알맞은 낱말을 (　　)에서 골라 ○표 하시오.

04 의사소통이 원활하게 (전개되기 / 전출되기) 위해서는 대화 참여자들이 서로를 배려하며 말해야 한다.

05 두 나라의 국방 장관은 이번 회의를 계기로 양국 간 합동 군사 작전을 비롯한 국방 관련 (협상 / 협력) 방안을 찾기로 하였다.

06 주장하는 말하기를 할 때에 (타당한 / 솔직한) 근거를 제시하지 않으면 상대를 설득할 수 없다.

[07~09] 다음 낱말과 그 뜻풀이를 바르게 연결하시오.

07 공유 •　　　• ㉠ 자극에 대응하여 어떤 현상이 일어남.

08 강연 •　　　• ㉡ 일정한 주제에 대하여 청중 앞에서 강의 형식으로 말함.

09 반응 •　　　• ㉢ 두 사람 이상이 한 물건을 공동으로 소유함.

예상 적중 소단원 평가 (2) 의미를 나누는 듣기·말하기

01 듣기·말하기를 할 때 갖춰야 할 올바른 태도로 적절하지 않은 것은?

① 상대의 처지와 입장 등을 이해하며 듣는다.
② 상대의 의견이나 가치관을 존중하며 듣는다.
③ 상대의 말에 적극적으로 반응하며 듣고 말한다.
④ 친밀감이 형성될 수 있도록 우호적으로 말한다.
⑤ 상대의 말을 비판적으로 듣고 잘못된 점은 즉시 지적하며 말한다.

02 다음 대화에 드러난 듣기·말하기의 특성으로 알맞지 않은 것은?

남학생: 너 혹시 소금의 유통 기한 알아?
여학생: 소금에도 유통 기한이 있어?
남학생: 1,000일이야. 천일염이라고 하잖아.

여학생: 킥킥, 재미있네. 다른 이야기는 없어? 알면 더 해 줘.	여학생: 킥킥, 재미있네. 그런데 천일염이 정확히 무엇을 뜻하는 거지?

① 협력적인 듣기·말하기
② 설득적인 듣기·말하기
③ 적극적인 듣기·말하기
④ 의미를 공유하는 듣기·말하기
⑤ 함께 내용을 창조하는 듣기·말하기

03 다음 상황에 드러난 참여자들의 문제점을 바르게 짝지은 것은?

ⓐ 강연자가 어려운 용어를 사용하였다.
ⓑ 학생들이 강연을 집중해서 듣지 않았다.
ⓒ 강연자가 타당한 근거 없이 주장을 내세웠다.
ⓓ 강연자가 듣는 이의 지식수준을 고려하지 않았다.
ⓔ 학생들이 강연의 주제를 미리 알아보지 않았다.

① ⓐ, ⓑ, ⓒ ② ⓐ, ⓓ, ⓔ ③ ⓑ, ⓒ, ⓓ
④ ⓑ, ⓓ, ⓔ ⑤ ⓒ, ⓓ, ⓔ

04~05 다음 글을 읽고, 물음에 답하시오.

"울타리라는 거 참 우스워요. 안 그래요, 아빠?"
"왜 그렇게 생각하니?"
"아빠랑 태너 아저씨는 친구잖아요. 이웃사촌 말예요. 그런데도 마치 전쟁을 하듯이 이렇게 울타리를 세우고 있잖아요. 이 세상에서 사람만이 자기 걸 지키려고 울타리를 세우는 것 같아요."
"그렇지 않아." / 아빠가 말했다. 〈중략〉
"울새가 노래하는 거 많이 들어 봤지? 그 소리는 말야. 이 나무는 내 거니까 가까이 오지 말라는 뜻이야. 그 소리도 울새의 울타리인 셈이지." / "엉터리."
"여우를 본 적 있니?" / "물론 여러 번 봤죠."
"내 말은, 자세히 살펴봤냐구. 여우는 매일같이 자기 영토를 돌아다니며 나무나 바위 여기저기에 소변을 보지. 그게 여우의 울타리야. 그 이상은 잘 모르겠지만, 살아 있는 모든 생명체는 어떤 식으로든 울타리를 세울 것 같아. 나무가 뿌리로 울타리를 만들 듯이 말이야." / "그렇다면 그건 전쟁이 아니네요."
"평화로운 전쟁이야. 내가 알기로는 벤저민 플랭클린 태너는 자기네 소가 우리 옥수수밭을 망가뜨리는 걸 좋아하지 않을 사람이야. 우리 소가 자기네 밭을 망가뜨린다면 나보다 더 속상해할 사람이고 말이야."

04 이 글에 나타난 아빠의 말하기 방식으로 알맞은 것은?

① 전문가의 말을 인용하여 설득력을 높였다.
② 맞장구를 치며 편안한 분위기를 유도하였다.
③ 위로와 격려의 말로 아들에게 믿음을 나타냈다.
④ 문제 상황을 논리적으로 분석하여 해결 방법을 제시하였다.
⑤ 구체적인 예를 들어 어린아이의 눈높이에 맞게 설명하였다.

서술형

05 〈보기〉는 이 글의 뒷부분을 추측한 대화이다. 빈칸에 들어갈 적절한 내용을 쓰시오.

보기
아빠: 결국 울타리는 전쟁하듯이 자기 걸 지키려고 세우는 것이 아니라 (   ) 세우는 거야.
아들: 그런 생각은 미처 못 했어요.

06~09 다음 글을 읽고, 물음에 답하시오.

앞부분 줄거리 '차은'이 다니던 학교의 육상부가 해산되자, 육상부 친구들은 서울로 전학을 간다. '차은'도 육상부 코치 선생님에게 전학을 권유받는다. '차은'은 서울로 전학 가 육상을 계속하고 싶지만, 아버지는 이를 허락하지 않는다. 어느 날, '차은'과 '영찬'이 함께 있는 것을 본 '차은'의 엄마는 '영찬'을 집으로 초대한다. '차은'의 엄마가 필리핀 출신인 것을 알게 된 '영찬'은 학교 친구들에게 이 사실을 알리고, 몇몇 친구는 '차은'을 '필리핀'이라고 부르며 놀린다.

S# 18 차은네 마당 / 낮

툇마루에 누워 만화책을 읽고 있는 차은, 새 운동화에 신이 난 동민이 차은을 부르며 마당으로 들어온다. 동민을 따라 들어오는 엄마.

동민: 누나! 이것 좀 봐라! 새 운동화다!

차은이 별 관심을 보이지 않자, 동민은 "아빠!" 하고 부르며 쪼르르 밖으로 나가고, 쇼핑백을 들고 선 엄마가 차은의 곁에 앉는다.

엄마: 차은아! 집에 있었어? 안 나갔어?
차은: (꿈적도 않는다.)
엄마: 엄마가 뭐 사 왔어. 맞혀 봐!

엄마가 들고 있던 쇼핑백에서 신발을 꺼내 차은 앞에 자랑하듯 내놓는다.

엄마: 짜잔! 차은아! 이거 봐 봐!
차은: …….
엄마: 너, 달리기 잘한다며? 너 달리기할 때 신으라고.

차은, 읽던 만화책을 챙겨 들고 일어선다.

차은: ㉠<u>달리기할 때 그런 거 신는 거 아니거든!</u>
엄마: 왜? 이거 마음에 안 들어?

차은, 엄마가 뽐내는 새 운동화를 쳐다보지도 않고, 제 신발을 챙겨 신는다.

엄마: 안 예뻐? 되게 비싼 건데. (새 운동화를 차은 앞에 내려놓으며) 그럼 남자 친구 만날 때 신어!
차은: 걔 남자 친구 아니거든. 내가 남자 친구 아니라고 몇 번이나 말해! 내 말 못 알아들어!
엄마: ……. / 차은: …….
엄마: (속상한 마음에 새 운동화를 차은의 앞에 던지듯 놓으며) 그래! 신지 마! 갖다 버려!
차은: 그래! 버려!

차은, 새 운동화를 발로 차더니, 대문을 향해 걸어 나간다.

---

06 이 글에 대한 설명으로 적절하지 <u>않은</u> 것은?

① 엄마와 '차은'의 갈등이 드러난다.
② '차은'과 '영찬'의 관계가 갈등의 원인이다.
③ '차은'이 꿈을 이루는 데 어려움을 겪고 있다.
④ 다문화 가정 아이들에 대한 차별이 나타난다.
⑤ 새 운동화는 엄마의 사랑이 드러나는 소재이다.

07 이 글에 나타난 인물의 듣기·말하기 태도로 적절하지 <u>않은</u> 것은?

① '차은'은 엄마의 성의를 무시하며 무턱대고 화를 내고 있다.
② '동민'은 '차은'이 자신의 말에 반응하지 않자 아빠를 찾아간다.
③ 엄마는 '차은'과 대화를 이어 가기 위해 지속적으로 말을 걸고 있다.
④ 엄마는 '차은'의 속상한 마음을 헤아리며 위로하는 말을 건네고 있다.
⑤ '차은'은 처음에 엄마의 말에 대답하지 않음으로써 심리를 드러내고 있다.

08 ㉠의 앞에 지시문을 넣는다고 할 때, 들어갈 내용으로 적절한 것은?

① 당황한 듯 ② 신이 나서
③ 짜증을 내며 ④ 몹시 반기며
⑤ 안쓰러워하며

서술형

09 다음은 '차은'에게 듣기·말하기 태도와 관련하여 조언한 내용이다. 빈칸에 들어갈 알맞은 속담을 쓰시오.

너의 기분이 좋지 않다는 이유로 엄마에게 화풀이를 해서 엄마도 너와 대화하는 것을 포기하고 화를 내셨던 것 같아. '(   )'라는 속담처럼, 엄마에게 친절하게 말을 건네면 엄마도 너의 기분을 고려하여 좋게 말씀해 주실 거야.

고득점 서술형 문제

(2) 의미를 나누는 듣기·말하기

1단계 단답식 서술형 문제

01 〈보기〉의 대화를 바탕으로 빈칸에 들어갈 알맞은 말을 쓰시오. [5점]

보기

남학생: 너 혹시 소금의 유통 기한 알아?
여학생: 소금에도 유통 기한이 있어?
남학생: 1,000일이야. 천일염이라고 하잖아.

여학생: 킥킥, 재미있네. 다른 이야기는 없어? 알면 더 해 줘. 남학생: 좋아. "신발이 화가 났다."라는 말을 세 글자로 표현하면 뭐게? 신발 끈이야.	여학생: 킥킥, 재미있네. 그런데 천일염이 정확히 무엇을 뜻하는 거지? 남학생: 나도 궁금해서 '천일염'을 검색해 보았는데, 천일염의 '천일'은 '하늘 천(天)' 자와 '해 일(日)' 자래. 천일염은 '바닷물을 햇볕과 바람으로 증발시켜서 얻은 소금'이라는 뜻이야.

대화, 강연, 수업, 소개 등 모든 듣기·말하기 활동은 같은 내용으로 시작해도 참여자들의 상황, 지식수준, 참여자들 간의 관계 등에 따라 이야기가 전혀 다르게 전개될 수 있다. 이는 듣기·말하기 활동이 일방적으로 뜻을 전달하고 전달받는 의사소통 과정이 아니라, 상대와 더불어 내용을 창조하고 그 의미를 □□해 가는 과정이기 때문이다.

02 다음 빈칸에 들어갈 알맞은 말을 쓰시오. [5점]

말하는 이는 듣는 이의 처지나 지식수준 등을 고려하며 말해야 하고, 듣는 이는 상대의 말에 관심을 보이며 적극적으로 반응해야 한다. 이와 같이 의미 있고 즐겁게 의사소통을 하려면 듣기·말하기 활동에 □□□으로 참여하는 자세가 필요하다.

03 〈보기〉에서 강연자가 학생들에게 강의하는 목적을 50어절로 쓰시오. [10점]

보기

2단계 기본형 서술형 문제

04 〈보기〉의 듣기·말하기 과정에 드러난 아들과 엄마의 문제점을 쓰시오. [15점]

보기

조건 ① 참여자들의 문제점을 한 가지 이상씩 쓸 것
② 각각 한 문장으로 쓸 것

05 <보기>의 '영서'가 듣기·말하기 과정에서 유의할 점을 쓰시오. [15점]

보기

조건 ① '친밀도'라는 단어를 사용하여 한 문장으로 쓸 것

06 <보기>에서 '울타리'를 바라보는 아들의 관점이 어떻게 달라졌을지 쓰시오. [20점]

보기

"여우를 본 적 있니?"
"물론 여러 번 봤죠."
"내 말은, 자세히 살펴봤냐구. 여우는 매일같이 자기 영토를 돌아다니며 나무나 바위 여기저기에 소변을 보지. 그게 여우의 울타리야. 그 이상은 잘 모르겠지만, 살아 있는 모든 생명체는 어떤 식으로든 울타리를 세울 것 같아. 나무가 뿌리로 울타리를 만들 듯이 말이야."
"그렇다면 그건 전쟁이 아니네요."
"평화로운 전쟁이야. 내가 알기로는 벤저민 플랭클린 태너는 자기네 소가 우리 옥수수밭을 망가뜨리는 걸 좋아하지 않을 사람이야. 우리 소가 자기네 밭을 망가뜨린다면 나보다 더 속상해할 사람이고 말이야."
"태너 아저씨는 좋은 이웃이에요, 아빠."
"그 사람도 나처럼 자기네 땅과 우리 땅을 구분하는 울타리가 있어야 한다고 생각할 거다. 울타리는 이웃을 갈라놓는 게 아니라 하나로 만들어 준다는 사실을 태너 아저씨도 잘 알고 있어."
"그런 생각은 미처 못 했어요."
"이제 알게 됐잖니."

조건 ① 울타리의 의미를 이웃과 관련지어 쓸 것
② 아빠의 말을 참고하여 대화 전과 후의 의미 변화를 한 문장으로 쓸 것

3단계 고난도 서술형 문제

07 <보기>의 대화가 원활하게 이루어지도록 '차은'에게 조언하는 말을 쓰시오. [30점]

보기

앞부분 줄거리 '차은'이 다니던 학교의 육상부가 해산되자, 육상부 친구들은 서울로 전학을 간다. '차은'도 육상부 코치 선생님에게 전학을 권유받는다. '차은'은 서울로 전학 가 육상을 계속하고 싶지만, 아버지는 이를 허락하지 않는다. 어느 날, '차은'과 '영찬'이 함께 있는 것을 본 '차은'의 엄마는 '영찬'을 집으로 초대한다. '차은'의 엄마가 필리핀 출신인 것을 알게 된 '영찬'은 학교 친구들에게 이 사실을 알리고, 몇몇 친구는 '차은'을 '필리핀'이라고 부르며 놀린다.

S# 18 차은네 마당 / 낮
엄마: 차은아! 집에 있었어? 안 나갔어?
차은: (꿈적도 않는다.)
엄마: 엄마가 뭐 사 왔어. 맞혀 봐!
엄마가 들고 있던 쇼핑백에서 신발을 꺼내 차은 앞에 자랑하듯 내놓는다.
엄마: 짜잔! 차은아! 이거 봐 봐! / 차은: …….
엄마: 너, 달리기 잘한다며? 너 달리기할 때 신으라고.
차은, 읽던 만화책을 챙겨 들고 일어선다.
차은: 달리기할 때 그런 거 신는 거 아니거든!
엄마: 왜? 이거 마음에 안 들어?
차은, 엄마가 뽐내는 새 운동화를 쳐다보지도 않고, 제 신발을 챙겨 신는다.
엄마: 안 예뻐? 되게 비싼 건데. (새 운동화를 차은 앞에 내려놓으며) 그럼 남자 친구 만날 때 신어!
차은: 걔 남자 친구 아니거든. 내가 남자 친구 아니라고 몇 번이나 말해! 내 말 못 알아들어!
엄마: ……. / 차은: …….

조건 ① '차은'의 처지와 기분에 공감하는 말을 쓸 것
② '차은'의 듣기·말하기 태도에 나타난 문제점을 언급할 것

01 담화의 구성 요소로 적절하지 않은 것은?

① 맥락
② 듣는 이
③ 말하는 이
④ 전달 매체
⑤ 전달하려는 내용

02~03 다음을 읽고, 물음에 답하시오.

02 이 대화에서 같은 질문에 대한 대답이 서로 다른 이유로 적절한 것은?

① 말하는 이와 듣는 이의 관계 변화
② 말하는 이와 듣는 이의 지식수준 차이
③ 말하는 이와 듣는 이가 만난 시간의 변화
④ 말하는 이와 듣는 이가 있는 공간의 변화
⑤ 말하는 이와 듣는 이의 화제에 대한 관심 정도

03 ㉠과 ㉡의 의미를 바르게 나열한 것은?

	㉠	㉡
①	다치지는 않으셨나요?	신발의 색깔이 마음에 드시나요?
②	더 나빠진 것은 아니죠?	신발의 모양이 마음에 드시나요?
③	아픈 정도는 어떻습니까?	지난번 주문하신 신발이 맞나요?
④	다친 지 얼마나 되셨나요?	어떤 신발로 바꿔 드리면 될까요?
⑤	팔이 아프지는 않으신가요?	신발의 크기가 발에 잘 맞으시나요?

04 (가)와 (나)에 대한 설명으로 알맞지 않은 것은?

① (가)의 말하는 이는 엄마이고, 듣는 이는 늦잠을 자는 아들이다.
② (나)의 말하는 이는 엄마이고, 듣는 이는 게임을 하는 아들이다.
③ (가)의 "지금 몇 시니?"라는 말은 '그만 자고 일어나.'의 의미로 해석할 수 있다.
④ (나)의 "지금 몇 시니?"라는 말은 '게임은 그만하고 이제 자야지.'의 의미로 해석할 수 있다.
⑤ (가)와 (나)를 통해 대화 참여자 간의 친분 정도에 따라 말의 의미가 달라진다는 것을 알 수 있다.

05~06 다음 글을 읽고, 물음에 답하시오.

밥을 먹고 나와서 어떤 옷 가게 앞을 지나가고 있을 때였다. 그 옷 가게의 주인이 나에게 "언니, 예쁜 옷 많아요. 들어와서 구경하세요!"라고 말했다. 가게 주인은 나보다 나이가 훨씬 많아 보였다. ㉠그런데 왜 나를 '언니'라고 부르는 거지? 한국 사람들은 왜 아무에게나 '언니'라고 부르는 걸까? 나는 잘 모르겠다. 한국말은 참 어렵다.

05 이 글을 쓴 외국인과 원활하게 소통하기 위한 방법으로 적절한 것은?

① 이해하기 쉬운 지역 방언을 사용한다.
② 단어의 뜻과 관련된 역사적 상황을 설명한다.
③ 관용적인 표현보다 직접적인 표현을 사용한다.
④ 특정한 세대가 주로 쓰는 말을 사용하지 않는다.
⑤ 담화 시간에 적합한 언어 표현을 찾아 사용한다.

서술형

06 외국인이 ㉠과 같이 생각한 까닭을 사회·문화적 맥락과 관련지어 쓰시오.

07~08 다음을 읽고, 물음에 답하시오.

07 (가)~(다)의 의사소통 과정에서 참여자들의 문제점으로 알맞지 않은 것은?

① (가)의 강연자는 어려운 용어를 사용하고 있다.
② (가)의 청중은 강연 중에 끼어들어 질문하고 있다.
③ (나)의 엄마는 아들의 말을 건성으로 듣고 있다.
④ (다)의 '영서'는 상대에게 무례한 농담을 하고 있다.
⑤ (다)의 '서우'는 감정을 직설적으로 드러내고 있다.

고난도 서술형

08 원활한 의사소통을 위해 (나)의 듣기·말하기 참여자에게 필요한 태도를 쓰시오.

조건
① 두 인물의 공통적인 문제점을 함께 쓸 것

09~10 다음 글을 읽고, 물음에 답하시오.

"㉠울타리라는 거 참 우스워요. 안 그래요, 아빠?"
"왜 그렇게 생각하니?"
"아빠랑 태너 아저씨는 친구잖아요. 이웃사촌 말예요. ㉡그런데도 마치 전쟁을 하듯이 이렇게 울타리를 세우고 있잖아요. 이 세상에서 사람만이 자기 걸 지키려고 울타리를 세우는 것 같아요."
"그렇지 않아." / 아빠가 말했다. 〈중략〉
"여우를 본 적 있니?" / "물론 여러 번 봤죠."
"내 말은, 자세히 살펴봤냐구. ㉢여우는 매일같이 자기 영토를 돌아다니며 나무나 바위 여기저기에 소변을 보지. 그게 여우의 울타리야. 그 이상은 잘 모르겠지만, 살아 있는 모든 생명체는 어떤 식으로든 울타리를 세울 것 같아. 나무가 뿌리로 울타리를 만들 듯이 말이야."
"그렇다면 그건 전쟁이 아니네요."
"㉣평화로운 전쟁이야. 내가 알기로는 벤저민 플랭클린 태너는 자기네 소가 우리 옥수수밭을 망가뜨리는 걸 좋아하지 않을 사람이야. 우리 소가 자기네 밭을 망가뜨린다면 나보다 더 속상해할 사람이고 말이야."
㉤"태너 아저씨는 좋은 이웃이에요, 아빠."

09 ㉠~㉤에 대한 설명으로 알맞지 않은 것은?

① ㉠: 대상에 대한 부정적인 인식이 드러나 있다.
② ㉡: 직유법을 사용하여 대상을 효과적으로 표현하고 있다.
③ ㉢: 아들이 이해하기 쉽도록 구체적인 대상을 예로 들어 설명하고 있다.
④ ㉣: 역설적 표현을 사용하여 대상이 지닌 양면적 의미를 드러내고 있다.
⑤ ㉤: 진정한 이웃이 무엇인지에 대한 깨달음이 드러나 있다.

서술형

10 이 글에서 울타리를 세우는 일에 대한 아들의 인식 변화가 드러난 문장을 찾아 쓰시오.

만점 마무리 (1) 창의적인 발상

◆ 제재 선정 의도
「먼 후일」은 반어 표현, 「봄 길」은 역설 표현이 나타나고, 두 작품 모두 반복을 통해 운율을 형성하므로 운율, 반어, 역설을 이해하는 데에 적절하여 제재로 선정하였다.

제재 ❶ 「먼 후일」

◆ 제재 이해

갈래	자유시, 서정시
성격	서정적, 민요적, 애상적
운율	내재율
제재	이별
주제	떠난 임을 잊을 수 없는 마음
특징	• 같거나 비슷한 시어 및 시구를 반복하여 운율을 형성함. • 반어 표현을 사용하여 의미를 강조함.

◆ 제재의 짜임
1연 먼 훗날 '당신'을 만나게 될 때 말하는 이의 반응
2연 '당신'의 질책에 대한 말하는 이의 반응
3연 '당신'의 계속되는 질책에 대한 말하는 이의 반응
4연 '당신'을 잊지 못하는 말하는 이의 애절한 마음

제재 ❷ 「봄 길」

◆ 제재 이해

갈래	자유시, 서정시
성격	역설적, 의지적, 희망적
운율	내재율
제재	봄 길
주제	시련을 극복하고 스스로 사랑을 찾기 위해 노력하는 삶의 태도
특징	• 의지적이고 단정적인 어조를 사용함. • 비슷한 시구를 반복하여 주제를 강조함.

◆ 제재의 짜임
1~6행 절망적인 상황에서도 희망을 잃지 않는 사람이 있음.
7~9행 사랑이 끝난 절망적인 상황이 찾아옴.
10~14행 사랑이 끝난 곳에서도 사랑을 베푸는 사람이 있음.

제재 ❶ 「먼 후일」

◇ 말하는 이의 처지

'먼 훗날 당신이 찾으시면' — 말하는 이는 먼 훗날에 '당신'이 자신을 찾아올 미래의 상황을 가정함. ➡ 말하는 이는 '당신'과 이별한 상황임.

◇ 운율을 형성하는 요소

같은 음보의 반복	먼 훗날∨당신이∨찾으시면∨ 그때에∨내 말이∨'잊었노라'∨		3음보 율격
같은 문장 구조 및 시어의 반복	• 1연: 먼 훗날 당신이 찾으시면 ~ '잊었노라' • 2연: 당신이 속으로 나무라면 ~ 잊었노라' • 3연: 그래도 당신이 나무라면 ~ 잊었노라'	➡	• 가정형 문장의 반복 • '잊었노라'라는 시어의 반복

→ 3음보 율격을 바탕으로 미래 상황을 가정하는 표현의 반복, 특정 시어의 반복 등을 통해 애상적인 분위기와 정서를 심화한다.

◇ '잊었노라'에 담긴 의미

표면적 의미	반어 →	내포적 의미
당신을 잊었다.		당신을 잊을 수 없다.

→ 당신을 잊을 수 없다는 뜻을 반대로 표현하여 애틋하고 간절한 심정을 강조한다.

제재 ❷ 「봄 길」

◇ '봄 길'의 의미

'봄 길'
• 만물이 소생하는 계절인 '봄'으로 희망의 느낌을 표현함.
• '길'은 미래, 가능성의 의미를 내포하며, 긍정적이고 희망적 가치를 표현함.

◇ 역설 표현에 담긴 의미

역설 표현	의미
• 길이 끝나는 곳에서도 / 길이 있다	• 절망적인 상황 속에서도 희망이 존재함.
• 길이 끝나는 곳에서도 / 길이 되는 사람이 있다	• 절망적인 상황에서도 희망을 잃지 않는 사람이 있음.
• 사랑이 끝난 곳에서도 / 사랑으로 남아 있는 사람이 있다	• 희망이 없는, 고통만 남은 곳에도 다른 이에게 사랑을 베푸는 사람이 있음.

⬇

역설 표현을 활용하여 절망적인 상황일지라도 희망과 사랑이 있다는 믿음을 강조함.

◇ 말하는 이의 태도

절망적인 상황 — 희망과 사랑이 존재한다고 믿음. ➡ 희망과 사랑을 품고 꿋꿋하게 살아가는 삶의 태도를 강조함.

간단 복습 문제

(1) 창의적인 발상

• 정답과 해설 29쪽

쪽지 시험

[01~03] 다음 문장에 들어갈 알맞은 낱말을 ( )에서 골라 ○표 하시오.

01 시를 읽을 때 느껴지는 말의 (가락 / 장단)을 운율이라고 하는데, 운율은 같거나 비슷한 낱말 및 구절, 문장 구조가 반복될 때 생긴다.

02 원래의 뜻과 (다르게 / 반대로) 표현하는 것을 반어라고 하는데, 이것을 사용하는 맥락에 따라 대상을 비꼬거나 비판하는 뜻을 담을 수 있다.

03 겉으로는 뜻이 (거짓 / 모순)되고 이치에 맞지 않는 것 같지만, 그 속에 진리를 담고 있는 표현을 역설이라고 한다.

[04~07] 다음 문장의 빈칸에 들어갈 알맞은 낱말의 기호를 〈보기〉에서 골라 쓰시오.

보기
㉠ 의지 ㉡ 이별 ㉢ 3음보 ㉣ 단정 ㉤ 희망

04 「먼 훗날」은 ( )의 율격을 바탕으로, 특정 시어를 반복하여 애상적인 분위기를 심화한다.

05 「먼 훗날」의 말하는 이는 '당신'과 ( )한 상황으로 '당신'을 그리워하고 있다.

06 「봄 길」은 절망적인 상황에서도 ( )과 사랑이 있다는 믿음을 강조하고 있다.

07 「봄 길」은 ( )적이고, ( )적인 어조를 사용하여 주제를 나타내고 있다.

[08~10] 다음 내용이 맞으면 ○표, 틀리면 ×표 하시오.

08 「먼 후일」의 말하는 이는 '당신'을 잊고 싶은 마음을 반대로 표현하고 있다. ( )

09 「봄 길」은 시련을 극복하고 스스로 사랑을 찾기 위해 노력하는 삶의 태도를 강조하고 있다. ( )

10 「먼 후일」은 역설 표현을, 「봄 길」은 반어 표현을 사용하여 말하는 이의 정서를 심화하고 있다. ( )

[11~13] 다음 개념과 그 효과를 바르게 연결하시오.

11 반어 •　　• ㉠ 시의 호흡을 부드럽게 하고, 시의 정서와 분위기를 드러내 준다.

12 역설 •　　• ㉡ 있는 그대로 말하는 것보다 강한 인상을 줄 수 있으며, 그 안에 담긴 진심을 강조할 수 있다.

13 운율 •　　• ㉢ 읽는 이가 그 안에 담긴 의미를 스스로 찾게 함으로써 내면의 의미를 강조할 수 있으며, 참신한 느낌을 줄 수 있다.

어휘 시험

[01~03] 다음 문장에 들어갈 알맞은 낱말을 ( )에서 골라 ○표 하시오.

01 앞으로는 건강을 위해서 학교에 (걸어갈 / 날아갈) 작정이다.

02 그는 오랜 외국 생활을 마치고 꿈에 (그리던 / 잊던) 조국 땅을 밟았다.

03 도망친 도둑은 놓아두고 문단속 잘못한 집주인만 (나무라는 / 찾는) 격이다.

[04~06] 다음 문장의 빈칸에 들어갈 알맞은 낱말을 〈보기〉에서 골라 쓰시오.

보기
훗날, 스스로, 한없이

04 우리는 먼 ( ) 다시 만나자고 약속했다.

05 고향을 그리는 내 마음은 ( ) 구슬프고 처량했다.

06 옛날 백성들은 ( ) 길쌈해 옷을 해 입고 밭을 갈아먹었다.

[07~09] 다음 낱말과 그 뜻풀이를 바르게 연결하시오.

07 그때 •　　• ㉠ 다른 것과 견줄 수 없이

08 사랑 •　　• ㉡ 앞에서 이미 이야기한 시간상의 어떤 점이나 부분

09 무척 •　　• ㉢ 어떤 사람이나 존재를 몹시 아끼고 귀중히 여기는 마음

예상 적중 소단원 평가 (1) 창의적인 발상

01~05 다음을 읽고, 물음에 답하시오.

(가) 먼 훗날 당신이 찾으시면
㉠그때에 내 말이 '잊었노라'

당신이 속으로 나무라면
㉡'무척 그리다가 잊었노라'

그래도 당신이 나무라면
㉢'믿기지 않아서 잊었노라'

오늘도 어제도 아니 잊고
㉣먼 훗날 그때에 '잊었노라'

(나) ⓐ이젠 당신이 그립지 않죠, 보고 싶은 마음도 없죠.
사랑한 것도 잊혀 가네요, 조용하게.
알 수 없는 건 그런 내 맘이
비가 오면 눈물이 나요.
아주 오래전 당신 떠나던 그날처럼.
이젠 괜찮은데, 사랑 따윈 저버렸는데
바보 같은 난 눈물이 날까.

아련해지는 빛바랜 추억 그 얼마나 사무친 건지.
미운 당신을 아직도 나는 그리워하네.
이젠 괜찮은데, 사랑 따윈 저버렸는데
바보 같은 난 눈물이 날까.
다신 안 올 텐데, 잊지 못한 내가 싫은데
언제까지 내 맘은 아플까.
이젠 괜찮은데, 사랑 따윈 저버렸는데
바보 같은 난 눈물이 날까.

01 (가)와 (나)에 대한 설명으로 알맞지 않은 것은?

① (가)는 같은 음보를 반복하여 운율을 형성한다.
② (가)는 가정형 문장을 반복하여 말하는 이의 정서를 심화한다.
③ (나)는 대상에 대한 감정을 직접적으로 드러낸다.
④ (나)는 단정적인 어조를 통해 미래에 대한 긍정적인 의지를 표현한다.
⑤ (가)와 (나)의 말하는 이는 모두 부정적 상황에 처해 있다.

서술형

02 (가)와 (나)의 말하는 이가 공통적으로 느끼는 감정을 찾아 명사형의 3음절로 쓰시오.

03 (가)의 말하는 이가 ㉠~㉣을 통해 자신의 심정을 드러냄으로써 얻을 수 있는 효과로 알맞은 것은?

① '당신'을 잊겠다는 굳은 결심을 압축적으로 보여 준다.
② '당신'에 대한 마음이 커지는 것을 점층적으로 드러낸다.
③ '당신'을 잊을 수 없는 애틋하고 간절한 심정을 강조한다.
④ '당신'과 이별한 뒤에 느끼는 슬픔을 직설적으로 드러낸다.
⑤ 과거와 현재를 대조하여 '당신'에 대한 말하는 이의 심정을 부각한다.

04 (나)에 대한 감상으로 알맞지 않은 것은?

① 진수: 이별한 후의 심정을 다루고 있어.
② 유연: 맞아. 자신에 대한 안타까움도 잘 나타나.
③ 혁주: 말하는 이는 이별한 '당신'을 이제는 완전히 잊은 것 같아.
④ 시은: 게다가 비가 내리는 상황과 어우러져서 애절한 분위기가 더욱 깊어지는 느낌이야.
⑤ 미지: '눈물이 날까.'라는 구절이 반복되면서 말하는 이의 애달픈 정서도 강조되어서 나타나지.

05 ⓐ와 동일한 표현 방법이 쓰인 것은?

① 구름은 보랏빛 색지 위에 / 마구 칠한 한 다발 장미 – 김광균, 「데생」
② 섬세한 손길을 흔들며 / 하롱하롱 꽃잎이 지는 어느 날 – 이형기, 「낙화」
③ 해야 솟아라, 해야 솟아라, 말갛게 씻은 얼굴 고운 해야 솟아라. – 박두진, 「해」
④ 나 보기가 역겨워 / 가실 때에는 / 죽어도 아니 눈물 흘리우리다 – 김소월, 「진달래꽃」
⑤ 새악시 볼에 떠도는 부끄럼같이 / 시의 가슴에 살포시 젖는 물결같이 – 김영랑, 「돌담에 속삭이는 햇발」

06~11 **다음 시를 읽고, 물음에 답하시오.**

ⓐ길이 끝나는 곳에서도
길이 있다
길이 끝나는 곳에서도
ⓑ길이 되는 사람이 있다
스스로 봄 길이 되어
ⓒ끝없이 걸어가는 사람이 있다
[A] 강물은 흐르다가 멈추고
새들은 날아가 돌아오지 않고
하늘과 땅 사이의 모든 꽃잎은 흩어져도
보라
ⓓ사랑이 끝난 곳에서도
ⓔ사랑으로 남아 있는 사람이 있다
스스로 사랑이 되어
한없이 ㉠봄 길을 걸어가는 사람이 있다

06 **다음을 시인이 이 시를 창작하기 위해 정리한 내용이라고 할 때, 적절한 것끼리 묶은 것은?**

ㄱ. 시의 분위기는 의지적이고 희망적으로 꾸미는 것이 좋겠어.
ㄴ. 수미 상관 형식으로 구성하면 짜임새가 안정적으로 보이겠지.
ㄷ. 비슷한 문장 구조를 반복하면 주제를 강조하는 데 도움이 되겠지.
ㄹ. 일정한 규칙을 반복하여 시의 표면에 운율이 드러나도록 하면 리듬감을 잘 느낄 수 있을 거야.

① ㄱ, ㄴ ② ㄱ, ㄷ ③ ㄱ, ㄹ
④ ㄴ, ㄷ ⑤ ㄴ, ㄹ

서술형

07 **이 시의 내용을 시상의 흐름에 따라 세 부분으로 나누어 쓰시오.**

조건
① 행을 기준으로 나누어 쓸 것

08 **[A]의 상황이 의미하는 바로 알맞은 것은?**

① 사랑을 베푸는 희생정신이 중요함.
② 사랑이 끝난 절망적인 상황이 찾아옴.
③ 절망적인 상황에도 희망이 남아 있음.
④ 시련을 극복하기 위해 노력하는 자세가 필요함.
⑤ 계속 상대방을 기다리는 것은 어리석은 행동임.

09 **㉠과 같은 삶의 태도를 지녔다고 보기 어려운 사람은?**

① 길 잃은 반려동물을 정성껏 돌보는 아주머니
② 돈이 부족한 학생에게 안경을 반값에 제공하는 아저씨
③ 만원 버스에서 몸이 불편한 할아버지께 자리를 양보하는 학생
④ 자신이 목표로 한 시험에 합격하기 위해 열심히 공부하는 친구
⑤ 자신보다 형편이 어려운 사람을 돕기 위해 자원봉사를 하는 할머니

10 **ⓐ~ⓔ를 성격에 따라 바르게 나눈 것은?**

	절망	희망과 사랑
①	ⓐ, ⓑ	ⓒ, ⓓ, ⓔ
②	ⓐ, ⓒ	ⓑ, ⓓ, ⓔ
③	ⓐ, ⓓ	ⓑ, ⓒ, ⓔ
④	ⓐ, ⓑ, ⓔ	ⓒ, ⓓ
⑤	ⓐ, ⓒ, ⓓ	ⓑ, ⓔ

11 **이 시를 통해 시인이 전달하고자 하는 바로 알맞은 것은?**

① 이별의 아픔을 있는 그대로 받아들여야 한다.
② 절망적인 상황에서도 희망과 사랑이 존재한다.
③ 부정적인 인물에 대해 비판하는 용기가 필요하다.
④ 미래를 위해서 현재의 고난을 참고 견뎌야 한다.
⑤ 금전적 이익을 위해 양심을 저버리는 태도를 반성해야 한다.

고득점

서술형 문제

[1] 창의적인 발상

01~10 다음 시를 읽고, 물음에 답하시오.

(가) 먼 훗날 당신이 찾으시면
그때에 내 말이 'Ⓐ잊었노라'

당신이 속으로 나무라면
'무척 그리다가 잊었노라'

그래도 당신이 나무라면
'믿기지 않아서 잊었노라'

㉠오늘도 어제도 아니 잊고
먼 훗날 그때에 '잊었노라'

(나) 길이 끝나는 곳에서도
길이 있다
ⓐ길이 끝나는 곳에서도
길이 되는 사람이 있다
스스로 봄 길이 되어
끝없이 걸어가는 사람이 있다
강물은 흐르다가 멈추고
새들은 날아가 돌아오지 않고
하늘과 땅 사이의 모든 꽃잎은 흩어져도
보라
ⓑ사랑이 끝난 곳에서도
사랑으로 남아 있는 사람이 있다
스스로 사랑이 되어
한없이 봄 길을 걸어가는 사람이 있다

1단계 단답식 서술형 문제

01 (가)에서 말하는 이의 심정을 반복하여 나타내는 시어를 찾아 4음절로 쓰시오. [5점]

02 (가)의 2연을 끊어 읽는 부분에 ∨ 표시하시오. [5점]

03 (가)에서 〈보기〉의 내용에 해당하는 시구를 찾아 쓰시오. [5점]

보기
(가)의 말하는 이는 자신을 떠난 '당신'이 미래에 다시 자신을 찾아올 상황을 가정하고 있다.

04 (나)에서 시의 흐름이 전환되는 시행을 찾아 시어를 쓰시오. [5점]

05 (나)에서 〈보기〉의 설명에 해당하는 시어를 찾아 쓰시오. [5점]

보기
- 만물이 소생하는 희망의 계절과 긍정적이고 희망적인 가치를 표현하는 단어의 결합이다.
- 희망적인 미래와 긍정적인 가치를 의미한다.

2단계 기본형 서술형 문제

06 〈보기〉는 (가)의 말하는 이의 속마음이 직접 나타나도록 ㉠을 바꾼 것이다. 이와 같이 표현할 때 시의 느낌이 어떻게 달라지는지 쓰시오. [10점]

보기
오늘도 어제도 아니 잊고 먼 훗날 그때에도 잊지 못하리라

조건 ① 달라진 시의 느낌을 두 가지로 쓸 것

07 (가)에서 운율을 형성하는 요소를 쓰시오. [15점]

조건 ① 운율을 형성하는 요소 세 가지를 쓸 것
② 운율을 형성하여 얻을 수 있는 효과를 포함하여 쓸 것

08 ⓐ와 ⓑ가 의미하는 사람의 유형을 쓰시오. [10점]

조건 ① ⓐ에서는 '희망'이라는 말을 포함하여 쓸 것
② ⓑ에서는 '사랑'이라는 말을 포함하여 쓸 것

3단계 고난도 서술형 문제

09 (가)의 Ⓐ와 〈보기〉의 밑줄 친 부분에 사용한 표현 방법이 무엇인지 쓰고, 이를 통해 얻을 수 있는 효과를 쓰시오. [20점]

보기
이젠 당신이 그립지 않죠, 보고 싶은 마음도 없죠. 사랑한 것도 잊혀 가네요, 조용하게. 알 수 없는 건 그런 내 맘이 비가 오면 눈물이 나요. 아주 오래전 당신 떠나던 그날처럼. 이젠 괜찮은데, 사랑 따윈 저버렸는데 바보 같은 난 눈물이 날까.

조건 ① (가)의 Ⓐ와 〈보기〉의 밑줄 친 부분에서 사용한 표현 방법과 그 정의를 제시할 것
② (가)의 Ⓐ와 〈보기〉의 말하는 이가 처한 상황과 관련하여 효과를 쓸 것

10 (나)에서 활용한 표현 방법과 이를 통해 깨달을 수 있는 삶의 진리를 쓰시오. [20점]

조건 ① (나)에서 활용한 표현 방법과 그 정의를 제시할 것
② (나)를 통해 깨달을 수 있는 삶의 진리를 '절망'이라는 말을 포함하여 쓸 것

만점 마무리 (2) 비판적인 표현

◆ 제재 선정 의도

이 소설은 일제 강점기에는 일본에 동조하고, 해방 후에는 미국을 찬양하는 기회주의적인 태도를 보이는 인물을 희화화하고 비꼼으로써 대상에 대한 부정적인 시각을 잘 드러낸 작품으로, 풍자의 개념과 효과를 이해하기에 적합하여 제재로 선정하였다.

◆ 제재 이해

갈래	현대 소설, 단편 소설
성격	풍자적, 비판적
시점	1인칭 관찰자 시점
배경	• 시간: 해방 전후 • 공간: 어느 초등학교
제재	기회주의적으로 행동하는 선생님
주제	해방 전후의 혼란한 사회 상황 속에서 기회주의적으로 행동하는 인물 비판
특징	• 어린아이를 서술자로 설정하여 주인공을 관찰함. • 인물의 외모와 행동을 과장하고 희화화하여 풍자함.

◆ 제재 요약

발단 '박 선생님'과 '강 선생님'의 외모 및 성격을 소개함.

전개 자신은 물론 학생들에게도 일본 말을 쓸 것을 강요하는 '박 선생님'과 달리 '강 선생님'은 되도록 조선말을 씀.

위기 일제가 패망하고 조선이 독립함.

절정 '강 선생님'이 미국을 추종하는 '박 선생님'과 대립하다가 파면을 당함.

결말 '나'는 미국을 찬양하는 '박 선생님'을 이상하다고 생각함.

◇ '박 선생님'과 '강 선생님'의 모습

'박 선생님'		'강 선생님'
작은 키에 사납게 생김.	← 외모 →	키가 크고 순하게 생김.
옹졸하고 화를 잘 냄.	← 성격 →	마음이 넓고 여유로우며 온순함.

◇ '박 선생님'과 '강 선생님'의 태도

	'박 선생님'		'강 선생님'
일본 말 사용	일제에 동조하여 학생들에게 일본 말만 쓸 것을 강요함.	↔	수업 시간 외 평상시에는 의도적으로 일본 말 대신 조선말을 씀.
해방 소식	• 일본 선생님들과 직원실에 모여 앉아 초상난 집처럼 근심에 싸여 기가 죽고 맥이 빠져 있음. • 일본의 패망을 쉽게 받아들이지 못함.	↔	• 평소와 다르게 들이 날뛰면서 기뻐함. • 독립 만세를 부르기 위해 손수 태극기를 만듦.

→ 일본 말 사용과 해방 소식에 대한 '박 선생님'과 '강 선생님'의 대조적인 태도를 통해 '박 선생님'의 친일적인 태도를 부각한다.

◇ 광복 전과 후의 '박 선생님'의 태도 변화

광복 전		광복 후
• 조선말을 쓰는 학생들을 혼냄. • 일본 국왕을 찬양하고 일본에 충성함.	➡	• 학생들에게 일본은 나쁜 나라라고 가르치면서, 일본을 적대시함. • 조선은 역사가 길고 문화가 발달한 나라라며 조선을 칭송함. • 학생들에게 미국 말을 공부할 것을 권유하면서, 미국에 협력함.

⬇

• 광복 전후 일본과 미국에 대한 '박 선생'의 태도 변화를 통해 '박 선생님'의 기회주의적인 태도를 부각함.
• '박 선생님'의 기회주의적인 태도를 이해하지 못하는 '나'는 '박 선생님'을 '이상한 선생님'이라고 생각함.

◇ '어린아이'를 서술자로 내세운 효과

• 어리숙하고 순진한 어린아이의 시각으로 사건과 인물을 보여 줌.
• 비판하려는 대상의 부정적인 면을 부각함.

➡ 읽는 이의 웃음을 유발하고, 비판하려는 대상의 부정적인 면모를 부각하여 풍자의 효과를 높임.

간단 복습 문제 (2) 비판적인 표현

• 정답과 해설 31쪽

쪽지 시험

[01～05] 다음 문장에 들어갈 알맞은 낱말을 (　　)에서 골라 ○표 하시오.

01 사실을 과장하거나 왜곡하고, 비꼬아서 표현하여 웃음을 유발함으로써, 현실의 부정적 현상이나 모순을 폭로하는 것을 (반어 / 풍자)라고 한다.

02 풍자 소설은 사회나 인생의 (모순 / 반대)되고 (불리한 / 불합리한) 점을 날카롭게 폭로하고 비웃는 내용의 소설이다.

03 작가가 소설 속에 내세운 대리인으로, 작가를 대신하여 허구적인 이야기를 전달하는 존재를 (서술자 / 이야기꾼)(이)라고 한다.

04 소설 속에 '나'로 등장하는 사람이 이야기를 전달하는 것을 (1인칭 / 3인칭) 시점이라고 한다.

05 「두꺼비 파리를 물고 ~」의 갈래는 (사설시조 / 연시조)에 해당한다.

[06～10] 「이상한 선생님」에 대한 다음 설명이 맞으면 ○표, 틀리면 ×표 하시오.

06 해방 전후 어느 초등학교에서 일어난 사건을 중심으로 이야기가 전개된다. (　　)

07 성인이 된 '나'의 회상을 통해 지난날의 일을 순서대로 서술하고 있다. (　　)

08 '박 선생님'과 '강 선생님'은 서로 대조되는 태도를 보이는 인물이다. (　　)

09 '박 선생님'은 일본의 패망을 당연하게 받아들이고 조선의 독립을 기뻐하였다. (　　)

10 '강 선생님'은 친일적이고 기회주의적인 인물에 해당한다. (　　)

[11～13] 다음 문장의 빈칸에 들어갈 알맞은 낱말의 기호를 〈보기〉에서 골라 쓰시오.

보기

㉠ 미국　㉡ 일본　㉢ 조선　㉣ 파리

11 '강 선생님'은 수업 시간이 아닌 평상시에는 의도적으로 (　　　)말을 쓴다.

12 '박 선생님'은 해방 전에는 (　　　)을/를 찬양하는 모습을, 해방 후에는 (　　　)을/를 찬양하는 모습을 보인다.

13 「두꺼비 파리를 물고 ~」에서 (　　　)은/는 '힘없는 백성'을 상징한다.

어휘 시험

[01～03] 다음 설명에 해당하는 낱말을 〈보기〉에서 골라 쓰시오.

보기

소견, 위엄, 조행

01 태도와 행실을 아울러 이르는 말 (　　　)

02 어떤 일이나 사물을 살펴보고 가지게 되는 생각이나 의견 (　　　)

03 존경할 만한 위세가 있어 점잖고 엄숙함. 또는 그런 태도나 기세 (　　　)

[04～06] 다음 문장에 들어갈 알맞은 낱말을 (　　)에서 골라 ○표 하시오.

04 할아버지께서는 신경통이 도지면 (영락없이 / 자상히) 비가 온다고 하셨다.

05 아무리 발버둥 쳐 봐야 나한테는 (일없다 / 애달프다).

06 국민들은 뇌물을 받은 공무원의 (항복 / 파면)을 요구했다.

예상 적중 소단원 평가 (2) 비판적인 표현

01~05 다음 글을 읽고, 물음에 답하시오.

가 머리통이 그렇게 큰 박 선생님의 얼굴은 어떻게 생겼느냐 하면, 또한 여느 사람과는 많이 달랐다.

뒤통수와 앞이마가 툭 내솟고, 내솟은 좁은 이마 밑으로 눈썹이 시꺼멓고, 왕방울 같은 두 눈은 부리부리하니 정기가 있고도 사납고, 코는 매부리코요, 입은 메기입으로 귀밑까지 넓죽 째지고, 목소리는 쇠꼬챙이로 찌르는 것처럼 쨍쨍하고.

나 한번은 상준이 녀석과 어떡하다 쌈이 붙었는데 둘이 서로 부둥켜안고 구르면서 이 자식아, 저 자식아, 죽어 봐, 때려 봐, 하면서 한참 때리고 제기고 하는 참이었다.

그런데, 느닷없이 / "고랏! 조생고데 겡까 스루야쓰가 이루까(이놈아! 조선말로 쌈하는 녀석이 어딨어)."

하면서 ㉠구둣발길로 넓적다리를 걷어차는 건, 정신없는 중에도 뻠박 박 선생님이었다.

다 대석 언니는 그러나 무서워하지 않고 한다는 소리가 ㉡"선생님, 덴노헤이까가 고오상(천황 폐하가 항복)했대죠?" / 하고 묻는 것이다. / 뻠박 박 선생님은 성을 버럭 내어 그 큰 눈방울을 부라리면서 여전히 일본 말로 "잠자쿠 있어. 잘 알지두 못하면서…… 건방지게시리."

하고 쫓아와서 곧 한 대 갈길 듯이 을러댔다.

대석 언니는 되돌아 나오면서 커다랗게 소리쳤다.

"덴노헤이까 바가(천황 폐하 망할 자식)!"

라 뻠박 박 선생님은 미국을 침이 마르도록 칭찬했다. 이 세상에 미국같이 훌륭한 나라가 없고, 미국 사람같이 훌륭한 백성이 없다고 했다. 우리 조선은 미국 덕분에 해방이 되었으니까 미국을 누구보다도 고맙게 여기고, 미국이 시키는 대로 순종해야 하느니라고 했다.

마 우리는 뻠박 박 선생님더러 미국에도 덴노헤이까가 있느냐고 물었다. 미국에 덴노헤이까가 있지 않고서야 그렇게 일본의 덴노헤이까처럼 우리 조선 사람을 친아들과 같이 사랑하고, 우리 조선 사람들이 잘 살도록 근심을 하며, 온갖 물건을 가져다주고 할 이치가 없기 때문이었다(해방 전에 뻠박 박 선생님은, 덴노헤이까는 우리 조선 사람들을 일본 사람들과 같이 사랑하고, 우리 조선 사람들이 잘 살기를 근심하신다고 늘 가르쳐 주곤 했다.).

01 (가)에 대한 설명으로 알맞은 것은?

① 사건을 시간의 흐름에 따라 순서대로 제시한다.
② 대조적인 인물을 제시하여 주제 의식을 강화한다.
③ 인물의 외양을 우스꽝스럽게 표현하여 웃음을 유발한다.
④ 당시 상황을 알 수 있는 소재를 제시하여 시대적 배경을 나타낸다.
⑤ 인물들의 관계를 통해 인물의 상황과 심리를 암시적으로 나타낸다.

02 (나)~(라)를 통해 알 수 있는 '박 선생님'에 대한 설명으로 적절하지 않은 것은?

① '박 선생님'은 친일적인 성향을 지녔다.
② '박 선생님'은 평소에도 일본 말을 썼다.
③ '박 선생님'은 처음에는 일본이 패망한 현실을 받아들이지 못했다.
④ '박 선생님'은 도움을 준 상대에 대한 고마움을 잊지 않는 성향이다.
⑤ '박 선생님'은 일관된 입장을 지니지 못하고 정세에 따라 이로운 쪽으로 행동하는 경향이 있다.

서술형

03 (마)에 나타난 서술자의 특징을 쓰시오.

조건
① '서술자는 ~로, ~하다.'의 한 문장으로 쓸 것

04 '박 선생님'이 ㉠처럼 행동한 이유로 알맞은 것은?

① '나'와 '상준'이 싸웠기 때문에
② '나'와 '상준'이 조선말을 썼기 때문에
③ '나'와 '상준'이 '박 선생님'을 흉보았기 때문에
④ '나'와 '상준'이 미국에 순종하지 않았기 때문에
⑤ '나'와 '상준'이 조선 사람을 돕지 않았기 때문에

05 '대석 언니'가 ㉡과 같이 말한 의도로 알맞은 것은?

① 자신의 일본 말 실력을 자랑하려고
② 일본을 추종하는 '박 선생님'을 놀리려고
③ 조선이 독립한 사실을 '박 선생님'에게 알리려고
④ 조선말을 모르는 일본 선생님 몰래 이야기하려고
⑤ 기가 죽고 맥이 빠진 '박 선생님'에게 힘을 주려고

06~10 다음을 읽고, 물음에 답하시오.

가 우리 박 선생님은 참 이상한 선생님이었다.

박 선생님은 생긴 것부터가 무척 이상하게 생긴 선생님이었다. 키가 한 뼘밖에 안 되어서 ⓐ뼘생 또는 뼘박이라는 별명이 있는 것처럼, 박 선생님의 키는 키 작은 사람 가운데에서도 유난히 작은 키였다. 일본 정치 때에, 혈서로 지원병을 지원했다 체격 검사에 키가 제 척수에 차지 못해 낙방이 되었다면, 그래서 땅을 치고 울었다면, 얼마나 작은 키인지 알 일이다.

나 해방이 되던 바로 그 이튿날이었다.

여름 방학으로 놀던 때라, 나는 궁금해서 학교엘 가 보았다. 다른 아이들도 한 오십 명이나 와 있었다.

ⓑ우리는 해방이라는 말은 아직 몰랐고, 일본이 전쟁에 지고 항복을 한 것만 알았다.

선생님들이, 그중에서도 뼘박 박 선생님이 그렇게도 일본(우리 대일본 제국)은 결단코 전쟁에 지지 않는다고, 기어코 전쟁에 이기고 천하에 못된 미국, 영국을 거꾸러뜨려 천황 폐하의 위엄을 이 전 세계에 드날릴 날이 머지않았다고, 하루에도 몇 번씩 그런 말을 해 쌓던 그 일본이 도리어 지고 항복을 하다니, 도무지 모를 일이었다.

직원실에는 교장 선생님과 두 일본 선생님 그리고 뼘박 박 선생님, 이렇게 네 분이 모여 앉아서 ⓒ초상난 집처럼 모두 코가 쑤욱 빠져 가지고 있었다.

다 뼘박 박 선생님은 한 일 년 그렇게 미국 말 공부를 하더니, 그다음부터는 미국 병정이 오든지 하면 일쑤 통역을 하고 했다. 중학교에 다닐 때에 조금 배운 것이 있어서 그렇게 쉽게 체득했다고 했다.

ⓓ미국 병정은 벼 공출을 감독하러 와서 우리 뼘박 박 선생님을 그 꼬마 자동차에 태워 가지고 동네 동네 돌아다녔다. 뼘박 박 선생님은 미국 양복을 얻어 입고, 미국 통조림이랑 과자를 얻어먹고 했다.

라 두꺼비 ⓔ파리를 물고 두엄 위에 치달아 안자

건넛산 바라보니 백송골이 떠 있거늘 가슴이 섬뜩하여 풀떡 뛰어 내닫다가 두엄 아래 자빠지거고

㉠모쳐라 날랜 나일망정 어혈 질 뻔하여라.

06 **(가)~(다)에 대한 설명으로 알맞은 것은?**

① 글쓴이가 실제로 겪은 일을 담담하게 설명한다.
② 어느 중학교 교실에서 벌어지는 일들을 제시한다.
③ 긍정적이고 밝은 분위기를 제시하여 희망을 전달한다.
④ 소설 속의 인물인 '나'가 주인공을 관찰하여 이야기를 전달한다.
⑤ 인물의 마음속에서 일어나는 갈등을 중심으로 내용이 서술된다.

서술형

07 **다음은 (가)~(다)와 (라)에 대한 설명이다. 빈칸에 들어갈 말을 순서대로 쓰시오.**

> (가)~(다)에서는 해방 전후의 혼란한 시기에 기회주의적으로 행동하는 '(   )'을/를, (라)에서는 약한 상대를 괴롭히고 자신보다 강한 상대는 두려워하는 '(   )'을/를 비판하고 있다.

08 **(라)에서 풍자하는 내용으로 알맞은 것은?**

① 양반의 허세와 권위 의식
② 탐관오리의 횡포와 이중성
③ 지식인 계층의 부패와 무능
④ 소시민의 이기주의와 기회주의
⑤ 친일 세력의 반민족성과 폭력성

09 **㉠의 상황에 어울리는 한자 성어로 알맞은 것은?**

① 견물생심(見物生心)　② 어두육미(魚頭肉尾)
③ 장삼이사(張三李四)　④ 허장성세(虛張聲勢)
⑤ 허허실실(虛虛實實)

10 **ⓐ~ⓔ에 대한 설명으로 알맞지 않은 것은?**

① ⓐ: '박 선생님'의 작은 키와 관련된 별명이다.
② ⓑ: '나'의 순수하고 순진함이 드러난다.
③ ⓒ: 기가 죽고 맥이 빠져 있는 모습을 표현한 것이다.
④ ⓓ: '박 선생님'이 미군의 통역을 담당했음을 알 수 있다.
⑤ ⓔ: '백성을 괴롭히는 관리'를 상징한다.

(2) 비판적인 표현

01~10 다음 글을 읽고, 물음에 답하시오.

가 우리 박 선생님은 참 이상한 선생님이었다.

박 선생님은 생긴 것부터가 무척 이상하게 생긴 선생님이었다. 키가 한 뼘밖에 안 되어서 뼘생 또는 뼘박이라는 별명이 있는 것처럼, 박 선생님의 키는 키 작은 사람 가운데에서도 유난히 작은 키였다. 일본 정치 때에, 혈서로 지원병을 지원했다 체격 검사에 키가 제 척수에 차지 못해 낙방이 되었다면, 그래서 땅을 치고 울었다면, 얼마나 작은 키인지 알 일이다.

나 학교에서고 학교 밖에서고 조선말로 말을 하다 선생님한테 들키는 날이면 경치는 판이었다. 선생님들 중에서도 제일 심하게 밝히는 선생님이 뼘박 박 선생님이었다. 교장 선생님이나 다른 일본 선생님은 나무라기만 하고 마는 수가 있어도, 뼘박 박 선생님만은 절대로 용서가 없었다.

나도 여러 번 혼이 나 보았다.

다 강 선생님은 그와 반대로 아무 시비가 없었다.

교실에서 공부를 할 때 빼고는 그리고 다른 선생님, 그중에서도 교장 이하 일본 선생님들과 뼘박 박 선생님이 보지 않는 데서는, 강 선생님은 우리한테, 일본 말로 말을 하지 않았다. 우리들이 일본 말을 해도 ㉠<u>강 선생님은 조선말을 하곤 했다.</u>

우리가 어쩌다

"선생님은 왜 '국어(일본 말)'로 안 하세요?"

하고 물으면 강 선생님은 웃으면서

"나는 '국어'가 서툴러서 그런다."

하고 대답했다.

그렇지만 우리가 보기에도 강 선생님은 일본 말이 서투른 선생님이 아니었다.

라 뼘박 박 선생님은 한 일 년 그렇게 미국 말 공부를 하더니, 그다음부터는 미국 병정이 오든지 하면 일쑤 통역을 하고 했다. 중학교에 다닐 때에 조금 배운 것이 있어서 그렇게 쉽게 체득했다고 했다.

미국 병정은 벼 공출을 감독하러 와서 우리 뼘박 박 선생님을 그 꼬마 자동차에 태워 가지고 동네 동네 돌아다녔다. 뼘박 박 선생님은 미국 양복을 얻어 입고, 미국 통조림이랑 과자를 얻어먹고 했다.

마 뼘박 박 선생님은 미국에는 덴노헤이까는 없고, 덴노헤이까보다 훌륭한 '돌멩이'라는 양반이 있다고 대답했다.

우리는 그럼 이번에는 그 '돌멩이'라는 훌륭한 어른을 위하여 '미국 신민노 세이시(미국 신민 서사)'를 부르고, 기미가요(일본의 국가) 대신 돌멩이 가요를 부르고 해야 하나 보다고 생각했다.

㉡<u>아무튼 뼘박 박 선생님은 참 이상한 선생님이었다.</u>

1단계 단답식 서술형 문제

01 소설 구성의 3요소 중에서, (가)에 중점적으로 나타난 것을 쓰시오. [5점]

02 〈보기〉에 들어갈 알맞은 내용을 쓰시오. [5점]

보기

(가)에서는 '박 선생님'의 ☐☐을/를 우스꽝스럽게 표현하여 웃음을 유발하고 있다.

03 '박 선생님'의 친일적인 성향이 드러나는 문장을 (가)에서 찾아 첫 어절과 끝 어절을 쓰시오. [5점]

04 조선말 사용과 관련하여 '박 선생님'과 대조되는 태도를 보이는 인물을 찾아 쓰시오. [5점]

05 (나)와 (라)에서 '박 선생님'이 추종하는 대상을 찾아 각각 쓰시오. [5점]

• 정답과 해설 32쪽

2단계 기본형 서술형 문제

06 ㉠의 이유를 〈보기〉를 참고하여 쓰시오. [10점]

보기

일제는 1938년 이후 학교에서 조선어 교육을 모두 폐지하고 일본 말만을 사용하도록 강요했으며, 당시의 초등학교 학생마저 조선어를 사용하면 벌을 주는 등 '조선어 말살 정책'을 실시했다.

조건 ① 〈보기〉에 제시된 일제의 정책 이름을 제시할 것
② '~ 노력하였다.' 형태의 한 문장으로 쓸 것

07 (라)~(마)를 참고하여 '박 선생님'이 미국 말을 공부했던 의도를 쓰시오. [10점]

조건 ① '일본'과 '미국'이라는 말을 포함하여 쓸 것
② '~ 공부했다.' 형태의 한 문장으로 쓸 것

08 (마)에서 '나'가 '박 선생님'에 대해 ㉡과 같이 평가한 까닭을 쓰시오. [10점]

조건 ① '찬양'이라는 말을 포함하여 쓸 것
② '박 선생님'의 태도를 쓸 것

3단계 고난도 서술형 문제

09 〈보기〉는 이 글의 서술자가 지닌 특징을 정리한 것이다. 이러한 서술자를 설정하여 얻을 수 있는 효과를 서술하시오. [20점]

보기

- 순수하고 순진한 어린아이임.
- 사건을 있는 그대로 관찰하여 전달함.

조건 ① '웃음', '부정적 인물'과 관련된 내용을 쓸 것
② '풍자의 효과'와 관련된 내용을 쓸 것

10 이 글과 〈보기〉에 등장하는 주요 대상의 속성을 각각 쓰고, 그것을 비판하기 위해 공통적으로 사용한 표현 방법을 서술하시오. [25점]

보기

두꺼비 파리를 물고 두엄 위에 치달아 안자
건넛산 바라보니 백송골이 떠 있거늘 가슴이 섬뜩하여 풀떡 뛰어 내닫다가 두엄 아래 자빠지거고
모쳐라 날랜 나일망정 어혈 질 뻔하여라.

조건 ① 대상을 표현하는 방식을 쓸 것
② 120자 내외로 쓸 것

만점 마무리 (3) 개성을 살리는 글다듬기

◆ 활동 의도
수필을 읽고 글 수준, 문단 수준, 문장 수준, 낱말 수준에서 글을 다듬으면서 고쳐쓰기의 일반 원리를 알아보도록 하였다. 또한 자신의 경험을 담아 한 편의 글을 써 보는 활동을 하고, 자신이 쓴 글을 고쳐쓰기의 일반 원리에 따라 점검하여 고쳐 써 보도록 하였다.

◆ 활동 목표
- 다양한 수준에서 고쳐 쓰는 방법 이해하기
- 고쳐쓰기의 개념과 일반 원리 이해하기
- 자신의 경험을 담아 글 쓰기
- 자신이 쓴 글 고쳐쓰기

◆ 활동 요약

다양한 수준에서 고쳐 쓰는 방법 이해하기
수필을 읽고 글 수준, 문단 수준, 문장 수준, 낱말 수준에서 고쳐 쓰는 방법을 이해함.

↓

고쳐쓰기의 개념과 일반 원리 이해하기
고쳐쓰기의 개념과 일반 원리 네 가지를 정리함.

↓

자신의 경험을 담아 글 쓰기
자신의 경험을 떠올려, 글의 주제와 글을 쓰는 목적을 정하고, 글의 개요를 작성하여 이에 따라 글을 직접 써 봄.

↓

자신이 쓴 글 고쳐쓰기
고쳐쓰기의 범위와 일반 원리에 따라 자신이 쓴 글을 고쳐 씀.

◇ 자신의 경험을 글로 쓰는 과정

자신의 경험 떠올리고 정리하기 → 글의 주제와 글을 쓰는 목적 정하기 → 글의 개요 작성하기 → 개요를 바탕으로 글 쓰기 → 쓴 글을 읽어 보며 고쳐쓰기

◇ 고쳐쓰기의 개념 및 유의할 점

구분	내용
개념	글의 잘못된 부분을 바로잡아서 다시 쓰는 일로, 글의 주제나 글을 쓴 목적에 맞게 다듬어서 읽는 이가 이해하기 쉽게 개선하는 것
유의할 점	• 글을 소리 내어 읽으면 어색한 부분을 쉽게 발견할 수 있음. • 읽는 이에게 자신의 생각을 더 정확하고 효과적으로 전하는 것이 목적임을 알고 독자의 입장에서 글을 어떻게 고쳐 쓸지 생각해 봄. • 다른 사람들에게 의견을 물어 내용을 고칠 수 있음. • 글을 쓰는 전 과정에서 수시로 시행함. • 한 번만 고쳐 쓰는 것이 아니라 글에 만족할 때까지 계속함.

◇ 고쳐쓰기의 범위

글 수준
- 글의 주제가 잘 드러나는가?
- 글의 제목이 적절한가?
- 글의 흐름이 자연스러운가?
- 보충해야 할 내용이나 삭제해야 할 내용이 있는가?

↓

문단 수준
- 문단과 문단, 문장과 문장의 연결이 자연스러운가?
- 문단의 중심 생각이 잘 드러나는가?
- 문단의 길이가 적절한가?

↓

문장 수준
- 문장의 길이는 적절한가?
- 문장에 쓰인 낱말들 사이의 호응이 자연스러운가?
- 우리말 어법에 맞게 표현하였는가?

↓

낱말 수준
- 문맥에 적절한 낱말을 사용하였는가?
- 맞춤법에 맞게 표현하였는가?

◇ 고쳐쓰기의 일반 원리

원리	내용
추가	새로운 내용을 덧붙이는 것
삭제	불필요한 내용을 빼는 것
대치	그 위치에서 다른 내용으로 바꾸는 것
재구성	앞뒤 순서를 바꾸거나 몇 부분을 하나로 줄이거나 늘이면서 내용을 조정하는 것

간단 복습 문제 (3) 개성을 살리는 글다듬기

• 정답과 해설 33쪽

쪽지 시험

[01~03] 다음 문장에 들어갈 알맞은 낱말을 ( )에서 골라 ○표 하시오.

01 글의 잘못된 부분을 바로 잡아서 다시 쓰는 일을 (개요 쓰기 / 고쳐쓰기)라고 한다.

02 고쳐쓰기에는 (낱말 / 맞춤법), 문장, 문단, (글 / 제목) 수준에 해당하는 범위가 있다.

03 고쳐쓰기의 일반 원리에는 (첨부 / 추가), 삭제, 대치, (재구성 / 재집필)이 있다.

[04~06] 다음 내용이 맞으면 ○표, 틀리면 ×표 하시오.

04 고쳐쓰기는 글의 주제와 글을 쓴 목적에 맞게 글을 다듬어서 읽은 이가 이해하기 쉽게 만드는 것이다. ( )

05 고쳐쓰기의 '삭제'는 불필요한 내용을 빼고 새로운 내용을 덧붙이는 것을 의미한다. ( )

06 고쳐쓰기의 '대치'는 그 위치에서 다른 내용으로 바꾸는 것을 의미한다. ( )

[07~10] 다음 문장의 빈칸에 들어갈 알맞은 낱말의 기호를 〈보기〉에서 골라 쓰시오.

보기
㉠ 개요 ㉡ 경험 ㉢ 고쳐쓰기 ㉣ 목적 ㉤ 주제

07 자신의 경험을 글로 쓸 때에는, 가장 먼저 자신의 ( )을/를 떠올리고 정리해야 한다.

08 글을 쓸 때에는 글의 ( )와/과 글을 쓰는 ( )을/를 정해야 한다.

09 글의 ( )은/는 글의 설계도라고 할 수 있으며, 보통 '처음 – 가운데 – 끝'으로 구성한다.

10 글을 다 쓴 다음에는 잘못된 부분을 찾아 다시 쓰는 ( )의 과정을 거쳐야 한다.

[11~14] 다음 고쳐쓰기의 점검 수준과 그에 맞는 점검 내용을 바르게 연결하시오.

11 글 •　　• ㉠ 문단의 길이가 적절한가?

12 문단 •　　• ㉡ 글의 흐름이 자연스러운가?

13 문장 •　　• ㉢ 문맥에 적절한 낱말을 사용하였는가?

14 낱말 •　　• ㉣ 문장에 쓰인 낱말들 사이의 호응이 자연스러운가?

어휘 시험

[01~04] 다음 문장에 들어갈 알맞은 낱말을 ( )에서 골라 ○표 하시오.

01 오늘은 너무 늦었으니 떠날 (기억 / 생각)을 하지 마라.

02 동생은 엄마에게 과자를 사 달라고 (졸랐다 / 타일렀다).

03 몸이 (모질어야 / 튼튼해야) 운동도 잘하고 공부도 잘할 수 있다.

04 공사장으로 떠난 아버지가 고생한다는 소식에 딸은 가슴이 (막막 / 먹먹)하였다.

[05~07] 다음 문장의 빈칸에 들어갈 알맞은 낱말을 〈보기〉에서 골라 쓰시오.

보기
다행히, 부화, 틈새

05 문 ( )로 보이는 저녁노을의 색깔이 아름다웠다.

06 건물에 큰불이 났으나 ( ) 사람은 다치지 않았다.

07 아무리 기다려도 달걀은 ( )되지 않고 마침내 썩어 버렸다.

예상 적중 소단원 평가 (3) 개성을 살리는 글다듬기

• 정답과 해설 33쪽

01~03 다음 글을 읽고, 물음에 답하시오.

가 그 날은 가만히 있어도 땀이 날 정도로 무척 더웠다. 나는 빨리 집에 들어가 씻고 싶다는 ㉠기억뿐이었다. 나는 걸음을 재촉하여 집 근처에 도착했다. 그런데 골목길 한구석에서 주인을 잃어버린 강아지가 나를 애처롭게 바라보고 있었다. ㉡모른체하고 집에 들어가려 했지만, 난 발을 뗄 수 없었다. 문득 민들레가 떠올랐기 때문이다. 힘없는 눈빛으로 날 바라보던 민들레가.

나 초등학교 2학년 때, 어느 봄날이었다. 한 할머니께서 병아리를 나누어 주시는 걸 보았다. 노란 털로 덮여 있는 병아리는 정말 매력적이었다. 그래서 난 그 앞에 쪼그리고 앉아 한참이나 병아리를 바라보았다. 나는 병아리를 키우게 해 달라고 엄마께 ㉢타이르기 시작했다. 처음에는 반대하셨던 엄마도 결국은 허락해 주셨다. 그렇게 나와 민들레의 인연이 시작되었다.

다 사랑스러운 민들레는 우리 집 마당에서 지냈다. 그래서 비가 오는 날이면 마당에 혼자 있을 민들레가 걱정스러웠다. 나는 비가 오면 엄마 몰래 민들레를 방 안에 데리고 올 것이다. 엄마께 들킬지도 모른다는 생각에 가슴이 두근거렸다. 하지만 민들레와 함께하는 기쁨이 더 컸기에 엄마의 꾸중도 대수롭지 않았다. 당시 나는 동생과 한방을 써서 조금 불편했다.

라 병아리를 집으로 데려온 날, 우리 가족은 병아리에게 민들레라는 이름을 지어 주었다. 병아리가 민들레처럼 튼튼하게 어느 곳에서나 잘 자라길 바라면서 말이다. 민들레는 우리를 참 잘 따랐다. 우리가 "민들레!" 하고 부르면 자기 이름을 알아듣고 우리 곁으로 다가왔고, 우리 곁을 맴돌면서 삐악삐악 노래도 부르고 귀여웠고, 우리는 그런 민들레를 사랑할 수밖에 없었다.

마 그 후로 오랜 시간이 지났지만, 이렇게 안쓰러운 동물들을 볼 때면 어김없이 민들레가 떠오른다. 난 강아지를 어두운 길에 두고 올 수 없어서, 우리 집으로 데리고 들어갔다. 가족들은 깜짝 놀랐지만, 내게 자초지종을 듣고 강아지의 주인을 찾는 것도 도와주었다. 그리고 다음 날 ㉣다행이 강아지의 주인을 찾을 수 있었다. 강아지를 보내고 돌아오는 길이었다. 무심코 바닥을 보니, 길 ㉤틈세에 핀 민들레가 바람에 흔들리고 있었다. 마치 하늘나라에 있는 민들레가 내게 손을 흔들어 주는 것 같았다. 민들레와 함께한 시간은 짧았지만, 나와 민들레의 시간은 앞으로 계속될 것이다. 민들레와의 추억은 영원할 테니까.

01 이 글에 대한 설명으로 적절한 것은?

① 중심 소재에 대한 정보를 전달하는 글이다.
② 글쓴이가 현재 겪고 있는 사건을 서술한 글이다.
③ 일정한 형식에 얽매이지 않고 자유롭게 표현한 글이다.
④ 주장이나 의견을 타당한 근거를 들어 논리적으로 밝힌 글이다.
⑤ 글쓴이가 상상력을 발휘하여 현실에 있음 직한 이야기를 꾸며 쓴 내용이다.

02 (다)와 (라)에 대한 내용으로 알맞지 않은 것은?

① 내용의 흐름상 (다)와 (라)의 순서를 바꾸어야 한다.
② (다)에는 시제가 맞지 않는 문장이 있다.
③ (다)에는 문단의 내용과 동떨어져 삭제해야 할 문장이 있다.
④ (라)에는 불필요하게 긴 문장이 있다.
⑤ (라)에는 높임 표현이 적절하지 않은 문장이 있다.

03 ㉠~㉤ 중에서 어색한 부분을 바르게 고친 것은?

① ㉠: 추억　② ㉡: 모른척하고
③ ㉢: 가르치기　④ ㉣: 불행이
⑤ ㉤: 틈새

04 다음 중 '고쳐쓰기'의 일반 원리에 대한 설명으로 알맞지 않은 것은?

① 추가, 삭제, 대치, 재구성 등의 방법이 있다.
② '추가'는 새로운 내용을 덧붙이는 것을 의미한다.
③ '삭제'는 불필요한 내용을 빼서 없애는 것을 의미한다.
④ '대치'는 그 위치에서 다른 내용으로 바꾸는 것을 의미한다.
⑤ '재구성'은 글의 순서는 바꾸지 않고, 몇 부분을 하나로 줄이면서 내용을 조정하는 것을 의미한다.

서술형 문제

(3) 개성을 살리는 글다듬기

1단계 단답식 서술형 문제

01 다음 빈칸에 들어갈 알맞은 말을 한 단어로 쓰시오. [10점]

> (   )란, 글의 잘못된 부분을 바로잡아서 다시 쓰는 일로, 자신이 쓴 글을 글의 주제나 글을 쓴 목적에 맞게 다듬어서 읽는 이가 이해하기 쉽게 개선하는 것이다.

02 고쳐쓰기의 일반 원리 네 가지를 쓰시오. [10점]

2단계 기본형 서술형 문제

03~04 다음 글을 읽고, 물음에 답하시오.

초등학교 2학년 때, 어느 봄날이었다. 한 할머니께서 병아리를 나누어 주는 걸 보았다. 노란 털로 덥여 있는 병아리는 정말 매력적이었다. 그래서 난 그 앞에 쪼그리고 앉아 한참이나 병아리를 바라보았다. 나는 병아리를 키우게 해 달라고 엄마께 타이르기 시작했다. 처음에는 반대하셨던 엄마도 결국은 허락해 주셨다. 그렇게 나와 민들레의 인연이 시작되었다.

03 문장 수준에서 고쳐 쓸 내용을 찾아 바르게 고쳐 쓰시오. [15점]

> 조건 ① 하나의 어절에서 고쳐 쓸 것

04 낱말 수준에서 고쳐 쓸 내용을 찾아 바르게 고쳐 쓰시오. [15점]

> 조건 ① 두 개를 찾아 고쳐 쓸 것

3단계 고난도 서술형 문제

05 〈보기〉의 밑줄 친 부분이 어색한 까닭을 쓰고, 이를 바르게 고쳐 쓰시오. [20점]

> 보기
>
> 어느 날, 민들레는 어디가 아픈지 꼼짝도 않고 하루 종일 시름시름 앓았다. 우리 가족은 밤을 꼬박 새우며 민들레를 정성껏 보살폈다. 하지만 <u>민들레는 일어날 낌새를 전혀 보였고, 결국 우리 곁을 떠났다.</u> 나는 작별 인사도 제대로 하지 못하고 민들레를 떠나보냈다는 생각에 가슴이 먹먹했다.

> 조건 ① '부사어'와 관련된 내용을 쓸 것
> ② 부정 표현을 활용하여 고쳐 쓸 것

06 〈보기〉의 밑줄 친 문장이 읽기 불편한 까닭을 쓰고, 이를 읽기 쉽게 고쳐 쓰시오. [30점]

> 보기
>
> 우리 가족은 병아리에게 민들레라는 이름을 지어 주었다. 병아리가 민들레처럼 튼튼하게 어느 곳에 서나 잘 자라길 바라면서 말이다. 민들레는 우리를 참 잘 따랐다. <u>우리가 "민들레!" 하고 부르면 자기 이름을 알아듣고 우리 곁으로 다가왔고, 우리 곁을 맴돌면서 삐악삐악 노래도 부르고 귀여웠고, 우리는 그런 민들레를 사랑할 수밖에 없었다.</u>

> 조건 ① '문장의 길이'와 관련된 내용을 쓸 것
> ② 밑줄 친 문장을 몇 개로 나누어 고쳐 쓸 것

01~05 다음 시를 읽고, 물음에 답하시오.

(가) 먼 훗날 당신이 찾으시면
그때에 내 말이 ㉠'잊었노라'

당신이 속으로 나무라면
'무척 그리다가 잊었노라'

그래도 당신이 나무라면
'믿기지 않아서 잊었노라'

ⓐ오늘도 어제도 아니 잊고
먼 훗날 그때에 '잊었노라'

(나) 길이 끝나는 곳에서도
길이 있다
ⓑ길이 끝나는 곳에서도 / 길이 되는 사람이 있다
스스로 봄 길이 되어
끝없이 걸어가는 사람이 있다
강물은 흐르다가 멈추고
새들은 날아가 돌아오지 않고
하늘과 땅 사이의 모든 꽃잎은 흩어져도
보라
사랑이 끝난 곳에서도
사랑으로 남아 있는 사람이 있다
스스로 사랑이 되어
한없이 봄 길을 걸어가는 사람이 있다

01 (가), (나)와 같은 글을 읽는 방법으로 알맞은 것은?

① 시어의 의미를 사전에서 찾아 확인한다.
② 말하는 이의 주장이 논리적으로 타당한지 살펴본다.
③ 작품에서 전달하는 정보 중에서 자신에게 필요한 부분을 찾아낸다.
④ '처음 – 가운데 – 끝'의 구성 단계를 중심으로 중요한 내용을 정리한다.
⑤ 작품에 쓰인 표현 방법과 그 효과, 대상에 대한 말하는 이의 태도 등을 파악한다.

02 (가)에 나타난 말하는 이의 현재 상황과 심정을 바르게 연결한 것은?

	현재 상황	심정
①	'당신'과 이별함.	후회
②	'당신'과 이별함.	그리움
③	'당신'이 나무람.	그리움
④	'당신'을 다시 만남.	희망
⑤	'당신'을 다시 만남.	후회

03 (나)를 감상한 내용으로 알맞지 않은 것은?

① 비슷한 문장 구조를 반복하여 주제를 강조하였다.
② 의지적이고 단정적인 어조를 사용하여 말하는 이의 정서를 부각하였다.
③ 어려운 상황에 처한 사람이 감상한다면 더 깊은 감동을 느낄 수 있을 것이다.
④ 일상생활에서 흔히 쓰지 않는 단어를 활용하여 내용을 압축적으로 구성하였다.
⑤ 시상을 전환하는 부분을 통해 절망적인 상황에서도 희망이 존재한다는 태도를 나타내었다.

04 ㉠에 나타나는 말하는 이의 속마음으로 알맞은 것은?

① 당신을 이미 잊었다.
② 당신을 잊을 수 없다.
③ 당신을 용서하지 않겠다.
④ 당신과 함께했던 시간을 추억으로 남기겠다.
⑤ 당신을 떠나보냈지만, 마음만은 함께할 것이다.

05 ⓐ와 ⓑ에 대한 설명으로 알맞지 않은 것은?

① ⓐ는 실제 마음과 반대로 표현하는 방법이다.
② ⓐ는 읽는 이에게 강한 인상을 줄 수 있다.
③ ⓑ는 삶의 진리를 직설적으로 드러낸다.
④ ⓑ는 읽는 이에게 참신한 느낌을 줄 수 있다.
⑤ ⓐ와 ⓑ는 작가의 의도를 강조하고, 주제를 효과적으로 드러내는 기능을 한다.

06~09 다음 글을 읽고, 물음에 답하시오.

가 우리 박 선생님은 참 이상한 선생님이었다.

박 선생님은 생긴 것부터가 무척 이상하게 생긴 선생님이었다. 키가 한 뼘밖에 안 되어서 ㉠뼘생 또는 뼘박이라는 별명이 있는 것처럼, 박 선생님의 키는 키 작은 사람 가운데에서도 유난히 작은 키였다. 일본 정치 때에, 혈서로 지원병을 지원했다 체격 검사에 키가 제 척수에 차지 못해 낙방이 되었다면, 그래서 땅을 치고 울었다면, 얼마나 작은 키인지 알 일이다.

나 이런 ㉡대갈장군인 뼘생 박 선생님과 아주 정반대로 생긴 이가 강 선생님이었다.

강 선생님은 키가 크고, 몸집도 크고, 얼굴이 너부룻하고, 얼굴이 검기는 해도 순하여 사나움이 든 데가 없고, 눈은 더 순하고, 허허 웃기를 잘하고, 별로 성을 내는 일이 없고, 아무하고나 장난을 잘하고…….

다 우리는 해방이라는 말은 아직 몰랐고, 일본이 전쟁에 지고 항복을 한 것만 알았다.

선생님들이, 그중에서도 뼘박 박 선생님이 그렇게도 일본(우리 대일본 제국)은 결단코 전쟁에 지지 않는다고, 기어코 전쟁에 이기고 천하에 못된 미국, 영국을 거꾸러뜨려 천황 폐하의 위엄을 이 전 세계에 드날릴 날이 머지않았다고, 하루에도 몇 번씩 그런 말을 해 쌓던 그 일본이 도리어 지고 항복을 하다니, 도무지 모를 일이었다.

직원실에는 교장 선생님과 두 일본 선생님 그리고 뼘박 박 선생님, 이렇게 네 분이 모여 앉아서 ㉢초상난 집처럼 모두 코가 쑤욱 빠져 가지고 있었다.

라 뼘박 박 선생님은 미국을 침이 마르도록 칭찬했다. 이 세상에 미국같이 훌륭한 나라가 없고, 미국 사람같이 훌륭한 백성이 없다고 했다. 우리 조선은 미국 덕분에 해방이 되었으니까 미국을 누구보다도 고맙게 여기고, 미국이 시키는 대로 순종해야 하느니라고 했다.

마 뼘박 박 선생님은 미국에는 덴노헤이까는 없고, 덴노헤이까보다 훌륭한 '㉣돌멩이'라는 양반이 있다고 대답했다. / 우리는 그럼 이번에는 그 '돌멩이'라는 훌륭한 어른을 위하여 '미국 신민노 세이시(미국 신민 서사)'를 부르고, 기미가요(일본의 국가) 대신 돌멩이 가요를 부르고 해야 하나 보다고 생각했다.

아무튼 뼘박 박 선생님은 참 ㉤이상한 선생님이었다.

06 (가)와 (나)에서 '박 선생님'과 '강 선생님'의 모습을 대조적으로 제시한 의도로 적절한 것은?

① 당시의 시대적 상황을 드러내기 위해서
② 제목의 의미를 간접적으로 강조하기 위해서
③ 소설의 내용을 보다 사실적으로 표현하기 위해서
④ '박 선생님'에 대한 독자의 동정심을 이끌어 내기 위해서
⑤ '박 선생님'이라는 인물에 대해 부정적인 인상을 주고 이를 부각하기 위해서

07 다음은 이 글에 나타난 '박 선생님'의 태도를 정리한 것이다. 빈칸에 들어갈 내용을 알맞게 묶은 것은?

• 해방 전: 지원병을 지원하며 (ㄱ)에 충성함.
• 해방 후: (ㄴ)을 추종하며 찬양함.
→ 그때그때의 상황에 따라 (ㄷ) 쪽으로 행동함.

	ㄱ	ㄴ	ㄷ
①	일본	미국	자신에게 이로운
②	미국	일본	민족을 중시하는
③	조선	일본	자유를 우선하는
④	일본	조선	자신에게 이로운
⑤	미국	조선	민족을 중시하는

08 ㉠~㉤ 중, '박 선생님'에 대한 '나'의 평가에 해당하는 것은?

① ㉠ ② ㉡ ③ ㉢ ④ ㉣ ⑤ ㉤

09 이 글을 통해 글쓴이가 궁극적으로 말하고자 하는 바로 알맞은 것은?

① 산업화 사회에서 소외된 계층의 어려운 삶
② 해방 전후의 과정을 통한 소년의 깨달음과 성장
③ 현대 사회의 물질 만능주의와 몰인정한 세태 비판
④ 가족 간 사랑의 중요성과 민족 공동체 회복에 대한 염원
⑤ 혼란한 사회 상황 속에서 기회주의적으로 행동하는 인물 비판

10~12 다음 글을 읽고, 물음에 답하시오.

(가) 그 날은 가만히 있어도 땀이 날 정도로 무척 더웠다. 나는 빨리 집에 들어가 씻고 싶다는 생각뿐이었다. 나는 걸음을 재촉하여 집 근처에 도착했다. 그런데 골목길 한구석에서 주인을 잃어버린 강아지가 나를 애처롭게 바라보고 있었다. ㉠모른체하고 집에 들어가려 했지만, 난 발을 뗄 수 없었다. 문득 민들레가 떠올랐기 때문이다. 힘없는 눈빛으로 날 바라보던 민들레가.

(나) 초등학교 2학년 때, 어느 봄날이었다. 한 할머니께서 병아리를 나누어 주시는 걸 보았다. 노란 털로 덮여 있는 병아리는 정말 매력적이었다. ㉡그런데 난 그 앞에 쪼그리고 앉아 한참이나 병아리를 바라보았다. 나는 병아리를 키우게 해 달라고 엄마께 조르기 시작했다. 처음에는 반대하셨던 엄마도 결국은 허락해 주셨다. 그렇게 나와 민들레의 인연이 시작되었다.

(다) 병아리를 집으로 데려온 날, 우리 가족은 병아리에게 민들레라는 이름을 지어 주었다. 병아리가 민들레처럼 ㉢모질게 어느 곳에서나 잘 자라길 바라면서 말이다. 민들레는 우리를 참 잘 따랐다. 우리가 "민들레!" 하고 부르면 민들레는 자기 이름을 알아듣고 우리 곁으로 다가왔다. 그러고는 우리 곁을 맴돌면서 삐악삐악 노래를 불렀다. 그런 민들레의 모습은 정말 귀엽고 사랑스러웠다.

(라) 사랑스러운 민들레는 우리 집 마당에서 지냈다. 그래서 비가 오는 날이면 마당에 혼자 있을 민들레가 걱정스러웠다. 나는 비가 오면 엄마 몰래 민들레를 방 안에 데리고 왔다. 엄마께 들킬지도 모른다는 생각에 가슴이 두근거렸다. 하지만 민들레와 함께하는 기쁨이 더 컸기에 엄마의 꾸중도 대수롭지 않았다.

(마) 그러나 그런 기쁨도 잠시뿐이었다. 어느 날, 민들레는 어디가 아픈지 꼼짝도 않고 하루 종일 시름시름 앓았다. 우리 가족은 밤을 꼬박 새우며 민들레를 정성껏 보살폈다. 하지만 민들레는 일어날 낌새를 전혀 보이지 않았고, 결국 우리 곁을 떠났다. 나는 작별 인사도 제대로 하지 못하고 민들레를 떠나보냈다는 생각에 가슴이 ㉣막막했다. 그 후로 오랜 시간이 지났지만, 이렇게 안쓰러운 동물들을 볼 때면 어김없이 민들레가 떠오른다. 난 강아지를 어두운 길에 두고 올 수 없어서, 우리 집으로 데리고 들어갔다. 가족들은 깜짝 놀랐지만, 내게 ㉤감언이설을 듣고 강아지의 주인을 찾는 것도 도와주었다. 그리고 다음 날 다행히 강아지의 주인을 찾을 수 있었다. 강아지를 보내고 돌아오는 길이었다. 무심코 바닥을 보니, 길 틈새에 핀 민들레가 바람에 흔들리고 있었다. 마치 하늘나라에 있는 민들레가 내게 손을 흔들어 주는 것 같았다. 민들레와 함께한 시간은 짧았지만, 나와 민들레의 시간은 앞으로 계속될 것이다. 민들레와의 추억은 영원할 테니까.

10 (가)~(마)에 대한 설명으로 알맞지 않은 것은?

① (가): 이 글의 '처음'에 해당한다.
② (나): 과거의 사건이 시작되는 부분이다.
③ (다): 병아리에게 '민들레'라는 이름을 지어 준 이유가 나타난다.
④ (라): 이 글의 주제와 맞지 않는 문단이다.
⑤ (마): 글쓴이의 다짐이 나타난다.

고난도 서술형

11 (마)를 두 부분으로 나누고, 그렇게 나눈 까닭을 쓰시오.

조건
① 시간과 관련된 내용을 쓸 것

12 ㉠~㉤을 고쳤다고 할 때, 다음 고쳐쓰기의 점검 수준에 해당하지 않는 것은?

• 문맥에 적절한 낱말을 사용하였는가?
• 맞춤법에 맞게 표현하였는가?

① ㉠ ② ㉡ ③ ㉢ ④ ㉣ ⑤ ㉤

13~16 다음을 읽고, 물음에 답하시오.

가 ⓐ먼 훗날 당신이 찾으시면
그때에 내 말이 '잊었노라' //
당신이 속으로 나무라면
'무척 그리다가 잊었노라' //
그래도 당신이 나무라면
'믿기지 않아서 잊었노라' //
오늘도 어제도 아니 잊고
먼 훗날 그때에 '잊었노라'

나 길이 끝나는 곳에서도 / 길이 있다
ⓑ길이 끝나는 곳에서도 / 길이 되는 사람이 있다
스스로 봄 길이 되어 / 끝없이 걸어가는 사람이 있다
강물은 흐르다가 멈추고
새들은 날아가 돌아오지 않고
하늘과 땅 사이의 모든 꽃잎은 흩어져도
보라 / 사랑이 끝난 곳에서도
사랑으로 남아 있는 사람이 있다
스스로 사랑이 되어
한없이 봄 길을 걸어가는 사람이 있다

다 대석 언니는 그러나 무서워하지 않고 한다는 소리가
"㉠선생님, 덴노헤이까가 고오상(천황 폐하가 항복)했대죠?" / 하고 묻는 것이다.
뼘박 박 선생님은 성을 버럭 내어 그 큰 눈방울을 부라리면서 여전히 일본 말로
"㉡잠자쿠 있어. 잘 알지두 못하면서…… 건방지게시리."
하고 쫓아와서 곧 한 대 갈길 듯이 을러댔다.
대석 언니는 되돌아 나오면서 커다랗게 소리쳤다.
"덴노헤이까 바가(천황 폐하 망할 자식)!"

라 ⓒ뼘박 박 선생님은 미국에는 덴노헤이까는 없고, 덴노헤이까보다 훌륭한 '돌멩이'라는 양반이 있다고 대답했다.
우리는 그럼 이번에는 그 '돌멩이'라는 훌륭한 어른을 위하여 '미국 신민노 세이시(미국 신민 서사)'를 부르고, 기미가요(일본의 국가) 대신 돌멩이 가요를 부르고 해야 하나 보다고 생각했다.
ⓓ아무튼 뼘박 박 선생님은 참 이상한 선생님이었다.

마 강아지를 보내고 돌아오는 길이었다. 무심코 바닥을 보니, 길 ⓔ틈세에 핀 민들레가 바람에 흔들리고 있었다. 마치 하늘나라에 있는 민들레가 내게 손을 흔들어 주는 것 같았다. 민들레와 함께한 시간은 짧았지만, 나와 민들레의 시간은 앞으로 계속될 것이다. 민들레와의 추억은 영원할 테니까.

13 (가)~(마)에 대한 설명으로 알맞지 않은 것은?

① (가): 3음보의 율격을 바탕으로 같은 시어를 반복하여 운율을 형성하고 있다.
② (나): 역설 표현을 통해 삶을 대하는 긍정적이고 희망적인 태도를 강조하고 있다.
③ (다): 대화와 행동을 통해 인물의 부정적인 모습을 드러내고 있다.
④ (라): 소설의 구성 단계 중 인물 간의 갈등이 최고조에 이르는 단계에 해당한다.
⑤ (마): 글쓴이가 일상에서 겪은 경험과 그 느낌을 자유롭게 서술하고 있다.

서술형

14 (나)에 사용된 어조를 한 문장으로 쓰시오.

15 ㉠과 ㉡에 나타난 인물의 심리로 알맞은 것은?

	㉠	㉡
①	'박 선생님'을 놀림.	일본의 패망을 받아들이지 못함.
②	'박 선생님'을 시험함.	조선의 독립을 기뻐함.
③	'박 선생님'을 꾸짖음.	일제의 만행을 비판함.
④	'박 선생님'을 위로함.	피해를 입을까 걱정함.
⑤	'박 선생님'에게 장난을 침.	경거망동한 행동에 대해 부끄러움을 느낌.

16 ⓐ~ⓔ에 대한 설명으로 알맞지 않은 것은?

① ⓐ: 미래의 상황을 가정한 표현이다.
② ⓑ: 사랑이 끝난 절망적인 공간을 의미한다.
③ ⓒ: '박 선생님'의 지식의 깊이를 보여 준다.
④ ⓓ: '박 선생님'의 기회주의적인 태도를 이해하지 못한 '나'의 평가이다.
⑤ ⓔ: 맞춤법에 맞게 '틈새'로 고치는 것이 적절하다.

만점 마무리 (1) 다양한 설명 방법

◆ 제재 선정 의도

이 글에는 다양한 설명 방법이 사용되어 대상을 설명하는 방법과 그 효과를 학습하기에 적절하다. 더 나아가 우리 전통 발효 식품의 우수성을 살펴보면서 전통의 가치를 생각해 볼 수 있기에 제재로 선정하였다.

◆ 제재 이해

갈래	설명하는 글
성격	객관적, 논리적, 설명적
제재	우리나라의 전통 발효 식품
주제	우리나라의 전통 발효 식품의 우수성
특징	• 구체적인 식품을 예로 들어 발효 과정을 설명함. • 발효 식품을 만드는 과정을 순서대로 나열함.

◆ 제재 요약

처음 세계적으로 인정받는 발효 식품

가운데 발효의 개념과 우리나라 전통 발효 식품의 우수성

끝 우리나라의 전통 발효 식품을 발전시켜 나가자는 제안

◆ 다양한 설명 방법

방법	설명
정의	대상의 본질, 개념, 뜻을 밝히며 설명함.
예시	구체적인 예를 들어 설명함.
비교	둘 이상의 대상을 견주어 서로 간의 공통점을 밝혀 설명함.
대조	둘 이상의 대상을 견주어 서로 간의 차이점을 밝혀 설명함.
인과	원인과 결과를 중심으로 설명함.
열거	여러 가지 예나 사실을 낱낱이 죽 늘어놓아 설명함.
인용	남의 말이나 글을 자신의 말이나 글 속에 끌어 써서 설명함.
구분	전체를 일정한 기준에 따라 나누어 설명함.
분류	어떤 대상을 일정한 기준에 따라 종류별로 묶어 설명함.
분석	하나의 대상을 몇 개의 부분이나 요소로 나누어 설명함.

「지혜가 담긴 음식, 발효 식품」의 짜임

구분	내용
처음	발효가 무엇인지, 발효 식품이 왜 우수한지 알아보자.
가운데	• 발효의 개념: 미생물이 탄수화물, 단백질 등을 분해하는 과정이다. • 우리나라의 전통 발효 식품 ①: 김치 – 발효를 거쳐 만들어지는 대표 음식이다. – 주로 '젖산균'에 의해 발효된다. – 변비, 대장암, 당뇨병 등을 예방하는 데에 효과적이다. • 우리나라의 전통 발효 식품 ②: 간장 – 발효한 메주를 담갔던 소금물을 달인 것이다. – 음식에 감칠맛을 더하고 건강에도 좋다. • 우리나라의 전통 발효 식품 ③: 된장 – 간장을 만들고 남은 메주를 숙성시킨 것이다. – 특히 항암 효과가 뛰어나다.
끝	발효 식품의 우수성을 알고, 앞으로 전통 발효 식품을 발전시킬 방법을 생각해 보자.

「지혜가 담긴 음식, 발효 식품」에 사용된 설명 방법과 그 효과

예시	• 앞에서 소개한 요구르트, 하몬, 된장을 비롯하여 달콤하고 고소한 향으로 우리를 유혹하는 빵, 빵과 환상의 궁합을 자랑하는 치즈 등을 그 예로 들 수 있다. • 발효를 거쳐 만들어지는 전통 음식에는 무엇이 있을까? 가장 대표적인 전통 음식으로 김치를 꼽을 수 있다. • 맛있는 음식을 만들 때 빠질 수 없는 전통 양념인 간장과 된장도 발효 식품이다.
정의	발효란 곰팡이나 효모와 같은 미생물이 탄수화물, 단백질 등을 분해하는 과정을 말한다.
비교	미생물이 유기물에 작용하여 물질의 성질을 바꾸어 놓는다는 점에서 발효는 부패와 비슷하다.
대조	• 발효는 우리에게 유용한 물질을 만드는 반면에, 부패는 우리에게 해로운 물질을 만들어 낸다는 점에서 차이가 있다. • 발효된 물질은 사람이 안전하게 먹을 수 있지만, 부패한 물질은 식중독을 일으킬 수 있어서 함부로 먹을 수 없다.
인과	• 젖산은 약한 산성 물질이어서 유해균이 증식하는 것을 억제하고, 김치가 잘 썩지 않게 한다. • 간장은 음식을 더 맛있게 만들고 건강에도 좋기 때문에 우리 조상들은 장 담그는 일에 정성을 기울였다.

설명 방법을 사용함으로써 얻을 수 있는 효과

- 글쓴이: 내용을 정확하고 쉽게 전달할 수 있음.
- 읽는 이: 내용을 쉽게 이해하고 기억할 수 있음.

「지혜가 담긴 음식, 발효 식품」에 드러난 글쓴이의 의도

발효의 개념을 설명하고, 우리나라 전통 발효 식품의 우수성을 알리고자 한다.

간단 복습 문제 (1) 다양한 설명 방법

• 정답과 해설 35쪽

쪽지 시험

[01~03] 다음 문장에 들어갈 알맞은 낱말을 ( )에서 골라 ○표 하시오.

01 설명하는 글은 어떤 사물이나 사실, 현상, 지식 등에 대한 정보를 읽는 이가 알기 쉽게 풀어 쓴 (객관적인 / 주관적인) 글이다.

02 설명하는 글의 (처음 / 가운데) 부분에서는 설명 대상을 소개하고, 글을 쓰게 된 동기 등을 밝힌다.

03 발효는 곰팡이나 (효소 / 효모) 같은 미생물이 탄수화물, 단백질 등을 (분해 / 합성)하는 과정이다.

[04~06] 다음 내용이 맞으면 ○표, 틀리면 ×표 하시오.

04 어떤 대상을 일정한 기준에 따라 나누어 설명하는 방법은 '분석'이고, 하나의 대상을 몇 개의 부분이나 구성 요소로 나누어 설명하는 방법은 '분류'이다. ( )

05 김치, 간장, 된장, 치즈, 요구르트는 모두 발효 식품이다. ( )

06 김치의 젖산균과 젖산은 우리 몸의 소화와 노폐물의 배설을 돕고, 변비 및 대장암, 당뇨병 등을 예방하는 데 효과적이다. ( )

[07~11] 다음 설명 방법과 그 뜻을 바르게 연결하시오.

07 대조 • • ㉠ 원인과 결과를 중심으로 설명함.

08 인과 • • ㉡ 대상의 개념, 뜻을 밝히며 설명함.

09 비교 • • ㉢ 둘 이상의 대상을 견주어 서로 간의 차이점을 밝혀 설명함.

10 정의 • • ㉣ 둘 이상의 대상을 견주어 서로 간의 공통점을 밝혀 설명함.

11 예시 • • ㉤ 구체적인 예를 들어 설명함.

어휘 시험

[01~03] 다음 설명에 해당하는 낱말을 〈보기〉에서 골라 쓰시오.

보기
억제, 촉진, 증식

01 늘어서 많아짐. 또는 늘려서 많게 함. ( )

02 다그쳐 빨리 나아가게 함. ( )

03 정도나 한도를 넘어서 나아가려는 것을 억눌러 그치게 함. ( )

[04~07] 다음 문장에 들어갈 알맞은 낱말을 ( )에서 골라 ○표 하시오.

04 농사짓는 이들에게 가을보다 (번성한 / 풍성한) 계절은 없다.

05 할머니 음식 맛의 (비결 / 해법)은 손끝에서 나오나 보다.

06 이 조미료는 음식에 (감칠맛 / 입맛)을 더해 주는 역할을 한다.

07 포도주는 쇠테를 두른 둥근 나무통 속에서 (성숙 / 숙성)된다.

[08~10] 다음 낱말과 그 뜻풀이를 바르게 연결하시오.

08 으깨다 • • ㉠ 액체 따위를 끓여서 진하게 만들다.

09 우려내다 • • ㉡ 굳은 물건이나 덩이로 된 물건을 눌러 부스러뜨리다.

10 달이다 • • ㉢ 물체를 액체에 담가 성분, 맛, 빛깔 따위가 배어들게 하다.

예상 적중 소단원 평가 (1) 다양한 설명 방법

01~04 다음 글을 읽고, 물음에 답하시오.

(가) 발효 식품은 건강식품으로 널리 알려져 있다. 또한 다양한 발효 식품이 특유의 맛과 향으로 사람들의 입맛을 사로잡고 있다. 앞에서 소개한 요구르트, 하몬, 된장을 비롯하여 달콤하고 고소한 향으로 우리를 유혹하는 빵, 빵과 환상의 궁합을 자랑하는 치즈 등을 그 예로 들 수 있다. 이렇게 몸에도 좋고 맛도 좋은 식품을 만들어 내는 발효란 무엇일까? 그리고 발효 식품은 왜 건강에 좋을까? 먼저 발효의 개념을 알아보고, 우리나라의 전통 발효 식품을 중심으로 발효 식품의 우수성을 자세히 알아보자.

(나) 발효란 곰팡이나 효모와 같은 미생물이 탄수화물, 단백질 등을 분해하는 과정을 말한다. ㉠미생물이 유기물에 작용하여 물질의 성질을 바꾸어 놓는다는 점에서 발효는 부패와 비슷하다. 하지만 ㉡발효는 우리에게 유용한 물질을 만드는 반면에, 부패는 우리에게 해로운 물질을 만들어 낸다는 점에서 차이가 있다. 그래서 발효된 물질은 사람이 안전하게 먹을 수 있지만, 부패한 물질은 식중독을 일으킬 수 있어서 함부로 먹을 수 없다.

(다) 그렇다면, 발효를 거쳐 만들어지는 전통 음식에는 무엇이 있을까? 가장 대표적인 전통 음식으로 김치를 꼽을 수 있다. 김치는 채소를 오랫동안 저장해 놓고 먹기 위해 조상들이 생각해 낸 음식이다. 김치는 우리가 채소의 영양분을 계절에 상관없이 섭취할 수 있도록 해 주고, 발효 과정에서 더해진 좋은 성분으로 우리의 건강을 지키는 데도 도움을 준다.

(라) 김치 발효의 주역은 젖산균이다. 채소를 묽은 농도의 소금에 절이면 효소 작용이 일어나면서 당분과 아미노산이 생기고, 이를 먹이로 삼아 여러 미생물이 성장하면서 발효가 시작된다. 이때 김치 발효에 가장 중요한 역할을 하는 젖산균도 함께 성장하고 ⓐ증식한다. 젖산균은 포도당을 분해하면서 젖산을 만들어 낸다. 젖산은 약한 산성 물질이어서 유해균이 증식하는 것을 ⓑ억제하고, 김치가 잘 썩지 않게 한다. 그 덕분에 우리는 김치를 오래 두고 먹을 수 있다.

(마) 우리 김치가 우수한 것은 바로 이 젖산균과 젖산 때문이다. 젖산균과 젖산은 우리 몸 안에서 소화를 ⓒ촉진하고 노폐물이 잘 ⓓ배설될 수 있도록 돕는다. 또한 유해균이 ⓔ번식하거나 발암 물질이 생성되는 것을 억제하기도 한다. 그래서 젖산균과 젖산이 풍부한 김치는 변비 및 대장암, 당뇨병 등을 예방하는 데에 효과적이다.

01 (가)~(마)에 대한 설명으로 적절하지 않은 것은?

① (가): 질문 형식을 활용하여 앞으로 전개할 내용을 소개하고 있다.
② (나): '발효'의 뜻을 풀이하고 있다.
③ (다): 전통 발효 식품의 예로 김치를 들고 있다.
④ (라): 젖산균과 젖산의 차이점을 설명하고 있다.
⑤ (마): 김치가 질병 예방에 효과적인 까닭을 밝히고 있다.

02 이 글에서 설명한 '발효 식품'에 대한 이해로 알맞지 않은 것은?

① 저마다 특유의 맛과 향이 있다.
② 사람들에게 건강식품으로 인식되고 있다.
③ 요구르트, 하몬, 된장, 빵, 치즈 등이 있다.
④ 계절에 상관없이 채소의 영양분을 공급해 준다.
⑤ 미생물이 유기물에 작용하여 물질의 성질을 바꾸어 놓는 과정을 거쳐 만들어진다.

서술형

03 ㉠과 ㉡에 사용된 설명 방법의 차이를 쓰시오.

04 문장 내 ⓐ~ⓔ의 쓰임이 적절하지 않은 것은?

① ⓐ: 그는 소의 종자를 개량하여 크기를 두 배로 증식시켰다.
② ⓑ: 감정을 억제하지 못하면 일을 그르치게 된다.
③ ⓒ 정부는 수출 촉진을 위해 다양한 정책을 내놓았다.
④ ⓓ: 노폐물을 몸 밖으로 배설하여야 생명이 유지된다.
⑤ ⓔ: 대부분의 물고기는 특정한 계절에 산란기를 가지고 번식을 한다.

05~08 다음 글을 읽고, 물음에 답하시오.

가 맛있는 음식을 만들 때 빠질 수 없는 전통 양념인 간장과 된장도 발효 식품이다. 먼저 간장을 만드는 과정을 살펴보자. 콩을 푹 삶아서 찧은 다음, 덩어리로 만든다. 이 콩 덩어리가 바로 메주이다. 메주를 따뜻한 곳에 두어 발효하고 소금물에 담가 우려낸다. 그 국물을 떠내어 달이면 간장이 완성된다.

나 메주가 소금물 속에서 발효될 때, 젖산균의 일종인 바실루스가 콩에 들어 있는 단백질을 분해하여 아미노산을 만들어 낸다. 그리고 아미노산은 소금물에 녹아들어 감칠맛을 더하고 영양소를 공급한다. 이처럼 간장은 음식을 더 맛있게 만들고 건강에도 좋기 때문에 우리 조상들은 장 담그는 일에 정성을 기울였다.

다 이제 된장을 만드는 과정을 살펴보자. 간장을 만들고 나면 메주가 남는다. 이 메주를 건져 내어 잘게 으깨고, 여기에 소금을 넣어서 잘 섞는다. 이를 장독에 넣어 1개월 이상 숙성시키면, 맛있는 된장이 완성된다.

라 된장은 필수 아미노산이 풍부해서, 아미노산이 적은 쌀밥을 주로 먹는 우리에게 꼭 필요한 식품이다. 또한 간 기능을 높이고, 피부병과 성인병을 예방하는 데에도 효과적이다. 이와 더불어 된장은 '암을 이기는 한국인의 음식' 중 하나로 꼽힐 정도로 항암 효과가 뛰어나다. 이는 메주가 발효되는 과정에서 항암 물질이 만들어지기 때문이다.

마 지금까지 우리의 전통 음식을 중심으로 발효 식품의 우수성을 알아보았다. <u>㉠발효 식품은 오래 보관할 수 있고, 영양가가 풍부할 뿐만 아니라 그 재료와 미생물의 종류에 따라 독특한 맛과 향을 지녀서 우리 밥상을 풍성하게 해 준다.</u> 이렇게 멋진 발효 식품을 물려준 조상님께 고마워하면서, 오늘 저녁밥으로 보글보글 끓인 된장찌개와 아삭아삭한 김치를 먹는 것은 어떨까? 앞으로 전통 발효 식품을 발전시킬 방법도 생각해 보면서 말이다.

05 이 글의 내용으로 알맞지 <u>않은</u> 것은?

① 아미노산은 간장의 감칠맛을 만들어 낸다.
② 된장은 간 기능 향상과 성인병 예방에 효과적이다.
③ 발효 식품은 오래 보관하기 어려워 빨리 먹어야 한다.
④ 간장을 만들고 남은 메주를 소금과 섞어 숙성시키면 된장이 된다.
⑤ 발효된 메주를 소금물에 우려낸 후 그 국물을 달이면 간장이 된다.

06 이 글에서 글쓴이가 제안하는 바로 알맞은 것은?

① 한국 음식의 맛을 세계에 알리자.
② 우리의 전통 발효 식품을 발전시켜 나가자.
③ 간장과 된장을 가정에서 직접 만들어 먹자.
④ 약보다 좋은 발효 음식으로 건강을 지키자.
⑤ 우리의 전통 문화가 세계 최고임을 명심하자.

서술형

07 〈보기〉에서 주로 사용한 설명 방법을 활용한 문장을 (가)에서 찾아 첫 어절과 끝 어절을 쓰시오.

| 보기 |
사회적 약속으로 굳어진 말들도 시간이 흐르면서 조금씩 변한다. 예를 들어 백(百)을 뜻하는 '온'이나 천(千)을 뜻하는 'ᄌᆞᄆᆞᆫ'은 오늘날에는 거의 쓰이지 않는다. 또 '어리다'라는 말은 '어리석다'라는 뜻에서 오늘날에는 '나이가 적다'라는 뜻으로 바뀌었다.

08 ㉠을 나타내는 한자 성어로 가장 적절한 것은?

① 금상첨화(錦上添花) ② 온고지신(溫故知新)
③ 어부지리(漁夫之利) ④ 타산지석(他山之石)
⑤ 다다익선(多多益善)

고득점 서술형 문제

(1) 다양한 설명 방법

01~09 다음 글을 읽고, 물음에 답하시오.

가 발효 식품은 건강식품으로 널리 알려져 있다. 또한 다양한 발효 식품이 특유의 맛과 향으로 사람들의 입맛을 사로잡고 있다. Ⓐ앞에서 소개한 요구르트, 하몬, 된장을 비롯하여 달콤하고 고소한 향으로 우리를 유혹하는 빵, 빵과 환상의 궁합을 자랑하는 치즈 등을 그 예로 들 수 있다. 이렇게 몸에도 좋고 맛도 좋은 식품을 만들어 내는 발효란 무엇일까? 그리고 발효 식품은 왜 건강에 좋을까? 먼저 발효의 개념을 알아보고, 우리나라의 전통 발효 식품을 중심으로 발효 식품의 (ⓐ)을 자세히 알아보자.

나 ㉠발효란 곰팡이나 효모와 같은 미생물이 탄수화물, 단백질 등을 분해하는 과정을 말한다. ㉮미생물이 유기물에 작용하여 물질의 성질을 바꾸어 놓는다는 점에서 발효는 부패와 비슷하다. 하지만 ㉯발효는 우리에게 유용한 물질을 만드는 반면에, 부패는 우리에게 해로운 물질을 만들어 낸다는 점에서 차이가 있다.

다 김치 발효의 주역은 젖산균이다. 채소를 묽은 농도의 소금에 절이면 효소 작용이 일어나면서 당분과 아미노산이 생기고, 이를 먹이로 삼아 여러 미생물이 성장하면서 발효가 시작된다. 이때 김치 발효에 가장 중요한 역할을 하는 젖산균도 함께 성장하고 증식한다. 젖산균은 포도당을 분해하면서 젖산을 만들어 낸다. 젖산은 약한 산성 물질이어서 유해균이 증식하는 것을 억제하고, 김치가 잘 썩지 않게 한다. ㉡그 덕분에 우리는 김치를 오래 두고 먹을 수 있다.

라 맛있는 음식을 만들 때 빠질 수 없는 전통 양념인 간장과 된장도 발효 식품이다. 먼저 간장을 만드는 과정을 살펴보자. 콩을 푹 삶아서 찧은 다음, 덩어리로 만든다. 이 콩 덩어리가 바로 메주이다. 메주를 따뜻한 곳에 두어 발효하고 소금물에 담가 우려낸다. 그 국물을 떠내어 달이면 간장이 완성된다.

마 메주가 소금물 속에서 발효될 때, 젖산균의 일종인 바실루스가 콩에 들어 있는 단백질을 분해하여 아미노산을 만들어 낸다. 그리고 아미노산은 소금물에 녹아들어 감칠맛을 더하고 영양소를 공급한다. 이처럼 간장은 음식을 더 맛있게 만들고 건강에도 좋기 때문에 우리 조상들은 장 담그는 일에 정성을 기울였다.

바 된장은 필수 아미노산이 풍부해서, 아미노산이 적은 쌀밥을 주로 먹는 우리에게 꼭 필요한 식품이다. 또한 간 기능을 높이고, 피부병과 성인병을 예방하는 데에도 효과적이다. 이와 더불어 된장은 '암을 이기는 한국인의 음식' 중 하나로 꼽힐 정도로 항암 효과가 뛰어나다. 이는 메주가 발효되는 과정에서 항암 물질이 만들어지기 때문이다.

사 지금까지 우리의 전통 음식을 중심으로 발효 식품의 우수성을 알아보았다. 발효 식품은 오래 보관할 수 있고, 영양가가 풍부할 뿐만 아니라 그 재료와 미생물의 종류에 따라 독특한 맛과 향을 지녀서 우리 밥상을 풍성하게 해 준다. 이렇게 멋진 발효 식품을 물려준 조상님께 고마워하면서, 오늘 저녁밥으로 보글보글 끓인 된장찌개와 아삭아삭한 김치를 먹는 것은 어떨까? 앞으로 전통 발효 식품을 발전시킬 방법도 생각해 보면서 말이다.

1단계 단답식 서술형 문제

01 이 글에서 〈보기〉와 같은 효능을 지닌 식품을 찾아 쓰시오. [5점]

보기
- 간 기능을 높임.
- 피부병과 성인병 예방에 효과적임.
- 항암 효과가 뛰어남.

02 ㉠에서 사용한 설명 방법을 쓰시오. [5점]

03 (다)에서 ㉡과 같이 할 수 있게 해 주는 물질을 찾아 2음절로 쓰시오. [5점]

04 (사)를 참고하여 ⓐ에 들어갈 단어를 3음절로 쓰시오. [5점]

05 〈보기〉는 ㉮와 ㉯에 대한 설명이다. 〈보기〉의 빈칸에 들어갈 말을 차례대로 쓰시오. [5점]

보기
㉮에는 둘 이상의 대상을 견주어 서로 간의 □□□을/를 설명하는 방법이 쓰였고, ㉯에는 둘 이상의 대상을 견주어 서로 간의 □□□을/를 설명하는 방법이 쓰였다.

● 정답과 해설 36쪽

2단계 기본형 서술형 문제

06 (가)를 참고하여 〈보기〉에 제시된 식품들의 공통점을 두 가지 이상 쓰시오. [10점]

보기

요구르트, 하몬, 된장, 빵, 치즈, 김치

07 다음을 이 글의 개요라고 할 때, [A]에 들어갈 말을 〈조건〉에 맞게 쓰시오. [10점]

처음	발효가 무엇인지, 발효 식품이 왜 우수한지 알아보자.
가운데	발효의 개념 • 미생물이 탄수화물, 단백질 등을 분해하는 과정임.
	우리나라의 전통 발효 식품 ①: 김치 • 발효를 거쳐 만들어지는 대표 음식임. • 주로 '젖산균'에 의해 발효됨. • 변비, 대장암, 당뇨병 등의 예방에 효과적임.
	우리나라의 전통 발효 식품 ②: 간장 • 발효한 메주를 담갔던 소금물을 달인 것임. • 음식에 감칠맛을 더하고 건강에도 좋음.
	우리나라의 전통 발효 식품 ③: 된장 • 간장을 만들고 남은 메주를 숙성시킨 것임. • 특히 항암 효과가 뛰어남.
끝	[A]

조건 ① (사)를 참고하여 두 가지 내용을 한 문장으로 쓸 것
② '~알고, ~보자.'의 형식으로 쓸 것

08 설명하는 글의 처음 부분과 끝부분의 구성 단계상 특징을 〈조건〉에 맞게 쓰시오. [15점]

조건 ① 처음 부분의 특징은 (가), 끝부분의 특징은 (사)를 참고하여 쓸 것

3단계 고난도 서술형 문제

09 Ⓐ와 〈보기〉에 사용된 설명 방법과 그 개념을 각각 쓰시오. [20점]

보기

단소·대금·피리 등과 같이 관을 통해 소리를 내는 관악기, 가야금·거문고·해금 등 명주실을 꼬아 만든 줄을 튕기거나 긁어서 소리를 내는 현악기, 장구·징·북 등 두드려 소리를 내는 타악기는 모두 우리 국악기에 속한다.

	설명 방법	설명 방법의 개념
Ⓐ		
〈보기〉		

10 〈보기〉를 설명하기에 적절한 설명 방법과 그 까닭을 〈조건〉에 맞게 쓰시오. [20점]

보기

미세 먼지가 신체에 미치는 영향

조건 ① 그 까닭은 '~할 수 있으므로'의 형식으로 쓸 것

만점 마무리 (2) 설명하는 글 쓰기

◆ 활동 의도
'줄다리기'를 설명하는 글을 쓰는 과정을 따라가면서 설명하는 글을 쓰는 방법을 이해하도록 하였다. 그리고 친구와 공유할 정보를 선정한 후, 대상을 효과적으로 설명할 수 있는 설명 방법을 활용하여 설명하는 글을 써 보도록 하였다.

◆ 활동 목표
- 설명하는 글을 쓰는 과정과 방법 이해하기
- 대상의 특성에 맞는 설명 방법을 활용하여 설명하는 글 쓰기

◆ 활동 요약

설명하는 글을 쓰는 과정과 방법 이해하기
'민재'가 '줄다리기'를 설명하는 글을 쓰는 과정을 살펴보면서 설명하는 글을 쓰는 방법을 이해함.

↓

대상의 특성에 맞는 설명 방법을 활용하여 설명하는 글 쓰기
설명하는 글을 쓰는 과정에 따라 대상에 맞는 적절한 설명 방법을 활용하여 직접 글을 써 봄.

◇ 설명하는 글을 쓰는 과정(예 '줄다리기'를 설명하는 글 쓰기)

계획하기

글의 주제와 목적, 예상 독자 등을 구체적으로 설정함.

예 〈'민재'의 글쓰기 계획〉

주제	우리나라의 전통 놀이 '줄다리기'
목적	줄다리기에 관한 여러 정보를 설명하기 위해서
예상 독자	친구들

↓

내용 생성하기

- 다양한 매체를 활용하여 주제와 관련 있는 자료를 수집함.
- 수집한 자료에서 주제와 관련 있는 내용을 정리함.
- 더 필요한 자료가 있는지 점검함.

예 〈'민재'가 수집한 자료〉

자료	수집한 매체	자료의 내용	설명 방법
1	책(국어사전)	줄다리기의 뜻	정의
2	신문 기사	줄다리기의 가치	인과
3	누리집	줄의 구조	분석
4	책	줄다리기의 유래	인과
5	누리집	• 줄다리기의 편 구성 방식 • 줄다리기의 규칙	• 비교, 대조 • 비교, 열거
6	누리집	줄다리기를 전승하려는 노력	예시

↓

내용 조직하기

- 수집한 자료를 바탕으로 설명하는 글의 구조인 '처음 – 가운데 – 끝'에 맞게 개요를 작성함.
- 각 내용에 적절한 설명 방법과 자료 활용 계획을 세움.

예 〈'민재'가 쓴 개요〉

구분	내용	자료	설명 방법
처음	우리의 전통 민속놀이인 '줄다리기'		
가운데	1. 줄다리기의 뜻과 유래 가. 줄다리기의 뜻 나. 줄다리기의 유래	자료 1 자료 4	정의 인과
	2. 줄다리기를 하는 방법 가. 줄다리기의 편 구성 방식 나. 줄다리기의 규칙	자료 5	비교, 대조 비교, 열거
	3. 줄다리기의 의의 가. 줄다리기의 가치 나. 줄다리기를 전승하려는 노력	자료 2 자료 6	인과, 인용 예시
끝	줄다리기의 보존 및 계승 당부		

↓

표현하기

- 개요를 바탕으로 글의 목적과 주제에 맞게 글을 씀.
- 대상을 효과적으로 설명하는 방법을 사용하여 읽는 이가 내용을 쉽게 이해할 수 있도록 씀.

↓

평가하기

- 평가 기준에 따라 글을 점검함.
- 점검한 내용을 바탕으로 잘못된 부분을 고쳐 쓰고, 부족한 부분을 보충함.

간단 복습 문제 (2) 설명하는 글 쓰기

• 정답과 해설 36쪽

쪽지 시험

[01~03] 다음 문장에 들어갈 알맞은 낱말을 (　　)에서 골라 ○표 하시오.

01 수집한 자료를 바탕으로 (차례 / 개요)를 작성하면 내용을 좀 더 구체적이고 체계적으로 조직하고 표현할 수 있다.

02 설명하는 글의 초고를 평가할 때는 글에 담긴 정보의 (정확성 / 추상성)과 사실성을 따져 보아야 한다.

03 계획하기 단계에서는 (예상 독자 / 자료의 내용) 을/를 떠올려 보아야 한다.

[04~06] 다음 설명이 맞으면 ○표, 틀리면 ×표 하시오.

04 내용 조직하기 단계에서는 설명 대상에 적절한 설명 방법과 자료 활용 계획을 세워야 한다. (　　)

05 내용 생성하기 단계에서는 다양한 매체를 활용하여 주제와 관련 있는 자료를 수집해야 한다. (　　)

06 표현하기 단계에서는 예상 독자의 수준과 흥미를 고려하여 글의 주제를 설정해야 한다. (　　)

[07~10] 다음 내용에 해당하는 설명하는 글의 구조를 바르게 연결하시오.

07 글을 쓴 동기를 밝힘. •

08 앞으로의 과제를 당부함. •

09 설명한 내용을 요약정리함. •

10 적절한 설명 방법을 사용하여 대상을 설명함. •

• ㉠ 처음

• ㉡ 가운데

• ㉢ 끝

어휘 시험

[01~04] 다음 설명에 해당하는 낱말을 〈보기〉에서 골라 쓰시오.

보기
확립, 계승, 결속, 보존

01 체계나 견해, 조직 따위가 굳게 섬. 또는 그렇게 함. (　　)

02 뜻이 같은 사람끼리 서로 단결함. (　　)

03 잘 보호하고 간수하여 남김. (　　)

04 조상의 전통이나 문화유산, 업적 따위를 물려받아 이어 나감. (　　)

[05~07] 다음 문장에 들어갈 알맞은 낱말을 (　　)에서 골라 ○표 하시오.

05 아버지는 큰 송이를 (선출하여 / 선별하여) 따로 포장하셨다.

06 정치인들에 의해 소수의 의견이 마치 다수의 의견인 것처럼 (간주되고 / 고려되고) 있다.

07 우토로 마을 사람들은 일본으로 귀화하지 않고, 한국인으로서의 (정당성 / 정체성)을 지키며 살아왔다.

[08~11] 다음 낱말과 그 뜻풀이를 바르게 연결하시오.

08 전승 •

09 유래 •

10 만성 •

11 너비 •

• ㉠ 사물이나 일이 생겨남. 또는 그 사물이나 일이 생겨난 바

• ㉡ 문화, 풍속, 제도 따위를 이어받아 계승함. 또는 그것을 물려주어 잇게 함.

• ㉢ 평면이나 넓은 물체의 가로로 건너지른 거리

• ㉣ 병이 급하거나 심하지도 아니하면서 쉽게 낫지도 아니하는 성질

예상 적중 소단원 평가 (2) 설명하는 글 쓰기

● 정답과 해설 37쪽

01~03 다음을 읽고, 물음에 답하시오.

가

경남 도민 신문 2016년 5월 29일

민속 문화의 상징, 줄다리기의 가치

줄다리기는 매우 가치 있는 놀이이다. 우선 우리는 줄다리기에 참여함으로써 몸을 움직일 수 있다. 줄다리기는 오락거리로서 우리에게 즐거움을 주고, 근심과 걱정을 잊을 수 있도록 하여 정신적 건강에도 도움을 준다.

그뿐만 아니라, 줄다리기는 놀이에 참여하는 공동체를 결속하게 하고, 개인에게는 집단 구성원으로서의 정체성을 확립할 수 있도록 해 준다. 이기기 위해서는 모두가 힘을 합쳐야 하기 때문이다. 이렇듯 줄다리기는 신체적·정신적·사회적 측면에서 조화를 이루는 놀이여서 교육적으로 가치가 있다. 우리는 이를 잘 보존하고 계승하기 위해 노력해야 한다.

구분	내용
처음	우리의 전통 민속놀이인 '줄다리기'
가운데	㉠1. 줄다리기의 뜻과 유래 가. ㉡줄다리기의 뜻 2. 줄다리기를 하는 방법 가. 줄다리기의 편 구성 방식 나. ㉢줄다리기의 가치 ㉣다. 줄다리기의 위험성 3. 줄다리기의 의의 가. ㉤줄다리기의 규칙 나. ㉥줄다리기를 전승하려는 노력
끝	줄다리기의 보존 및 계승 당부

01 (가)의 활용 계획으로 알맞은 것은?

① 소멸된 전통 문화의 사례로 제시한다.
② 민속놀이의 다양성을 언급할 때 활용한다.
③ 줄다리기를 지켜야 하는 까닭으로 제시한다.
④ 줄다리기가 오랜 전통임을 설명할 때 활용한다.
⑤ 민속놀이의 현대적 변화를 보여 주는 자료로 쓴다.

02 (나)에 대한 학생들의 이해로 알맞지 않은 것은?

① ㉠의 하위 항목에 '나. 줄다리기 줄의 구조'를 추가할 수 있겠군.
② ㉡은 정의의 설명 방법을 활용하여 서술할 수 있겠군.
③ ㉢과 ㉤은 서로 자리를 바꾸는 것이 좋겠군.
④ ㉣은 삭제하는 것이 좋겠군.
④ ㉥은 각 분야별 사례를 제시하여 설명할 수 있겠군.

서술형

03 글쓰기 과정 중, (가)와 같은 자료를 수집하는 단계를 쓰시오.

04 설명하는 글을 쓰는 방법에 대한 이해로 적절하지 않은 것은?

① 정보 전달이라는 목적에 맞게 글을 쓴다.
② 글쓰기 계획에서 예상 독자의 수준을 고려한다.
③ 수집한 자료를 모두 담을 수 있도록 내용을 조직한다.
④ 설명 대상에 대한 객관적이고 정확한 정보를 수집한다.
⑤ 평가를 할 때에는 대상에 맞는 설명 방법을 활용하였는지 판단한다.

05 다음 글쓰기 계획 중, 〈보기〉에 반영되지 않은 것은?

보기

귀지란 귓구멍 속에 낀 때를 말한다. 때라고 하니까 더럽고 쓸데없는 것이라고 생각하기 쉽지만 사실은 그렇지 않다. 귀지를 파지 않아도 되는 까닭을 알아보자.

귀는 외이, 중이, 내이로 나뉘는데, 귀지는 외이에서 만들어진다. 외이는 외부의 침입자를 막는 작은 털들과 수많은 분비샘으로 이루어져 있다.

귀지는 우리 귀를 보호하는 다양한 역할을 한다. 외이도에 있는 작은 털들과 함께 귀지는 귓속으로 들어오려는 이물질을 막아 준다.

귀지는 눅눅한 귀지와 마른 귀지로 나뉘는데, 한국인의 귀지는 대부분 마른 귀지다. 마른 귀지는 파지 않아도 저절로 나오므로, 특별한 이상이 없다면 파지 않아도 된다. 또 귀지를 파게 되면 세균이 쉽게 침범하고, 만성 외이도염이 생길 수도 있으므로 주의해야 한다.

① 귀지의 뜻을 정확히 밝히며 글을 시작한다.
② 귀지의 역할을 설명하여 그 필요성을 깨닫게 한다.
③ 귀의 구조를 분석하여 귀지가 생기는 곳을 설명한다.
④ 읽는 이가 어려워할 만한 용어를 쉬운 표현으로 바꾸어 쓴다.
⑤ 귀지의 종류를 제시하여 일반적인 한국인의 귀지가 무엇인지 알게 한다.

01~10 다음을 읽고, 물음에 답하시오.

가 연희: (운동회에서 줄다리기를 하고 나서) 줄다리기 정말 재미있다!

민재: 맞아! 이렇게 재미있는 줄다리기가 어떻게 생겨났을까?

민재: (집에서 인터넷 검색을 하며) 아, 줄다리기에 이런 깊은 뜻이 담겨 있구나. 이참에 줄다리기에 관한 여러 정보를 찾아보고, 친구들에게 알려 줘야지.

나 **줄다리기**

❶ 『민속』 여러 사람이 편을 갈라서, 굵은 밧줄을 마주 잡고 당겨서 승부를 겨루는 놀이. ≒ 견구(牽鉤)·마두희·발하(拔河)·삭전03(索戰)·타구04(拖鉤)·혈하희.

❷ 서로 지지 아니하려고 맞섬을 비유적으로 이르는 말. –『표준 국어 대사전』

다 줄다리기에 사용하는 줄은 지역에 따라 조금씩 다르지만 일반적으로 머리, 몸줄, 곁줄 부분으로 나눌 수 있다. 줄은 전체적으로 앞부분은 굵고 끝으로 갈수록 가늘어진다. 중심의 굵은 줄을 원줄 또는 몸줄이라고 한다. 이 몸줄은 너무 크고 무거워서 직접 잡아서 당길 수가 없다. 그래서 곁줄이라고 불리는 작은 줄들을 몸줄의 좌우로 늘여 붙이고, 실제 놀이에서는 이것을 당긴다. 결국 전체 줄은 무수한 발들을 가진 지네 모양이 된다. – 네이버 지식 백과, 「줄다리기」

라

구분	내용
처음	우리의 전통 민속놀이인 '줄다리기'
가운데	1. 줄다리기의 뜻과 유래 가. 줄다리기의 뜻 나. 줄다리기의 유래
	2. 줄다리기를 하는 방법 가. 줄다리기의 편 구성 방식 나. 줄다리기의 규칙
	3. 줄다리기의 의의 가. 줄다리기가 지닌 가치 나. 줄다리기를 전승하려는 노력
끝	ⓐ줄다리기의 보존 및 계승 당부

마 ㉠귀지란 귓구멍 속에 낀 때를 말한다. 때라고 하니까 더럽고 쓸데없는 것이라고 생각하기 쉽지만 사실은 그렇지 않다. 귀지를 파지 않아도 되는 까닭을 알아보자. / ㉮귀는 외이, 중이, 내이로 나뉘는데, 귀지는 외이에서 만들어진다. 외이는 외부의 침입자를 막는 작은 털들과 수많은 분비샘으로 이루어져 있다.

㉯귀지는 우리 귀를 보호하는 다양한 역할을 한다. 외이도에 있는 작은 털들과 함께 귀지는 귓속으로 들어오려는 이물질을 막아 준다.

귀지는 눅눅한 귀지와 마른 귀지로 나뉘는데, 한국인의 귀지는 대부분 마른 귀지다. 마른 귀지는 파지 않아도 저절로 나오므로, 특별한 이상이 없다면 파지 않아도 된다. 또 귀지를 파게 되면 세균이 쉽게 침범하고, 만성 외이도염이 생길 수도 있으므로 주의해야 한다.

1단계 단답식 서술형 문제

01 '민재'가 쓸 글의 소재와 예상 독자를 (가)에서 찾아 쓰시오. [5점]

02 (라)의 가운데 부분 중, (나)의 자료를 활용할 수 있는 항목을 쓰시오. [5점]

03 줄다리기 줄의 모양을 빗대어 표현한 단어를 (다)에서 찾아 2음절로 쓰시오. [5점]

04 〈보기〉는 설명하는 글을 쓰는 과정이다. (라)를 작성하는 단계를 〈보기〉에서 찾아 쓰시오. [5점]

보기

계획하기 → 내용 생성하기 → 내용 조직하기 → 표현하기 → 평가하고 고쳐쓰기

05 ㉠에 사용된 설명 방법을 한 단어로 쓰시오. [5점]

• 정답과 해설 37쪽

2단계 기본형 서술형 문제

06 '민재'가 글을 쓸 때, 〈보기〉를 활용할 수 있는 방안을 〈조건〉에 맞게 쓰시오. [10점]

보기

줄다리기의 편을 가를 때 육지 지방에서는 대개 동부와 서부로 나누며, 섬 지방에서는 상촌·하촌으로 나누어 상촌은 남자 편, 하촌은 여자 편이 된다. 그리고 장가 안 간 총각은 여자 편이 된다. 그런데 동부·서부로 나누면 경상남도 영산(靈山) 지방에서는 동부가 수줄, 서부가 암줄인데 반하여, 전라남도 강진 지방에서는 그 반대이다. 그러나 어쨌든 결과적으로 암줄이 이겨야 그해에 풍년이 든다는 점에서는 같다. 따라서, 대개 여자 편이 이기도록 남자 편이 양보하는 것이 묵계로 되어 있다.

– 한국 민족 문화 대백과사전

조건 ① (라)를 참고하여 쓸 것
② '~활용할 수 있다.'의 형식으로 쓸 것

07 〈보기〉의 Ⓐ~Ⓒ에 들어갈 알맞은 말을 각각 2어절로 쓰시오. [10점]

보기

(마)는 [Ⓐ]로, 독자가 어떠한 대상을 잘 이해할 수 있도록 객관적이고 논리적으로 서술한 글이다. 따라서 이러한 글을 쓸 때에는, 예상 독자의 수준과 흥미 등을 고려하여 글쓰기 계획을 세워야 한다. 그리고 [Ⓑ] 정보를 중심으로 자료를 수집한 다음, '처음 – 가운데 – 끝'으로 짜임새 있게 글의 내용을 조직해야 한다. 글로 쓸 때에는 설명하려는 대상이나 개념에 맞게 적절한 [Ⓒ]을 활용하여 내용을 효과적으로 표현할 수 있도록 한다.

08 글을 쓰기 전에, (라)를 작성하는 이유를 〈조건〉에 맞게 쓰시오. [15점]

조건 ① '~을/를 작성하면~'의 형식으로 쓸 것
② 한 문장으로 쓸 것

3단계 고난도 서술형 문제

09 〈보기〉를 참고하여 ⓐ의 구체적인 내용을 〈조건〉에 맞게 쓰시오. [20점]

보기

우리는 줄다리기에 참여함으로써 몸을 움직일 수 있다. 줄다리기는 오락거리로서 우리에게 즐거움을 주고, 근심과 걱정을 잊을 수 있도록 하여 정신적 건강에도 도움을 준다. / 그뿐만 아니라, 줄다리기는 놀이에 참여하는 공동체를 결속하게 하고, 개인에게는 집단 구성원으로서의 정체성을 확립할 수 있도록 해 준다. 이기기 위해서는 모두가 힘을 합쳐야 하기 때문이다. 이렇듯 줄다리기는 신체적·정신적·사회적 측면에서 조화를 이루는 놀이여서 교육적으로 가치가 있다.

– 경남 도민 신문

조건 ① 청유형의 한 문장으로 쓸 것
② 인과의 설명 방법을 활용하여 사회적 측면에서의 줄다리기의 가치를 쓸 것

10 ㉮와 ㉯를 〈보기〉와 같이 고쳐 썼다고 할 때, 고쳐쓰기 방안을 〈조건〉에 맞게 쓰시오. [20점]

보기

㉮ 사람의 귀는 바깥귀, 가운데귀, 속귀 세 부분으로 나눌 수 있다. 이 중 바깥귀에는 외부의 침입자를 막아 주는 작은 털들과 수많은 분비샘이 있는데, 바로 이 바깥귀에서 귀지가 만들어진다.
㉯ 귀지는 우리 귀를 보호하는 다양한 역할을 한다. 외이도에 있는 작은 털들과 함께 귀지는 귓속으로 들어오려는 이물질을 막아 준다. 또한 귀지는 털과 함께 따뜻한 외투 역할을 하기도 한다.

조건 ① ㉮와 ㉯의 고쳐쓰기 방안을 각각 쓸 것
② ㉮와 ㉯ 모두 '~한다.'의 형식으로 쓸 것

• 정답과 해설 38쪽

01~04 다음 글을 읽고, 물음에 답하시오.

(가) 발효 식품은 건강식품으로 널리 알려져 있다. 또한 다양한 발효 식품이 특유의 맛과 향으로 사람들의 입맛을 사로잡고 있다. ⓐ앞에서 소개한 요구르트, 하몬, 된장을 비롯하여 달콤하고 고소한 향으로 우리를 유혹하는 빵, 빵과 환상의 궁합을 자랑하는 치즈 등을 그 예로 들 수 있다. 이렇게 몸에도 좋고 맛도 좋은 식품을 만들어 내는 발효란 무엇일까? 그리고 발효 식품은 왜 건강에 좋을까? 먼저 발효의 개념을 알아보고, 우리나라의 전통 발효 식품을 중심으로 발효 식품의 우수성을 자세히 알아보자.

(나) ⓑ발효란 곰팡이나 효모와 같은 미생물이 탄수화물, 단백질 등을 분해하는 과정을 말한다. ⓒ미생물이 유기물에 작용하여 물질의 성질을 바꾸어 놓는다는 점에서 발효는 부패와 비슷하다. 하지만 ㉠발효는 우리에게 유용한 물질을 만드는 반면에, ㉡부패는 우리에게 해로운 물질을 만들어 낸다는 점에서 차이가 있다. 그래서 ⓓ발효된 물질은 사람이 안전하게 먹을 수 있지만, 부패한 물질은 식중독을 일으킬 수 있어서 함부로 먹을 수 없다.

(다) 김치 발효의 주역은 젖산균이다. 채소를 묽은 농도의 소금에 절이면 효소 작용이 일어나면서 당분과 아미노산이 생기고, 이를 먹이로 삼아 여러 미생물이 성장하면서 발효가 시작된다. 이때 김치 발효에 가장 중요한 역할을 하는 젖산균도 함께 성장하고 증식한다. 젖산균은 포도당을 분해하면서 젖산을 만들어 낸다. ⓔ젖산은 약한 산성 물질이어서 유해균이 증식하는 것을 억제하고, 김치가 잘 썩지 않게 한다. 그 덕분에 우리는 김치를 오래 두고 먹을 수 있다.

(라) 지금까지 우리의 전통 음식을 중심으로 발효 식품의 우수성을 알아보았다. 발효 식품은 오래 보관할 수 있고, 영양가가 풍부할 뿐만 아니라 그 재료와 미생물의 종류에 따라 독특한 맛과 향을 지녀서 우리 밥상을 풍성하게 해 준다. 이렇게 멋진 발효 식품을 물려준 조상님께 고마워하면서, 오늘 저녁밥으로 보글보글 끓인 된장찌개와 아삭아삭한 김치를 먹는 것은 어떨까? 앞으로 전통 발효 식품을 발전시킬 방법도 생각해 보면서 말이다.

01 이 글의 서술상 특징으로 알맞지 않은 것은?

① 질문을 던져 읽는 이의 궁금증을 유발하고 있다.
② 설명한 대상에 대한 글쓴이의 의견을 제시하고 있다.
③ 구체적인 사례를 들어 대상의 우수성을 밝히고 있다.
④ 글의 끝부분에서 앞부분의 내용을 요약정리하고 있다.
⑤ 전문가의 견해를 제시하여 내용의 신뢰성을 높이고 있다.

02 이 글의 내용으로 알맞지 않은 것은?

① 김치는 젖산 덕분에 잘 썩지 않는다.
② 발효를 거쳐 만들어진 식품은 맛도 좋고 몸에도 좋다.
③ 우리의 전통 발효 식품이 서양의 발효 식품보다 영양이 더 풍부하다.
④ 발효 식품은 그 재료와 미생물의 종류에 따라 독특한 맛과 향을 지닌다.
⑤ 채소를 묽은 농도의 소금에 절이면 효소 작용이 일어나면서 당분이 생성된다.

서술형

03 ㉠과 ㉡에 대한 설명을 다음과 같이 정리할 때, [A]에 들어갈 말을 한 문장으로 쓰시오.

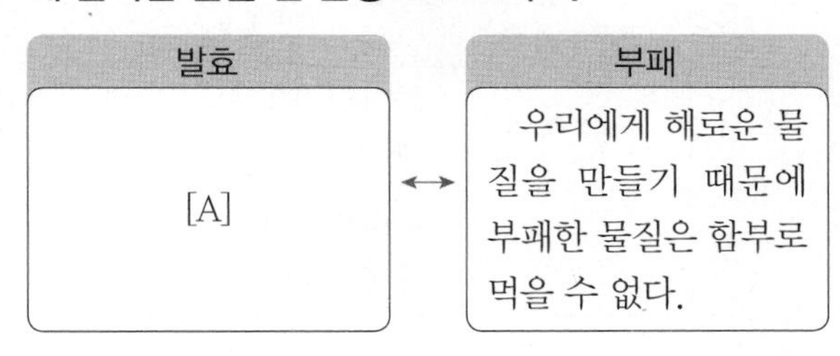

04 ⓐ~ⓔ 중, 〈보기〉와 같은 설명 방법이 활용된 것은?

보기: 남의 눈에 눈물 내면 제 눈에는 피눈물이 난다

① ⓐ ② ⓑ ③ ⓒ ④ ⓓ ⑤ ⓔ

05~06 다음을 읽고, 물음에 답하시오.

가 줄은 미리 암줄과 수줄의 구분을 두어 만드는데, 앞부분은 '머리'라고 하는 올가미 모양으로 만든다. 수줄의 머리는 너비가 좁고, 암줄의 머리는 수줄보다 너비가 넓다. 이렇게 만든 줄을 연결할 때에는 수줄을 암줄 속에 깊이 질러 넣고, 두 줄 사이에 굵고 긴 나무 빗장을 끼워서 줄이 빠지지 않게 한다. '비녀목'이라고 부르는 이 나무는 수줄을 만든 편에서 준비하는데, 놀이 도중에 부러지게 되면 수줄 편이 진 것으로 간주한다.

– 네이버 지식 백과, 「줄다리기」

나

처음	우리의 전통 민속놀이인 '줄다리기'
가운데	1. 줄다리기의 뜻과 유래 가. ㉠줄다리기의 뜻 나. ㉡줄다리기의 유래
	2. 줄다리기를 하는 방법 가. ㉢줄다리기의 편 구성 방식 나. ㉣줄다리기의 규칙
	3. 줄다리기의 의의 가. 줄다리기의 가치 나. ㉤줄다리기를 전승하려는 노력
끝	줄다리기의 보존 및 계승 당부

05 (나)를 바탕으로 글을 쓸 때, ㉠~㉤에 사용할 설명 방법과 선택 이유가 적절하지 않은 것은?

	설명 방법	선택 이유
①	㉠: 정의	줄다리기의 뜻을 정확히 설명할 수 있어서
②	㉡: 분류	줄다리기가 생겨난 까닭을 시대별로 나누어 설명하려고
③	㉢: 비교·대조	지역 간 줄다리기 편 구성 방식의 공통점과 차이점을 분명하게 설명할 수 있어서
④	㉣: 열거	규칙을 순서대로 늘어놓아 이해하기 쉽게 하려고
⑤	㉤: 예시	줄다리기 전승을 위해 어떤 노력을 하고 있는지 구체적인 예를 들어 설명할 수 있어서

06 (가)를 (나)를 바탕으로 한 글에 자료로 활용하기 위한 계획으로 알맞은 것은?

① '처음'에서 줄다리기가 주는 재미를 설명할 때 활용한다.
② '가운데 – 1 – 가.'에서 줄다리기의 뜻을 설명할 때 활용한다.
③ '가운데 – 2 – 나.'에서 줄다리기의 규칙을 설명할 때 활용한다.
④ '가운데 – 3 – 나.'에서 줄다리기를 전승하려는 노력의 사례로 활용한다.
⑤ '끝'에서 줄다리기의 가치를 강조할 때 활용한다.

07 설명하는 글을 평가하는 기준으로 알맞지 않은 것은?

① 자료를 활용한 경우 출처를 밝혔는가?
② 해당 분야의 전문어를 그대로 사용하였는가?
③ 정확한 사실과 정보를 바탕으로 글을 썼는가?
④ 대상의 특성에 맞는 설명 방법을 사용하였는가?
⑤ '처음 – 가운데 – 끝'의 짜임에 맞게 내용을 구성하였는가?

고난도 서술형

08 〈보기 1〉의 앞에 〈보기 2〉를 보충한다고 할 때, 〈보기 1〉에 대한 고쳐쓰기 방안을 〈조건〉에 맞게 쓰시오.

보기 1

귀지란 귓구멍 속에 낀 때를 말한다. 때라고 하니까 더럽고 쓸데없는 것이라고 생각하기 쉽지만 사실은 그렇지 않다. 귀지를 파지 않아도 되는 까닭을 알아보자.

보기 2

우리는 가끔 말을 잘 알아듣지 못하는 사람들에게 "제발 귀지 좀 파."라고 이야기할 때가 있다. 귓속에 귀지가 쌓이면 정말 잘 들리지 않게 될까? 그리고 귀지를 파도 괜찮을까?

조건

① 〈보기 1〉의 구성 단계를 포함하여 쓸 것
② 읽는 이와 관련된 내용을 한 문장으로 쓸 것

실전에 강한 중간 · 기말고사 대비 모의고사

01~04 다음 글을 읽고, 물음에 답하시오.

1(1) 단원

가 친구들은 아주 많이 슬프거나 화가 날 때, 혹은 걱정이 있을 때 어떻게 해? 어떤 영화의 주인공은 그럴 때 달리기를 하더라고. 심장이 터질 때까지 달리기를 하다 보면 어느새 마음이 가라앉는다는 거야. 또 어떤 사람은 그럴 때 노래를 부르기도 하더군. 큰 소리로 노래를 부르다 보면 어느 틈엔가 거북하고 불편했던 마음이 조금씩 평온해지는 걸 느낀대.

나 ㉠이덕무는 달리기나 노래를 하는 대신에 책을 읽었던 거야. 우리도 평소에 좋아하는 책을 한두 권쯤 정해 두는 건 어떨까? 아주 재미있거나 감동적인 책으로 말이야. 그래서 아주 많이 슬프거나 화가 나거나 외로울 때 조금씩 읽어 보는 거야.

다 재미있는 책을 읽을 때는 시간 가는 줄도 모르고, 걱정이나 근심도 잊고 그 책에 푹 빠지잖아. 그러다 보면 정말 마음이 고요해지면서 다시 씩씩하게 생활할 수 있는 용기가 생겨날지도 모르니까. 그리고 또 혹시 알아? 글을 읽던 중 갑자기 그 근심거리를 해결할 수 있는 좋은 생각이 떠오를지!

그리고 꼭 그 순간에 책을 읽지 않더라도, 예전에 읽었던 책이 도움이 될 때도 있어. 책을 소리 내어 읽으면 그 소리를 내 몸이 기억한다고 했지? 속으로 읽거나 마음의 눈으로 읽은 것도 마찬가지야. 내 몸속 어딘가에 저장 혹은 기억되어 있다가 어느 날 문득 떠오르면서 우리를 흥분시킬 수도 있고, 삶을 잘 살아갈 수 있는 용기와 힘을 주기도 하는 거지.

이덕무는 마음이 불편할 때뿐만 아니라 몸이 아플 때도 글을 읽으면 도움이 된다고 했잖아. 특히 감기에 걸려서 기침을 할 때 소리를 내서 글을 읽다 보면 몸속에 기운이 잘 흐르게 되어서 기침이 멎게 된다는 거야. 친구들도 감기에 걸렸을 때 이 방법을 한번 활용해 봐.

라 이렇게 보니까 ㉡글을 읽는 것은 정말 만병통치약인 것 같아. 글 속에 담긴 뜻을 이해하면서 지혜로워지고, 몰랐던 것들을 알게 되면서 지식을 쌓는 건 말할 것도 없고, 배고픔이나 추위도 잊을 수 있고, 걱정이나 근심을 해결하며 몸의 병도 낫게 한다니, 이보다 더 좋은 만병통치약이 어디 있겠어?

01 이 글에 대한 설명으로 알맞지 <u>않은</u> 것은?

① 마음을 다스리는 다양한 방법을 제시하고 있다.
② 책 읽기가 우리에게 주는 여러 가지 유익함을 언급하고 있다.
③ 독자에게 슬프거나 외로울 때 좋아하는 책을 읽어 볼 것을 권유하고 있다.
④ 책을 제대로 읽기 위해서는 먼저 마음을 다스려야 한다는 것을 강조하고 있다.
⑤ 책 읽기의 가치를 효과적으로 설명하기 위해 책 읽기를 다른 대상에 빗대어 표현하고 있다.

02 (다)를 읽고 보인 반응 가운데 글의 내용과 직접적인 관련이 <u>적은</u> 것은?

① 가을: 나는 언니와 다툰 후에 「흥부전」의 내용이 떠올랐어.
② 규선: 나는 모든 것에 순위를 매기는 어른을 볼 때면 「어린 왕자」가 생각이 나.
③ 서연: 나는 감기에 걸렸을 때 「의학 사전」을 읽으면 감기가 저절로 낫는 느낌이 들어.
④ 연우: 나는 마음속 갈등을 겪을 때면 「자전거 도둑」에서 '수남'이 한 선택을 떠올리곤 해.
⑤ 준하: 나는 출신 지역이나 학벌에 따라 사람을 평가하는 모습을 보면서 「홍길동전」에 나타난 차별 없는 세상이 중요하다는 것을 느꼈어.

03 ㉠이 의미하는 바로 가장 적절한 것은?

① '이덕무'는 달리기나 노래하는 것을 싫어했다.
② '이덕무'는 책을 읽으면서 마음의 평온을 느꼈다.
③ '이덕무'는 달리기나 노래하는 것에 소질이 없었다.
④ '이덕무'는 책 읽기의 가치를 달리기와 노래에 견주었다.
⑤ '이덕무'는 책을 읽으면서 달리기하거나 노래하는 기분을 느꼈다.

서술형

04 다음은 ㉡의 이유를 정리한 것이다. 빈칸에 들어갈 알맞은 말을 쓰시오.

> 책을 읽으면 살아가는 데 도움이 되는 (　　　　)와/과 (　　　　)을/를 쌓을 수 있으며, 배고픔과 추위, 골치 아픈 일을 해결하고 몸의 병까지 낫게 할 수 있기 때문이다.

05~08 다음을 읽고, 물음에 답하시오.

| 1(2) 단원 |

가 여러분! 혹시 ㉠'보릿고개'라는 말을 아시나요? '보릿고개'는 지난가을에 수확한 양식이 바닥나 굶주려야만 했던 시기를 뜻합니다. 약 60년 전만 해도 우리나라에는 '보릿고개'가 존재했지만 지금의 우리에게는 낯선 말입니다. 그런데 세계에는 아직도 한 끼조차 제대로 먹지 못하는 사람들이 상상할 수 없을 정도로 많다고 합니다.

나 먼저 이 지도를 보시죠. 이 지도는 전 세계에서 영양실조를 겪고 있는 사람들의 분포와 비율을 나타낸 '세계 기아 실태 지도'입니다. 보시는 바와 같이 기아 인구는 세계 곳곳에 넓게 퍼져 있으며, 심각한 곳은 전체 인구의 35 퍼센트 이상이 기아로 고통받고 있습니다. 유엔 세계 식량 계획[WFP]에서 발표한 통계 자료에 따르면 세계 인구의 약 9분의 1이 극심한 영양실조를 겪고 있고, 5세 이하의 영·유아 중 절반이 영양실조로 사망하고 있다고 하니, 정말 안타까운 일입니다.

다 유엔 식량 농업 기구[FAO]에서 발표한 '평균 식품 에너지 공급 충분성' 자료를 보면, 전 세계 평균 식품 에너지 공급 충분성 지수는 계속 증가하여 2014년~2016년에는 약 125 퍼센트에 이르고 있습니다. 이는 전 세계 모든 사람에게 식품을 충분히 공급하고도 남는다는 것을 뜻합니다. 이처럼 충분한 식량이 있는데도 수많은 사람이 기아에 시달리고 있다니 이해하기 어렵습니다. 과연 그 원인은 무엇일까요? 이 책의 글쓴이는 다양한 관점에서 문제의 원인을 분석하고 있는데요, 저희는 그중 몇 가지만 소개하겠습니다.

라 지금까지 기아 문제의 심각성과 그 원인, 그리고 우리가 할 수 있는 일을 알아보았습니다. 여러분, 법정 스님은 ㉡"나만 다 차지하고 살 수 있는 세상이 아니다. 서로 얽혀 있고 서로 의지해 있다."라고 하였습니다. 그렇습니다. 법정 스님의 말처럼 세계의 기아 문제는 결코 우리와 동떨어진 일이 아닙니다. 우리 모두의 문제입니다. 오늘 발표를 듣고, 여러분도 세계의 이웃을 생각하여 함께 고민해 주세요. 우리의 생각이 모이면 세계를 바꿀 수 있습니다.

05 이 발표에 대한 설명으로 알맞지 않은 것은?

① '기아 문제의 심각성과 해결 방법'에 대해 다루고 있다.
② (가)에서는 '보릿고개' 시절의 음식을 같이 제시하면 더 효과적일 것이다.
③ (나)의 지도에는 '세계 기아 실태와 기아 문제의 심각성'이라는 핵심 정보가 담겨야 한다.
④ (다)에서 제시할 자료에는 '기아 문제가 발생하는 원인'을 열거한 핵심 정보가 담겨야 한다.
⑤ (라)는 앞에서 발표한 내용을 요약하고, 듣는 이에게 동참을 호소하며 마무리하고 있다.

06 (다)와 (라)의 내용으로 보아, (다) 이후의 발표 내용이 전개될 방식을 바르게 예측한 것은?

① 시간의 순서에 따른 구성
② 공간의 이동에 따른 구성
③ 대상의 구조나 쓰임에 따른 구성
④ 사건의 원인과 결과에 따른 구성
⑤ 문제의 원인과 해결 방법에 따른 구성

07 ㉠을 언급한 이유로 가장 적절한 것은?

① '보릿고개'라는 이름을 설명하기 위해
② 우리나라의 기아 문제를 제기하기 위해
③ '보릿고개'를 극복하는 방법을 제시하기 위해
④ 세계 기아 문제가 우리나라 때문임을 강조하기 위해
⑤ 세계 기아 문제의 심각성 및 해결 방법과 자연스럽게 연관 짓기 위해

08 ㉡을 인용한 까닭으로 가장 알맞은 것은?

① 발표 내용의 객관성을 확보하기 위해
② 전문가를 통해 정확한 용어의 뜻을 알리기 위해
③ 기아 문제의 해결을 종교적인 방법에서 찾기 위해
④ 기아 문제를 손쉽게 해결할 수 있는 방법이 있음을 강조하기 위해
⑤ 권위 있는 사람의 말을 인용하여 발표자의 생각을 호소력 있게 전하기 위해

09 공간의 이동에 따라 내용을 조직하기에 가장 적절한 발표 주제는?

① '차별'과 '차이'의 올바른 인식
② 독립 기념관의 배치 및 관람 순서
③ 청소년 언어문화의 실태 조사 결과
④ 경복궁의 건축 구조 및 각 건물의 쓰임
⑤ 임진왜란이 일어난 이유와 전쟁 후 조선의 변화

10~13 다음을 읽고, 물음에 답하시오.

| 1(2) 단원 |

(가) 1단계: 책 선정하기

책 제목	『지구인의 도시 사용법』
글쓴이	박경화
이 책을 선정한 까닭	㉠우리 모둠은 이 책을 골라 온 지희의 이야기를 듣고, 우리의 사소한 행동이 지구 반대편의 친구들에게 큰 피해를 줄 수 있다는 것에 놀랐다. 또 인터넷으로 조사해 보니, 이 책은 '환경부가 고른 우수 환경 도서'로 뽑히기도 했고, 글쓴이는 환경 단체에서 활동을 하면서 환경이나 생태와 관련한 책을 많이 쓴 사람이었다. 그래서 우리 모둠은 이 책이 환경 분야와 관련하여 믿을 만한 책이라고 생각하여, 이 책을 읽기로 하였다.

(나) 2단계: 책 읽고, 발표 주제 정하기

책 제목 / 글쓴이	『지구인의 도시 사용법』 / 박경화
내용 한 줄 요약	바다에 버려진 플라스틱 쓰레기 때문에 바다가 오염되었고, 바다에서 살아가는 생물들이 멸종할 위기에 처했다.
가장 인상 깊었던 부분	미국의 사진작가 크리스 조던은 2009년 북태평양 미드웨이섬에서 촬영한 충격적인 사진을 누리집에 공개했다. 사진 속에는 멸종 위기종인 앨버트로스가 죽어 있었고, 그 몸속에는 작은 플라스틱 조각들이 가득 차 있었다.
깨달은 점	북태평양은 매우 깨끗한 지역이고 생물들이 살아가기에 좋은 곳이라고 생각했다. 하지만 새의 몸속에 플라스틱 조각들이 가득 차 있었다는 이야기를 읽고는 환경 문제가 우리가 생각하는 것보다 매우 심각한 상황임을 깨달았다.

10 (가)와 (나)에 대한 설명으로 알맞은 것은?

① (가)와 (나)는 독서록을 쓰기 위한 기초 자료이다.
② (가)는 책을 읽고 내용을 정리한 독서 카드이다.
③ (가)에는 책을 쓴 글쓴이에 대한 정보가 나타난다.
④ (나)에는 모둠원이 책을 선정한 까닭이 제시되어 있다.
⑤ (나)의 다음 순서는 책에 대한 감상을 발표하는 단계이다.

서술형

11 (가)와 (나)로 보아 ㉠이 환경 오염에 대해 발표한다고 할 때, 발표 주제를 쓰시오.

12 (가)와 (나)로 보아 ㉠이 발표할 내용을 조직한다고 할 때, 적절한 내용이 아닌 것은?

① 처음: 발표자 소개
② 처음: 발표 주제 제시
③ 가운데: 플라스틱의 쓰임새 제시
④ 가운데: 플라스틱 사용을 줄이기 위한 해결 방안 제시
⑤ 끝: 지구 환경 오염을 예방하기 위한 당부

13 ㉠이 <보기>를 활용하여 발표를 한다고 할 때, <보기>를 통해 드러낼 수 있는 핵심 정보로 알맞은 것은?

보기: 폐기된 플라스틱 처리 실태를 나타내는 그래프

① 플라스틱 사용을 줄일 수 있는 방법
② 일상생활에서 플라스틱이 쓰이는 다양한 예
③ 가정에서 플라스틱을 재활용한 구체적 사례
④ 바다 오염을 일으키는 주요 요인이 플라스틱이라는 사실
⑤ 플라스틱을 개발하게 된 배경과 플라스틱이 널리 보급된 이유

14 담화에 대한 설명으로 알맞은 것은?

① 담화는 말하는 이와 듣는 이로만 구성된다.
② 담화는 말하는 이의 일방적인 의사소통이다.
③ 담화 참여자 외에 맥락은 고려하지 않아도 된다.
④ 같은 말이라도 의사소통 상황에 따라 뜻이 달라질 수 있다.
⑤ 담화는 지역, 세대, 성별, 문화, 역사적 상황 등에 상관없이 통용된다.

15~18 다음을 읽고, 물음에 답하시오.

| 2(1) 단원 |

가 아침에 체험 활동 장소에서, 한 친구가 다른 친구에게 무엇을 타고 왔는지 물어보는 상황

세민: ㉠어떻게 왔어?
민재: 난 버스 타고 왔어.

나 어머니께서 늦은 밤까지 나와 함께 있는 친구에게 언제 집으로 돌아갈 것인지 물어보는 상황

어머니: ㉡어머니께서 걱정하시지 않니?
친구: 이것만 보고 갈게요.

15 (가)에 대한 설명으로 알맞지 않은 것은?

① 첫 발화의 말하는 이는 '세민'이다.
② 첫 발화의 듣는 이는 '민재'이다.
③ 담화가 이루어진 시간은 저녁이다.
④ 담화가 이루어진 공간은 체험 활동 장소이다.
⑤ '민재'는 '세민'의 말에 자신이 이용한 교통수단을 이야기했다.

서술형

16 (가)의 상황을 고려하여 ㉠의 의미를 쓰시오.

17 ㉡의 의미로 알맞은 것은?

① 내가 걱정하고 있는 거 모르니?
② 너희 어머니는 걱정이 많으시구나.
③ 시간이 늦었으니 어서 집으로 돌아가렴.
④ 집에 갈 때 놓고 가는 물건이 없도록 해라.
⑤ 너 때문에 우리 애가 공부할 시간이 없구나.

서술형

18 다음은 (가)와 (나)를 통해 알 수 있는 내용이다. 빈칸에 들어갈 말을 쓰시오.

> 같은 말이나 글도 의사소통이 언제, 어디에서 이루어지느냐에 따라 뜻이 달라질 수 있다. 이와 같이 담화가 이루어지는 구체적인 시간과 공간을 가리켜 □□ □□이라고 한다.

19 <보기>에 제시된 상황에서 공통적으로 쓸 수 있는 문구로 가장 알맞은 것은?

보기

[지하철역]
차례를 지키세요.

[건널목]
무단 횡단을 하지 마세요.

[해수욕장]
쓰레기를 버리지 마세요.

① 먼저 하세요. ② 지구가 아파해요.
③ 욕심을 버리세요. ④ 양심을 지키세요.
⑤ 가족을 생각하세요.

고난도 서술형

20 다음은 외국 여성이 시장에서 겪은 일이다. 이를 바탕으로 다른 문화권의 사람과 원활하게 의사소통하기 위해 고려해야 할 사항을 쓰시오.

> 친구와 재래시장을 지나가는 중에, 생선 가게 주인이 나에게 "어머니, 생선 사세요."라고 말했다. 나는 깜짝 놀라 "어머, 저는 당신 어머니가 아니에요."라고 말했다. 이 상황을 본 친구는 웃으면서 한국에서는 자신의 어머니와 비슷한 나이의 여성에게 '어머니'라고 부른다고 말해 주었다.

조건

① '관용적 표현'이라는 단어를 포함하여 쓸 것

• 정답과 해설 38쪽

21~23 다음을 읽고, 물음에 답하시오.

2(1)+2(2) 단원

가 지역 방언으로 쓴 안내문과 함께 제시한 표준어 풀이

지역 방언: 우아, 몬당서 채리보이 통영항 갱치가 참말로 쥑이네!

표준어: 우아, 언덕에서 바라보니 통영항 경치가 정말 그만이네!

나 평일 저녁, 거실에서 이루어진 엄마와 아들의 대화

아들: 엄마, 이번 주말에는 무조건 놀이공원에 가요.

엄마: 놀이공원은 무슨……. 어린아이도 아니고…….

아들: 아니, 제 소원 하나도 못 들어주시는 거예요?

21 (가)와 (나)에 대한 설명으로 알맞지 않은 것은?

① (가)에는 지역에 따른 담화의 차이가 나타난다.
② (가)의 표준어 풀이는 해당 지역의 방언을 모르는 사람들을 위한 것이다.
③ (나)의 담화 참여자는 엄마와 아들이다.
④ (나)의 상황 맥락은 평일 저녁의 거실이다.
⑤ (가)와 (나)는 담화의 사회·문화적 맥락이 동일하다.

22 (가)에서 안내문을 지역 방언으로 쓴 까닭으로 알맞은 것은?

① 해당 지역의 방언을 보존하기 위해서
② 다른 지역의 안내문과 차별화하기 위해서
③ 해당 지역 방언의 우수성을 강조하기 위해서
④ 해당 지역의 특색과 분위기를 드러내기 위해서
⑤ 해당 지역의 방언과 표준어의 차이점을 부각하기 위해서

23 (나)의 듣기·말하기 참여자들에게 공통적으로 필요한 것은?

① 자기감정의 적극적인 표현
② 상대를 설득하기 위한 타당한 근거
③ 상대의 말을 긍정적으로 듣는 태도
④ 상대의 지식수준을 고려한 용어 사용
⑤ 상대의 의도를 고려한 대화 수용 자세

24 〈보기〉의 강연자가 고려해야 할 사항으로 알맞은 것은?

보기

① 의사소통의 목적　② 강연 내용의 전문성
③ 듣는 이와의 친밀도　④ 듣는 이의 지식수준
⑤ 듣는 이의 관심 분야

25~26 다음 글을 읽고, 물음에 답하시오.

2(2) 단원

대화, 강연, 소개, 수업 등 모든 듣기·말하기 활동은 같은 내용으로 시작해도 참여자들의 상황, 지식수준, 참여자들 간의 관계 등에 따라 이야기가 전혀 다르게 전개될 수 있다. 이는 듣기·말하기 활동이 일방적으로 뜻을 전달하고 전달받는 의사소통 과정이 아니라, 상대와 더불어 내용을 창조하고 그 의미를 공유해 가는 과정이기 때문이다. 따라서 의미 있고 즐겁게 의사소통을 하려면 듣기·말하기 활동에 협력적으로 참여하는 자세가 필요하다.

25 이 글의 내용을 바르게 이해하지 못한 것은?

① 듣기·말하기 활동은 일방적으로 뜻을 전달하고 전달받는 의사소통 과정이 아니다.
② 의사소통을 잘 하려면 듣기·말하기 활동에 협력적으로 참여하는 자세가 필요하다.
③ 대화에 참여하는 사람의 지식수준이나, 참여자들 간의 관계도 대화 내용에 영향을 준다.
④ 듣기·말하기 활동은 듣는 이의 입장에 상관없이 말하는 이의 의도만 정확하게 전달하면 된다.
⑤ 같은 내용으로 시작해도 참여자들의 상황에 따라 이야기가 전혀 다르게 전개되는 경우도 있다.

서술형

26 이 글을 통해 알 수 있는 듣기·말하기의 특성을 30어절로 쓰시오.

● 정답과 해설 39쪽

01~05 다음을 읽고, 물음에 답하시오.

| 3(1) 단원 |

가 먼 훗날 당신이 찾으시면 / 그때에 내 말이 '잊었노라'

당신이 속으로 나무라면 / '무척 그리다가 잊었노라'

그래도 당신이 나무라면 / '믿기지 않아서 잊었노라'

㉠오늘도 어제도 아니 잊고 / 먼 훗날 그때에 '잊었노라'

나 ㉡길이 끝나는 곳에서도 / 길이 있다
길이 끝나는 곳에서도 / 길이 되는 사람이 있다
스스로 봄 길이 되어
끝없이 걸어가는 사람이 있다
강물은 흐르다가 멈추고
새들은 날아가 돌아오지 않고
하늘과 땅 사이의 모든 꽃잎은 흩어져도
보라
사랑이 끝난 곳에서도
사랑으로 남아 있는 사람이 있다
스스로 사랑이 되어
한없이 봄 길을 걸어가는 사람이 있다.

다 ⓐ이젠 당신이 그립지 않죠, 보고 싶은 마음도 없죠.
ⓑ사랑한 것도 잊혀 가네요, 조용하게.
알 수 없는 건 그런 내 맘이
비가 오면 눈물이 나요.
아주 오래전 당신 떠나던 그날처럼.
ⓒ이젠 괜찮은데, 사랑 따윈 저버렸는데
바보 같은 난 눈물이 날까.

아련해지는 빛바랜 추억 그 얼마나 사무친 건지.
미운 당신을 아직도 나는 그리워하네.
이젠 괜찮은데, 사랑 따윈 저버렸는데
바보 같은 난 눈물이 날까.
다신 안 올 텐데, 잊지 못한 내가 싫은데
언제까지 내 맘은 아플까.
이젠 괜찮은데, 사랑 따윈 저버렸는데
ⓓ바보 같은 난 눈물이 날까.

01 (가)에 대한 설명으로 알맞지 않은 것은?

① 같은 시어가 반복된다.
② 민요와 같은 율격이 느껴진다.
③ 속마음을 반대로 표현하고 있다.
④ 떠난 임을 잊고자 하는 의지가 강하다.
⑤ 애상적 어조로 그리운 마음을 노래하고 있다.

02 (가)를 끊어 읽는 단위를 바르게 표시한 것은?

① 먼∨훗날∨당신이∨찾으시면
② 그때에∨내∨말이∨'잊었노라'
③ 당신이∨속∨으로∨나무라면
④ 오늘도∨어제도∨아니 잊고
⑤ 먼∨훗날∨그때에∨'잊었노라'

서술형

03 ㉠을 〈보기〉와 같이 바꾸어 썼을 때, 말하는 이의 정서 표현이 어떻게 달라지는지 쓰시오.

| 보기 |
오늘도 어제도 아니 잊고
먼 훗날 그때에도 잊지 못하리라

04 ㉡에 쓰인 표현에 대한 설명으로 알맞지 않은 것은?

① 실제의 의미보다 과장되게 표현하였다.
② 겉으로는 말이 안 되지만 깊은 뜻을 담고 있다.
③ 읽는 이에게 참신하고 신선한 느낌을 줄 수 있다.
④ 절망적인 상황에서도 희망이 존재한다는 표현이다.
⑤ '님은 갔지만 나는 님을 보내지 않았습니다.'에 쓰인 표현 방법과 동일하다.

05 ⓐ~ⓓ에 대한 설명으로 알맞지 않은 것은?

① ⓐ: 반어 표현을 사용하여 당신에 대한 그리움을 나타내고 있다.
② ⓑ: 어순을 바꿈으로써 의미를 강조하고 있다.
③ ⓒ: 역설 표현을 사용하여 말하는 이의 속마음을 점층적으로 강조하였다.
④ ⓓ: 동일한 위치에서 같은 문장을 반복하여 운율을 형성하고 있다.
⑤ ⓐ~ⓓ: 사랑하는 사람과 이별한 후의 슬픔을 담은 노랫말이다.

06~09 다음 글을 읽고, 물음에 답하시오.

| 3(2) 단원 |

가 머리통이 그렇게 큰 박 선생님의 얼굴은 어떻게 생겼느냐 하면, 또한 여느 사람과는 많이 달랐다.

뒤통수와 앞이마가 툭 내솟고, 내솟은 좁은 이마 밑으로 눈썹이 시꺼멓고, 왕방울 같은 두 눈은 부리부리하니 정기가 있고도 사납고, 코는 매부리코요, 입은 메기입으로 귀밑까지 넓죽 째지고, 목소리는 쇠꼬챙이로 찌르는 것처럼 쨍쨍하고.

나 이런 대갈장군인 뼘생 박 선생님과 아주 정반대로 생긴 이가 강 선생님이었다. / 강 선생님은 키가 크고, 몸집도 크고, 얼굴이 너부릇하고, 얼굴이 검기는 해도 순하여 사나움이 든 데가 없고, 눈은 더 순하고, 허허 웃기를 잘하고, 별로 성을 내는 일이 없고, 아무하고나 장난을 잘하고……. 강 선생님은 이런 선생님이었다.

다 뼘박 박 선생님과 강 선생님은 만나면 싸움이었다.

하학을 하고 나서, 우리가 청소를 한 교실을 둘러보다가 또는 운동장에서(그러니까 우리들이 여럿이는 보지 않는 곳에서 말이다.) 두 선생님이 만난다 치면, 강 선생님은 괜히 장난이 하고 싶어 박 선생님을 먼저 건드리곤 했다.

라 나도 여러 번 혼이 나 보았다.

한번은 상준이 녀석과 어떡하다 쌈이 붙었는데 둘이 서로 부둥켜안고 구르면서 이 자식아, 저 자식아, 죽어 봐, 때려 봐, 하면서 한참 때리고 제기고 하는 참이었다.

그런데, 느닷없이 / "고랏! 조센고데 겡까 스루야쓰가 이루까(이놈아! 조선말로 쌈하는 녀석이 어딨어)."

하면서 구둣발길로 넓적다리를 걷어차는 건, 정신없는 중에도 뼘박 박 선생님이었다.

마 강 선생님은 그와 반대로 아무 시비가 없었다.

교실에서 공부를 할 때 빼고는 그리고 다른 선생님, 그중에서도 교장 이하 일본 선생님들과 뼘박 박 선생님이 보지 않는 데서는, 강 선생님은 우리한테, 일본 말로 말을 하지 않았다. 우리들이 일본 말을 해도 강 선생님은 조선말을 하곤 했다.

우리가 어쩌다 / "선생님은 왜 '국어(일본 말)'로 안 하세요?"

하고 물으면 강 선생님은 웃으면서

"나는 '국어'가 서툴러서 그런다." / 하고 대답했다.

그렇지만 우리가 보기에도 강 선생님은 일본 말이 서투른 선생님이 아니었다.

---

06 이 글에 대한 설명으로 알맞지 않은 것은?

① 어린아이를 서술자로 설정했다.
② 작품 속에 관찰자인 '나'가 등장한다.
③ 인물과 사회의 결점이나 모순을 풍자한다.
④ 주요 인물의 외양을 대조적으로 묘사했다.
⑤ 산업화 시기 농촌의 어려운 생활상을 표현했다.

07 이 글에 대한 감상으로 가장 적절한 것은?

① '박 선생님'과 '강 선생님'은 사이가 매우 좋다.
② '나'는 선생님의 말씀을 듣지 않고 친구들과 자주 다투는 말썽꾼이다.
③ 어린아이인 '나'는 '박 선생님'의 진실한 모습을 이해하지 못하고 있다.
④ '강 선생님'은 민족정신을 지키기 위해 의도적으로 조선말을 사용하고 있다.
⑤ '박 선생님'은 일본에 대해 잘 알기 위해 학생들에게 평소에도 일본 말을 사용하라고 한 것이다.

08 (가)에서 인물을 희화화한 의도로 알맞은 것은?

① '박 선생님'의 됨됨이를 풍자하기 위해
② '박 선생님'에 대한 존경심을 드러내기 위해
③ '박 선생님'의 소박한 면모를 강조하기 위해
④ '박 선생님'의 친근한 성격을 부각시키기 위해
⑤ '박 선생님'의 성격을 객관적으로 제시하기 위해

서술형

09 다음은 '박 선생님'과 '강 선생님'에 대한 '나'의 시각을 나타낸 것이다. 빈칸에 들어갈 알맞은 말을 순서대로 쓰시오.

'박 선생님'		'나'		'강 선생님'
□□□	←		→	□□□

10~13 다음 글을 읽고, 물음에 답하시오.

3(2) 단원

가 선생님들이, 그중에서도 ㉠뼘박 박 선생님이 그렇게도 일본(우리 대일본 제국)은 결단코 전쟁에 지지 않는다고, 기어코 전쟁에 이기고 천하에 못된 미국, 영국을 거꾸러뜨려 천황 폐하의 위엄을 이 전 세계에 드날릴 날이 머지않았다고, 하루에도 몇 번씩 그런 말을 해 쌓던 그 일본이 도리어 지고 항복을 하다니, 도무지 모를 일이었다.

나 뼘박 박 선생님은 학과 시간마다 우리에게 여러 가지 좋은 이야기를 많이 해 주었다. 일본이 우리 조선을 뺏어 저의 나라에 속국으로 삼던 이야기도 해 주었다.

㉡왜놈들은 천하의 불측한 인종이어서 남의 나라와 전쟁하기를 좋아하는 백성이라고 했다. 그래서 임진왜란 때에도 우리 조선에 쳐들어왔고, 그랬다가 이순신 장군이랑 권율 도원수한테 아주 혼이 나서 쫓겨 간 이야기도 해 주었다.

다 뼘박 박 선생님은 한 일 년 그렇게 미국 말 공부를 하더니, 그다음부터는 미국 병정이 오든지 하면 일쑤 통역을 하고 했다. 중학교에 다닐 때에 조금 배운 것이 있어서 그렇게 쉽게 체득했다고 했다.

미국 병정은 벼 공출을 감독하러 와서 우리 뼘박 박 선생님을 그 꼬마 자동차에 태워 가지고 동네 동네 돌아다녔다. 뼘박 박 선생님은 미국 양복을 얻어 입고, 미국 통조림이랑 과자를 얻어먹고 했다.

라 ㉢뼘박 박 선생님은 미국을 침이 마르도록 칭찬했다. 이 세상에 미국같이 훌륭한 나라가 없고, 미국 사람같이 훌륭한 백성이 없다고 했다. 우리 조선은 미국 덕분에 해방이 되었으니까 미국을 누구보다도 고맙게 여기고, 미국이 시키는 대로 순종해야 하느니라고 했다.

마 우리는 뼘박 박 선생님더러 미국에도 덴노헤이까가 있느냐고 물었다. 미국에 덴노헤이까가 있지 않고서야 그렇게 일본의 덴노헤이까처럼 우리 조선 사람을 친아들과 같이 사랑하고, 우리 조선 사람들이 잘 살도록 근심을 하며, 온갖 물건을 가져다주고 할 이치가 없기 때문이었다(해방 전에 뼘박 박 선생님은, 덴노헤이까는 우리 조선 사람들을 일본 사람들과 같이 사랑하고, 우리 조선 사람들이 잘 살기를 근심하신다고 늘 가르쳐 주곤 했다.).

ⓐ뼘박 박 선생님은 미국에는 덴노헤이까는 없고, 덴노헤이까보다 훌륭한 '돌멩이'라는 양반이 있다고 대답했다.

10 '박 선생님'이 미국 말을 열심히 공부한 까닭으로 가장 적절한 것은?

① 미국으로 이민을 가기 위해서
② 학교에서 미국 말을 가르치기 위해서
③ 일본 말보다 미국 말이 사용하기 편해서
④ 미국에 협력하여 개인적인 이익을 얻기 위해서
⑤ 일본에 협력했던 과거를 깨끗이 지우기 위해서

11 ㉠~㉢을 통해 '박 선생님'을 가장 정확하게 파악한 학생은?

① 가영: 세계 각국의 형편을 읽는 눈이 정확해.
② 기현: 권력의 무상함에 대한 깨달음을 얻고 있어.
③ 민지: 미국, 영국, 일본을 끝까지 추종하는 걸 보니, 사대주의 사상이 강해.
④ 은경: 영향력이 큰 나라에 빌붙는 모습을 보니, 기회주적인 면모를 알 수 있어.
⑤ 혜연: 강한 나라를 본받아야 한다고 강조하는 것으로 보아, 교육의 중요성을 알고 있어.

12 ⓐ를 통해 얻을 수 있는 효과로 알맞지 않은 것은?

① 읽는 이의 웃음을 유발할 수 있다.
② 읽는 이와의 공감대를 형성할 수 있다.
③ 인물의 부정적인 모습을 부각할 수 있다.
④ 인물을 비판적으로 바라볼 수 있게 한다.
⑤ 읽는 이에게 내면의 의미를 생각해 보게 한다.

서술형

13 다음 시조에서 '박 선생님'과 비슷한 유형에 해당하는 대상을 찾고, 대상을 통해 풍자하는 바를 쓰시오.

> 두꺼비 파리를 물고 두엄 위에 치달아 안자
> 건넛산 바라보니 백송골이 떠 있거늘 가슴이 섬뜩하여 풀떡 뛰어 내닫다가 두엄 아래 자빠지거고
> 모쳐라 날랜 나일망정 어혈 질 뻔하여라.

14~17 다음 글을 읽고, 물음에 답하시오.

3(3) 단원

(가) 그 날은 가만히 있어도 땀이 날 정도로 무척 더웠다. 나는 빨리 집에 들어가 씻고 싶다는 ㉠기억뿐이었다. 나는 걸음을 재촉하여 집 근처에 도착했다. 그런데 골목길 한구석에서 주인을 잃어버린 강아지가 나를 애처롭게 바라보고 있었다. 모른 체하고 집에 들어가려 했지만, 난 발을 뗄 수 없었다. 문득 민들레가 떠올랐기 때문이다. 힘없는 눈빛으로 날 바라보던 민들레가.

(나) 초등학교 2학년 때, 어느 봄날이었다. ㉡한 할머니께서 병아리를 나누어 주는 걸 보았다. 노란 털로 덮여 있는 병아리는 정말 매력적이었다. ㉢그런데 난 그 앞에 쪼그리고 앉아 한참이나 병아리를 바라보았다. 나는 병아리를 키우게 해 달라고 엄마께 조르기 시작했다. 처음에는 반대하셨던 엄마도 결국은 허락해 주셨다. 그렇게 나와 민들레의 인연이 시작되었다.

(다) 사랑스러운 민들레는 우리 집 마당에서 지냈다. 그래서 비가 오는 날이면 마당에 혼자 있을 민들레가 걱정스러웠다. 나는 비가 오면 엄마 몰래 민들레를 방 안에 데리고 왔다. 엄마께 들킬지도 모른다는 생각에 가슴이 두근거렸다. 하지만 민들레와 함께하는 기쁨이 더 컸기에 엄마의 꾸중도 ㉣대수롭지 않았다.

(라) 그러나 그런 기쁨도 잠시뿐이었다. 어느 날, 민들레는 어디가 아픈지 꼼짝도 않고 하루 종일 시름시름 앓았다. 우리 가족은 밤을 꼬박 새우며 민들레를 정성껏 보살폈다. ㉤하지만 민들레는 일어날 낌새를 전혀 보였고, 결국 우리 곁을 떠났다. 나는 작별 인사도 제대로 하지 못하고 민들레를 떠나보냈다는 생각에 가슴이 먹먹했다. 그 후로 오랜 시간이 지났지만, 이렇게 안쓰러운 동물들을 볼 때면 어김없이 민들레가 떠오른다.

(마) 병아리를 집으로 데려온 날, 우리 가족은 병아리에게 민들레라는 이름을 지어 주었다. 병아리가 민들레처럼 튼튼하게 어느 곳에서나 잘 자라길 바라면서 말이다. 민들레는 우리를 참 잘 따랐다. 우리가 "민들레!" 하고 부르면 자기 이름을 알아듣고 우리 곁으로 다가왔고, 우리 곁을 맴돌면서 삐악삐악 노래도 부르고 귀여웠고, 우리는 그런 민들레를 사랑할 수밖에 없었다.

14 이 글의 제목으로 가장 적절한 것은?

① 보고 싶다, 민들레
② 이제 잊을게, 민들레
③ 그립고 아팠던 그 시절
④ 민들레 꽃향기에 담긴 추억
⑤ 민들레는 아픔만 남기고 그렇게 떠났다

15 글의 전체 흐름을 고려하여 (가)~(마)를 바르게 배열한 것은?

① (가) → (나) → (다) → (마) → (라)
② (가) → (나) → (라) → (다) → (마)
③ (가) → (나) → (마) → (다) → (라)
④ (가) → (다) → (나) → (마) → (라)
⑤ (가) → (마) → (나) → (다) → (라)

고난도 서술형

16 〈보기〉를 참고하여 (마)에서 어색한 문장을 찾아 바르게 고쳐 쓰시오.

보기

문장 수준에서 글을 고쳐 쓸 때에는 문장의 길이가 적절한지, 낱말들 사이의 호응이 자연스러운지, 우리말 어법에 맞는지 등을 살펴보아야 한다.

조건

① 문장이 어색한 까닭을 쓸 것

17 ㉠~㉤을 고쳐 쓴 것으로 적절하지 않은 것은?

① ㉠: 생각
② ㉡: 한 할머니께서 병아리를 나누어 주시는 걸 보았다.
③ ㉢: 그래서
④ ㉣: 시시하지
⑤ ㉤: 하지만 민들레는 일어날 낌새를 전혀 보이지 않았고, 결국 우리 곁을 떠났다.

18~21 **다음 글을 읽고, 물음에 답하시오.**

4(1) 단원

가 발효 식품은 건강식품으로 널리 알려져 있다. 또한 다양한 발효 식품이 특유의 맛과 향으로 사람들의 입맛을 사로잡고 있다. 앞에서 소개한 요구르트, 하몬, 된장을 비롯하여 달콤하고 고소한 향으로 우리를 유혹하는 빵, 빵과 환상의 궁합을 자랑하는 치즈 등을 그 예로 들 수 있다.

나 발효란 곰팡이나 효모와 같은 미생물이 탄수화물, 단백질 등을 분해하는 과정을 말한다. 미생물이 유기물에 작용하여 물질의 성질을 바꾸어 놓는다는 점에서 발효는 부패와 비슷하다. 하지만 발효는 우리에게 유용한 물질을 만드는 반면에, 부패는 우리에게 해로운 물질을 만들어 낸다는 점에서 차이가 있다. 그래서 발효된 물질은 사람이 안전하게 먹을 수 있지만, 부패한 물질은 식중독을 일으킬 수 있어서 함부로 먹을 수 없다.

다 우리 김치가 우수한 것은 바로 이 젖산균과 젖산 때문이다. 젖산균과 젖산은 우리 몸 안에서 소화를 촉진하고 노폐물이 잘 배설될 수 있도록 돕는다. 또한 유해균이 번식하거나 발암 물질이 생성되는 것을 억제하기도 한다. 그래서 젖산균과 젖산이 풍부한 김치는 변비 및 대장암, 당뇨병 등을 예방하는 데에 효과적이다.

라 맛있는 음식을 만들 때 빠질 수 없는 전통 양념인 간장과 된장도 발효 식품이다. 먼저 간장을 만드는 과정을 살펴보자. 콩을 푹 삶아서 찧은 다음, 덩어리로 만든다. 이 콩 덩어리가 바로 메주이다. 메주를 따뜻한 곳에 두어 발효하고 소금물에 담가 우려낸다. 그 국물을 떠내어 달이면 간장이 완성된다.

마 된장은 필수 아미노산이 풍부해서, 아미노산이 적은 쌀밥을 주로 먹는 우리에게 꼭 필요한 식품이다. 또한 간 기능을 높이고, 피부병과 성인병을 예방하는 데에도 효과적이다. 이와 더불어 된장은 '암을 이기는 한국인의 음식' 중 하나로 꼽힐 정도로 항암 효과가 뛰어나다. 이는 메주가 발효되는 과정에서 항암 물질이 만들어지기 때문이다.

18 **이 글에 대한 설명으로 알맞은 것은?**

① 발효 식품의 효능을 알리는 광고문이다.
② 발효 식품의 우수성을 설명하는 글이다.
③ 발효 식품에 대한 글쓴이의 경험을 담은 글이다.
④ 발효 식품을 많이 먹어야 한다고 호소하는 글이다.
⑤ 발효 식품에 대한 선입견을 버리자고 주장하는 글이다.

19 **(가)~(마)에서 알 수 있는 내용이 아닌 것은?**

① (가): 발효 식품은 맛이 있을 뿐 아니라 건강식품으로 널리 알려져 있다.
② (나): 발효와 부패는 만들어 내는 물질에 차이가 있다.
③ (다): 김치에 있는 젖산균과 젖산은 소화 촉진에 도움을 준다.
④ (라): 우리의 전통 양념인 간장과 된장도 발효 식품이다.
⑤ (마): 메주가 발효되는 과정에서 만들어지는 항암 물질은 부패하기 쉽다.

20 **(나)에서 사용한 설명 방법이 아닌 것은? (정답 2개)**

① 구체적인 예를 들어 설명한다.
② 원인과 결과를 중심으로 설명한다.
③ 대상의 본질, 개념, 뜻을 밝히며 설명한다.
④ 둘 이상의 대상을 견주어 서로 간의 공통점을 밝혀 설명한다.
⑤ 둘 이상의 대상을 견주어 서로 간의 차이점을 밝혀 설명한다.

서술형

21 **〈보기〉의 밑줄 친 부분에서 사용한 설명 방법이 무엇인지 쓰고, 이와 동일한 설명 방법이 쓰인 문장을 이 글에서 찾아 쓰시오.**

| 보기 |

국악기는 연주 방법에 따라 관악기, 현악기, 타악기로 나눌 수 있다. 관악기는 관 안의 공기를 진동시켜서, 현악기는 줄을 문지르거나 퉁겨서, 타악기는 두드려서 소리는 내는 악기이다.

● 정답과 해설 39쪽

22~25 다음을 읽고, 물음에 답하시오.

| 4(2) 단원 |

가 줄다리기

❶『민속』 여러 사람이 편을 갈라서, 굵은 밧줄을 마주 잡고 당겨서 승부를 겨루는 놀이. ≒ 견구(牽鉤)·마두희·발하(拔河)·삭전03(索戰)·타구04(拖鉤)·혈하희.

❷ 서로 지지 아니하려고 맞섬을 비유적으로 이르는 말.

–『표준 국어 대사전』

나 줄다리기의 기원은 정확히 알려지지는 않았지만, 우리나라에서는 벼농사가 활발하게 이루어졌던 한강 이남 지역에서 줄다리기 행사가 많이 이루어졌고, 이는 점차 북쪽으로 전해졌다. 그리고 중국과 일본, 동남아의 벼농사 지역에서도 우리와 비슷한 농경 행사로 줄다리기를 했다고 한다. 이처럼 동양의 줄다리기는 한해 농사의 풍년과 복을 기원하는 주술적 성격이 강한 민속 행사로 시작되었던 것으로 보인다. 그러니 오락적 기능보다는 행사를 통해 촌락의 단합을 강조하는 의례적 측면이 더 강한 놀이였다고 할 수 있다. – 최원석, 『과학은 놀이다』

다 줄다리기의 편을 가를 때 육지 지방에서는 대개 동부와 서부로 나누며, 섬 지방에서는 상촌·하촌으로 나누어 상촌은 남자 편, 하촌은 여자 편이 된다. 그리고 장가 안 간 총각은 여자 편이 된다. 그런데 동부·서부로 나누면 ㉠경상남도 영산(靈山) 지방에서는 동부가 수줄, 서부가 암줄인데 반하여, 전라남도 강진 지방에서는 그 반대이다. 그러나 어쨌든 결과적으로 암줄이 이겨야 그해에 풍년이 든다는 점에서는 같다.

– 한국 민족 문화 대백과사전(http://encykorea.aks.ac.kr)

라 우리나라는 전승 협회나 박물관에서 현재와 미래의 줄다리기 연행자에 해당하는 어린이들에게 줄다리기와 관련된 지식, 기술, 의미를 교육하고 있다. 초등학교에서 어린이들은 정규의 체육 수업이나 운동회에서 줄다리기를 경험할 수 있는데, 이 과정에서 어른과 협력하며 화합의 중요성을 깨닫고 유산이 지닌 가치를 배운다. 더불어 많은 지방 자치 단체가 과거에 사용했던 줄다리기 줄을 지역의 유산으로 지정하여 보존하고 있으며, 이를 통해서 줄다리기 놀이와 관련된 지식, 줄다리기 줄의 제작 방법 등에 관한 정보가 공유된다.

– 유네스코 인류 무형 문화 유산(http://www.unesco.org)

22 (가)~(라)의 자료를 바탕으로 설명하는 글을 쓸 때, 다룰 수 있는 내용이 아닌 것은?

① 줄다리기의 의미
② 줄다리기의 기원
③ 줄다리기의 전승 방식
④ 줄다리기의 편 구성 방식
⑤ 줄다리기를 전승하려는 노력

23 다음은 줄다리기에 관한 글을 쓰기 위해 (가)~(라)에 추가한 자료이다. 이 자료에 쓰인 설명 방법으로 알맞은 것은?

> 줄다리기는 오락거리로서 우리에게 즐거움을 주고, 근심과 걱정을 잊을 수 있도록 하여 정신적 건강에도 도움을 준다. 그뿐만 아니라, 줄다리기는 놀이에 참여하는 공동체를 결속하게 하고, 개인에게는 집단 구성원으로서의 정체성을 확립할 수 있도록 해 준다. 〈중략〉 이렇듯 줄다리기는 신체적·정신적·사회적 측면에서 조화를 이루는 놀이여서 교육적으로 가치가 있다. 우리는 이를 잘 보존하고 계승하기 위해 노력해야 한다.

① 정의 ② 비교 ③ 인과 ④ 인용 ⑤ 과정

서술형

24 다음은 ㉠의 내용을 정리한 것이다. 빈칸에 들어갈 말을 차례대로 쓰시오.

경상남도 영산 지방	↔	전라남도 강진 지방
동부: 수줄, 서부: ( )		동부: 암줄, 서부: ( )

⬇

> 줄다리기의 편을 가르는 방식에 대해 대상 간의 ( )을/를 밝혀 설명함.

25 (가)~(라)의 자료를 활용하여 설명하는 글을 쓸 때, 주의할 점이 아닌 것은?

① 적절한 설명 방법을 활용한다.
② 짜임새 있게 글의 내용을 조직한다.
③ 읽은 이가 이해하기 쉽게 설명한다.
④ 예상 독자의 수준과 흥미를 고려한다.
⑤ 풍부한 설명을 위해 주관적인 판단을 포함한다.

한·끝·시·리·즈 필수 개념과 시험 대비를 한 권으로 끝! 국어 공부의 진리입니다.

대표전화 1544-0554
주소 서울특별시 구로구 디지털로33길 48 대륭포스트타워 7차 20층

한·끝·시·리·즈 필수 개념과 시험 대비를 한 권으로 끝! 국어 공부의 진리입니다.

비상교육 누리집에 방문해보세요

http://book.visang.com/

발간 이후에 발견되는 오류 비상교재 누리집 〉 학습자료실 〉 중등교재 〉 정오표

본 교재의 정답 비상교재 누리집 〉 학습자료실 〉 중등교재 〉 정답 • 해설

교재 설문에 참여해보세요

QR 코드 스캔하기 → 의견 남기기 → 선물 받기!

ISBN 979-11-6227-649-5

정가 17,000원

품질혁신코드 VS01QI22_5